GUINNESS WORLD RECORDS 2023

MAIOR ALTITUDE SOBRE UM BALÃO

Bem-vindo ao *Guinness World Records 2023*! Comece essa jornada incrível de recordes batidos com essa vista de 4km acima do chão, cortesia de Rémi Ouvrard (FRA). Em 10/11/2021, o ousado Rémi se vestiu de astronauta para tirar uma selfie a 4.016m sobre Châtellerault, em Vienne, França. Ele estava sobre um balão conduzido por seu pai, Jean-Daniel, em uma façanha para ajudar o Teleton francês.

INTRODUÇÃO
Missões

3... 2... 1... Decolamos em outro *Guinness World Records* completamente revisado e atualizado! A edição de 2023 vai levá-lo a uma jornada para fora desse mundo, revelando os últimos e grandes feitos de quebra de recordes na Terra e no espaço por 9 "missões" (capítulos) cheias de superlativos. É hora de explorar a última fronteira...

Galerias cheias de fotografias épicas

Painéis que transmitem visualmente os fatos

JOVENS PRODÍGIOS
De volta por demanda popular está a seção de Jovens prodígios, que este ano homenageia 9 novos recordistas. Veja entrevistas exclusivas com esses jovens inspiradores de menos de 16 anos, que dividem seus feitos em assuntos tão diversos como se tornar o **grande-mestre do xadrez mais jovem**, ganhar um campeonato de *Tetris*, ser o **adolescente mais alto**... e até colecionar protetores labiais!

Missões	2
Carta do editor	4
Só para crianças!	8
Iniciativa de inclusão do GWR	10
Dia GWR	12

ESPAÇO
Foguetes	16
No limite do Espaço	18
Vida em órbita	20
Lixo espacial	22
Exploração robótica	24
Sistema Solar	26
Astronomia	28
Retrato: Telescópio espacial James Webb	30
Variedades	32
Hall da Fama: Wally Funk	34

VIDA NA TERRA
Megamamíferos	38
Veneno	40
Observação de aves	42
Animais bizarros	44
Luzes fantásticas	46
Pets e pecuária	48
Animais heróis	50
Retrato: Baleia-azul	52
Variedades	54
Hall da fama: Rumeysa Gelgi	56

CORPO HUMANO
Mais velhos...	60
Anatomia incrível	62
Unhas	64
Cabelo	66
O livro de casos de Adam Kay	68
Retrato: Maiores pés	70
Variedades	72
Hall da fama: Max Park	74

FAÇANHAS EXTRAORDINÁRIAS
Em família	78
Multitarefas	80
Habilidades incríveis	82
Coleções	84
Gigantes do jardim	86
Comemorações natalinas!	88
Fanáticos por ginástica	90
Habilidades com bola	92
Montanhismo	94
Jornadas épicas	96
Sem limites	98
Variedades	100
Retrato: Boneco de neve mais alto	102

JOVENS PRODÍGIOS
Wang Guanwutong / Qi Yufan	104
Michael "Dog" Artiaga	105
Abhimanyu Mishra	106
Scarlett Cheng	107
Olivier Rioux	108
Tyler Hainey	109
Rafał Biros	110
Brooke Cressey	111
Hall da fama: Lucky Diamond Rich	112

VOLTA AO MUNDO EM 300 RECORDES
EUA	116
Canadá	118
México	120
Caribe	121
América Central & do Sul	122
RU & Irlanda	124
França	126
Itália	127
Espanha	128
Portugal	129
Países nórdicos	130
Alemanha	132
Países Baixos	133
Leste europeu, do Sul & Central	134
Ásia Setentrional	136
Oriente Médio	138
África	140
Ásia Central & Meridional	142
China	144
Japão	145
Austrália	146
Nova Zelândia	147

INTRODUÇÃO

VOLTA AO MUNDO
O livro clássico de Julio Verne, *Volta ao mundo em 80 dias*, celebra seu 150º aniversário em 2023, e, para marcar a ocasião, vamos levá-lo a um tour superlativo sobre nosso planeta. Não se preocupe, você não vai precisar de um passaporte: pode fazer essa viagem sem sair de casa!

HALL DA FAMA
Oito dos heróis do GWR mais inspiradores são celebrados no Hall da fama de 2023. Entre os homenageados estão a atleta paralímpica Ellie Simmonds, o campeão de cubo mágico Max Park, a lenda do futebol Cristiano Ronaldo, a ganhadora de vários Grammys Beyoncé e a astronauta Wally Funk.

RETRATO
Os capítulos terminam com um Retrato: uma página dupla com um recordista e um contexto que demonstra como ele é incrível. Por exemplo, levamos Olympia — a boneca de neve mais alta — de férias para a ensolarada Grécia, onde ela fica maior que a Acrópole!

Hall da fama: David Aguilar	148

ENGENHARIA ÉPICA

Pontes	152
Construções mais altas	154
Biônicos	156
Trens	158
Retrato: Roda-gigante mais alta	160
Variedades	162

Hall da fama: Beyoncé	164

ENTRETENIMENTO

Efeitos especiais & visuais	168
100 anos da Disney	170
TV	172
Livros & revistas	174
Puzzles	176
Quebra-cabeças	178
Música pop	180
Gostaria de agradecer...	182
Top 25 recordes de games	184
Retrato: Orquestra do gigante	192
Variedades	194

Hall da fama: Cristiano Ronaldo	196

MUNDO MODERNO

Em ação	200
Criptomania	202
Vestido para impressionar	204
Dou-lhe uma...	206
Fast food	208
TikTok	210
Retrato: Maior produtor de carne	212
Variedades	214

Hall da fama: Ellie Simmonds	216

ESPORTES

Jogos de Inverno	220
Futebol	222
Super Bowl	224
World Series	225
Esportes dos EUA	226
Críquete	228
Tênis	229
Atletismo	230
Esportes paralímpicos	232
Golfe	234
Esportes com bola	235
Ciclismo	236
Esportes de resistência	237
Corrida	238
Esportes de combate	240
Esportes radicais	241
Natação	242
Esportes aquáticos	243
Variedades	244

Parem as máquinas	246
Índice	248
Consultores	252
Agradecimentos & Créditos de fotos	254

CONTINUE SUA JORNADA ON-LINE
Sempre que vir esse símbolo de play, visite guinnessworldrecords.com/2023 para um vídeo gratuito sobre o assunto. Nossa equipe digital selecionou clipes dos recordistas mais incríveis, então não perca a oportunidade de ver superlativos ganhando vida. Além disso, procure os QR codes para material extra.

INTRODUÇÃO
Carta do editor

Bem-vindo à nova edição do livro anual mais vendido do mundo. Este ano, processamos 38.991 inscrições e, nas próximas 250 páginas, selecionamos nossos favoritos dos 4.964 títulos que foram aprovados.

Ser o orgulhoso proprietário de um certificado oficial do Guinness World Records está no topo da lista de desejos de milhares de pessoas. Ouvimos isso todos os dias enquanto nossos gerentes de recordes processam as dezenas de milhares de inscrições que passam por suas mesas todo ano. A recente flexibilização das restrições da Covid-19 e o retorno a algum tipo de "normalidade" apenas aumentaram essa sede. E embora seja bem trabalhoso analisar essas inscrições, isso significa que podemos testemunhar conquistas superlativas em um espectro cada vez mais amplo e um conjunto cada vez mais diversificado de recordistas.

De fato, o que espero que você perceba ao ler o *Guinness World Records 2023* é que nos esforçamos para celebrar a quebra de recordes em sua forma mais ampla e diversificada. Não importa idade, nacionalidade, sexo, raça, religião, gênero, sexualidade ou habilidade, haverá um superlativo para você. Para isso, em 2022, iniciamos nosso projeto Recordes das Crianças, para criar desafios especificamente direcionados aos menores de 16 anos (p.8-9). O trabalho também começou na Iniciativa de Inclusão, dando ainda mais oportunidades para pessoas com deficiências físicas e mentais baterem recordes ao expandirmos a definição de nossas categorias (p.10-11). Também estamos orgulhosos das parcerias feitas com a Dwarf Sports Association e o Royal National Institute for the Blind, a fim de ampliar recordes a um círculo cada vez maior de pessoas.

Nos últimos 12 meses, houve um aumento acentuado no interesse de candidatos que desejam bater recordes além dos limites do planeta. É por isso que começamos este ano com um capítulo — ou Missão, como chamamos — dedicado ao espaço. O tiro de largada foi disparado em um novo tipo de corrida espacial, que, alimentada pela comercialização das

POST A GANHAR 1 MILHÃO DE CURTIDAS NO INSTAGRAM MAIS RÁPIDO
O post no Insta de Juliette Freire em 4/5/2021 anunciando que vencera a 21ª temporada do Big Brother Brasil ganhou 1 milhão de curtidas em 3min. Ela bateu o recorde de 6min — estabelecido no dia anterior — pela cantora e compositora norte-americana Billie Eilish.

MAIS VOTOS RECEBIDOS DO PÚBLICO EM PRÊMIO INFANTIL
O *Kids' Choice Awards 2021*, da Nickelodeon Brasil, recebeu uma resposta entusiasmada dos espectadores. No dia 15/9, foram registrados 513.183.993 votos do público — o que equivale a mais de 2 votos para cada pessoa no Brasil! Os apresentadores Fred e Bianca Andrade receberam o certificado do GWR ... e, por tradição, levaram um banho de slime depois!

PRIMEIRA ARTISTA SOLO LATINA A CHEGAR AO Nº 1 NO SPOTIFY
Em 24/3/2022, a premiada cantora, atriz e personalidade de TV Anitta (n. Larissa de Macedo Machado) subiu para o 1º lugar do Global Top 200 do Spotify com "Envolver", após ter acumulado 6,39 milhões de streams em todo o mundo. Ela também é a 1ª brasileira a chegar ao nº 1.

CARREIRA MAIS LONGA NA MESMA EMPRESA
Até 26/1/2022, Walter Orthmann, 99 anos, trabalhava na RenauxView (antes Indústrias Renaux SA) havia 84 anos e 9 dias. Ingressou no departamento de expedição da empresa têxtil catarinense em 17/1/1938, e hoje atua como gerente de vendas.

INTRODUÇÃO

novos nomes no GWR, como o IRONMAN Group, a World Jigsaw Puzzle Federation, a AbleGamers e a International Surfing Association's World Para Surfing Championship. E agradecemos aos novos recrutas que também se juntaram à equipe, como o paleontólogo dr. Steven Zhang, a cientista política e professora Erica Chenoweth, o guru de efeitos visuais Ian Failes, o entusiasta de escalada Michael Levy e a historiadora de moda Cassidy Zachary.

Novos consultores também significam novos tópicos, então fique atento a temas como observação de pássaros (p.42-43), animais heróis (p.50-51), ativismo político (p.200-01) e criptomoedas e NFTs (p.202-03).

VOLTA AO MUNDO
Além das Missões normais, você também encontrará um capítulo inspirado na publicação — 150 anos atrás — do romance de Julio Verne *A volta ao mundo em oitenta dias*. Em "Volta ao mundo em 300 recordes" (p.114-47), honramos o senso de aventura do autor ao embarcar em nossa própria turnê

MAIOR COMPETIÇÃO DE ESTUDOS EM NEGÓCIOS
O desafio TETRIX 2021, organizado pela gigante brasileira do comércio digital VTEX, atraiu um recorde de 67.972 participantes. A competição — realizada entre 1/4-31/10 — testou alunos e recém-formados com 100 perguntas sobre e-commerce. A vencedora da final (só com mulheres) foi a chilena Francisca Avaria, cujo prêmio foi uma viagem de volta ao mundo.

ALÉM DO LIVRO...
São tantas novidades recordistas para compartilhar este ano que adicionamos toda uma constelação de conteúdo bônus on-line. Onde quer que veja nossos 2 astronautas com QR codes, basta sacar a câmera do telefone e escanear o quadrado para ser direcionado a vídeos do TikTok, postagens no Facebook, stories do Instagram e artigos da web. Você também encontrará diretrizes sobre como obter certificado GWR! O botão ▶ significa que um registro vem com um vídeo do nosso YouTube. Para encontrá-los rapidamente, escaneie o QR code acima — e será levado direto para lá.

E se você usa Snapchat, poderá desbloquear ainda mais conteúdo de vídeo digitalizando os Snapcodes espalhados pelo livro. Basta abrir o aplicativo e apontar a câmera para o código. Aproveite!

viagens espaciais, vê civis lutando para se tornarem o primeiro, o mais alto, o mais velho ou o mais jovem a deixar sua marca na última fronteira. É claro que esses recordes podem não ser acessíveis às pessoas comuns, mas, inegavelmente, inspiram a raça humana a ultrapassar os limites do que é possível.

CONSELHEIROS ESPECIALISTAS
E voltamos à terra firme para o restante das Missões: Vida na Terra, Corpo humano, Façanhas extraordinárias, Engenharia épica, Entretenimento, Mundo moderno e Esporte. Como sempre, cada seção foi selecionada com a ajuda de nossa equipe global de consultores e conselheiros experientes (ver p.252-53). Temos a honra de receber alguns

MENOR TEMPO DE NATAÇÃO LEME-PONTAL-LEME
José Eduardo do Amaral Ferreira fez a travessia em mar aberto do Leme ao Pontal e voltou em 26h32min de 19-20/2/2021. O desafio, no Rio de Janeiro, é inspirado na canção popular "Do Leme ao Pontal", de Tim Maia, e foi feito pela 1ª vez em 2008; porém, José (acima à esq. com o organizador do evento, Adherbal de Oliveira) é o 1º a fazer a viagem de volta.

MAIOR MAMOEIRO
Um notável espécime de *Carica papaya*, de Nova Aurora, Paraná, tinha 14,55m em 2/9/2021. A árvore imponente foi originalmente cultivada nas terras de Gilberto Franz — uma área de floresta tropical hoje administrada por Tarcísio Foltz. Na foto, a equipe que verificou sua altura: da esq. para a dir., Julia Duarte Lerman, Silvio de Lucca, Arnaldo Pasquali e Santin Mezzari.

INTRODUÇÃO
Carta do editor

MAIS PRÊMIOS DE MELHOR JOGADORA DE FUTSAL DO MUNDO
Em 2021, a sensação Amandinha (n. Amanda Lyssa de Oliveira Crisóstomo) recebeu seu 8º prêmio consecutivo de Melhor Jogadora do Futsal Planet. A ala-esquerda anunciou em dezembro passado que trocaria o time brasileiro Leoas da Serra pela equipe espanhola MSC Torreblanca FS. Para mais feitos superlativos de futebol, consulte as p.222-23.

MAIOR LANÇAMENTO DE DISCO (F52, FEM.)
Elizabeth Rodrigues Gomes tem esclerose múltipla e hoje está classificada como paratleta F52. Classes relacionadas podem ser combinadas em competições e, em 30/8/2021, ela venceu a final do disco feminino F53 em Tóquio com um arremesso de 17,62m — recorde mundial para a classe F52. Ela já havia competido nos Jogos Paralímpicos de 2008, no basquete em cadeira de rodas.

global, contemplando 300 destaques culturais ao longo do caminho. Se você não conseguiu viajar nos últimos 2 anos, esta seção vai lembrá-lo das inúmeras maravilhas de nosso planeta.

Fazendo um retorno triunfal estão os "Jovens prodígios" — recordistas com 15 anos ou menos que já causam impacto no mundo. Entre os selecionados estão um campeão mundial de *Tetris*, um Grande Mestre de xadrez, dois dançarinos de break e uma criança de 8 anos com uma aptidão incrível para a aritmética.

HALL DA FAMA
Também dignos de elogios são os 8 novos indicados ao Hall da Fama GWR. Todo ano, identificamos pessoas que acreditamos incorporar o espírito de quebra de recordes e que se esforçaram para inspirar outros. Veja uma astronauta octogenária (p.34-35), um adolescente que muda vidas com LEGO® (p.148-49) e um *tour de force* de música, cinema e empreendedorismo (p.164-65).

Também revisitamos nossos Retratos. Essas páginas duplas mostram a imensidão de um recorde, colocando o titular em um lugar mais reconhecível. Quão grande é a baleia-azul, o **maior animal de todos os tempos**? Qual é a altura da nova **maior roda-gigante**? E quanta carne o **maior produtor de carne** realmente produz? Para

CORDA BAMBA MAIS ALTA
Esta fotografia impressionante mostra o viciado em adrenalina Rafael Zugno Bridi relaxando em uma corda bamba de 2,5cm entre 2 balões. Bridi fez a travessia entre as duas gôndolas sobre Praia Grande, em Santa Catarina, em 2/12/2021, a uma altitude de 1.901m. Para mais ousadias como essa, vá cuidadosamente até as p.76-77.

Depois, Bridi disse: "Gosto de recordes difíceis de quebrar. Um errinho poderia ter causado uma catástrofe."

INTRODUÇÃO

SUCESSO SUPERLATIVO NOS X GAMES
Duas estrelas brasileiras bateram recordes nos X Games em 2021. Leticia Bufoni levou o ouro no skate de rua e tem o **maior nº de medalhas conquistadas nos X Games de verão (fem.)**, com 12. E Gui Khury (n. 18/12/2008) venceu a Melhor Manobra na Rampa com 12 anos e 210 dias, tornando-se o **mais jovem medalhista de ouro dos X Games (masc.)**. Veja mais na p.241.

1996, contra a Noruega em Atenas

2021, contra a China em Tóquio

MAIS JOGOS DE FUTEBOL OLÍMPICO FEMININO
Entre 1996-2021, Formiga (n. Miraildes Maciel Mota) jogou 33 vezes pela seleção brasileira. Tóquio foi sua 7ª participação olímpica, o que significa que a meio-campista atuou em todas as edições olímpicas do futebol feminino realizadas até hoje.

responder a essas questões, os artistas da 55 Design jogaram a baleia em uma movimentada rua de Londres (p.52-53), colocaram a roda-gigante ao lado da Grande Pirâmide do Egito (p.160-61) e espetaram um hambúrguer monstruoso no Monumento a Washington (p.212-13). Você fará outras descobertas alucinantes ao folhear a edição deste ano.

Outro recurso imperdível são os 25 maiores recordes de games, começando na p.184. Os editores colaboraram com nossos consultores para votar nos títulos de jogos do GWR mais impressionantes de todos os tempos — então, não necessariamente os melhores games (embora sejam todos incríveis!), mas os superlativos mais significativos. Estes vão de desenvolvimentos técnicos e realizações individuais a franquias mais vendidas e séries mais aclamadas pela crítica.

Quebrar um recorde — ou mesmo ler sobre eles, ou assisti-los nas mídias sociais — é uma experiência que expande a mente, amplia os horizontes e abre novas possibilidades. Não importa o quão ambicioso você seja — se está levantando peso em um uniciclo (p.81), escalando o Everest (p.96) ou voando até a Estação Espacial Internacional (p.20) —, a chave é definir objetivos, lutar por eles e, o mais importante de tudo, aproveitar a jornada!

OLHOS MAIS ESBUGALHADOS
Como verá no capítulo Corpo humano, nas p.58-73, Sidney de Carvalho Mesquita (ou Tio Chico Brasil), de São Paulo, é uma das muitas pessoas cujas partes incríveis do corpo lhe renderam um certificado GWR. No caso, são seus olhos que se destacam — ele pode esbugalhá-los 18,2mm além das órbitas.

Craig Glenday
Editor chefe

TENTE FAZER ISSO EM CASA!
Só para crianças!

Avante, jovens! Ouvimos suas reclamações de que os adultos ficam com toda a diversão por tempo demais. Mas chega: temos alguns recordes só para vocês!

Muitos desafios do GWR são perfeitos para crianças, mas os adultos (que deveriam ser mais espertos!) não param de se intrometer e tornam tudo mais difícil. Então, para dar uma chance aos menores de 16 anos de alcançar a fama, criamos uma série de títulos que os velhotes não podem nem chegar perto!

Nestas páginas, você vai encontrar exemplos do projeto Recordes das Crianças, então pode começar a praticar hoje mesmo. Tem muito mais no site do GWR Kids — incluindo uma seção só sobre videogames —, então não importa no que você arrasa, vai encontrar um recorde que se encaixe em suas habilidades. Quem sabe? Talvez ano que vem seu nome vai estar no *GWR*! Boa sorte!

Leia o QR code para acessar todas as instruções para os recordes juvenis listados. Você também vai encontrar outras categorias. É só seguir as instruções na tela para registrar sua tentativa. Vamos descobrir se você é Oficialmente Incrível!

MAIS BRINQUEDOS DE PELÚCIA PEGOS COM UMA VENDA POR DUPLA EM 1MIN
Para este desafio, você vai precisar de todos os bichinhos que puder encontrar.

1. Este é um recorde para 2 pessoas: uma jogando brinquedos e outra pegando.
2. Os brinquedos devem estar disponíveis em lojas e não podem ultrapassar 19cm na maior dimensão.
3. Uma distância de 3m deve ser medida no chão e marcada com uma linha nas extremidades. O jogador deve ficar atrás de uma das linhas e o pegador, da outra.
4. O pegador deve estar vendado.
5. Os brinquedos só podem ser pegos com as mãos, braços e parte superior do corpo.
6. Depois de ser pego, o bicho pode ser largado.

Recorde atual: inscreva-se já!

MENOR TEMPO PARA CONSTRUIR UMA TORRE DE 20 LEGOS®
Para este recorde, você só precisa de um cronômetro e 20 tijolinhos de LEGO (e recomendamos o uso de uma placa de base, se tiver).

1. Este é um recorde para 1 pessoa.
2. Só tijolos de LEGO de 2x4 podem ser usados. A placa de base é opcional (mas recomendada!).
3. Comece com as palmas na mesa, e os tijolos soltos e sem tocar a placa de base.
4. Quando o cronômetro começar, só pode usar uma das mãos para pegar um tijolo. Aí deve alterar — então comece pela direita, depois use a esquerda, ou vice-versa.
5. Cada tijolo deve ser colocado a um ângulo reto (90°) do anterior, alinhado para criar uma torre reta (ver à esq.).
6. O cronômetro para quando o 20º tijolo é colocado. A torre deve então permanecer de pé por 5s para que o recorde seja válido.

Recorde atual: 21,70s, por Willian Liu (EUA) em 13/11/2021.

Tente fazer isso em casa!
Os recordes aqui usam objetos comuns de qualquer casa. Às vezes, vai precisar de um cronômetro e/ou fita métrica também. Se você é mais de games, também criamos desafios usando jogos populares.

Empilhar LEGOS

Construir torre de blocos

Organizar o alfabeto

Pegar bichos de pelúcia

Colar adesivos no rosto

Separar recicláveis

Vestir meias

Empilhar livros

Pendurar bengalinhas

Empilhar latas

Encontrar emojis

INTRODUÇÃO

MAIS MEIAS COLOCADAS EM PÉ EM 30s
Não pise na bola quando estiver tentando bater esse recorde. Você vai precisar de seu pé para outra coisa!

1. Este é um recorde para 1 pessoa.
2. As meias usadas devem estar disponíveis no mercado.
3. Quando o cronômetro começar, coloque uma meia de cada vez no pé escolhido.
4. As meias devem passar do tornozelo para contar para o recorde.
5. Meias que rasgarem durante o recorde não serão contabilizadas.

Recorde atual: 15, por Alberto Ugolini (ITA) em 25/2/2022.

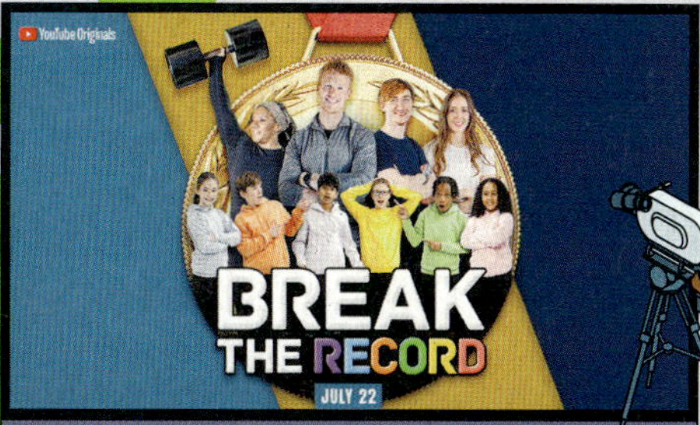

BREAK THE RECORD NO YOUTUBE
Nossos 2 voluntários ajudando a apresentar os recordes juvenis são Mia e Harry, que participam da série original no YouTube do GWR *Break the Record*.

No programa, crianças são preparadas por alguns recordistas famosos antes de fazer uma tentativa formal na frente de um juiz do GWR. Harry conseguiu um certificado por **○ saque de minitênis mais distante de uma plataforma elevada**, em que a bola voou por 31,7m enquanto ele ficava em um pódio de 10m no Crystal Palace National Sports Centre, em Londres, RU. Para ver Harry em ação, assim como outras crianças, leia o QR code abaixo.

MAIS ACERTOS DE UM AVIÃOZINHO DE PAPEL EM ALVO EM 3MIN
Isso vai ser um passeio... *de avião*! Tudo de que precisa é um aviãozinho de papel e um balde. Fácil... certo?!

1. Este é um recorde para 1 pessoa.
2. Antes de começar, faça MUITOS aviões de papel. Você precisa usar papel em formato A4 (210x297mm), e seus aviões devem ter duas asas reconhecíveis.
3. O balde que usar como alvo não pode ter mais de 30cm de diâmetro na boca.
4. Você precisa estar a pelo menos 3m do centro do balde, então meça e marque o lugar no chão.
5. Jogue todos os aviões que puder no balde — um de cada vez. Se ele quicar e cair, não conta.

Recorde atual: inscreva-se já!

Lembre-se de reutilizar ou reciclar o papel no final!

KiDoodLe tv

VEJA MAIS ON-LINE
O site especial para crianças do GWR está cheio dos truques e das aventuras mais recentes, além de coleções loucas, animais impressionantes e passatempos peculiares. Também temos jogos e puzzles inspirados em seus recordistas favoritos.

Você também vai encontrar muitos recordes em Kidoodle.TV. Essa plataforma de streaming tem conteúdo escolhido para uma experiência surpreendente sobre recordes. Veja mais de 100 vídeos sobre **a lhama que pula mais alto**, **a mulher mais baixa** e **as soluções mais rápidas de cubos mágicos**, além de tutoriais de alguns dos recordistas mais bem-sucedidos.

Jogar bolas de Natal

Jogar aviões de papel

Minecraft

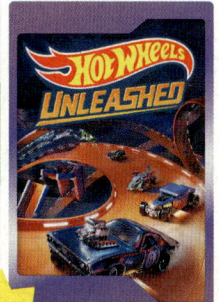
Hot Wheels Unleashed

BÔNUS: DESAFIOS DE GAMES!

Separar doces

Preparar uma mochila

FIFA 22

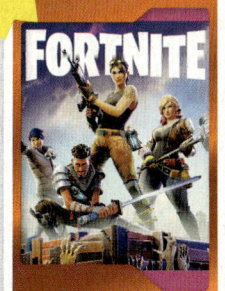
Fortnite

INTRODUÇÃO
Iniciativa de inclusão

Inspirado pelas classificações em esportes paralímpicos, o GWR está trabalhando com especialistas na área para introduzir uma série de categorias para candidatos com deficiência. Anunciaremos mais classificações no próximo ano.

O GWR sempre esteve determinado a tornar a quebra de recordes acessível a todos, não importa as limitações físicas. E você pode ver alguns exemplos incríveis de pessoas superando adversidades em "Sem limites", nas p.98-99. E embora sempre tenhamos ratificado recordes de paratletas (ver p.232-33), um novo projeto está em andamento no GWR para estender a quebra de recordes além dos esportes federados.

O objetivo é abrir categorias para candidatos que enfrentam desafios físicos e intelectuais. Fomos auxiliados por várias organizações esportivas e ONGs no desenvolvimento de um sistema de classificação que ofereça a mais ampla gama de superlativos à maior variedade de candidatos.

Ao lado há um diagrama descrevendo a 1ª de uma série de classificações destinadas a requerentes com deficiência, definida como "perda ou anormalidade de órgão ou mecanismo do corpo". O sistema é organizado em 6 partes — Visão (V), Intelectual (I), Músculo (M), Coordenação (C), Amputação (A) e Estatura (E) —, com subdivisões para abranger várias deficiências.

A iniciativa já está dando frutos, e aqui será possível conhecer alguns dos candidatos a recordistas. Se você se inspirar nesses indivíduos notáveis e quiser fazer uma inscrição, registre sua solicitação em guinnessworldrecords.com/apply e conte sobre o(s) recorde(s) que deseja tentar. Esta é sua chance de ser oficialmente incrível!

100 MILHAS MAIS RÁPIDAS EM ESTEIRA (PA2)
Amy Palmiero-Winters (EUA) levou 21h43min29s para completar 160km em uma esteira em Nova York, EUA, em 10-11/7/2021. Ela trocou a prótese durante a corrida para garantir conforto e segurança. Você pode descobrir mais sobre as incríveis conquistas de Amy nas p.98-99.

MAIOR DISTÂNCIA DE SUBIDA VERTICAL A PÉ EM 24H (PA2)
Em 17/8/2021, Jon Hilton (RU) escalou 1.345m em Ben Nevis — a montanha mais alta do RU. Jon teve a perna amputada em nov/2020 após um coágulo sanguíneo, e perseguiu esse recorde para provar que sua deficiência não o define ou limita — e para arrecadar mais de US$18.000 para várias instituições de caridade. Ele com os filhos (da esq. para a dir.) Ryan, Lauren e Joshua.

MAIS LONGO GRIND 50-50 EM UM SKATE (DV2)
Dan Mancina (EUA) fez um grind de 6,85m em Royal Oak, Michigan, EUA, em 15/1/2022. Após perder a visão, Dan conseguiu adaptar suas habilidades no skate usando sons — junto com um bastão-guia — para ajudá-lo a orientar-se.

MENOR TEMPO PARA ATRAVESSAR O RU DE BICICLETA DUPLA (DV1)
Tim e Andy Caldwell (ambos RU) pedalaram pelo RU, de St David's, em Pembrokeshire, até Lowestoft, em Suffolk, em 24h43min47s, em 2-5/6/2021. Tim sofreu uma parada cardíaca em 2013 que lhe tirou a visão. O trauma também afetou a fala e os movimentos. O primo Andy começou a levá-lo na bicicleta dupla para restaurar sua saúde física e mental — e a dupla acabou definindo este novo título do GWR!

Mais paratletas — como Daniel Dias (BRA), com o maior nº de medalhas de natação nos Jogos Paralímpicos (masc.) — no cap. de esportes (p. 218-45). Também temos uma seção só sobre esportes paralímpicos nas p. 232-33.

INTRODUÇÃO

Guinness World Records
CLASSIFICAÇÃO DE DEFICIÊNCIAS

DI
Deficiência Intelectual
Limitação substancial contínua em comportamentos adaptativos ou de aprendizado; precisa de ajuda no dia a dia. Participantes devem ser clinicamente diagnosticados com deficiência cognitiva afetando o desempenho físico.

FM1
Deficiência em Força Muscular — braços
Incapacidade de gerar força total no movimento dos braços e ombros; funcionalidade limitada dos braços e ombros, mas sem funcionalidade do tronco ou pernas.

FM2
Deficiência em Força Muscular — tronco
Incapacidade de gerar força total no movimento do tronco; funcionalidade total dos braços, funcionalidade limitada do tronco, mas sem funcionalidade das pernas.

DCM1
Deficiência de Coordenação — monoplegia de braço*
Perda ou falta de movimentos corporais finos em 1 braço (qualquer lado).

DCD1
Deficiência de Coordenação — diplegia de braços*
Perda ou falta de movimentos corporais finos em partes correspondentes do corpo dos dois lados (braços).

DC1
Deficiência de Coordenação — tetraplegia*
Perda ou falta de movimentos corporais finos nos 4 membros (pernas e braços).

DCH
Deficiência de Coordenação — hemiplegia*
Perda ou falta de movimentos corporais finos em um lado do corpo (direito ou esquerdo).

DCM2
Deficiência de Coordenação — monoplegia*
Perda ou falta de movimentos corporais finos em 1 perna (qualquer lado).

DCD2
Deficiência de Coordenação — diplegia*
Perda ou falta de movimentos corporais finos em partes correspondentes dos 2 lados (pernas).

FM3
Deficiência em Força Muscular — pernas
Incapacidade de gerar força total nas pernas; funcionalidade total dos braços, funcionalidade limitada ou total do tronco, mas funcionalidade limitada das pernas.

*Inclui condições de hipertonia, ataxia e atetose
†Unilateral: afeta um membro; bilateral: afeta ambos os membros

DV1
Deficiência visual 1
Acuidade visual varia de (incluindo) LogMAR 0,5 a 1,48; e/ou campo visual restrito a um diâmetro <40°.

DV2
Deficiência visual 2
Acuidade visual varia de (incluindo) LogMAR 1,5 a 2,58; e/ou campo visual restrito a um diâmetro <10°.

DV3
Deficiência visual 3
Acuidade visual acima de LogMAR 2,60.

DV4
Deficiência visual 4
Campo visual restrito a um diâmetro <10°.

AB1
Amputação unilateral transumeral†
Ausência de um único braço acima do cotovelo ou na articulação do ombro (desarticulação); a articulação do cotovelo não pode estar presente.

AB3
Amputação bilateral transumeral†
Ausência dos 2 braços acima do cotovelo ou na articulação do ombro (desarticulação); as articulações dos cotovelos não podem estar presentes.

AB2
Amputação unilateral transradial/ulnar (abaixo do cotovelo)
Ausência de um único braço abaixo do cotovelo; a articulação do cotovelo deve estar presente, mas a do pulso, não.

AB4
Amputação bilateral transradial/ulnar (abaixo do cotovelo)
Ausência dos 2 braços abaixo do cotovelo; as articulações dos cotovelos devem estar presentes, mas as do pulso, não.

PA1
Amputação unilateral transfemoral (acima do joelho)
Ausência da perna a partir ou acima do joelho.

PA3
Amputação bilateral transfemoral (acima do joelho)
Ausência das 2 pernas a partir ou acima do joelho.

PA2
Amputação unilateral transtibial (abaixo do joelho)
Ausência da parte inferior da perna; a articulação do joelho deve estar presente, mas a do tornozelo, não.

PA4
Amputação bilateral transtibial (abaixo do joelho)
Ausência da parte inferior das 2 pernas; a articulação dos joelhos deve estar presente, mas a dos tornozelos, não.

BE
Baixa estatura
Para os propósitos deste recorde, baixa estatura se refere a participantes acima de 18 anos com menos de 147,32cm de altura.

GWR DAY

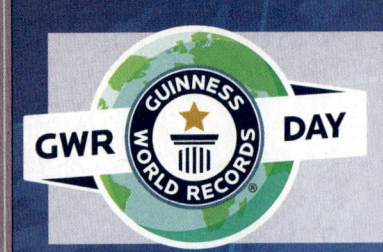

Todo ano, milhares de pessoas ao redor do mundo enfrentam uma série de desafios para comemorar o Dia Guinness World Records. O 18º Dia GWR ocorreu em 17/11/2021, e após as concessões remotas impostas pela Covid-19 em 2020, nossa comunidade internacional de recordistas estava ansiosa para sair de casa e dar um show. E quantos talentos impressionantes nós testemunhamos!

= Local da conquista do recorde

Dia GWR 2021: recordes ao redor do mundo

	Título	Recorde	Recordista
1	Mais capturas de malabarismo com machado	2.919	David Rush (EUA)
2	Mais carros consecutivos saltados com um pula-pula	5	TPhil, ou Tyler Phillips (EUA)
3	Mais tacadas de sinuca concluídas em 1h	58	Florian Kohler (FRA)
4	Maior salto do gato (barra para parede)	4,90m	Najee Richardson (EUA)
5	1km mais rápido com muletas (uma perna)	6min12,88s	Christian Roberto López Rodríguez (ESP)
6	Mais embaixadinhas duplas "zerinho" em 1min (feminino)	24	Laura Biondo (VEN)
7	Menor tempo para virar três garrafas de água	1,2s	Rocco Mercurio (ITA)
8	Mais tempo girando 5 bambolês com o bumbum e os braços	4min6s	Andrea M (RU, n. EUA)
9	Maior salto mortal entre barras horizontais	6m	Ashley Watson (RU)
10	Mais pulos de corda em uma perna só com os olhos vendados em 30s	57	Cristian Sabba (ITA)

MAIOR ESTAÇÃO ESPACIAL
Em 22/12/2021, após o acréscimo do módulo *Nakura* e do módulo de acoplamento *Prichal*, a *Estação Espacial Internacional* (*ISS*) ficou com uma massa de 418.190kg — ou 459.025kg incluindo a espaçonave acoplada. É também a **estação espacial mais duradoura**, permanecendo ocupada por 21 anos contínuos.
Esta foto foi tirada pelo astronauta Thomas Marshburn, olhando para baixo na *ISS* durante uma atividade extraveicular em dez/2021. Ao lado, a estação espacial vista por um dos tripulantes da SpaceX Dragon que levou novas pessoas para a *ISS* em nov/2021.

ESPAÇO
Foguetes

FOGUETES EM ESCALA

Mais lançamentos bem-sucedidos (mesmo modelo de foguete)
Desde seu 1º lançamento em 18/5/1973 até a aposentadoria em 22/2/2017, o foguete Soyuz-U (**10**, ver página ao lado), da Rússia/União Soviética, alcançou órbita 765 vezes, conquistando **mais lançamentos bem-sucedidos em um único ano** — 47, em 1979. Mesmo naquela época, quando a fábrica enviava um novo foguete para a plataforma de lançamento a cada 8 dias, o Soyuz-U só sofreu 2 fracassos, e apenas 22 lançamentos não conseguiram chegar à órbita planejada, gerando um índice de sucesso fenomenal de 97,2%.

Maior espaçonave reutilizável
O Sistema de Transporte Espacial da NASA (**8**) foi construído para o orbitador do ônibus espacial, com uma massa de 78.200kg, 37,2m do nariz à cauda e uma envergadura de 23,8m. No lançamento, os motores forneciam ⅓ da propulsão do sistema recebendo combustível do seu peculiar tanque externo laranja enquanto 2 foguetes auxiliares de combustível sólido forneciam o resto.
   O maior rival do ônibus espacial foi o foguete soviético de vida curta Energia (**6**) e seu orbitador Buran, que tinha 36,3m e uma envergadura de 23,9m, além de uma massa de 62.000kg. Ele voou só uma vez — sem tripulação — em 15/11/1988, antes do projeto ser cancelado.

PRIMEIRO USO DE FOGUETES
No fim do séc. 12, químicos chineses desenvolveram fogos de artifício com autopropulsão chamados *ti lao shu* ("ratos da terra"), usando pólvora dentro de bambus pequenos. É possível que foguetes maiores e mais estáveis — presos a hastes semelhantes a flechas — tenham surgido no mesmo período. No séc. 14, os engenheiros militares chineses contavam com o documento militar intitulado *Huo Lung Ching* ("Manual dos dragões", acima), com um vasto número de foguetes tecnologicamente avançados.

Foguete mais poderoso por capacidade de carga útil
Com o primeiro lançamento em 6/2/2018, o SpaceX Falcon Heavy pode levar 63.800kg a uma órbita baixa. O Falcon Heavy consiste em um foguete Falcon 9 com um propulsor de primeiro estágio em cada lado, dando ao veículo um total de 27 motores e 22.800kN (kiloNewtons) ou 5,1 milhões de libras de propulsão.
   É claro que massa não é tudo — para algumas missões, o tamanho físico da carga útil é mais importante. Para cargas grandes como o telescópio espacial James Webb (ver p. 30-31), você precisará da **maior coifa** — a carenagem de 5,4m de diâmetro da Ariane 5, da Agência Espacial Europeia.

Foguete de combustível líquido mais poderoso
O RD-171M, da Rússia/União Soviética, que voou pela 1ª vez como propulsor do Zenit em 13/4/1985, gera 7.256kN de impulso ao nível do mar. Possui um sistema de bombeamento central que manda uma mistura de combustível e oxigênio líquido para suas 4 câmaras de combustão a uma velocidade de 2,5t/s.

PRIMEIRO LANÇAMENTO DE FOGUETE DE COMBUSTÍVEL LÍQUIDO
Em 16/3/1926, o dr. Robert Hutchings Goddard (EUA) lançou um foguete impulsionado por gasolina e oxigênio líquido na plantação de repolho de sua tia Effie em Auburn, Massachusetts, EUA. Sua invenção alçou uma altitude de 12,5m, voou a uma velocidade média de 96,5km/h e viajou por 56m. O tempo total de voo foi pouco mais de 2 segundos.

Menor foguete orbital
O SS-520-5 (**13**) tem apenas 9,54m de altura, diâmetro de 0,52m e 2.600kg, tornando-o 30 vezes mais leve que o ônibus espacial *Columbia*. Desenvolvido pela Agência de Exploração Aeroespacial Japonesa (JAXA) para levar satélites e instrumentos científicos a órbitas baixas, foi lançado pela 1ª vez em 3/2/2018. O veículo principal da JAXA é o enorme Mitsubishi H-IIA (**9**).

Mais lançamentos orbitais por um país (ano corrente)
Nos últimos anos, a China tem dominado o lançamento de foguetes. Em 2021, foguetes chineses fizeram 53 voos orbitais bem-sucedidos. O carro-chefe do programa espacial do país são os foguetes Long March 3 (**7**), que, desde 1984, completaram 128 lançamentos com êxito. A Administração Nacional de Espaço da China planeja substituir os Long March 2, 3 e 4 já que ainda usam hidrazina — o **combustível de foguete mais tóxico** — em seus propulsores de 1º estágio. Ingerir ou inalar apenas 4g de hidrazina é suficiente para matar uma pessoa.

FOGUETE MULTIESTÁGIOS MAIS PODEROSO
Lançado em 21/2/1969, o primeiro estágio Block A do foguete lunar soviético N1 (**3**) gerou 45.250kN de propulsão ao nível do mar. Em comparação, o Saturn V, dos EUA, gerou 31.100kN. O N1 foi desenhado pelo escritório de criação OKB-1 (hoje conhecido como RSC Energia) e só foi lançado 4 vezes. Nenhuma de suas tentativas alcançou órbita e o programa acabou sendo cancelado em 1974.

Cada quadrado = 4,2m

Os números entre parênteses se referem ao diagrama FOGUETES EM ESCALA

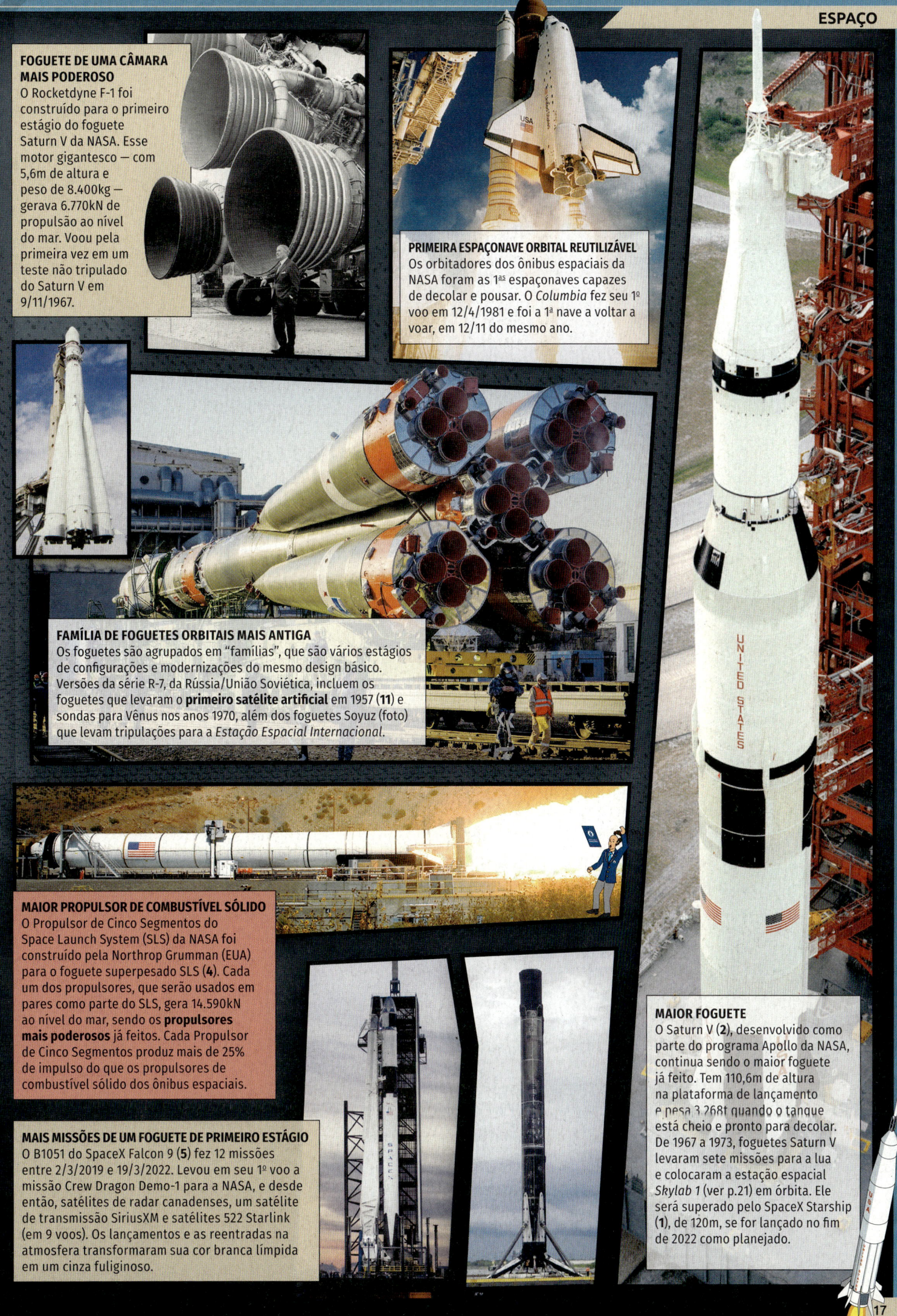

ESPAÇO

FOGUETE DE UMA CÂMARA MAIS PODEROSO
O Rocketdyne F-1 foi construído para o primeiro estágio do foguete Saturn V da NASA. Esse motor gigantesco — com 5,6m de altura e peso de 8.400kg — gerava 6.770kN de propulsão ao nível do mar. Voou pela primeira vez em um teste não tripulado do Saturn V em 9/11/1967.

PRIMEIRA ESPAÇONAVE ORBITAL REUTILIZÁVEL
Os orbitadores dos ônibus espaciais da NASA foram as 1ªs espaçonaves capazes de decolar e pousar. O Columbia fez seu 1º voo em 12/4/1981 e foi a 1ª nave a voltar a voar, em 12/11 do mesmo ano.

FAMÍLIA DE FOGUETES ORBITAIS MAIS ANTIGA
Os foguetes são agrupados em "famílias", que são vários estágios de configurações e modernizações do mesmo design básico. Versões da série R-7, da Rússia/União Soviética, incluem os foguetes que levaram o **primeiro satélite artificial** em 1957 (**11**) e sondas para Vênus nos anos 1970, além dos foguetes Soyuz (foto) que levam tripulações para a *Estação Espacial Internacional*.

MAIOR PROPULSOR DE COMBUSTÍVEL SÓLIDO
O Propulsor de Cinco Segmentos do Space Launch System (SLS) da NASA foi construído pela Northrop Grumman (EUA) para o foguete superpesado SLS (**4**). Cada um dos propulsores, que serão usados em pares como parte do SLS, gera 14.590kN ao nível do mar, sendo os **propulsores mais poderosos** já feitos. Cada Propulsor de Cinco Segmentos produz mais de 25% de impulso do que os propulsores de combustível sólido dos ônibus espaciais.

MAIS MISSÕES DE UM FOGUETE DE PRIMEIRO ESTÁGIO
O B1051 do SpaceX Falcon 9 (**5**) fez 12 missões entre 2/3/2019 e 19/3/2022. Levou em seu 1º voo a missão Crew Dragon Demo-1 para a NASA, e desde então, satélites de radar canadenses, um satélite de transmissão SiriusXM e satélites 522 Starlink (em 9 voos). Os lançamentos e as reentradas na atmosfera transformaram sua cor branca límpida em um cinza fuliginoso.

MAIOR FOGUETE
O Saturn V (**2**), desenvolvido como parte do programa Apollo da NASA, continua sendo o maior foguete já feito. Tem 110,6m de altura na plataforma de lançamento e pesa 3.268t quando o tanque está cheio e pronto para decolar. De 1967 a 1973, foguetes Saturn V levaram sete missões para a lua e colocaram a estação espacial *Skylab 1* (ver p.21) em órbita. Ele será superado pelo SpaceX Starship (**1**), de 120m, se for lançado no fim de 2022 como planejado.

ESPAÇO
No limite do Espaço

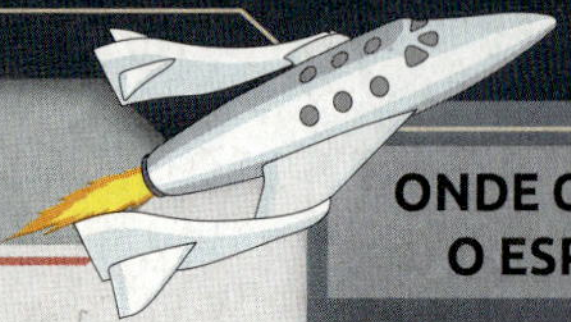

ONDE COMEÇA O ESPAÇO?

PRIMEIRO VOO ESPACIAL TRIPULADO COM FINANCIAMENTO PRIVADO
Em 21/7/2004, a *SpaceShipOne* — construída e operada pela empresa aeroespacial americana Scaled Composites — alcançou uma altitude de 100,12km, cruzando a Linha de Kármán em trajetória suborbital sobre o deserto de Mojave, Califórnia. O piloto Mike Melvill (EUA/n. ZAF) recebeu a **primeira medalha de astronauta comercial** pela Administração Federal de Aviação americana (FAA).

Onde o espaço começa? Essa é uma questão difícil, pois não há uma fronteira natural com ar de um lado e vácuo do outro. Os tufos de atmosfera superior vão além das órbitas de vários satélites e até da Estação Espacial Internacional. Isso significa que precisamos encontrar um lugar mais abaixo para traçar o limite. Hoje, a divisa mais aceita, a Linha de Kármán, fica a 100km, mas outros pontos já foram sugeridos.

Sobrevivência à exposição em maior "altitude equivalente"
A cerca de 19km fica o Limite de Armstrong, a primeira grande fronteira. A essa altura, a pressão atmosférica é tão baixa que a água ferve à temperatura ambiente. Poucos indivíduos foram expostos a uma pressão assim e sobreviveram; o mais sortudo foi o voluntário da NASA Jim LeBlanc (EUA), que experimentou brevemente o equivalente a uma altitude de 36,5km quando um traje espacial deu problema durante testes de uma câmara a vácuo em 14/12/1966.

Maior altitude de aeronave com sustentação aerodinâmica
Nos anos 1950, o cientista Theodore von Kármán (HUN) propôs uma definição do espaço com base na física do voo de alta altitude. Ele calculou que deveria haver uma altitude em que a velocidade necessária para manter a sustentação aerodinâmica seria maior que a velocidade necessária para entrar em órbita, sugerindo que ela estaria entre 80-100km, mas nunca se dedicou a analisar os detalhes. Em um trabalho publicado em 2018, o consultor de voos espaciais do GWR, Jonathan McDowell, recalculou as equações de Von Kármán com informações atuais para estabelecer o que chamou de "Real Linha de Kármán", um limite entre 77 e 86km.

Mas esses cálculos se baseiam em uma aeronave perfeita e hipotética. A altitude mais alta alcançada por um avião usando sustentação aerodinâmica é bem menor, só 37,65km. O recorde foi estabelecido em 31/8/1977 pelo piloto de testes soviético Alexandr Fedotov, em um MiG-25 "Foxbat" modificado chamado Ye-266M.

Voo comercial mais alto de uma aeronave com passageiros
A Força Aérea Americana e a NASA usam uma fronteira atmosférica chamada mesopausa, a cerca de 80km, para marcar o limite entre ar e espaço. Em 11/7/2021, o *Unity*, avião-foguete da Virgin Galactic (ver abaixo), chegou a 86km, cruzando a linha com 6 pessoas a bordo. Na subida, o *Unity* também se tornou a **aeronave comercial com passageiros mais rápida**, alcançando Mach 3 (3.563km/h) a uma altitude de 40km.

Primeiro objeto artificial no espaço
O foguete alemão *Aggregat* 4 (protótipo do míssil balístico V-2; ver página ao lado) foi o primeiro objeto feito por humanos a cruzar a Linha de Kármán. Não está claro quando isso aconteceu. É provável que esse voo recorde tenha ocorrido no verão de 1944, quando uma série de lançamentos verticais secretos — chegando a altitudes de 120km, segundo relatos — foi executada em Greifswalder Oie, uma ilha do mar Báltico.

Após a II Guerra Mundial, vários dos Aliados fizeram experimentos com foguetes V-2. Além das **primeiras fotos do espaço** (ver página ao lado), a aeronave também foi usada para levar os **primeiros cachorros ao espaço**: dois cães de rua de Moscou chamados Dezik e Tsygan, que foram lançados a 110km por cientistas soviéticos em 22/7/1951.

Órbita quase circular mais baixa
O mais alto limite espacial proposto é a órbita estável mínima. Alcançar órbita requer que um objeto viaje rápido o suficiente para que a superfície da Terra se afaste na mesma velocidade que o objeto caia na direção dela. Quanto menor a altitude de um objeto, mais a atmosfera vai detê-lo, retirando-o de órbita. Satélites em órbitas quase circulares (com perigeus e apogeus — pontos mais perto e mais longe do centro da Terra — de diferenças mínimas) não podem ficar a menos de 120km.

Em 16/8/2016, o satélite de pesquisa chinês *Lixing-1* alcançou uma órbita com um perigeu e apogeu de 124km e 133km, respectivamente, e permaneceu assim por 3 dias antes de fazer a reentrada em 19/8/2016.

PRIMEIRO AVIÃO-FOGUETE COMERCIAL COM PASSAGEIROS
Em 11/7/2021, o *Unity*, da Virgin Galactic SpaceShipTwo, alcançou uma altitude de 86km e uma velocidade de Mach 3 (3.700km/h). A tripulação contava com 2 pilotos e 4 passageiros, incluindo o fundador da Virgin, Richard Branson (à direita). Mesmo a velocidades supersônicas, o *Unity* é operado apenas por controles manuais, sem a ajuda de computadores.

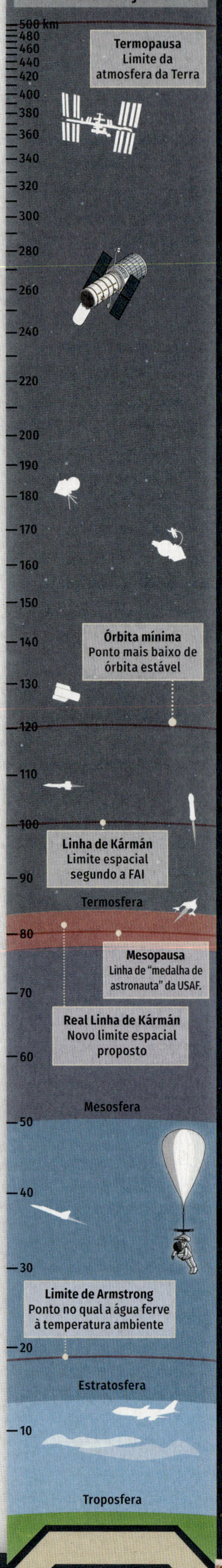

Diagrama de altitudes (km):
- 500-480-460-440-420-400-380-360-340-320-300-280 **Termopausa** — Limite da atmosfera da Terra
- 260-240-220-200-190-180-170-160-150-140 **Órbita mínima** — Ponto mais baixo de órbita estável
- 130-120-110-100 **Linha de Kármán** — Limite espacial segundo a FAI
- 90 **Termosfera**
- 80 **Mesopausa** — Linha de "medalha de astronauta" da USAF
- 70 **Real Linha de Kármán** — Novo limite espacial proposto
- 60 **Mesosfera**
- 50-40-30
- 20 **Limite de Armstrong** — Ponto no qual a água ferve à temperatura ambiente
- 10 **Estratosfera**
- **Troposfera**

AVIÃO-FOGUETE MAIS RÁPIDO
Uma aeronave X-15A-2 atingiu uma velocidade de Mach 6,7 (7.274km/h) a uma altitude de 31,12km sobre a Califórnia, EUA, em 3/10/1967. Um total de 199 voos foram feitos como parte do programa X-15, e o mais alto chegou a 107,8km. Oito dos 12 pilotos que comandaram o X-15 receberam medalhas de astronautas.

PRIMEIRA IMAGEM DA TERRA FEITA DO ESPAÇO
Em 24/10/1946, um V-2 feito na Alemanha foi lançado do Novo México, EUA, com uma câmera no lugar da ponta explosiva. A câmera capturou imagens mostrando a curvatura da Terra e a escuridão do espaço a uma altitude de cerca de 104,6km.

VOO TRIPULADO DE BALÃO MAIS ALTO
Em 24/10/2014, Alan Eustace (EUA) fez um salto estratosférico de 41,42km sobre o Novo México. Ele alcançou essa altitude com um balão, suspenso sob o envelope por um traje pressurizado, e não por uma cápsula ou gôndola. Eustace era executivo sênior do Google na época do salto, que foi feito em segredo.

PRIMEIRA MISSÃO SUBORBITAL A LEVAR CLIENTES PAGANTES
Construído e operado pela empresa aeroespacial americana Blue Origin, o New Shepard fez seu 1º lançamento tripulado de Van Horn, Texas, em 20/7/2021. O impulsionador NS4 (uma versão moderna do veículo que fez o **primeiro pouso controlado por um foguete suborbital** em 23/11/2015) levou a cápsula a 107km.

Seus 4 passageiros bateram recordes. O fundador da Blue Origin, Jeff Bezos, e seu irmão Mark (ambos EUA; foto ao lado, à esquerda e à direita respectivamente) se tornaram os **primeiros irmãos no espaço ao mesmo tempo**; Oliver Daemen (NLD, n. 20/8/2002; acima à esquerda) se tornou a **pessoa mais jovem no espaço**, com 18 anos e 334 dias; e a aviadora veterana Wally Funk (n. 1/2/1939) se tornou **a pessoa mais velha** (ver p.34). O recorde de Funk foi batido em outra missão da Blue Origin pelo ator William Shatner, de *Star Trek* (CAN; n. 22/3/1931), com 90 anos e 205 dias, quando voou em 13/10/2021, mas ela permanece como a **mulher mais velha**.

ESPAÇO
Vida em órbita

PRIMEIRA MISSÃO ORBITAL CIVIL
Em 16/3/2021, a missão aeroespacial civil Inspiration4 foi lançada no SpaceX Falcon 9 do Kennedy Space Center, Flórida, com (da esquerda à direita) o organizador Jared Isaacman, a médica Hayley Arceneaux, o engenheiro de voo Chris Sembroski e a piloto Sian Proctor (todos EUA). Isaacman contratou a SpaceX para um voo na aeronave Crew Dragon, e arrecadou mais de US$200 mi para o tratamento de câncer infantil do St Jude.

Primeira pessoa a comer no espaço
Durante sua histórica missão de 108min, Vostok 1 (o primeiro **voo espacial tripulado**), em 12/4/1961, o cosmonauta Yuri Gagarin fez uma refeição de pasta de carne e fígado de um tubo de alumínio, seguida de uma sobremesa de creme de chocolate.

Primeira pessoa a vomitar no espaço
Enjoo espacial é uma forma de cinetose (enjoo de movimento) causado pela desorientação devido à falta de gravidade. Sua primeira vítima foi o cosmonauta soviético Gherman Titov, que sentiu náusea e vomitou durante o voo Vostok 2 em 6/8/1961. Alguma forma de enjoo espacial é sentida por cerca de metade das pessoas, mas os sintomas costumam desaparecer após um ou dois dias em órbita.

Primeira apresentação musical no espaço
A missão dupla Vostok 3/4 lançou os cosmonautas Andriyan Nikolayev e Pavel Popovich ao espaço com 24h de diferença, em 11 e 12/8/1962, respectivamente. Eles se comunicaram por rádio durante a maior parte da missão e aproveitaram para cantar músicas e distrair as pessoas no centro de controle.

Os **primeiros instrumentos musicais no espaço** foram uma gaita Horner "Little Lady" e um conjuntinho de guizos, levados escondidos na missão Gemini VI por dois astronautas da NASA — Walter "Wally" Schirra e Tom Stafford. Em 16/12/1965, eles surpreenderam o controle da missão e a tripulação da Gemini VII, que também estava em órbita, com uma apresentação de "Jingle Bells".

Primeira comida cultivada no espaço
Durante os 61 dias na estação espacial *Salyut* 4 em 1975, os cosmonautas Pyotr Klimuk e Vitaly Sevastyanov usaram a estufa Oasis-1M para cultivar cebolinhas, que foram consumidas no jantar de aniversário de 40 anos de Sevastyanov em 8/7.

Em 26/9/2019, células bovinas colhidas pela start-up de tecnologia alimentícia Aleph Farms (ISR) criaram a **primeira carne cultivada em laboratório no espaço** a bordo da *Estação Espacial Internacional* (*ISS*).

Primeiras pessoas a votarem no espaço
Mesmo a bordo da estação espacial *Mir*, os cosmonautas Yuri Onufriyenko e Yury Usachov (ambos RUS) votaram na eleição presidencial russa em 16/6/1996 através de proxies na Terra.

Em 1997, o Texas mudou a lei de abstenção de voto, permitindo que David Wolf (EUA) votasse a bordo da *Mir*, tornando-o o primeiro astronauta americano a votar no espaço.

Primeiro incêndio em uma estação espacial
Em 23/2/1997, ocorreu um incêndio na *Mir*, quando "velas" de perclorato de lítio — que são acesas para liberar oxigênio — deram defeito. Embora o fogo tenha sido contido, a tripulação quase abandonou a estação na Soyuz, o "bote salva-vidas".

Maior tempo acumulado em atividades extraveiculares
O cosmonauta Anatoly Solovyev (RUS) acumulou um total de 82h22min em espaço aberto entre 1988 e 1998, enquanto trabalhava na *Mir*. Suas 16 atividades extraveiculares incluem sete reparos de emergência conduzidos durante a Expedição 24 da *Mir* após a colisão com uma nave de suprimentos.

O recorde **feminino** é da astronauta da NASA Peggy Whitson (EUA), que passou 60h21min trabalhando no lado de fora da *ISS* entre 2002 e 2017. Em toda a carreira, Whitson passou 665 dias, 22h22min em órbita, o **maior tempo acumulado no espaço (feminino).**

Sistema sanitário mais caro
O ônibus espacial *Endeavour* foi lançado em 1/1993 com um novo banheiro unissex. No andar do meio da espaçonave, o mecanismo de US$30 mi foi descrito pela NASA como um "sistema completo de saneamento e tratamento (...) dentro de um espaço de meia cabine telefônica". O banheiro, com 4.000 componentes, tinha suportes nos pés para manter os astronautas no lugar.

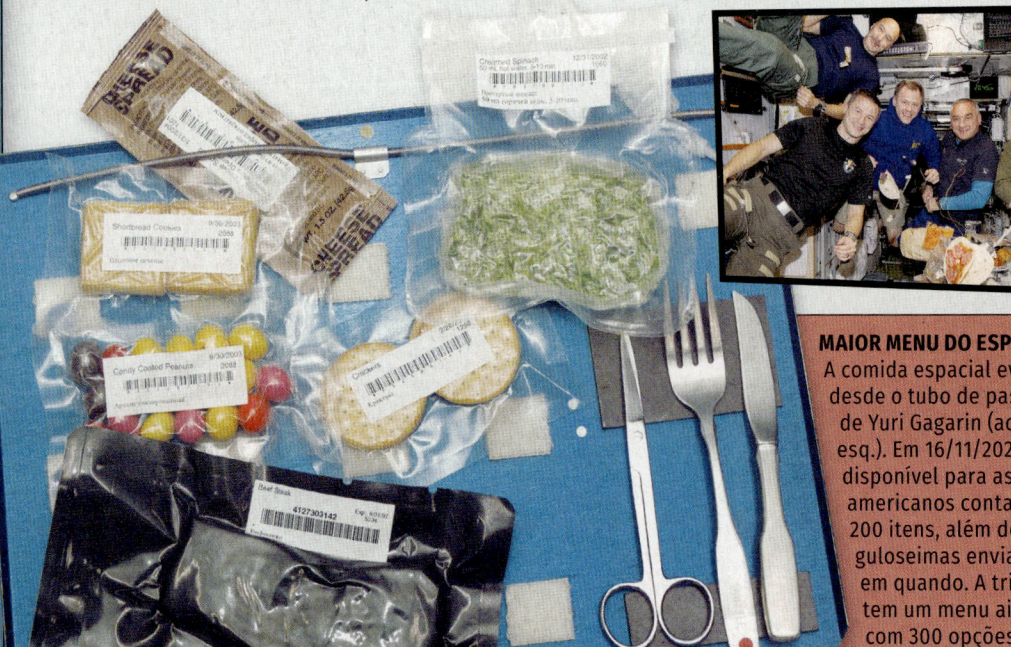

MAIOR MENU DO ESPAÇO
A comida espacial evoluiu muito desde o tubo de pasta de carne de Yuri Gagarin (acima, à esq.). Em 16/11/2021, o menu disponível para astronautas americanos contava com 200 itens, além de várias guloseimas enviadas de vez em quando. A tripulação russa tem um menu ainda maior, com 300 opções.

FÉRIAS NA ESTAÇÃO ESPACIAL

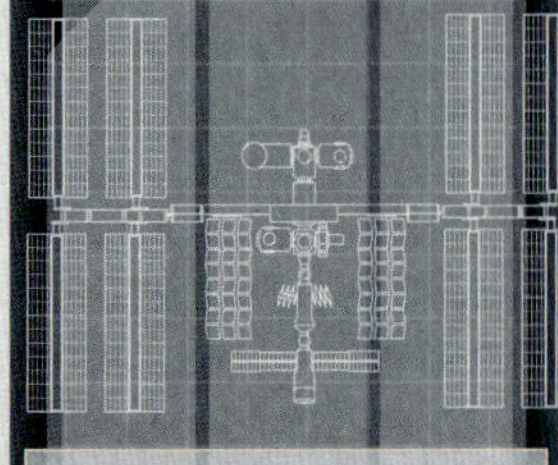

Em 2019, a NASA anunciou que abriria a *ISS* para turistas espaciais, criando assim a pousada de mais *alta* tecnologia. Uma vaga nesse albergue espacial custa a quantia impressionante de US$1,1 milhão por noite, mas a que você tem direito por esse valor pago?

Internet e escritório

 Wi-Fi Disponível em toda a estação

 Local de trabalho Cerca de 100 tablets e laptops

 Equipamento de laboratório Hottes, caixas de luvas, freezers

Cozinha e sala de jantar

 Copa Hidratador de comida, menu extenso

 Mesa Com suporte para você se segurar

 Cafeteira Com o italiano "ISSpresso"

Comodidades e serviços

 Estacionamento gratuito ao redor Oito portas de carga e descarga

 Longas estadias disponíveis Até 437 dias

 Ambiente sem peso Em estado constante de queda livre

 Isolado Os vizinhos estão a 408km de distância

 Academia Esteiras, bicicletas e aparelhos de musculação

Não incluídos

 Banheira/chuveiro

Varanda

Máquina de lavar

Fogão

ESPAÇO

MAIOR AMBIENTE NO ESPAÇO
Lançado em 14/5/1973, o *Skylab*, da NASA, foi a primeira estação espacial americana e o maior ambiente único lançado no espaço. A maior parte de sua fuselagem consistia em um impulsionador de terceira geração convertido de um lançador de foguete Saturn V. Essa estação espacial cilíndrica tinha um volume interno de 238,3m^3, com um espaço habitável de 173m^3.

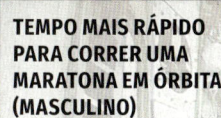

PRIMEIRO VÍDEO DE MÚSICA GRAVADO NO ESPAÇO
Em 12/5/2013, em sua última missão na *ISS*, o comandante Chris Hadfield (CAN) postou um vídeo no YouTube cantando "Space Oddity", de David Bowie. O músico contou a Hadfield que aquele foi o cover mais emocionante que já tinha visto.

TEMPO MAIS RÁPIDO PARA CORRER UMA MARATONA EM ÓRBITA (MASCULINO)
Tim Peake (RU) correu uma maratona em 3h35min21s em uma esteira na *ISS* em 24/4/2016. Em 16/4/2007, a astronauta da Nasa Sunita Williams (EUA) atingiu o recorde **feminino** — 4h24min — como corredora da 111ª Maratona de Boston.

MAIS PESSOAS NO ESPAÇO AO MESMO TEMPO
Por alguns minutos em 11/12/2021, a população humana no espaço contou com 19 pessoas: 6 na cápsula New Shepard, da Blue Origin, em voo suborbital, 3 na estação espacial chinesa *Tiangong-1* e 10 na *ISS*. Esse número bateu o recorde anterior de 14, em 20/7/2021 (durante o primeiro voo da Blue Origin, veja a p.19), e foi igualado entre 15-17/9 durante a missão Inspiration 4 (página ao lado).

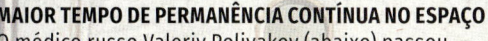

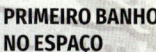

PRIMEIRO BANHO NO ESPAÇO
O interior relativamente grande do *Skylab* (ver acima à esquerda) acomodava um chuveiro espacial. Os astronautas ficavam dentro de um anel no chão e erguiam uma cortina circular presa ao teto. Um tubo jogava 2,8 litros de água, que depois era coletada por um sistema a vácuo.

MAIOR TEMPO DE PERMANÊNCIA CONTÍNUA NO ESPAÇO
O médico russo Valeriy Poliyakov (abaixo) passou 437 dias, 17h58min31s no espaço. Ele foi para a *Mir* a bordo da Soyuz TM18 em 8/1/1994 e retornou à Terra em 22/3/1995.

O **maior tempo de permanência contínua no espaço por uma mulher** é de 328 dias, 13h58min12s, da astronauta da NASA Christina Koch (EUA), entre 14/3/2019 e 6/2/2020. Essa foi sua primeira missão.

MAIS BANHEIROS EM UMA ESTAÇÃO ESPACIAL
Com o lançamento do módulo *Nakura*, da Rússia, em 29/7/2021, a *ISS* ficou com 3 banheiros. Em 2020, o toalete na seção americana foi substituído pelo Sistema de Manejo de Dejetos Universal. Desejava-se uma unidade mais silenciosa, higiênica e — mais importante — fácil de usar pelas astronautas e cosmonautas.

ESPAÇO
Lixo espacial

PRIMEIRA PESSOA ATINGIDA POR LIXO ESPACIAL

Em 22/1/1997, Lottie Williams (EUA) estava caminhando em Turley — um subúrbio de Tulsa, Oklahoma, EUA — quando viu o que pensou ser uma estrela cadente. Pouco tempo depois, foi pega de raspão no ombro por um pedaço de 12,7cm de fibra de vidro escurecida. Tinha sido atingida pelo 2º estágio de um míssil americano Delta II, cuja reentrada testemunhara antes.

Tipo mais comum de lixo espacial

Os restos de explosões e colisões orbitais são conhecidos como "detritos de fragmentação". De acordo com números publicados pelo Escritório de Programas de Detritos Orbitais da NASA em 2018, esses estilhaços espaciais representam 52,6% de todos os objetos rastreáveis na órbita da Terra. Acontecem cerca de 12 "eventos de fragmentação orbitais" (satélites ou carcaças de foguetes explodindo no espaço) todo ano.

Com exceção de testes de armas (ver página ao lado), o maior evento de fragmentação foi a **primeira colisão entre dois satélites**. Em 10/2/2009, o satélite de comunicação ativo *Iridium 33* bateu no satélite militar russo desativado *Kosmos-2251*, criando 2.296 pedaços de detritos rastreáveis.

*O espaço orbital logo acima de nossas cabeças está ficando cada vez mais cheio. Apenas 65 anos depois do lançamento do **primeiro satélite artificial** (que logo se tornou o **primeiro lixo espacial** — ver página ao lado), há 4.304 satélites ativos na órbita da Terra e 19.167 detritos espaciais rastreáveis, que tornam a operação de satélites cada vez mais difícil.*

Mais satélites ativos em órbita (país)

De acordo com valores compilados pela AstriaGraph em 15/2/2022, há 2.453 satélites ativos que pertencem ao governo dos EUA ou a empresas privadas americanas. Mais de mil deles foram lançados no ano passado, a maioria como parte da constelação Starlink, da SpaceX.

Até 15/2/2022, havia 7.343 detritos espaciais rastreáveis registrados na Comunidade dos Estados Independentes (CEI) — 40% de todo o lixo espacial — tornando-a a **maior contribuidora em detritos espaciais (país)**. A CEI abrange a Federação Russa e diversas outras nações da antiga União Soviética. Esse total inclui 959 carcaças de mísseis e 1.287 satélites inativos.

Maior detrito espacial (dimensões)

Lançado em 25/3/2000 e desativado em 18/12/2005, o eixo central do satélite de pesquisa IMAGE tem 2,25m e uma massa de 494kg. Mas dele saem antenas de rádio de 250m de comprimento, ou seja, para evitar colisões, o IMAGE é encarado como tendo 502m.

Em jan/2022, o **maior detrito espacial (massa)** em órbita eram 22 estágios superiores usados do foguete soviético/russo Zenit-2, ativos de 1985 a 2004. Cada um deles tem uma massa seca — sem combustível — de 8.900kg, mas todos têm ao menos um pouco de combustível a bordo, então a massa verdadeira é maior.

PRIMEIRO SATÉLITE DE MANUTENÇÃO NÃO TRIPULADO EM ÓRBITA

A maioria dos satélites é usada 1 vez e depois abandonada em órbita como lixo espacial após o fim da vida útil. Uma solução para esse problema é reabastecê-los no espaço, ou fazer uma "manutenção em órbita". O **primeiro satélite de manutenção em órbita** foi levado pela *Challenger* em 1984, mas logo viram que missões tripuladas seriam muito caras.

É aí que entra o **Mission Extension Vehicle** (*MEV-1*) da Northrop Grumman. O *MEV-1* é um "rebocador espacial" que se prendeu ao *Intelsat 901* em 25/2/2020 com uma garra extensível (detalhe). Então, o MEV-1 usou seus sistemas de controle para retornar a nave conjunta ao trabalho em 2/4/2020.

MAIOR SATÉLITE INATIVO (MASSA)

Envisat é um satélite de observação de pesquisa com uma massa seca de 7.911kg e eixo principal de 26m. Foi lançado pela ESA em 1/3/2002, mas o contato foi perdido em 8/4/2012. O Envisat preocupa aqueles que monitoram detritos espaciais por causa de seu tamanho e sua proximidade com outros lixos espaciais. A cada ano, sua órbita o aproxima 200m de outros dois objetos catalogados. Na foto, um modelo do *Envisat* em uma exibição em 1999.

O QUE ESTÁ EM ÓRBITA?

Satélites ativos
Massa: até 8.200kg
Tamanho: 0,5-50m
Quantidade: 4.300

Satélites inativos
Massa: até 8.200kg
Tamanho: 0,5-50m
Quantidade: 3.930

Carcaças de foguetes
Massa: 750-10.000kg
Tamanho: 2-12m
Quantidade: 2.050

Detritos de missões
Massa: até 50kg
Tamanho: 0,1-2m
Quantidade: desconhecida

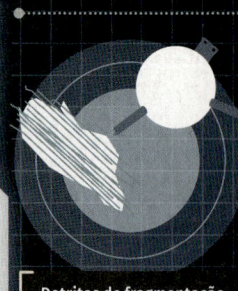

Detritos de fragmentação grandes
Massa: 1-500kg
Tamanho: mais de 10cm
Quantidade: 7.860

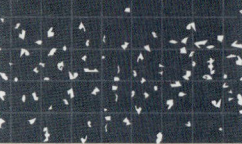

Detritos de fragmentação pequenos
Massa: menos de 1kg
Tamanho: menos de 10cm
Quantidade: +20.000

Figuras aproximadas. Não estão em escala.

ESPAÇO

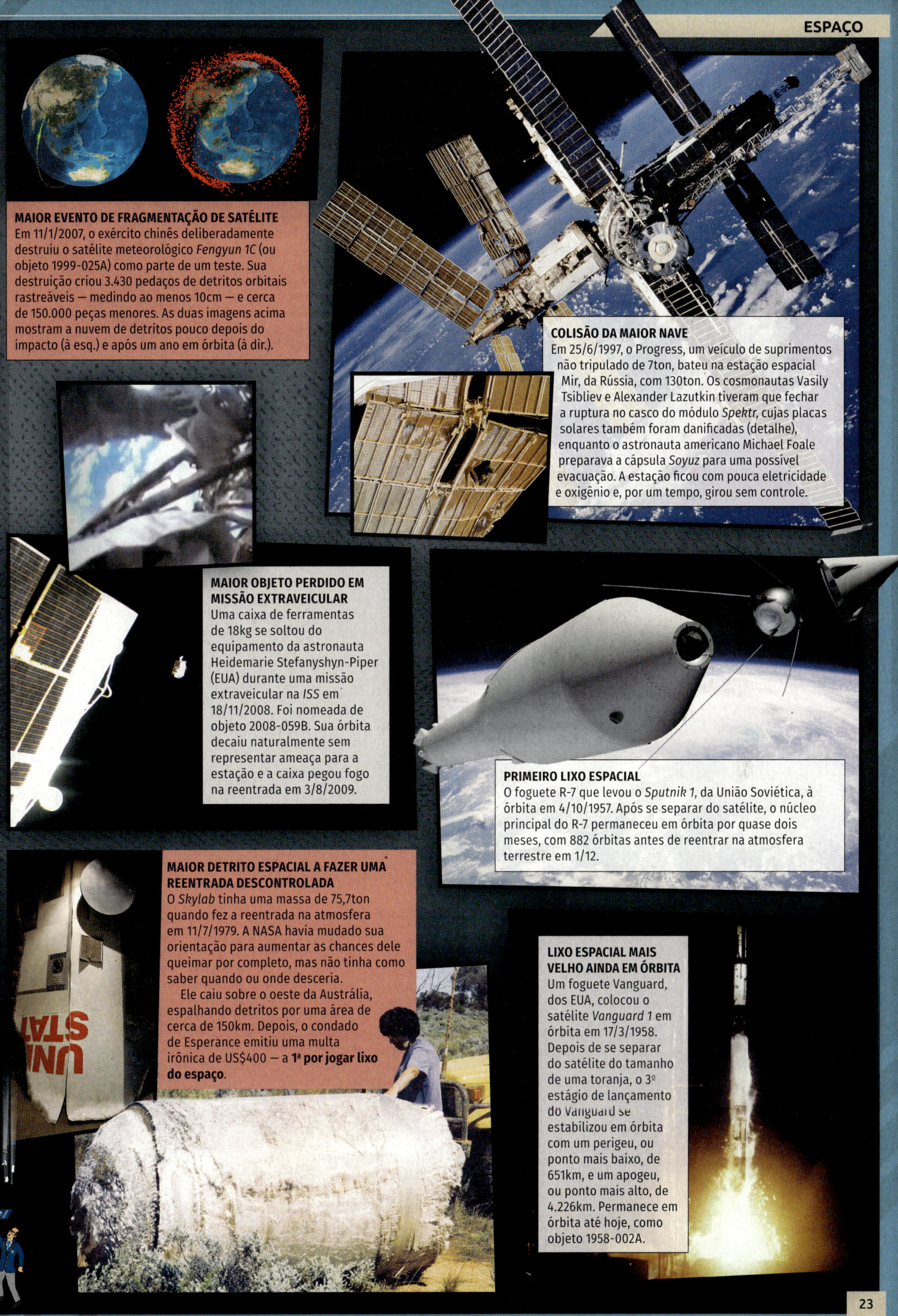

MAIOR EVENTO DE FRAGMENTAÇÃO DE SATÉLITE
Em 11/1/2007, o exército chinês deliberadamente destruiu o satélite meteorológico *Fengyun 1C* (ou objeto 1999-025A) como parte de um teste. Sua destruição criou 3.430 pedaços de detritos orbitais rastreáveis — medindo ao menos 10cm — e cerca de 150.000 peças menores. As duas imagens acima mostram a nuvem de detritos pouco depois do impacto (à esq.) e após um ano em órbita (à dir.).

COLISÃO DA MAIOR NAVE
Em 25/6/1997, o Progress, um veículo de suprimentos não tripulado de 7ton, bateu na estação espacial Mir, da Rússia, com 130ton. Os cosmonautas Vasily Tsibliev e Alexander Lazutkin tiveram que fechar a ruptura no casco do módulo *Spektr*, cujas placas solares também foram danificadas (detalhe), enquanto o astronauta americano Michael Foale preparava a cápsula *Soyuz* para uma possível evacuação. A estação ficou com pouca eletricidade e oxigênio e, por um tempo, girou sem controle.

MAIOR OBJETO PERDIDO EM MISSÃO EXTRAVEICULAR
Uma caixa de ferramentas de 18kg se soltou do equipamento da astronauta Heidemarie Stefanyshyn-Piper (EUA) durante uma missão extraveicular na *ISS* em 18/11/2008. Foi nomeada de objeto 2008-059B. Sua órbita decaiu naturalmente sem representar ameaça para a estação e a caixa pegou fogo na reentrada em 3/8/2009.

PRIMEIRO LIXO ESPACIAL
O foguete R-7 que levou o *Sputnik 1*, da União Soviética, à órbita em 4/10/1957. Após se separar do satélite, o núcleo principal do R-7 permaneceu em órbita por quase dois meses, com 882 órbitas antes de reentrar na atmosfera terrestre em 1/12.

MAIOR DETRITO ESPACIAL A FAZER UMA REENTRADA DESCONTROLADA
O *Skylab* tinha uma massa de 75,7ton quando fez a reentrada na atmosfera em 11/7/1979. A NASA havia mudado sua orientação para aumentar as chances dele queimar por completo, mas não tinha como saber quando ou onde desceria.
Ele caiu sobre o oeste da Austrália, espalhando detritos por uma área de cerca de 150km. Depois, o condado de Esperance emitiu uma multa irônica de US$400 — a **1ª por jogar lixo do espaço**.

LIXO ESPACIAL MAIS VELHO AINDA EM ÓRBITA
Um foguete Vanguard, dos EUA, colocou o satélite *Vanguard 1* em órbita em 17/3/1958. Depois de se separar do satélite do tamanho de uma toranja, o 3º estágio de lançamento do Vanguard se estabilizou em órbita com um perigeu, ou ponto mais baixo, de 651km, e um apogeu, ou ponto mais alto, de 4.226km. Permanece em órbita até hoje, como objeto 1958-002A.

ESPAÇO
Exploração robótica

MAIOR APROXIMAÇÃO AO SOL
A Parker Solar Probe chegou a cerca de 8.542.000km do Sol às 21h25min24s em 20/11/2021. O mais recente periélio da sonda (o ponto mais próximo na órbita elíptica) aconteceu após uma assistência gravitacional de Vênus em 16/10/2021. Ela também alcançou a **velocidade mais rápida de espaçonave** — 586.800 km/h.

PRIMEIRA NAVE INTERPLANETÁRIA A POUSAR SOBRE RODAS
O rover *Curiosity* da NASA pousou com as rodas em Marte em 6/8/2012 às 5h17min. Os rovers anteriores pousaram com aterrisadores estacionários, mas o *Curiosity* era grande demais. Depois de atravessar a atmosfera marciana em um paraquedas, ligou um jetpack e desceu até a superfície. A técnica foi repetida pelo *Perseverance* (abaixo, ao lado).

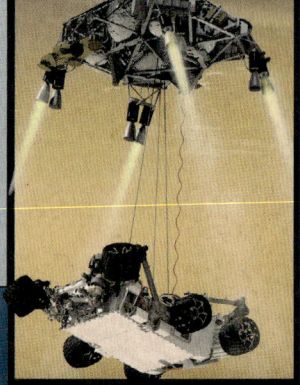

MAIOR Nº DE DADOS ENVIADOS DE OUTRO PLANETA
O *Mars Reconnaissance Orbiter*, da NASA, enviou 422 terabits de dados para a Terra em 1/1/2022 — o equivalente a 154 dias terrestres de streaming de vídeo em 4K. Havia fotos de alta resolução, sondagens de radar subterrâneo e medições espectrais. A espaçonave multiuso orbita o planeta vermelho desde 10/3/2006.

EXPLORAÇÃO MAIS DISTANTE DE UM OBJETO DO SISTEMA SOLAR
Em 1/1/2019 às 5h33min, a sonda *New Horizons* da NASA voou a 3.538km de 486958 Arrokoth no Cinturão de Kuiper, a 1,6 bilhão de km de Plutão. Descobriu que Arrokoth era um "binário de contato": duas esferas esmagadas conectadas.

ROVERS PLANETÁRIOS MAIS VIAJADOS

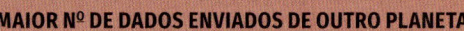

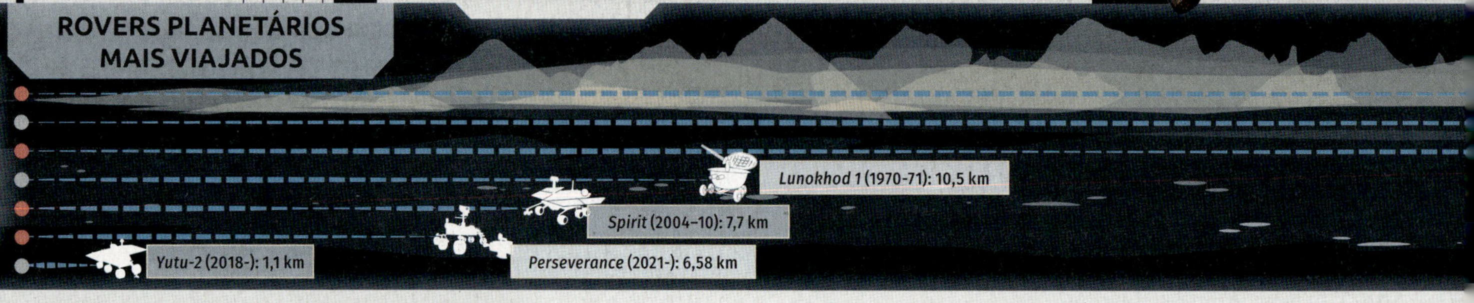

- Yutu-2 (2018-): 1,1 km
- Perseverance (2021-): 6,58 km
- Spirit (2004-10): 7,7 km
- Lunokhod 1 (1970-71): 10,5 km

NAVE ESPACIAL MAIS ATIVA ORBITANDO OUTRO PLANETA
A chegada do orbitador *Tianwen-1*, da China, em 10/2/2021 levou o número de espaçonaves operacionais observando Marte a 8. Em 1/1/2022, fotos de *Tianwen-1* em órbita foram divulgadas, tiradas por uma câmera lançada da nave, mostrando o polo norte do planeta coberto de gelo.

Primeiro rover planetário
O *Lunokhod 1* da URSS pousou na Lua em 17/11/1970. Este rover movido a energia solar foi originalmente programado para operar por cerca de 90 dias, mas sobreviveu por 321, viajando 10.540m.

Primeira nave espacial a visitar Mercúrio
A sonda robótica *Mariner 10*, da NASA, fez seu 1º sobrevoo de Mercúrio em 29/3/1974. Ela fez mais 2 passagens pelo planeta antes de desligar. A *Mariner 10* permanece em órbita ao redor do Sol até hoje.

Maior sobrevivência em Vênus por espaçonave
Depois de pousar na superfície de Vênus às 3h57min de 1/3/1982, a sonda soviética *Venera 13* conseguiu transmitir dados até as 6h4min — um total de 127min, 4 vezes mais do que os cientistas da missão previam, dado os ventos com força de furacão, pressão esmagadora e temperatura ambiente de 457ºC.

Primeira imagem tirada na superfície de um cometa
Em 12/11/2014, a sonda *Philae* pousou no cometa 67P/Churyumov-Gerasimenko. A imagem divulgada no dia seguinte era um mosaico de duas câmeras da *Philae*, mostrando o penhasco ao lado do local de pouso e parte do próprio módulo.
A **primeira imagem tirada na superfície de um asteroide** foi do rover japonês *HIBOU* às 2h44min de 22/9/2018, no asteroide 162173 Ryugu.

Órbita mais próxima de um asteroide
Em 6/10/2020, o *OSIRIS-REx*, da NASA, apertou sua órbita ao redor de 101955 Bennu, chegando a 374m da superfície. Duas semanas depois, o *OSIRIS-REx* desceu da órbita de transferência até a superfície de Bennu e usou um braço extensível para coletar uma amostra. A sonda está voltando à Terra com a carga e chega em set/2023.
  Com um diâmetro de apenas 510m de polo a polo, Bennu é **o menor objeto orbitado por uma espaçonave**.

Todos os horários e datas em Tempo Universal Coordenado (UTC)

ROVER LUNAR DE MAIS LONGA OPERAÇÃO

O *Yutu-2*, da China, estava funcionando na Lua há 40 dias lunares em 9/3/2022. (Um dia lunar equivale a cerca de 28 dias terrestres.) O *Yutu-2* chegou lá a bordo da sonda *Chang'e 4*, que fez o 1º **pouso no lado oculto da Lua** em 3/1/2019.

MOTOR DE ÍONS MAIS POTENTE NO ESPAÇO

Lançado em 24/11/2021 para explorar os asteroides troianos, o *Lucy* voa com motores Evolutionary Xenon Thruster-Commercial, da NASA, operando a até 3,5kW. Esses motores geram empuxo usando eletricidade para acelerar átomos ionizados pesados a velocidades altíssimas.

MAIOR VELOCIDADE EM SUPERFÍCIE EM MARTE

Os rovers gêmeos *Spirit* e *Opportunity* atingiram a velocidade máxima em linha reta de 3,7cm/s. Podiam alcançar até 5cm/s, mas os engenheiros nunca acionavam essa velocidade em linha reta. Pousaram em Marte em jan/2004; o *Opportunity* era ativo até 2018.

O rover só saía à tarde, para que o Sol aquecesse os motores à temperatura ideal.

VOO MAIS DISTANTE EM MARTE

O helicóptero autônomo da NASA *Ingenuity* cobriu uma distância de 625m em seu 9º voo no planeta vermelho em 5/7/2021. O *Ingenuity* atravessou uma área de ventania e areia fofa chamada Séítah na cratera Jezero, ignorando um obstáculo em que o rover *Perseverance* (abaixo) tinha que dar a volta.

Curiosity (2012-): 27,44 km
Lunokhod 2 (1973): 39 km
Opportunity (2004-18): 45,16 km

LEGENDA
● Rover de Marte
● Rover da Lua

Menor espaçonave interplanetária

Lançada em 5/5/2018 junto com o módulo de aterrissagem marciano *InSight*, as espaçonaves gêmeas da Mars Cube One (missão MarCO) cabiam cada uma em uma caixa pesando 13,5 kg e medindo 30x20x10cm. Os satélites — apelidados de WALL-E e EVE — viajaram para Marte separadamente e foram projetados para realizar retransmissões de rádio entre o *InSight* e a Terra.

Planeta mais sondado

Em 24/1/2022, um total de 26 missões pelo menos parcialmente bem-sucedidas foram lançadas a Marte. Cinco naves sobrevoaram o planeta, 14 entraram em órbita e 11 fizeram pousos bem-sucedidos. Outras 23 falharam antes de enviar dados.

Mais planetas visitados por espaçonave

A *Voyager 2*, da NASA, passou por todos os 4 gigantes gasosos — Júpiter, Saturno, Urano e Netuno — entre 1979 e 1989. Conduziu o **primeiro sobrevoo de Urano** (maior aproximação: 24/1/1986) e **Netuno** (25/8/1989). A *Voyager 2* foi uma das duas sondas da NASA (veja abaixo) lançadas em 1977, capazes de usar a assistência gravitacional de um planeta para o outro graças a um alinhamento especial dos planetas externos que ocorre apenas uma vez a cada 176 anos.

Objeto mais remoto feito pelo homem

Em 20/1/2022, a *Voyager 1* estava a 23,298 bilhões de km da Terra — cerca de 156 vezes a distância entre a Terra e o Sol. Uma década se passou desde que a *Voyager 1* se tornou a **1ª sonda a deixar o Sistema Solar**, em 25/8/2012, mas ela continua telefonando para casa de vez em quando, ganhando o recorde de **maior distância de comunicação**. Supondo que sobreviva, a *Voyager 1* atingirá uma distância de 23,836 bilhões km da Terra até 20/1/2023. Calcula-se que fique sem energia até 2025.

MAIOR DISTÂNCIA PERCORRIDA EM UM DIA MARCIANO (SOL)

O rover *Perseverance* percorreu 319,786m em seu 351º dia marciano; um único sol dura 24h39min35s. O rover da NASA estava configurado em "AutoNav" — ou seja, só recebeu instruções gerais da sala de controle e usou o próprio software para evitar obstáculos.

ESPAÇO
Sistema Solar

PRIMEIRO OBJETO INTERESTELAR
'Oumuamua ("batedor" em havaiano) é um cometa de 400m que se originou em um sistema estelar diferente. Foi descoberto em 19/10/2017 pelo astrônomo canadense Robert Weryk. Passando além da órbita de Netuno em 2022, 'Oumuamua deixará o Sistema Solar em cerca de 20.000 anos.

Mais novas pedras da Lua
Para a missão *Chang'e 5*, de 2020, a Administração Espacial Nacional da China visou uma área chamada Oceanus Procellarum. Este é um dos "mares" escuros — planícies de rocha vulcânica — claramente visíveis da Terra. Como essas áreas têm menos crateras que as "terras altas", de cor clara, considera-se que devem ter se formado mais recentemente. Após a nave retornar com 1,7kg de amostras em 16/12/2020, descobriu-se que as rochas tinham apenas 1,96 bilhão de anos, mais de 1 bilhão de anos a menos que a amostra mais recente anterior.

Cratera mais funda
A bacia do polo Sul-Aitken no lado oculto da Lua tem 2.250km de diâmetro e uma profundidade média de 12km, medida a partir da borda.

Maior lua
Com um diâmetro médio de 5.262,4km, Ganimedes, de Júpiter, é o nono maior objeto do Sistema Solar. É maior que o planeta Mercúrio e tem mais do dobro da massa de nossa Lua.

Lua mais distante de planeta
Neso orbita Netuno a uma distância média de 50,18 milhões de km do centro do planeta, levando 9.631,9 dias terrestres (26,37 anos) para completar a órbita. Sua órbita retrógrada ou "para trás" ao redor do planeta indica que Neso é provavelmente um objeto capturado que já foi um mundo gelado além de Netuno.
A **maior lua retrógrada** é Tritão, outro dos satélites de Netuno. Mede 2.706km de diâmetro.

Menor mundo redondo
Methone é uma pequena lua em formato oval de Saturno que mede 3,88x2,58x2,42km. Sua superfície parece quase perfeitamente lisa, tornando-a uma verdadeira estranheza espacial. Sua forma sugere que ela provavelmente é coberta por uma camada profunda de poeira fina sem força inerente.

Asteroide de órbita mais rápida
O asteroide de órbita mais rápida é 2021 PH27, que circula o Sol a cada 114,7 dias. Atravessa a órbita de Mercúrio, mas passa mais perto do Sol. Este asteroide de 2km de diâmetro foi descoberto em 13/8/2021 por Scott Sheppard, usando o DECam imager no Observatório Interamericano de Cerro Tololo, no Chile.
Os cometas, que se distinguem pela composição de gelo, orbitam mais longe. O cometa de **órbita mais curta** é o 311P/PanSTARRS, no cinturão de Asteroides. Ao contrário da maioria dos cometas, cujas órbitas são medidas em décadas ou séculos, o 311P completa uma órbita do Sol a cada 3 anos e 88 dias.

Maior sistema fluvial em outro mundo
Titã, a lua de Saturno, tem uma rede de rios, lagos e mares abaixo da densa camada de nuvens (veja abaixo à esq.). No entanto, como é tão frio (-176°C), o que flui nesses canais é metano, e não água. O mais longo dos rios é Vid Flumina, com 412 km, que passa por uma rede de desfiladeiros profundos até um mar chamado Ligeia Mare. Foi visto pela primeira vez em varreduras de radar da superfície feitas pela sonda Cassini em 26/9/2012.

Planetas superlativos...
• **Maior:** Júpiter tem um diâmetro equatorial de 143.884km. Seu volume é mais de 1.000 vezes maior que o da Terra.
• **Denso:** A Terra tem uma densidade média de 5.513kg/m³. Compare isso com 687kg/m³ de Saturno, o **planeta menos denso**.
• **Mais quente:** A superfície de Vênus tem uma temperatura média de 473°C.
• **Maior inclinação:** Urano gira em um eixo inclinado de 97,77° em relação ao seu plano orbital. Foi teorizado que é a consequência de uma colisão com um planeta do tamanho da Terra.
• **Mais excêntrico:** A órbita de Mercúrio o leva a 46 milhões de km do Sol em seu ponto mais próximo (periélio) e a 69,81 milhões de km em seu ponto mais distante (afélio).

MAIORES LAGOS EXTRATERRESTRES
Cerca de 75 lagos com até 110km de diâmetro foram descobertos pela missão Cassini da NASA/ESA na superfície da maior lua de Saturno, Titã. Os corpos são compostos de metano e etano líquido, e estão agrupados perto dos polos da lua.

TEMPESTADE DE RAIOS MAIS LONGA
Uma tempestade de raios em Saturno, observada pela sonda Cassini, durou 333 dias de 14/1 a 13/12/2009. O gigante gasoso tem as "Grandes Manchas Brancas" (foto), com tamanho suficiente para serem vistas de telescópios da Terra.

VIZINHOS DA TERRA

Em abr/2022, Saturno teve o maior nº de luas para um planeta, com 83. Um total de 80 luas foi visto ao redor de Júpiter, enquanto a conta para Urano é 27; Netuno, 14; e Marte, 2.

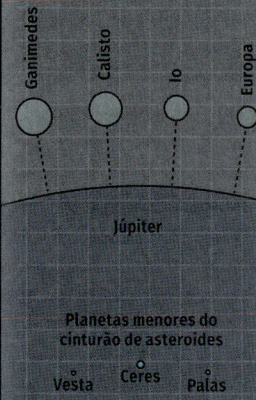

Esse infográfico mostra os corpos do Sistema Solar em escala, com cada 1 dos 8 planetas, assim como os planetas menores e luas (conectadas com linhas pontilhadas ao seu planeta) grandes o suficiente para serem vistas a essa escala. O Sol está cortado porque teria 1,4m de largura.

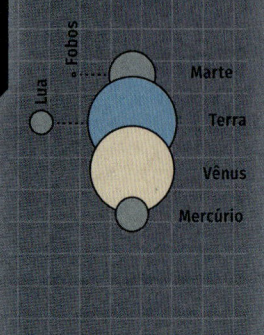

ESPAÇO

MAIOR MONTANHA
O cume do monte Olimpo, em Marte, está 21.287m acima do datum (o equivalente marciano do nível do mar). É um vulcão com um diâmetro de 624km (cerca do tamanho da França) e mais de 2,5 vezes mais alto que o Everest.

MAIOR ANTICICLONE
A Grande Mancha Vermelha é uma tempestade localizada no hemisfério Sul de Júpiter. Embora ainda maior que a Terra, este anticiclone de 350 anos está encolhendo: tinha cerca de 25.000km de largura quando observado pelas sondas *Voyager* em 1979, mas imagens do Hubble de 4/9/2021 mostram que agora tem apenas 14.893 km de largura.

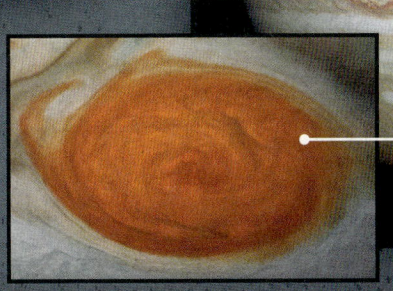

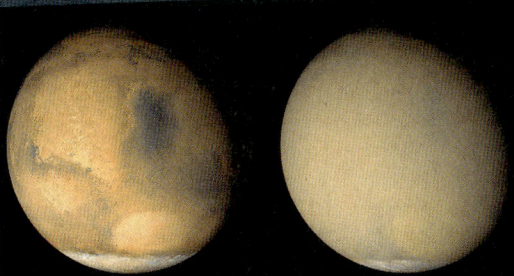

MAIORES TEMPESTADES DE AREIA
Marte tem tempestades de areia irregulares que cobrem todo o planeta e podem durar meses. Esses dramáticos eventos climáticos são problemas reais para os engenheiros que projetam equipamentos para o planeta vermelho, sobretudo com a poeira que afeta a energia que os painéis solares podem criar.

MAIOR SISTEMA DE ANÉIS
Os anéis de Saturno se estendem por 7.000km acima do equador do planeta e a 15 milhões de km de distância, onde a borda externa do quase imperceptivelmente fino Anel Febe está localizada (foto). Esses discos de gelo e detritos têm uma massa combinada de cerca de $1,54 \times 10^{16}$ ton.

MAIOR OBJETO DO CINTURÃO DE KUIPER
O planeta-anão Plutão tem um diâmetro de 2.376km, conforme medido pela sonda New Horizons durante seu sobrevoo em 14/7/2015. Plutão é o maior dos corpos gelados do Cinturão de Kuiper, que fica além da órbita de Netuno, mas não tem a **maior massa**: esse título é detido por seu vizinho Éris, com $1,66 \times 10^{19}$ ton.

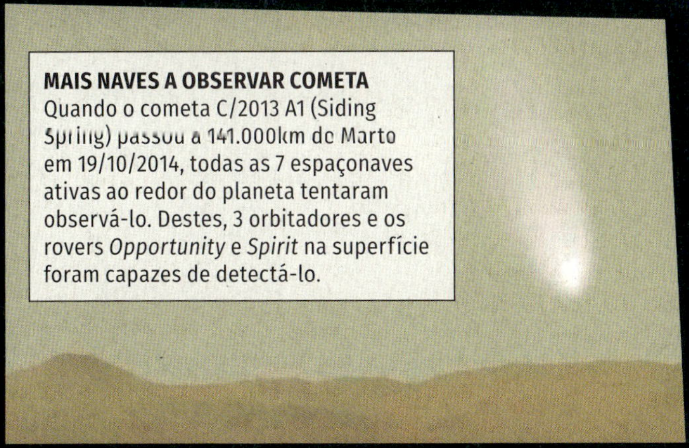

MAIS NAVES A OBSERVAR COMETA
Quando o cometa C/2013 A1 (Siding Spring) passou a 141.000km de Marte em 19/10/2014, todas as 7 espaçonaves ativas ao redor do planeta tentaram observá-lo. Destes, 3 orbitadores e os rovers *Opportunity* e *Spirit* na superfície foram capazes de detectá-lo.

MAIOR ASTEROIDE TIPO M
O 16 Psyche tem um diâmetro de cerca de 226km e uma massa estimada de $2,28 \times 10^{16}$ ton. Ele orbita o Sol entre Marte e Júpiter e, como todos os asteroides tipo M, acredita-se que contenha uma grande quantidade de metal. A espaçonave Psyche da NASA, programada para ser lançada em agosto de 2022, será a 1ª nave a visitar um objeto deste tipo.

ESPAÇO
Astronomia

SUPERESTRELAS: EM ESCALA

WOH G64
Maior estrela
2,14 bi km

MAIS PLANETAS EM OUTRO SISTEMA SOLAR
Kepler-90 é uma estrela na constelação do Dragão com 8 planetas confirmados — o mesmo número do nosso Sistema Solar. Os planetas da Kepler-90 ficam agrupados a menos de 1UA dela, ou seja, mais ou menos a mesma distância entre a Terra e o Sol. Localizados a 2.840 anos-luz da Terra, o sistema planetário foi descoberto pela sonda espacial Kepler, da NASA.

Os astrônomos usam um sistema chamado magnitude aparente para descrever o brilho dos objetos no céu noturno. Quanto maior o número, mais brilhante o objeto parece para observadores na Terra. O ponto zero da escala é a luminosidade da estrela Vega, o que significa que objetos excepcionalmente claros podem ter magnitudes negativas. A **estrela mais brilhante vista da Terra**, Sirius A (ou alpha Canis Majoris), por exemplo, tem uma magnitude aparente de -1,46.

Estrela mais luminosa
Localizada na Nebulosa da Tarântula, na Grande Nuvem de Magalhães (ver à direita), a RMC 136a1 é 6.170.000 vezes mais clara que o sol. Embora seja uma estrela muito luminosa, sua distância da Terra — 160.000 anos-luz — significa que tem uma magnitude aparente de apenas 12,23.

Estrela mais rápida da galáxia
A S4717 chega a 24.000km/s ao orbitar Sagitário A*, o colossal buraco negro no centro da Via Láctea. Nessa velocidade, a S4714 viajaria do Sol a Marte em 2h45min. Comparando, nosso Sistema Solar orbita o centro da Via Láctea a apenas 220km/s.

Menor massa de exoplaneta
Um exoplaneta é um planeta que orbita uma estrela que não é o Sol. Podem ser detectados por um exame atencioso da luz emitida por suas estrelas. Os **primeiros exoplanetas confirmados** foram Poltergeist e Fobeto, encontrados orbitando o pulsar PSR B1257+12 (ou Lich) em 1992. Em abr/2020, astrônomos que estudavam o Lich descobriram outro planeta, batizado de Draugr, com apenas 0,02% da massa da Terra.

Buraco negro mais perto da Terra
Analisando a gigante vermelha V723 Monocerotis, localizada a 1.500 anos-luz da Terra, astrônomos deduziram a presença de um buraco negro nunca visto influenciando a estrela ao distorcer seu formato e fazendo a intensidade de seu brilho mudar periodicamente. O buraco negro foi apelidado de "Unicórnio" e estima-se que tenha apenas o triplo de massa do Sol, o que o torna um dos menores buracos negros do universo conhecido.

Menor tempo de órbita de um planeta
O K2-137b orbita sua estrela a uma distância de apenas 0,005UA, o que faz com que seu ano solar seja de apenas 4h18min. Tem o equivalente a 89% da massa da Terra, mas sua órbita torna-o um candidato improvável à vida. Mercúrio, o planeta castigado pelo Sol e mais próximo dele, por exemplo, orbita a uma distância de 0,38UA.

Exoplaneta mais perto da Terra
Em abr/2020, um 3º planeta foi descoberto orbitando a Proxima Centauri — a **estrela mais próxima** (depois do Sol), a uma distância de 4,2 anos-luz. Batizado de Proxima Centauri c, sua órbita é mais distante que a de Proxima Centauri b, e por alguns dos seus 1.928 dias do ano ele é o exoplaneta mais perto da Terra.

Galáxia confirmada mais distante
Descoberta através do Telescópio Espacial Hubble por uma equipe de astrônomos liderada por Pascal Oesch em 2016, a GN-z11 fica a 32 bi de anos-luz de distância. A galáxia pode ser vista como existiu 13,4 bi de anos atrás, apenas 400 mi de anos após o Big Bang, e, portanto a **galáxia mais antiga**. Ao que parece, a GN-z11 tem 1/25 do tamanho da Via Láctea e apenas 1% de sua massa. Também forma estrelas 20 vezes mais rápido do que nossa própria galáxia.

Objeto mais distante visto a olho nu
A Galáxia do Triângulo está localizada a cerca de 3 mi de anos-luz da Terra e tem uma magnitude aparente de 5,7. A poluição visual torna esse objeto de brilho tão tênue visível apenas em áreas extremamente isoladas. O objeto mais distante visível em condições comuns é a Galáxia de Andrômeda, que fica a 2,5 milhões de anos-luz de distância e tem uma magnitude de 3,44.

O **objeto mais distante visível a olho nu** foi uma explosão conhecida como GRB 080319B. Às 6:12 UTC em 19/3/2008, o satélite *Swift* da NASA detectou uma erupção de raios gama (GRB, em inglês) de uma galáxia a cerca de 7,5 bi de anos-luz. A explosão chegou a magnitude de 5,8 e seria visível a olho nu por mais ou menos 30s. GRBs são produzidos durante supernovas, quando estrelas implodem para formar estrelas de nêutrons ou buracos negros.

MAIOR BURACO NEGRO
Localizado a 10,8 bi de anos-luz da Terra, estima-se que TON 618 tenha uma massa de 66 bi de vezes da massa do Sol. É um quasar hiperluminoso com alta produção de raios que emitem ondas de rádio. Medindo ~2.600UA de um lado de seu horizonte de eventos ao outro, o TON 618 é grande o suficiente para engolir nosso sistema solar 40 vezes.

Sirius A
Estrela mais brilhante
2,38 mi km

Sol
Estrela mais próxima
1,39 mi km

Proxima Centauri
Estrela mais perto depois do sol
214.553 km

EBLM J0555-57Ab
Menor estrela
116.464 km

RMC 136a1
Estrela mais luminosa
56 mi km

1 ano-luz = 9,461 trilhões de km
1 unidade astronômica (UA) = 149,6 milhões de km

ESPAÇO

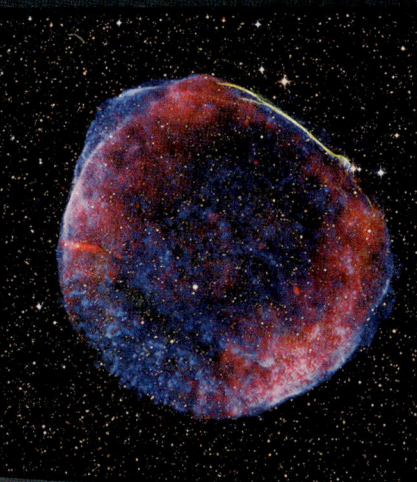

SUPERNOVA MAIS BRILHANTE
A explosão estelar SN 1006 ocorreu em abr/1006, ardendo por 2 anos e chegando à magnitude de -7,5. Embora tenha acontecido a 7.000 anos-luz de distância, perto da estrela Beta Lupi, a supernova brilhou o suficiente para ser vista de dia e foi registrada da Europa ao leste da Ásia.

MAIOR VÁCUO
Também chamado de "Vazio Local", o Vazio KBC é uma região imensa do espaço com uma densidade bem baixa de galáxias. Tem aproximadamente 2 bi de anos-luz de diâmetro e é delimitado por "filamentos" (na foto, um modelo gerado por computador) — formações semelhantes a tramas de aglomerados de galáxias. A Via Láctea fica localizada no centro do Vazio Local.

MAIOR GALÁXIA SATÉLITE
A 160.000 anos-luz do centro da Via Láctea fica a Grande Nuvem de Magalhães, com cerca de 20.000 anos-luz de largura e massa de 10 bi de sóis. Essa galáxia irregular anã é a maior e mais brilhante das 59 galáxias satélites que foram descobertas orbitando a Via Láctea. Seu nome é uma homenagem ao explorador Fernão de Magalhães, que a viu em sua expedição de 1519 para as Índias Orientais.

MAIOR ESTRELA
Devido à dificuldade de medir de forma direta o tamanho de uma estrela distante, a identidade da maior estrela é assunto de debate entre os astrônomos. A candidata mais provável é a WOH G64, uma supergigante vermelha na Grande Nuvem de Magalhães descoberta em 1981. Seu diâmetro é de 2,14 bi km — 1.400 vezes o do Sol. Se a WOH G64 substituísse o Sol em nosso Sistema Solar, ela chegaria além da órbita de Júpiter.

LUGAR MAIS FRIO DO UNIVERSO
A Nebulosa do Bumerangue — uma nuvem de poeira estelar e gases a 5.000 anos-luz da Terra — tem a temperatura de -272°C. Temperaturas mais frias já foram produzidas em laboratório, mas essa é a temperatura natural mais baixa registrada, pouco acima do zero absoluto. É causada pela fuga rápida do gás em expansão da nebulosa.

MENOR ESTRELA
EBLM J0555-57Ab tem uma massa de apenas 8,1% do Sol e é quase do tamanho de Saturno (acima). Fica em um sistema estelar triplo a cerca de 600 anos-luz da Terra. Uma estrela precisa ter uma massa mínima para sustentar a fusão de hidrogênio para hélio em seu núcleo e brilhar — abaixo desse limite, é chamada de anã marrom.

RETRATO
Telescópio espacial James Webb

O Houston Rockets é o time de basquete local da NASA no Texas — o nome é inspirado pelo Johnson Space Center. O Rockets está acostumado com astronautas aparecendo nos jogos, mas seu último convidado está causando problemas! Com uma tela solar que cobre a maior parte da quadra e um espelho primário de 6,5m, o Telescópio Espacial James Webb (JWST em inglês) é o **maior telescópio espacial** e o novo símbolo do programa de astronomia da NASA.

Lançado em 25/12/2021, o JWST não é só o maior telescópio no espaço, mas também o artefato espacial tecnologicamente mais complexo já construído.

Colocar um telescópio tão poderoso em algo pequeno e leve o suficiente para ir ao espaço foi um desafio de engenharia. O JWST teve que ser lançado dobrado em um transporte de apenas 4,57m e depois desenrolado durante a viagem de 1 mês até o novo lar. Um total de 344 operações tiveram que ocorrer sem falhas — bastava uma para quebrar o telescópio.

Tudo no JWST foi planejado para filtrar o máximo do "ruído" do Sistema Solar, para que pudesse detectar o fraco brilho infravermelho dos objetos mais distantes — e antigos — do universo. Enquanto o Telescópio Espacial Hubble orbita próximo à Terra, o JWST está em um lugar chamado Ponto de Lagrange Terra-Sol 2. Isso permite que ele orbite junto à Terra, mas longe o suficiente (1,6 milhão de km) para a tela solar bloquear a luz do Sol.

Considerando as novas tecnologias inventadas para o JWST, não é de admirar que ele também seja a **espaçonave mais cara já feita**. Em 2005, o projeto recebeu um orçamento de US$3,5 bi, mas na época do lançamento (bem atrasado), o custo de projeto e construção do artefato chegou a US$9,5 bi. Apesar do alto preço, a NASA está confiante de que em breve provará que valeu cada centavo.

FOCALIZANDO O ESPELHO PRIMÁRIO
Nesta imagem de teste, publicada em 19/3/2022, dezenas de galáxias distantes são visíveis atrás da estrela próxima escolhida como alvo de calibração do JWST. Cada um dos 18 segmentos do espelho primário deve ser alinhado com uma precisão de 50 nanômetros para alcançar o foco ideal e funcionar como um grande espelho.

O espelho tem uma microcamada de ouro para otimizar a capacidade de refletir luz infravermelha.

ESPAÇO
Variedades

TORRE DE LANÇAMENTO MAIS ALTA
A Starbase Integration, em Boca Chica, Texas, EUA, tem 146m — mais alta que a Grande Pirâmide de Gizé (ver p.160-61). Foi construída para apoiar o veículo Starship/Super Heavy Launcher de 120m da SpaceX (ver p.16) e foi usada pela 1ª vez para montar seus 2 estágios em 10/2/2022.

Mais lançamentos orbitais consecutivos bem-sucedidos de modelo de foguete
Entre 14/1/2017 e 21/4/2022, o foguete Falcon 9, da SpaceX (EUA), fez 120 lançamentos orbitais — com 6 missões tripuladas — sem falha total ou parcial. A perda mais recente de um Falcon 9 ocorreu em 1/9/2016, quando um foguete que deveria levar o satélite *AMOS-6*, de Israel, explodiu com sua carga útil durante os testes de pré-lançamento.

Maior distância pilotada em Marte por indivíduo
Os rovers de Marte do Jet Propulsion Laboratory, da NASA, viajaram 17,2km sob o controle de Paolo Bellutta (ITA/EUA) antes de ele se aposentar dos rovers de condução remota em jul/2019. Este total combina a distância percorrida pelos rovers gêmeos *Spirit* e *Opportunity* (13 km), e o *Curiosity* (4,2 km).

Orbitador de Marte mais longevo
Até 20/4/2022, o *2001 Mars Odyssey*, da NASA, circulava Marte por 20 anos 178 dias. Foi lançado em 7/4/2001 e, desde que chegou ao destino em 24/10 do mesmo ano, reuniu uma grande quantidade de dados sobre a química e composição mineralógica do planeta.

MAIS ATIVIDADES EXTRAVEICULARES EM ESTAÇÃO ESPACIAL
Houve 246 atividades extraveiculares na *ISS* até 18/4/2022. O ano de 2021 teve 13 atividades do tipo, com 3 relacionadas à chegada do módulo *Nauka* e outros para atualizar os sistemas de energia da *ISS*.

OBSERVATÓRIO ESPACIAL MAIS LONGEVO
O Telescópio Espacial Hubble foi lançado em 24/4/1990 e ainda estava ativo em 24/4/2022 — uma missão de 32 anos. A longa vida útil do Hubble é, em grande parte, consequência das 5 missões de manutenção que sofreu entre 1993 e 2009.

Mais dados coletados por rover
O rover *Curiosity*, da NASA, que pousou em Marte em 6/8/2012, mandou 2.096 gigabits de dados à Terra até 1/1/2022. Em geral, os rovers são menores que os orbitadores planetários, tendo menos energia para transmissão de rádio e antenas bem menores. O *Curiosity* enviou praticamente todos os seus dados científicos por uma antena UHF que se comunica com os orbitadores — sobretudo o *2001 Mars Odyssey* e o *Mars Reconnaissance Orbiter*. (Ver também p.24.)

Maior painel solar no espaço
Com a implantação do 2º IROSA (ISS Roll-Out Solar Array) em 28/6/2021, a área total dos painéis solares na *ISS* atingiu 3.244m2, gerando cerca de 120 kilowatts de energia elétrica para a estação. Esses painéis flexíveis (um dos quais pode ser visto atrás do astronauta Thomas Pesquet, à esq.) foram adicionados como parte de uma série de atualizações do sistema de energia da *ISS*.

Voo espacial com menor tripulação
O New Shepard NS-20 foi uma missão suborbital da empresa norte-americana Blue Origin em 31/3/2022. O foguete decolou de uma instalação em Van Horn, Texas, EUA, às 8h57, horário local (13h57 UTC), e seus componentes — foguete auxiliar e cápsula — retornaram

MAIOR ESTADIA NA *ISS*
A *ISS* foi o lar de Mark Vande Hei (EUA, acima) e Pyotr Dubrov (RUS) por 354 dias 14h56min. Chegaram em 9/4/2021 e partiram em 30/3/2022. Apenas 4 pessoas permaneceram no espaço por períodos maiores do que eles, todas na estação espacial soviética/russa Mir (1986-2001). Para o **maior tempo no espaço**, ver p.21.

ESPAÇO

ESTRELA MAIS DISTANTE
WHL0137-LS (ou Earendel) fica a 12,9 bilhões de anos-luz da Terra. A estrela foi descoberta por uma equipe de pesquisadores coordenada por Brian Welch e Dan Coe, que publicou suas descobertas na *Nature* em 30/3/2022. Eles examinaram imagens do Hubble em busca de "lentes gravitacionais", um fenômeno que ocorre quando a massa extrema de uma galáxia relativamente próxima distorce a luz dos objetos além, criando faixas estreitas de objetos ampliados, que estariam distantes demais para serem vistos.

confirmando seu núcleo de 119km de diâmetro. É o maior cometa na região distante do Sistema Solar conhecida como nuvem de Oort (de onde a maioria dos cometas vem).

O **maior cometa** é o 95P/Chiron, um enorme corpo rochoso de 182km de largura que orbita entre os planetas Saturno e Urano. Porém, sua órbita próxima ao Sol significa que perdeu a maior parte de seu gelo e, portanto, tem pouca semelhança com cometas clássicos, como o Bernardinelli-Bernstein.

Mais exoplanetas descobertos por único telescópio
Em 24/1/2022, um total de 3.184 exoplanetas foram identificados e confirmados com base em observações feitas pelo telescópio espacial *Kepler*. Isso representa 64,9% dos 4.903 exoplanetas conhecidos por astrônomos. Mais de 3.000 candidatos a exoplanetas aguardam confirmação.

Primeira mulher negra em missão estendida na *ISS*
Em 27/4/2022, a astronauta da NASA Jessica Watkins (EUA) foi para a *ISS* no SpaceX Crew Dragon. Ela deve ficar na estação até set/2022, como parte da tripulação da Expedição 67/68. Duas astronautas negras, Stephanie Wilson e Joan Higginbotham, estiveram envolvidas na construção da *ISS* nos anos 2000, mas não eram tripulantes de longo prazo.

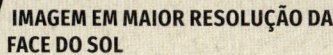

IMAGEM EM MAIOR RESOLUÇÃO DA FACE DO SOL
Em 7/3/2022, uma imagem em mosaico de 9.148x9.112 pixels de nossa estrela foi tirada pelo Extreme Ultraviolet Imager na sonda *Solar Orbiter*, da ESA. Capturou a imagem a uma distância de 75 milhões de km — cerca de metade do caminho entre Terra e Sol. A definição foi 10 vezes mais nítida que a de uma tela de TV 4K.

à Terra 9min57s depois. (Para saber mais sobre voos espaciais comerciais e privados, veja p.18-19.)

Mais cometas descobertos usando imagens de nave
O astrônomo amador Worachate Boonplod (THA) descobriu 780 cometas em 1/1/2022. Ele trabalha com imagens tiradas pelo Observatório Solar e Heliosférico da NASA e ESA. Na mesma data, um total de 4.343 cometas foram encontrados usando este observatório espacial — o **maior nº de cometas descobertos por uma espaçonave**. Para o **caçador de cometas mais jovem**, ver p.110.

Maior constelação de satélites
Em 29/4/2022, a constelação Starlink, da SpaceX, tinha cerca de 2.146 satélites operacionais. O objetivo final da empresa é utilizar 12.000 desses satélites de 260kg em órbitas de 550km ou menor para fornecer cobertura global de internet de alta velocidade.

Maior cometa da nuvem de Oort
Em 10/4/2022, os resultados do exame do Hubble sobre o cometa C/2014 UN271 (Bernardinelli-Bernstein) foram publicados em *The Astrophysical Journal Letters*,

MAIOR VEÍCULO AUTÔNOMO
Com 3.106ton, o Crawler-Transporter 2 é operado pelo Exploration Ground Systems Program, da NASA, no Centro Espacial Kennedy, na Flórida, EUA. Ele gera a própria energia usando motores a diesel de locomotivas e é projetado para transportar foguetes e suas plataformas móveis para a plataforma de lançamento. Está retratado aqui com o Space Launch System (SLS), da NASA, que, junto com o SpaceX Starship/Super Heavy (ver ao lado), é um dos 2 foguetes gigantescos programados para fazer seu 1º lançamento em 2022.

O Crawler-Transponder 2 tem 39,9m x 34,7m — quase o tamanho de um campo interno de beisebol.

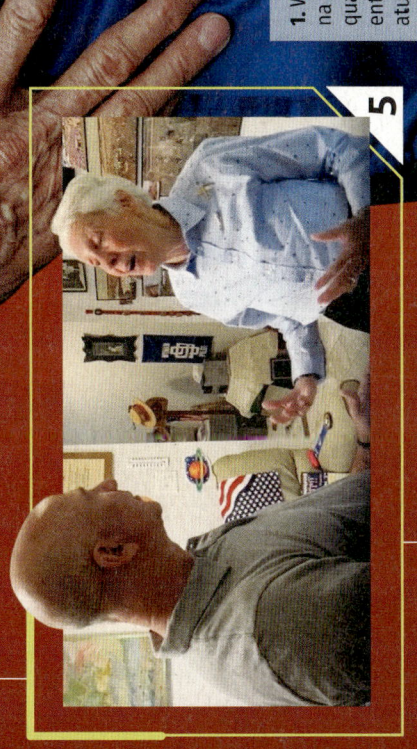

Wally acumulou mais de 19.000 horas de voo e ensinou mais de 3.000 alunos a voar.

1. Wally preparando-se para um teste do Mercury 13 na clínica Lovelace, Novo México. Ninguém sabia quais qualidades seriam importantes para um astronauta, então os testes eram bem amplos e, pelos padrões atuais, às vezes bem estranhos!

2. Wally na cabine de um avião de testes AT-6 em 1961. Naquele ano, ela concordou em fazer o treinamento de astronauta e juntou-se à equipe Mercury 13.

3. Aos 20, Wally conseguiu seu 1º emprego como instrutora de aviação civil em Fort Sill, Oklahoma, EUA. Lá, ensinou homens da Força Aérea a voar, apesar de não ter permissão para se unir à instituição.

4. Em 1995, várias candidatas do Mercury 13, incluindo Wally, foram convidadas para o lançamento do Ônibus Espacial *Discovery*, pela missão STS-63, que contava com **a primeira mulher como piloto de um ônibus espacial**, Eileen Collins. Elas se chamavam de PDTA (Primeiras Damas no Treinamento de Astronautas).

5. Em casa, Wally conversa com Jeff Bezos, fundador da Blue Origin e companheiro na missão NS-16 (ver p.19). Depois, ele elogiou muito seu comportamento inabalável e seu entusiasmo para voar para o espaço.

6. O quarteto da Blue Origin fala com a imprensa depois do voo que bateu recordes. Da esquerda à direita: Oliver Daemen (a **pessoa mais jovem no espaço**), Jeff Bezos, Wally Funk e Mark Bezos. "Quero ir de novo", disse Wally à multidão. "E logo."

7. Wally recebe suas asas de astronauta do ex-comandante de ônibus espacial Jeff Ashby, hoje da equipe da Blue Origin.

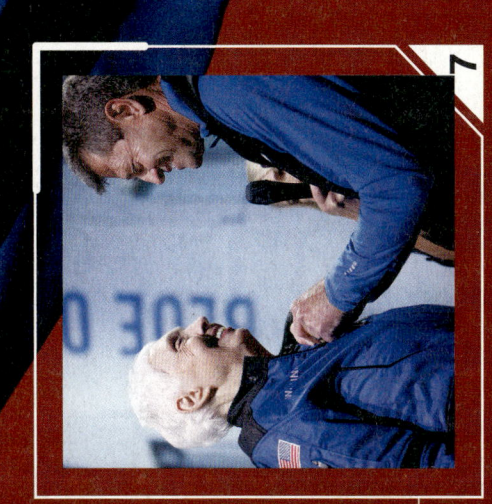

Saiba mais sobre Wally na seção do Hall da Fama em www.guinnessworldrecords.com/2023

MAIOR CHIFRE DE BODE
De ponta a ponta, os chifres curvados de Albino medem 1,44m —, quase o mesmo que um cabo de vassoura — como verificado em Naters, Suíça, em 23/6/2020. Propriedade do agricultor suíço Roland Fercher (ao lado), Albino é um bode sempione, uma raça rara das montanhas da região de fronteira entre Suíça e Itália. De maio a outubro, ele pasta com 10 outros bodes de várias raças, e devido às suas protuberâncias prodigiosas, naturalmente assume o papel de líder do grupo.

MISSÕES
Vida na Terra

EXPLORAÇÃO · PESQUISA · DESCOBERTA
2023

Megamamíferos	38
Veneno	40
Observação de aves	42
Animais bizarros	44
Luzes fantásticas	46
Pets e pecuária	48
Animais heróis	50
Retrato: Baleia-azul	52
Variedades	54

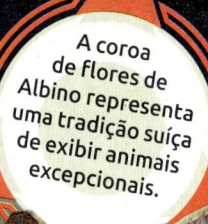

A coroa de flores de Albino representa uma tradição suíça de exibir animais excepcionais.

VIDA NA TERRA
Megamamíferos

Enquanto o **maior animal de todos** ainda nada pelos oceanos da Terra (ver p.52-53), boa parte da grandiosa megafauna se perdeu na história. Répteis gigantes, como os dinossauros, roubam a cena quando se fala de bestas imensas, mas nossos próprios ancestrais — os mamíferos — também alcançavam proporções épicas...

Mamífero terrestre
A coroa para o maior mamífero terrestre poderia ir para vários competidores. Na liderança está *Paraceratherium* (**1**), uma espécie de rinoceronte com pescoço comprido que viveu 23-34 milhões de anos atrás (MAA). Tinha ao menos 4,8m de altura e pesava cerca de 18,5ton. Sua massa enorme supera a de 3 elefantes-africanos adultos (*Loxodonta africana*) — o **maior animal terrestre** de nosso tempo.

Um rival próximo, porém, é o elefante-de-presas-retas (*Palaeoloxodon*, **2**). Ele alcançava 4,5m, e estimativas sobre sua massa variam entre 15-22ton. Na disputa também está o *Mammut borsoni*, que pode ter chegado a 16ton e a 4,1m de altura.

Mamute
O maior era o mamute-ancestral (*Mammuthus meridionalis*) e seu descendente, o mamute-da-estepe (*M. trogontherii*, **3**). Ambas as espécies chegavam aos 4m e podiam passar das 14ton. A última população de mamutes — uma variedade menor do mamute-lanoso (*M. primigenius*) — viveu na ilha Wrangel, na Sibéria, "apenas" cerca de 4.000 anos atrás.

Preguiça
As parentes distantes das preguiças de hoje caminhavam sobre o chão e eram nativas das Américas. Tanto a *Eremotherium* (**4**) quanto a

> As presas do *Palaeoloxodon* podiam ter 1m a mais que a dos elefantes-africanos modernos!

Megatherium pesavam 4ton e, sobre as duas pernas, podiam chegar a 3,5m. Comparando, uma preguiça-de-três-dedos (*Bradypus*) tem um corpo de 45cm e pesa 1.000 vezes menos que seus primos extintos!

Cervo
O *Cervalces latifrons* (**5**) vagava pelo norte da Eurásia 0,21-1,5 MAA durante o Pleistoceno. Apenas seu tarso, cerca de 25% maior que o de um alce-do-alasca (*Alces alces gigas*, o **maior cervo** da atualidade), suportava um animal que podia ter mais de 2,5m de altura e pesava entre 900-1.200kg. Em geral, era do tamanho de um bisão-americano. Apesar do corpo grande, a envergadura de 2,5m de seus chifres era ultrapassada por outro cervo (ver à dir.).

Primata
Estimativas feitas a partir de molares e mandíbulas sugerem que o *Gigantopithecus* (**6**) tinha 3,7m e pesava 300kg, embora palebiólogos mais conservadores indiquem 2,5-3m e 200-300kg respectivamente. Parente do orangotango (*Pongo*) da Indonésia, esse enorme primata habitava o que é hoje o sul da China 2,15 MAA a 300.000 anos atrás. Um gorila-de-grauer adulto (*Gorilla beringei graueri*) — o **maior primata** da atualidade — tem em geral 1,75m sobre as patas traseiras e pesa menos de 210kg.

Marsupial
Um primo dos vombates modernos (*Vombatidae*) do tamanho de um rinoceronte, *Diprotodon optatum* (**7**) viveu na Austrália até cerca de 44.000 anos atrás. Pesquisas do dr. Stephen Wroe em um esqueleto completo desse mega-herbívoro — mais de 3,7m do focinho à cauda — sugerem uma massa média de 2,8ton para um adulto. Isso é mais de 30 vezes o peso do maior espécime macho do **maior marsupial** da atualidade: o canguru-vermelho (*Osphranter rufus*).

Roedor
Josephoartigasia monesi (**8**) habitava a América do Sul cerca de 2,6 MAA. Baseado em um crânio de 53cm, um corpo de massa com 1-2ton foi proposto para esse animal semelhante a um porquinho-da-índia. Em média, a capivara (*Hydrochoerus hydrochaeris*, o **maior roedor** da atualidade) tem um crânio de 24cm e pesa cerca de 55kg. O parente mais próximo do *J. monsesi*, porém, é a pacarana (*Dinomys branickii*), que é menor.

Felídeo de dentes-de-sabre
O **maior felídeo selvagem** atual é o tigre-siberiano, que pode ter mais de 1m de altura e 300kg. Mas alguns de seus antigos amigos felídeos eram ainda maiores. *Smilodon populator* (**9**) — um tigre-dentes-de-sabre ou machairodontinae — podia chegar a 1,2m no ombro, tornando-o um dos maiores felídeos de todos os tempos. Um crânio excepcionalmente grande encontrado há pouco no Uruguai pode ter pertencido a um espécime de 436kg — mais do dobro de um leão (*P. leo*). Os formidáveis dentes serrados do *Smilodon* chegavam ao tamanho de uma faca de trinchar.

Canídeo
O maior cão da natureza (tirando as raças domésticas, ver p.49) era *Epicyon haydeni* (**10**), que vivia na América do Norte 7-10 MAA. Restos fósseis indicam um predador que média 95cm de altura e tinha 75kg, rivalizando com um urso-negro (*Ursus americanus*) em tamanho. O *Epicyon* (cuja tradução é "mais que um cão") era um borophaginae, um grupo hoje completamente extinto. O **maior cão selvagem** da atualidade — o lobo (*Canis lupus*) — tem em média 73cm, com peso que varia de 16-80kg.

VIDA NA TERRA

MAIOR GALHADA
Esqueletos e pinturas rupestres indicam que o alce-gigante macho (*Megaloceros giganteus*) tinha uma galhada em forma de palma com 3,6m de envergadura. Apesar do nome comum de "alce-irlandês", há evidências do cervo por todo o norte da Eurásia.

VIDA NA TERRA
Veneno

SAPO MAIS VENENOSO
Ao "cabecear" predadores, o *Aparasphenodon brunoi* pode injetar veneno através de pequenos espinhos subdérmicos no crânio. Com uma DL_{50} de 0,16-0,24mg/kg de peso corporal, apenas 1g de sua toxina é suficiente para matar 80 humanos adultos ou 300.000 ratos.

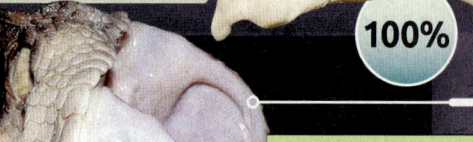

MAIORES PRESAS DE COBRAS
As presas da víbora-do-gabão (*Bitis gabonica*) da África Subsaariana podem crescer até 50mm. A cobra produz mais veneno do que qualquer outra e usa seus dentes fenomenais para garantir uma penetração profunda. Um único macho adulto pode ter veneno suficiente para injetar doses letais em 30 pessoas.

ARANHAS MAIS VENENOSAS
Há duas candidatas a este título. As *Phoneutria* (à dir.) da América do Sul e Central causam envenenamentos mais severos que qualquer outra aranha, com uma DL_{50} tão baixa quanto 7,5 microgramas (μg) de veneno por kg. Espécimes machos de aranha-teia-de-funil australiana (*Atrax*, à esq.) têm uma toxicidade semelhante, mas mordem menos pessoas. Porém, humanos são particularmente suscetíveis às suas mordidas, pois seu veneno tem peptídeos que sobrecarregam nosso sistema nervoso, às vezes com resultados fatais.

O ÍNDICE DE DOR DE PICADA DE SCHMIDT

Em 1983, o entomologista americano Justin O Schmidt publicou um detalhado estudo de picadas de inseto. Com experiências de primeira mão, ele classificou as picadas de vários insetos em uma escala de 1-4. Também incluiu um resumo da sensação, e há alguns exemplos aqui...

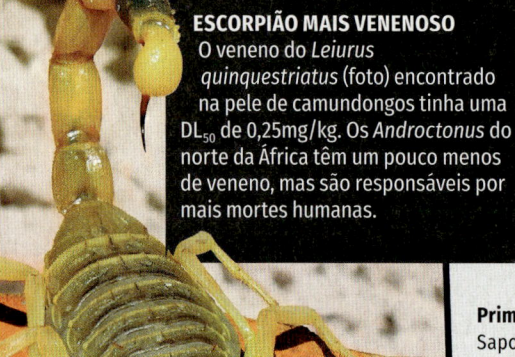

1 *Tetraponera* spp. "O soco de um magricela. Fraco demais para doer, mas você suspeita de que um truque barato virá."

1.5 *Dieunomia heteropoda*. "O tamanho importa, mas não é tudo. Uma colher de prata caindo em seu dedão, fazendo-o saltar."

2 Abelhão (*Bombus* spp.) "Chamas coloridas. Fogos de artifício pousando no braço."

ESCORPIÃO MAIS VENENOSO
O veneno do *Leiurus quinquestriatus* (foto) encontrado na pele de camundongos tinha uma DL_{50} de 0,25mg/kg. Os *Androctonus* do norte da África têm um pouco menos de veneno, mas são responsáveis por mais mortes humanas.

O veneno pode ser injetado por mordidas ou picadas e ainda ingerido ou absorvido quando um animal tóxico é comigo ou tocado. A potência do veneno costuma ser analisada através do sistema de dose letal média (DL_{50}), que calcula a quantidade de veneno necessária para matar 50% das cobaias (por exemplo, ratos). Costuma ser expressada em microgramas de veneno por quilo do peso corporal da vítima (mg/kg ou μg/kg).

Primeiros sapos venenosos
Sapos que passam veneno pelo toque são conhecidos pela ciência há muito tempo, como o *Phyllobates terribilis* da Colômbia — o **sapo mais venenoso**, com uma DL_{50} de 0,2μg/kg em sua batracotoxina. Mas a primeira confirmação de sapos que passam veneno por picadas surgiu em 2015. As espécies recém-descobertas eram ambas do Brasil: *A. brunoi* (acima) e *Corythomantis greeningi*. O veneno de ambos é mais tóxico que de cobras *Bothrops*.

Primeira salamandra venenosa
Um estudo de 2010 confirmou a *Pleurodeles waltl* de Espanha, Portugal e Marrocos como venenosa. Sob ameaça, ela pode reorientar as costelas para que perfurem o próprio corpo e formem farpas ósseas. Combinado com uma secreção tóxica leitosa, esses esporões são um dissuador eficaz.

Primeiro crustáceo venenoso
Descrito em 1987, *Xibalbanus tulumensis* é um crustáceo cego e remípede. Vive nas cavernas submarinas da península de Yucatán. Para caçar, suas garras dianteiras injetam uma toxina semelhante ao veneno de cascavel na presa, que destrói os tecidos internos até ela poder ser sorvida!

Veneno de inseto mais tóxico
O veneno da formiga *Pogonomyrmex maricopa* tem um valor de DL_{50} de 0,12mg/kg de peso corporal. Isso é 20 vezes mais potente do que o veneno da abelha. Bastam 12 picadas dessas formigas — nativas do Arizona, EUA — para matar um rato.

VIDA NA TERRA

CEFALÓPODE MAIS VENENOSO
O *Hapalochlaena maculosa* e *H. lunulata* têm uma neurotoxina chamada tetrodotoxina (TTX). Uma mordida passando só 0,87mg pode ser fatal para humanos. TTX é o mesmo agente mortal encontrado no baiacu (*Tetraodontidae*) — o **peixe mais venenoso por ingestão**.

A Austrália tem **mais espécies de cobras venenosas** — mais de 100 espécies terrestres de um total global de c. de 600.

COBRA TERRESTRE MAIS VENENOSA
Apenas 1mg de veneno de uma taipan-do-interior (*Oxyuranus microlepidotus*) pode matar um humano, embora nenhuma fatalidade tenha sido documentada. É nativa de Queensland, Austrália. Ao contrário da maioria das cobras, caça mamíferos como ratos; por isso seu veneno é tão potente a ponto de logo subjugar a presa.

PICADA DE INSETO MAIS DOLORIDA
A formiga-cabo-verde (*Paraponera clavata*) recebeu 4+ no índice Schmidt (abaixo). Algumas vítimas compararam sua picada a ser baleado — daí seu nome em inglês, "formiga bala". Ela é encontrada da Nicarágua ao sul do Paraguai.

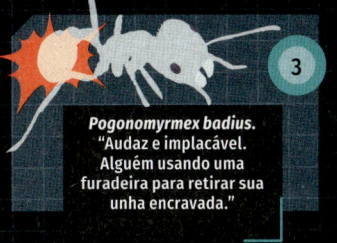

PEIXE MAIS VENENOSO
Os peixes-pedra (*Synanceia*) têm até 15 espinhos dorsais, cada um com dois sacos com 5-10mg de veneno. O veneno de *S. horrida* tem uma DL_{50} intravenosa tão baixa quanto 0,4μg/kg em camundongos, o que significa que uma DL humana pode ser de 1 ou 2 espinhos. São ainda mais perigosos devido à camuflagem astuta.

2.5 — *Odontomachus* spp. "Instantânea e excruciante. Uma ratoeira nos dedos."

3 — *Pogonomyrmex badius*. "Audaz e implacável. Alguém usando uma furadeira para retirar sua unha encravada."

4 — *Synoeca septentrionalis*. "Tortura. Você está preso em um rio de lava. Por que mesmo comecei a fazer isso?"

4+ — Formiga-cabo-verde (*Paraponera clavata*, ver acima). "Dor pura, intensa, clara. Como caminhar sobre brasas com um prego enfiado no calcanhar."

Mais picadas de cobra fatais por país
Estimativas indicam que 1,2 milhão de pessoas na Índia morreram de mordidas de cobra entre 2000-2019: uma média de 58.000 óbitos por ano — cerca de metade de todas as mortes por picada de cobra. A culpada mais comum foi a víbora-de-russell (*Daboia russelii*). As taxas de mortalidade são altas no país devido aos encontros frequentes com cobras que vão para áreas construídas e agrícolas, bem como o soro antiofídico limitado em regiões remotas.

Maior animal terrestre venenoso
Um dragão-de-komodo macho adulto (*Varanus komodoensis*) — o **maior lagarto** — tem em média 2,59m e 79-91 kg. Há muito tempo, cientistas achavam que sua saliva continha bactérias mortais, mas, em 2009, foi mostrado que o animal tem duas glândulas de veneno no maxilar inferior. É, portanto, veneno, e não infecção bacteriana, que imobiliza suas presas, como veados e porcos. O dr. Bryan G Fry (à dir., com um dragão-de-komodo) ajudou a fazer essa descoberta.

P&R: DR. BRYAN G FRY
O "Dr. Veneno" comanda o Venom Evolution Lab da Universidade de Queensland, Austrália.

Qual pergunta você mais escuta?
"Você já foi mordido?", que é como perguntar a Lewis Hamilton se ele já bateu o carro! Como em qualquer atividade extrema, acidentes acontecem, mas sempre temos planos de contingência. Se formos para longe, levamos um médico e antiveneno conosco.

Por que a Austrália tem tantos animais venenosos?
Devido ao clima quente, que faz do país a terra dos répteis e o único a ter mais espécies venenosas de cobra do que não venenosas. Entre elas está a taipan-do-interior [acima], cujo veneno é potente, coagulando rápido o sangue [que então bloqueia os vasos sanguíneos] e destruindo as terminações nervosas. Este golpe duplo é devastador.

Qual animal as pessoas ficam mais chocadas ao descobrir que é venenoso?
Dragões-de-komodo. Por décadas, espalharam informações erradas sobre eles, sobretudo a ideia de que usam bactérias como arma. Eles têm menos bactérias na saliva que um leão ou um garoto que mordeu o tornozelo de um colega!

VIDA NA TERRA

Observação de aves

MAIS ESPÉCIES DE AVES (PAÍS)
Segundo a BirdLife International, a Colômbia tinha 1.884 espécies de aves em 2020 — 16,9% do total mundial, como o raro dacnis turquesa (*Dacnis hartlaubi*, à esq.). Peru e Brasil vêm logo atrás, então não é surpresa que a América do Sul tenha **mais espécies de aves (continente)** — 3.445, quase ⅓ das espécies globais.

LIVRO DE HISTÓRIA NATURAL MAIS CARO VENDIDO EM LEILÃO
Longe de ser discreto, uma cópia do livro *Birds of America*, de John James Audubon, arrecadou US$11,4 mi em 7/12/2010. Com mil ilustrações em tamanho real de 435 aves pelo artista haitiano e ornitólogo pioneiro, feitas entre 1827 e 1838, estima-se que só há 120 edições completas.

PRIMEIRO ESTÚDIO DE ARQUITETURA DE OBSERVAÇÃO DE AVES
Fundada em nov/2010 pelo arquiteto Tormond Amundsen, a Biotope (NOR) faz estruturas voltadas para observação de aves, como esconderijos, torres e quebra-ventos. Fica em Vardø, Noruega. Vários projetos são inspirados em "gapahuks", pequenos abrigos construídos com materiais naturais.

PRIMEIRO GUIA DE OBSERVAÇÃO DE AVES
Birds Through an Opera-Glass é uma compilação de artigos de 1889 feita por Florence A Merriam (EUA), conhecida como a "Primeira Dama da Ornitologia". Com esboços feitos à mão, foi o primeiro guia a promover a observação de aves como hobby, e não como caça.

AVES ABUNDANTES
Treine seus binóculos para as 3 aves mais vistas por região, conforme registrado no app *eBird* (ver ao lado) até 1/12/2021 desde seu lançamento em 2002.

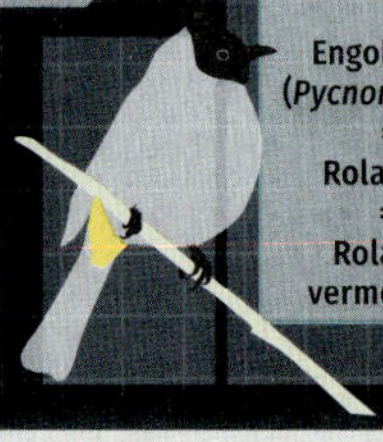

ÁFRICA
Engole-malagueta (*Pycnonotus barbatus*) = 151.357
Rola-do-senegal = 104.745
Rola-de-olhos-vermelhos = 98.231

ÁSIA
Mainá-indiano (*Acridotheres tristis*) = 1.016.833
Pombo-das-rochas = 896.052
Rola-da-china = 819.547

AUSTRÁLIA
Pega-australiana (*Gymnorhina tibicen*) = 812.893
Pega-cotovia = 657.076
Lóris-molucano = 545.434

AMÉRICA CENTRAL
Abutre-preto-americano (*Coragyps atratus*) = 500.862
Tordo-cor-de-barro = 472.662
Iraúna-mexicana = 443.750

CENSO DE AVES MAIS LONGO
A Contagem de Aves Natalina (CBC) anual da National Audubon Society teve início em 1900 com Frank M Chapman (EUA), como alternativa à tradição de caçar pássaros selvagens no dia de Natal. Hoje, mais de 3.000 eventos de CBC ocorrem pela América do Norte todo ano, registrando aves como o cardeal-do-Norte (*Cardinalis cardinalis*, no destaque).

Primeiro uso do termo "observação de aves"
Em *As alegres comadres de Windsor* (1602), de Shakespeare, Quickly diz a Falstaff que o marido de Ford "foi observar aves". É provável que se referisse a *caçar aves*. A 1ª referência a sugerir a observação de aves foi o diário de 1896 *A-Birding on a Bronco*, de Florence A Merriam (EUA, ver acima).

Os ornitólogos referem-se à dificuldade geral em definir a impressão de uma ave — com base em forma, cor e perfil de voo — como "giss" ou "jizz". O **primeiro uso de "jizz" na observação de aves** foi feito pelo naturalista Thomas Alfred Coward (RU), em sua coluna no *Manchester Guardian*, "Country Diary", em 6/12/1921.

Primeira ave selvagem a ser anilhada
Uma garça-real-europeia (*Ardea cinerea*) marcada no início dos anos 1700 na Turquia foi identificada na Alemanha em 1710. É provável que anéis nas patas fossem usados em falcões antes disso.

Primera espécie separada com base no canto
Em seu trabalho de 1789, *The Natural History and Antiquities of Selborne*, o reverendo Gilbert White (RU) reconheceu que a carriça compreendia 3 espécies diferentes — com base somente no canto dessas aves quase idênticas. Hoje são conhecidas como felosa-musical (*Phylloscopus trochilus*), felosa-assobiadeira (*P. sibilaria*) e felosa-comum (*P. collybita*).

Revista ornitológica mais antiga
O *Journal of Ornithology* (antigo *Journal für Ornithologie*) teve início em 1853. Periódico oficial da Sociedade Alemã de Ornitólogos, foi inaugurado por Jean Louis Cabanis (DEU).

A **primeira revista ornitológica popular** foi a *The Audubon Magazine*, lançada por George Bird Grinnell (EUA) em fev/1887. Fechou após 2 anos por falta de recursos. Logo depois, em 1889, Frank M. Chapman lançou *Bird Lore*, readotando o título *Audubon Magazine* em 1941, após a criação da National Audubon Society.

VIDA NA TERRA

MAIS ESPÉCIES DE AVES (PARQUE NACIONAL)
Um total de 1.009 espécies foram vistas dentro do Parque Nacional Manú, no Peru, desde 1973. Neste Patrimônio Mundial da UNESCO há o galo-da-serra-andino (*Rupicola peruvianus*, na foto), a ave nacional do Peru.

PESSOA MAIS JOVEM A OBSERVAR AVES EM TODOS OS CONTINENTES
Mya-Rose Cari (RU, n. 7/5/2002) tinha 13 anos e 234 dias quando completou seu tour global de observação de aves. Em 27/12/2015, visitou seu 7º continente, a Antártica, explorando petréis-das-neves (*Pagodroma nivea*) e pinguins-imperadores (*Aptenodytes forsteri*).

Em 2020, Mya-Rose organizou o **protesto climático mais setentrional** no Ártico e viu diversas aves pelo caminho!

MAIS AVES VISTAS EM 1 ANO (INDIVÍDUO)
Arjan Dwarshuis (NDL, centro) viu 6.852 espécies em 40 países em 2016 — cerca de ⅔ do total global da época. Usando a Lista Mundial de Aves do IOC, ele bateu o recorde anterior de "Big Year" por 699 espécies. Sua viagem também arrecadou fundos para a BirdLife International.

MAIOR CONTAGEM DE AVES EM 24 HORAS (EQUIPE)
Em 8/10/2015, 4 guias profissionais — (dir. para esq.) Rudy Gelis (NLD), Mitch Lysinger (EUA), Tuomas Seimola (FIN) e Dušan Brinkhuizen (NLD) — documentaram 431 espécies de aves no Equador. Dentre elas, o caboclinho-de-peito-castanho (*C. pyrrhophrys*, à dir.).

EUROPA
Melro-preto (*Turdus merula*) = 1.629.309
Pombo-torcaz = 1.375.646
Chapim-real = 1.250.389

AMÉRICA DO NORTE
Corvo-americano (*Corvus brachyrhynchos*) = 17.877.617
Tordo-americano = 17.824.243
Rola-carpideira = 17.008.253

AMÉRICA DO SUL
Curruíra (*Troglodytes aedon*) = 605.384
Tico-tico = 581.085
Bem-te-vi = 579.485

ANTÁRTICA/SUBANTÁRTICA
Painho-de-wilson (*Oceanites oceanicus*) = 5.746
Petrel-gigante-do-Sul = 5.365
Pinguin-gentoo = 5.035

Mais antiga instituição de caridade para conservação de aves
A origem da Royal Society for the Protection of Birds (RSPB), com base no RU, data de 1889, quando as filantropas Emily Williamson e Eliza Phillips formaram grupos de protesto condenando a matança de aves para retirada de penas usadas na moda. Em 1891, elas uniram forças e fundaram a Sociedade de Proteção às Aves, que adquiriu status de Carta Régia em 1904. Hoje, a RSPB tem mais de 1 milhão de membros.

Concedida pela 1ª vez em 1908, a Medalha RSPB é o maior prêmio da instituição. Ganhadores incluem Dame Georgina Mace, Bill Oddie OBE e Sir David Attenborough. A **mais jovem vencedora da Medalha RSPB** é Dara McAnulty (RU, n. 31/3/2004), autora do livro premiado *Diário de uma jovem naturalista*. A adolescente conservacionista da Irlanda do Norte recebeu a laureação em 2019, aos 15 anos e 209 dias de idade.

Primeiro livro de natureza ilustrado com fotos
Produzido pelos irmãos Richard e Cherry Kearton (RU) em 1895, *British Birds' Nests: How, Where, and When to Find and Identify Them* era um guia rico em fotos para ornitólogos e coletores de ovos. Em sua busca, os Kearton inventaram algumas camuflagens novas, incluindo um boi empalhado onde conseguiam se esconder!

Maior contagem de aves em 24h (mundo)
Os "Big Days" são competições onde equipes ou indivíduos tentam identificar o máximo de espécies possível em um dia. As contagens são baseadas em sistema de honra. Em 8/5/2021, o evento Global Big Day registrou 7.234 espécies por 51.816 observadores em 192 países.

O evento foi organizado pelo *eBird*, o **maior projeto de observação de aves de ciência cidadã**. O site/app foi criado por observadores amadores no Cornell Lab of Ornithology (EUA), com sede em Ithaca, Nova York, em 2002. Até dez/2021, já havia registrado mais de 1,1 bilhão de espécies e 81 milhões de checklists de observadores.

MAIS PÁSSAROS VISTOS (VIDA)
Claes-Göran Cederlund (SWE, 1948-2020) registrou 9.761 espécies de aves. Isso o levou a 135 países, incluindo a Polinésia Francesa — abaixo, com o maçarico-de-tuamotu (*Prosobonia parvirostris*). Sua ave favorita era a andorinha-preta (*Apus apus*).

VIDA NA TERRA
Animais bizarros

MAIOR CHIFRE EM UMA AVE
A anhuma (*Anhima cornuta*), ou ave-unicórnio, tem uma cartilagem protuberante entre os olhos que pode chegar a 15cm de comprimento. Esse chifre é frágil e quebra fácil, portanto é só um disfarce. Mas este escandaloso animal não é indefeso, ele possui um osso pontudo no meio de cada uma das asas.

PEIXE ÓSSEO MAIS PESADO
Em formato de disco, o peixe-lua (*Mola*) é mais encontrado tomando sol próximo à superfície do mar e pesa cerca de 1t. Um peixe-lua com a cabeça bem grande (*M. alexandrini*), encontrado no Japão em 1996, pesava 2,3t. Também são os **peixes mais férteis**. Os ovários de uma fêmea contêm 300 milhões de óvulos, cada um medindo 1,27mm, semelhante a grãos de areia.

MAIOR GENOMA
Genoma é o conjunto completo de dados genéticos de qualquer organismo vivo. O genoma do axolotle (*Ambystoma mexicanum*) tem 32 bilhões de pares de bases (os alicerces do DNA) — pelo menos 10 vezes mais que o humano. Este anfíbio exótico do México passa a vida na forma neotênica (juvenil).

ROEDOR QUE VIVE POR MAIS TEMPO
A aparência *não* é o traço mais estranho do rato-toupeira-pelado (*Heterocephalus glaber*). Vivem em colônias, como abelhas e formigas (sendo os **mamíferos mais eussociais**), são resistentes a doenças como o câncer e podem viver até os 31 anos.

ARMAS ESTRANHAS
Seja para conseguir a próxima refeição ou para evitar virar uma, os animais desenvolveram táticas ardilosas e bem nojentas. Em alguns casos, suas adaptações predatórias e de defesa também quebram recordes...

4,5m
Os cangambás (*Mephitis mephitis*) são os mamíferos mais fedorentos. Suas secreções sulfúricas podem ser lançadas a 4,5m e expelidas em uma concentração de apenas 10 partes por bilhão!

Os urubus-de-cabeça-vermelha (*Cathartes aura*) vomitam comida em cima dos predadores. São a espécie de urubu mais disseminada no Novo Mundo, encontrados do Canadá à América do Sul.

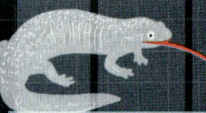

A salamandra-de-palmeira-gigante (*Bolitoglossa dofleini*) alonga a língua a mais da metade do seu tamanho em 7ms. Cinquenta vezes mais veloz que um piscar de olhos, sua língua é mais rápida.

Maior número de olhos em um peixe
O peixe com mais olhos (seis no total) é o peixe-olho-de-barril (*Bathylychnops exilis*), que habita profundidades de até 900m do nordeste do Pacífico, e só foi formalmente descoberto em 1958. Sob os olhos principais, há mais dois, conhecidos como "globos secundários", com retinas e lentes próprias, que olham para baixo. Atrás deles, há um terceiro par, que embora não tenha retinas, ajuda a limitar a luz enviada para os globos oculares primários.

Nariz de primata mais longo
O macaco-narigudo (*Nasalis larvatus*), nativo de Bornéu, tem um nariz pendente que pode chegar a 17,5cm em machos idosos. O nariz fica vermelho e inchado quando o primata está em alerta ou agitado, e também serve como um ressonador, ajudando a amplificar seu som de aviso inconfundível.

Maior número de dentes em crocodilo
Encontrados apenas no subcontinente indiano, os gaviais (*Gavialis gangeticus*) distinguem-se de

EXPLORAÇÃO MAIS RÁPIDA (DE MAMÍFERO)
Em média, a toupeira-nariz-de-estrela (*Condylura cristata*) identifica, pega e consome a presa — vermes, por exemplo — em 230ms. Foi registrado um tempo de 120ms; um quarto do tempo necessário para piscar. Coberto por 25 mil mecanorreceptores conhecidos como "órgãos de Eimer", seu nariz incrível é o órgão animal mais sensível.

VIDA NA TERRA

MAIOR NÚMERO DE DEDOS EM UM PRIMATA
Um estudo de 2019 revelou que uma criatura parecida com um gremlin, o aie-aie (*Daubentonia madagascariensis*), tem seis dedos nas mãos. Determinou-se que uma protuberância nos punhos são "pseudo-polegares", além de um dedo do meio bem esguio, perfeito para tirar insetos de buracos.

MAIORES ORELHAS EM MORCEGO (EM RELAÇÃO AO CORPO)
O morcego-malhado (*Euderma maculatum*), do sudoeste do Canadá, oeste dos EUA e norte do México, tem cerca de 7cm, mas as orelhas podem chegar a 5cm. Para nós, seria como se tivéssemos lóbulos de 1,2m! A maioria dos morcegos depende da ecolocalização para capturar as presas, assim essas orelhas só podem ser um benefício evolutivo.

Ao dormir, as orelhas ficam enroladas na cabeça. Quando vão caçar, elas se enchem de sangue e se abrem.

MAIOR DISTÂNCIA ENTRE OLHOS (EM RELAÇÃO AO CORPO)
A *Cyrtodiopsis whitei* — uma mosca malaia com olhos nas antenas — pode ter até 7,5mm e, ainda assim, 10,5mm entre os olhos. Comparando, um homem de 1,80m teria 2,4m entre os olhos!

O peixe-arqueiro (*Toxotes jaculatrix*) é um atirador preciso. Ele consegue cuspir um jato d'água para derrubar um inseto a 1,5m de distância.

Muitos peixes geram eletricidade para pegar a presa. No topo dos choques estão as enguias-elétricas (*Electrophorus*). Com descargas de até 860V, são os **animais mais elétricos**.

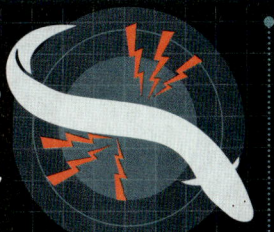

Os lagartos-de-chifres (*Phrynosoma*) da América do Norte têm seios pressurizados nas órbitas oculares. Quando ameaçados, podem esguichar sangue no predador a até 1,2m de distância.

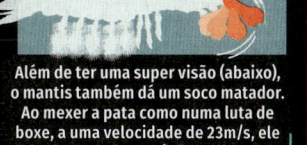

Além de ter uma super visão (abaixo), o mantis também dá um soco matador. Ao mexer a pata como numa luta de boxe, a uma velocidade de 23m/s, ele desfere o golpe mais forte do mar.

---

outros membros da fraternidade dos crocodilos por seus focinhos mais finos, com até 110 dentes afiados e entrelaçados. Enquanto as mandíbulas são excepcionalmente estreitas se comparadas a de crocodilos e jacarés, são perfeitas para capturar peixes pequenos e ágeis — seu principal alimento.

O melhor imitador
O maior imitador da natureza é o polvo-mímico (*Thaumoctopus mimicus*), que habita as águas do Indo-Pacífico. Ao alterar o formato do corpo, a coloração e até o comportamento, essa espécie consegue imitar ao menos 16 animais diferentes, que vão de cobras marinhas, peixes-leão, águas-vivas e chocos a arraias e até caranguejos-eremitas.

Maior ninhada para um mamífero selvagem
Semelhante ao cruzamento entre musaranho e ouriço, os tenreques são insetívoros nativos de Madagascar e ilhas próximas. O maior de sua família, o tenreque-sem-cauda (*Tenrec ecaudatus*) foi documentado dando à luz 31 filhotes (dos quais 30 sobreviveram).

As primeiras formigas "explosivas"
Colobopsis cylindrica são formigas carpinteiras do sudeste da Ásia que tomam medidas extremas para proteger a colônia. Se ela estiver sendo invadida, as operárias se sacrificam rompendo os próprios corpos e cobrindo os insetos rivais com uma gosma pegajosa e tóxica que os impede de seguir com o ataque.

OS OLHOS MAIS COMPLEXOS
O camarão mantis (*Stomatopoda*), encontrado sobretudo em recifes e águas costeiras mornas, tem os olhos mais sofisticados. Compostos por milhares de unidades chamadas "omatídeos", contêm até 16 fotorreceptores diferentes, comparados aos três do olho humano. Doze receptores são dedicados à análise de cor (permitindo-lhes enxergar do ultravioleta profundo ao infravermelho distante), enquanto os quatro restantes podem detectar luz polarizada.

45

VIDA NA TERRA
Luzes fantásticas

ANIMAIS BIOLUMINESCENTES TERRESTRES MAIS DIVERSOS
Mais de 3.000 tipos de besouros (Coleoptera), de diversas famílias, são capazes de gerar a própria luz. A maioria são vagalumes (abaixo), mas há também o escaravelho, a larva-trenzinho (página ao lado) e alguns pirilampos. A **bioluminescência mais brilhosa** é produzida pelo besouro de fogo (*Pyrophorus noctilucus*, detalhe), com intensidade de 143,2 candela/m², tão forte quanto uma lâmpada de LED.

PLANTA CARNÍVORA MAIS FLUORESCENTE
Em um estudo de 2013, a planta-jarro Khasi Hills (*Nepenthes khasiana*), nativa da Índia, brilhou mais que as rivais. Quando escaneada com luz UV de 366nm, o perístoma (lábios) de sua abertura brilhou em azul fluorescente a 430-480nm. Cientistas suspeitam de que isso serve para atrair insetos.

PRIMEIRO MONOTREMADO FLUORESCENTE
Em 2020, o ornitorrinco (*Ornithorhynchus anatinus*, abaixo) tornou-se o primeiro mamífero ovíparo conhecido a brilhar. O pelo dessa espécie australiana, em geral marrom, brilha em verde a 500-600nm quando uma luz UV de 200-400nm é direcionada sobre ele.
Isso inspirou outros estudos que levaram à descoberta do **maior mamífero fluorescente**: o vombate (*Vombatus ursinus*), com 1,3m de comprimento.

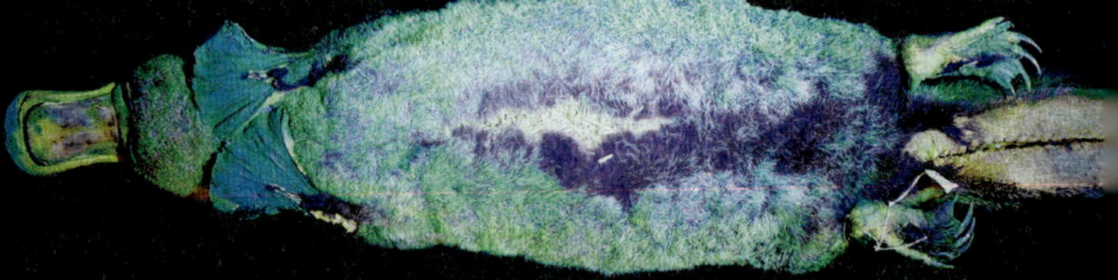

ESCORPIÃO MAIS PESADO
Todos os escorpiões brilham sob luz ultravioleta (UV), inclusive o escorpião-imperador (*Pandinus imperator*), que chega a pesar até 60g. Exoesqueletos fluorescentes podem servir para confundir a presa, proteger do sol ou ajudar a detectar níveis de UV ambivalentes, permitindo esconderijos melhores à noite.

SEGUINDO A LUZ

Milhares de organismos piscam e brilham para sobreviver; a maioria vive no oceano, onde a luz natural é escassa. Os usos dessa habilidade se estendem para muito além de somente iluminar seu entorno. O dr. Steven Haddock, do Instituto de Pesquisas Oceânicas de Monterey Bay, especializado em bioluminescência, identificou 12 funções principais — algumas destacadas aqui...

Alguns animais, como o peixe-pescador e o peixe-dragão (ver página ao lado), usam a luz como isca. A presa é atraída e devorada antes de perceber a armadilha!

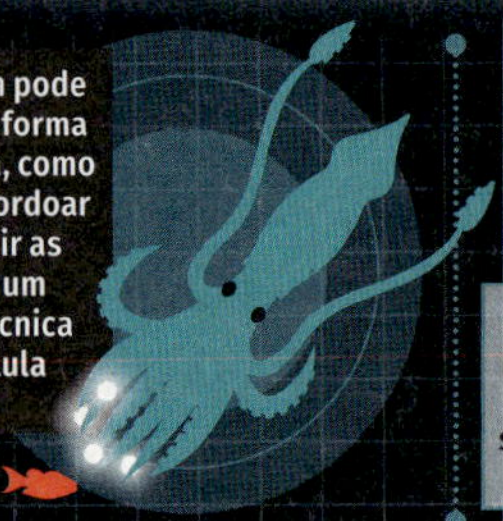

A luz também pode ser usada de forma mais proativa, como arma para atordoar ou confundir as vítimas em um estupor — técnica usada pela lula gigante.

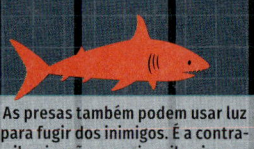

As presas também podem usar luz para fugir dos inimigos. É a contra-iluminação: os peixes iluminam suas barrigas para se esconder dos predadores.

CAVERNAS DE VAGALUMES MAIS VISITADAS
Desde 1889, turistas lotam as cavernas Waitomo, na Nova Zelândia, para ver as impressionantes larvas dos insetos-fungos *Arachnocampa luminosa*. Em um ano comum, as cavernas atraem 450-500.000 pessoas. Esses pirilampos emitem uma luz azul-esverdeada para enganar mariposas, fazendo-as voar na direção do que *acham* ser um céu estrelado, e ficam presas em uma teia de seda e revestida de muco.

Bioluminescência é uma reação química que produz luz em um organismo vivo. Acontece quando a luciferina e a luciferase ou fotoproteína se misturam. Alguns animais produzem sozinhos os componentes, outros os absorvem na dieta e há os que fazem simbiose com micro-organismos bioluminescentes, como as bactérias que vivem nas iscas do peixe-pescador. A **fluorescência** (ou biofluorescência) ocorre quando um tipo de luz é absorvida e outro comprimento de onda visível é enviado de volta, em geral, com uma tonalidade diferente; o comprimento de onda é quantificado em nanômetros (nm).

Mais antigo besouro bioluminescente
Os besouros são os animais terrestres emissores de luz mais diversos (ver acima) e antigos. Um bom exemplo é o *Cretophengodes azari*, que data de 99 milhões de anos atrás, no Cretáceo. É conhecido por um único espécime descoberto fossilizado em âmbar na Birmânia. Estudos de seu órgão abdominal bioluminescente sugerem que a luz era um mecanismo de defesa.

VIDA NA TERRA

MAIOR "MAR LEITOSO"
Os mares leitosos são um evento natural em que diversas colônias de bactérias bioluminescentes iluminam o oceano à noite. Entre 25/7 e 9/8/2019, um mar leitoso cobrindo mais de 100.000km² — cerca do tamanho da Islândia — foi visto perto de Java, Indonésia, por satélite, como mostrado acima.

FUNGO BIOLUMINESCENTE MAIS DIVERSO
Das 81 espécies de fungos com bioluminescência, ao menos 68 pertencem ao gênero *Mycena* (cogumelos-de-chapéu) — uma proporção de 84%. Ainda quase sem estudos, há milênios os cogumelos brilhantes são observados; o filósofo Aristóteles (384-322 a.C.) comparava essa luz a um "fogo frio".

MAIOR GAMA DE BIOLUMINESCÊNCIA (PEIXE)
Milhares de espécies de peixes, incluindo o peixe-dragão-de-águas-profundas (acima), podem gerar luz, em geral no espectro azul-esverdeado (450-500nm). Mas, 3 gêneros do peixe-dragão (*Aristostomias*, *Malacosteus* e *Pachystomias*; foto abaixo é do *P. microdon*) também evoluíram para emitir luz vermelha (>700nm). Isso significa que eles podem ver sua presa, mas ela não pode vê-los.

A bioluminescência dos tubarões pode ajudá-los a localizar presas, atrair parceiros ou se esconder.

MAIOR VERTEBRADO BIOLUMINESCENTE
Diversos tubarões têm a capacidade de bioluminescência. O maior deles a exibir essa característica — e de fato o maior dentre todos os animais com espinha dorsal — é o tubarão-pipa (*Dalatias licha*), que pode atingir 1,8m de comprimento, aqui retratado à luz do dia e na escuridão, com seu brilho azul. Encontrado no mundo todo a profundidades de até 1.800m, a biologia bioluminescente deste animal só foi descoberta em 2020.

Fotóforo vermelho (órgão emissor de luz)

Sob ataque, alguns animais como lulas, águas-vivas e crustáceos podem liberar uma nuvem de material brilhante. Isso lhes dá tempo vital para fugir.

Alguns pepinos-do-mar e águas-vivas iluminam uma parte do corpo sem a qual podem sobreviver — o que é conhecido como "ato de sacrifício".

Como diz o ditado, há segurança nos números. Organismos de grupo como os dinoflagelados podem disparar um alarme silencioso piscando, para avisar aos vizinhos de uma ameaça iminente.

Nem tudo é ataque e defesa: no escuro, a bioluminescência também pode ser romântica. Muitas criaturas do mar usam a luz para encontrar e se comunicar com parceiros.

Maior organismo bioluminescente
A maior forma de vida brilhante, e o **maior organismo** em geral, é um único *Armillaria ostoyae*, ou cogumelo-do-mel, na Floresta Nacional de Malheur, Oregon, EUA. O "fungo gigante" cobre 890ha. Diferente dos outros fungos que brilham no escuro (ver acima), somente o micélio de raízes emaranhadas produz luz. Uma pesquisa em 2015 revelou que os fungos brilham quando o oxigênio interage com a luciferina, produzindo oxiluciferina, talvez como forma de atrair insetos que espalham os esporos.

Animal bioluminescente mais longo
Medindo até 50m — o mesmo que uma piscina olímpica —, o sifonóforo gigante (*Praya dubia*) é uma espécie quase transparente de invertebrado marinho, parente da caravela-portuguesa, semelhante à água-viva. Tecnicamente, não são animais comuns, mas "superorganismos" feitos de milhares de pequenas criaturas individuais chamadas zooides. Essa espécie emite uma luz azulada para atrair presas para seus tentáculos urticantes.

Primeiro animal terrestre a emitir luz vermelha
A luz azul-esverdeada é a mais comum em animais bioluminescentes, mas não é a única. A larva-trenzinho (*Phrixothrix*), um tipo de lagarta, tem 2 cores. Ela deve seu nome ao fato de que tanto as larvas quanto os adultos fêmeas lembram vagões de trem com 11 pares de luz verde ao longo das laterais. O que os separa são 2 pares de "faróis" vermelhos, com um comprimento de onda de 620-638nm.

Animais mais escuros
Enquanto alguns animais produzem luz, outros fazem de tudo para suprimi-la. O exemplo mais extremo são os peixes-pescadores *Oneirodes*, com refletância tão baixa quanto 0,044% a 480nm. Em outras palavras, sua pele ultraescura absorve 99,95% da luz que recebe. Em mares abissais, isso ajuda a escondê-los, não da luz do sol, mas da bioluminescência emitida por suas presas!

BAÍA BIOLUMINESCENTE MAIS BRILHANTE
A Mosquito Bay, na ilha de Vieques, em Porto Rico, EUA, contém até 700.000 pequenos dinoflagelados minúsculos por galão (4,5l) de água do mar. Quando agitados, esses micro-organismos (*Pyrodinium bahamense*, ou "fogo rodopiante") reagem emitindo luz azul-esverdeada por cerca de um décimo de segundo. A concentração é particularmente alta devido à boca estreita da baía e à comida farta.

47

VIDA NA TERRA
Pets e pecuária

DINASTIA FELINA SU-PURR-LATIVA
O **maior gato doméstico** é Fenrir Antares Powers (à esq.), com 47,83cm, verificado em Farmington Hills, Michigan, EUA, em 29/1/2021. (A altura é medida das patas dianteiras até o topo das cernelhas — a elevação óssea entre as escápulas.) Fenrir, da raça Savannah, herdou o recorde após a morte do irmão, Arcturus Aldebaran Powers. Esse, porém, ainda mantém um recorde: sua altura de 48,4cm — ratificada em 3/11/2016 — o torna o **maior gato doméstico de todos os tempos.**

Esses felinos majestosos foram criados por William Powers (EUA, à esq., com Fenrir), assim como outro par de irmãos recordistas. Altair Cygnus Powers, um Maine Coon prateado (acima), tem o **rabo mais longo de gato doméstico** — medindo 40,83cm — verificado em 25/12/2021. Altair era irmão de Cygnus Regulos Powers, que era o recordista até morrer. Mas Cygnus permanece com o título de **rabo mais longo de gato doméstico de todos os tempos** — 44,66cm, quando medido em 28/8/2016.

Os nomes do quarteto felino vêm do folclore e do universo; Fenrir era um poderoso lobo na mitologia nórdica.

PINTURA MAIS CARA FEITA POR ANIMAL
Wild and Free, de Pigcasso, foi vendida por US$26.898 em 13/12/2021. A porca pintora da África do Sul é de Joanne Lefson e já criou mais de 400 obras de arte. Ela usa tintas atóxicas e assina as obras com o focinho.

MENOR TEMPO EM QUE UM CÃO PERCORREU AS BASES DE BEISEBOL
O jack russel Macho voou em torno do diamante em 21,06s no Dodger Stadium, em Los Angels, Califórnia, EUA, em 24/9/2021. Macho e sua dona, Lori Signs, treinaram por mais de 1 ano para esse desafio, organizado pela fábrica de ração Lucy Pet.

PEGUE-OS SE FOR CAPAZ!

30m mais rápidos por cão em bicicleta: 55,41s, por Norman (EUA)

30m mais rápidos por cão em patinete: 20,77s, por Norman

Onda mais longa surfada por cão (em água aberta): 107,2m, por Abbie Girl (EUA)

Maior nº de pares de pernas atravessadas por cão em skate: 33, por Dai-chan (JPN)

Maior nº de pares de pernas atravessadas por gato em skate: 13, por Boomer (AUS)

Menor tempo para completar 5 pulos por coelho
Com a dona Nicole Barrett, a coelha Penelope pulou 5 obstáculos em 4,816s em 18/1/2020. A prova aconteceu no Bradford Premier Small Animal Show, em South Yorkshire, RU. Competições de salto de coelhos começaram na Suécia nos anos 1970.

Maior salto em plataforma por porquinho-da-índia
Fizz executou um salto de 32cm em uma plataforma em Bellevue, Suíça, em 10/3/2021. Sua dona é Gabriele Nava Mambretti, de 9 anos.

MAIOR DESFILE DE MULAS
Uma procissão de 50 mulas passou por Warrensburg, Missouri, EUA, em 23/10/2021. O evento foi supervisionado pela Universidade do Missouri Central e fez parte das comemorações do aniversário de 150 anos da instituição. A mula é o mascote da universidade e o animal símbolo do estado.

Maior salto por porco
Kotetsu — um porco vietnamita treinado por Makoto Ieki — pulou por cima de uma barra de 70cm na fazenda Mokumoku Tezukuri em Mie, Japão, em 22/8/2004.

Mais enterradas por...
• **Porquinho-da-índia em 30s:** Em 16/11/2021, Molly fez 4 enterradas em meio minuto em Dombóvár, Hungria. Sua dona é Emma Müller.
• **Cachorro em 1min:** O border-collie de 3 anos Leonard Lee acertou 14 enterradas em 60s em River Rouge, Michigan, EUA, em 28/10/2021. Ele foi treinado pela dona, Teresa Hanula.

Mais roupas recolhidas de um varal por cachorro em 1min:
Guiado por Jennifer Frases, o australian shepherd blue-merle Daiquiri recolheu 18 itens de um varal em Strathmore, Alberta, Canadá, em 28/2/2021. Outros feitos da dupla incluem **maior nº de brinquedos recolhidos em 1min** — 15 — e **a maior quantidade de voltas nas pernas de uma pessoa em 30s** — 37.

VIDA NA TERRA

5M MAIS RÁPIDOS EM PATINETE POR PAPAGAIO
Em 15/2/2022, uma cacatua triton chamada Chico deslizou 5m em 14,58s no set de *Lo Show dei Record* em Milão, Itália, diminuindo, assim, quase 3s de seu próprio recorde, batido apenas 5 dias antes. O dono de Chico é o treinador de aves Kaloyan Yavashev, da Bulgária.

5M MAIS RÁPIDOS NAS PATAS TRASEIRAS POR CAVALO
Em 27/2/2022, Alvin, um pônei de Shetland, percorreu 5m sobre 2 pernas em 16,70s em Klippan, Skåne, Suécia. Alvin é treinado por Paulina Tufvesson. "Ele acha que é tão grande e poderoso quanto qualquer outro cavalo", revela. "Odeia ser mimado — mas é uma diva!"

CACHORRO MAIS ALTO
Zeus, um dogue-alemão de 2 anos, media 1,046m em 22/3/2022. Sua dona é Brittany Davis, de Bedfor, Texas, EUA. Ao lado, ele de pé com o filho de 15 anos de Brittany, Jamison. Pode ser confuso, mas o **cachorro mais alto de todos os tempos** também era um dogue-alemão chamado Zeus: ele media 1,118m em 4/10/2011 e pertencia à família Doorlag, no Michigan, EUA.

- **Maior distância percorrida por cabra em skate:** 36m, por Happie (EUA)
- **Cinco obstáculos pulados mais rápido por cachorro em skate:** 2,46s, por Lenny, o Batdog (FRA)
- **Maior viagem em SUP por uma dupla cachorro/humano em rio:** 1,69km, por Bono & Ivan Moreira (ambos BRA)
- **Maior mergulho por porco:** 3,31m, por Miss Piggy (AUS)
- **Travessia mais rápida em corda-bamba por cachorro:** 18,22s, por Ozzy (RU)

Daiquiri e Jennifer também eram os recordistas de **mais itens consecutivos pegos por cachorro**, com 11 petiscos. O recorde hoje é de 23 capturas sem quedas, por Molly e seu dono Oscar Lynagh, em Melbourne, Victoria, Austrália, em 20/6/2021.

Porco mais velho de todos os tempos
Baby Jean (n. 1/2/1998) tinha 23 anos 221 dias quando morreu em 10/9/2021. Seus donos eram Patrick Cunningham e Stanley Coffman, de Mundelein, Illinois, EUA. Lembrada por eles como "extremamente afetuosa e simpática", Baby Jean viajava com frequência pelo país com o casal. Ela adorava a praia, e um de seus lugares favoritos era Key West, na Flórida — o ponto mais ao sul dos EUA continental.

Irmãos felinos mais velhos
Pika e Zippo (n. 1/3/2000), 2 gatas pelo-curto gêmeas preto e branco, comemoraram seu aniversário de 22 anos em 2022, somando 44 anos de vida. Elas moram com a família Teece em Londres, RU.

▶ **Maior envergadura de chifres**
Poncho Via, um Texas longhorn, tem 3,23m entre as pontas dos chifres, como confirmado em Goodwater, Alabama, EUA, em 8/5/2019. Isso é cerca de três vezes a largura de uma pista de boliche! Ele mora em um rancho com a família Pope.

A **maior envergadura de chifres em uma vaca** é de 2,65m, de 3S Danica, como verificado em Lawton, Oklahoma, EUA, em 4/10/2019. Também uma Texas longhorn, ela é de Mike Davis.

Ovelha mais cara
Em um leilão em Lanark, RU, em 27/8/2020, um cordeiro da raça texel chamado Sportsmans Double Diamond foi vendido por US$483.960 para um consórcio de fazendeiros. Foi criado por Charlie Boden.

Burro mais alto
Romulus, um american mammoth jackstock, tinha 172,7cm em 8/2/2013. Aos 18 anos em 2022, ele mora em uma fazenda no Texas, EUA, com o irmão, Remo, e os donos Cara e Phil Yellott.

MAIS TRUQUES FEITOS POR GATA EM 1MIN
Trabalhando com a dona Anika Moritz, Alexis fez um show de 60s que incluiu 26 truques diferentes em Bruck an der Leitha, Niederösterreich, Áustria, em 10/6/2020. Anika é dona de Alexis desde que tinha 11 anos e começou a ensiná-la usando reforço positivo poucas semanas após adotá-la.

VIDA NA TERRA
Animais heróis

PRIMEIRO PRÊMIO DE BRAVURA ANIMAL DOS EUA
Em 14/11/2019, a instituição de caridade Animals in War & Peace deu a 8 animais (ver tabela) a estreante Medalha de Bravura — 6 postumamente — em Washington, EUA. Cada um deles demonstrara "valentia e atos valorosos ao fazer seus serviços". Em uma segunda cerimônia — em 9/3/2022 —, 3 novos cães receberam a honraria; e uma nova Medalha por Serviço Notável para atos que vão além do dever foi dada a 3 outros cães: Hurricane, Smoky e Feco.

Primeiros recebedores da Medalha de Bravura

Nome	Animal	Serviço
Chips	Cão	Batedor no norte da África na II Guerra
Stormy	Cão	Batedor dos Marines na Guerra do Vietnã
Lucca	Cão	Agente de buscas especializado dos Marines no Iraque e Afeganistão
Bucca (acima, centro)	Cão	Investigação de incêndios em Nova York
Bass (acima, esq.)	Cão	Animal com vários propósitos dos Marines em operações especiais no Afeganistão e leste da África
Cher Ami (acima, dir.)	Pombo	Entregou mensagens vitais durante a II Guerra
GI Joe	Pombo	Ajudou a impedir um ataque de fogo amigo na II Guerra
Ssgt Reckless (esq.)	Égua	Chegou a sargento; forneceu balas e resgatou feridos na Guerra da Coreia

Primeira medalha de valentia para animais
A Blue Cross Medal* para animais heróis surgiu em 1940, com um cão chamado La Cloche (FRA) como **1º recebedor**. Ele estava no SS *Meknes* em 24/7/1940 quando o navio foi torpedeado em Dorset, RU, e se jogou no mar para salvar o dono.

O **maior número de Blue Cross Medals recebidas por um animal** são 2. Juliana, uma dogue-alemã do sr. WT Britton (RU), recebeu a 1ª medalha ao apagar um dispositivo incendiário durante uma Blitz em 1941 ao urinar nele; e a 2ª ao avisar seus donos sobre um incêndio em 1944.

O **primeiro felino a receber a Blue Cross Medal** foi um gato britânico chamado Jim, do sr. e sra. Coffey. Em 1942, ele acordou o casal durante um incêndio, permitindo que escapassem.

Mais doenças detectadas por cães
Em 2008-22, a Medical Detection Dogs (RU) treinou cães para reconhecer 28 doenças pelo cheiro, como malária, Parkinson, câncer e Covid-19. Assim como cães que analisam alimentos, a instituição também ensina cães a notar pequenas mudanças nos corpos dos donos que indicam uma emergência médica iminente.

Com cargo mais alto...
- **Camelo**: Bert — condecorado como xerife reserva do Departamento de Xerife do Condado de LA em San Dimas, EUA, em 2003.
- **Pinguim**: Brigadeiro Sir Nils Olav da Guarda Real Norueguesa desde 2016; foi nomeado cavaleiro pelo rei Harald V da Noruega em 2008.
- **Cavalo**: Major Perseus do Household Cavalry Blues and Royal Regiment, o animal mais velho do exército britânico desde 2017.

P&R: ROBIN HUTTON
A fundadora do *Animals in War & Peace* também escreveu dois livros sobre animais heróis desconhecidos em tempos de guerra.

O que a levou a ser embaixadora de animais?
Enquanto pesquisava para meus livros, desenvolvi um respeito profundo por animais. Queria honrá-los como a PDSA faz na Grã-Bretanha desde a II Guerra Mundial com a Dickin Medal [ver à dir.]. Em 2016, indiquei a sargento Reckless para uma Dick Medal e perguntei ao diretor da PDSA: "Por que não temos algo assim nos EUA? *Precisamos* disso." O resto é história.

Como decidem que animais heróis entram na lista?
Temos 5 membros que fazem a nomeação e 10 que aconselham. Pedimos ao público, militares e socorristas para fazer indicações. Nosso conselho também o faz.

O público pode indicar animais?
Sim, é muito importante! É só clicar na aba Medals em **animalsinwarandpeace.org**.

Algumas pessoas acham que animais não deveriam ser usados em conflitos humanos. Qual sua opinião?
Os animais que foram para guerra que vi são muito bem-cuidados pelo tratador e pela unidade porque todos sabem como são valiosos. Eles são "multiplicadores de força", trazendo habilidades que os humanos não têm.

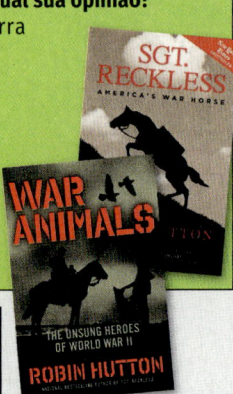

MENOR CAVALO (MASCULINO)
Bombel tem 56,7cm dos cascos aos ombros, conforme verificado em Łódź, Polônia, em 24/4/2018. Esse appaloosa em miniatura costuma trabalhar como animal terapêutico em hospitais infantis locais com sua dona, Katarzyna Zielińska.

O **primeiro uso do termo "animal terapêutico"** foi feito no jornal *Mental Hygiene* em abr/1964, em um texto do psicólogo dr. Boris Levinson (LTU, n. RUS).

*A Blue Cross deu uma Ordem de Mérito (não uma medalha) em 1918 para todos os cavalos militares da I Guerra.

PALMAS DA PDSA
Apresentada em 1943 por Maria Dickin — a fundadora do People's Dispensary for Sick Animals (PDSA) —, a Dickin Medal é o equivalente animal da Victoria Medal. As primeiras Dickin Medals foram dadas em 2/12/1943 (para 3 pombos) e, até 1/4/2022, teve mais de 71 laureados, 37 deles cães. Desde então, a instituição criou outras duas honrarias.

Dickin Medal (desde 1943)
O 1º prêmio PDSA para animais heróis celebra a bravura ou a devoção durante conflitos militares.

Gold Medal (desde 2002)
O equivalente civil à Dickin Medal, ligada à George Cross. Homenageia a coragem e a dedicação fora da guerra.

Magawa (ver à dir.)

Ordem de Mérito (desde 2014)
O último prêmio — equivalente a um OBE — é para atos de lealdade e serviço que vão muito além do normal.

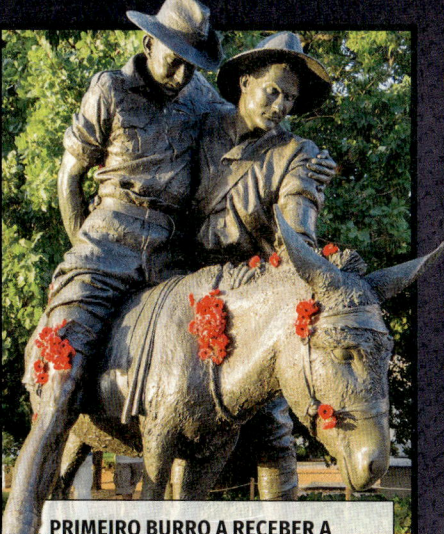

VIDA NA TERRA

PRIMEIRO BURRO A RECEBER A RSPCA PURPLE CROSS
Em 19/5/1997, Murphy, um burro do exército australiano, recebeu postumamente a RSPCA Purple Cross por bravura animal. Durante uma ofensiva abortada da I Guerra em Gallipoli, Turquia, em 1915-16, ele levou os feridos do front em uma jornada perigosa até os hospitais de campanha com seu treinador, John Simpson Kirkpatrick. Juntos, eles resgataram 300 feridos.

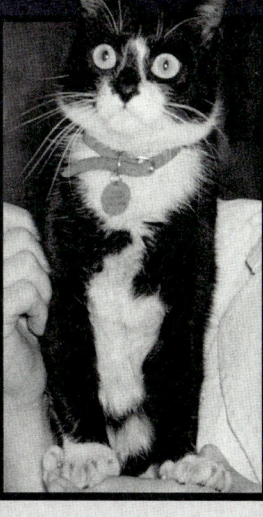

PRIMEIRO GATO A RECEBER A PDSA DICKIN MEDAL
Simon era o gato a bordo do HMS *Amethyst* quando o navio foi bombardeado durante o Incidente Yangtse em 1949. Ele ganhou a medalha "por, mesmo ferido, se livrar de muitos ratos", ajudando a manter os diminutos suprimentos do navio.

MAIS MINAS DETECTADAS POR RATO
Magawa, um rato-gigante-africano da Tanzânia treinado e utilizado pela ONG belga APOPO, farejou 71 minas em sua carreira. Ele descobriu os explosivos no Camboja entre jan/2017 e mai/2021 quando, aos 7 anos, foi aposentado. Magawa recebeu a Gold Medal da PDSA (ver à esq.) por seus valorosos esforços. Ele morreu pacificamente em 2022.

MAIS ANIMAIS TERAPÊUTICOS EM AEROPORTO
Pensados como forma de acalmar passageiros nervosos, o Canine Airport Therapy Squad (CATS) do aeroporto internacional de Denver, Colorado, EUA, é o maior programa do tipo. Até dez/2021, contava com 87 donos voluntários e seus cães. As raças vão de toy-fox-terrier até lébrel-irlandês. Apesar do nome, o CATS só tem um membro felino: Xeli.

URSA MAIS CONDECORADA
Uma ursa-polar chamada Juno, do zoológico de Toronto, Ontário, Canadá, foi oficializada como mascote viva do exército do país e como soldada honorária em 27/2/2016 (Dia Internacional do Urso-Polar). Em seu 1º aniversário, ela se tornou cabo honorária. Aos 5 anos, em 2020, Juno recebeu nova promoção e se tornou cabo-chefe honorária. Um de seus maiores deveres é aumentar a consciência sobre mudanças climáticas no Ártico.

MAIS CÃES-GUIA TREINADOS
Até 31/12/2021, a Associação de Cães-guia para Cegos do RU tinha ensinado 36.670 cães para dar assistência a pessoas completa ou parcialmente cegas. Em 2021, a instituição comemorou seu 90º aniversário, tendo começado em 1931 com Muriel Crooke e Rosamund Bond, que treinaram os primeiros cães-guia britânicos em uma garagem fechada.

PRIMEIRO CÃO PARAQUEDISTA ANTICAÇA
Em 17/9/2016, o pastor-alemão Arrow e seu tratador, Henry Holsthyzen (ZAF) saltaram de um helicóptero a 1.828m de altura acima da base Waterkloof, perto de Pretória, África do Sul, para demonstrar suas habilidades de interceptação aérea. Arrow não é o primeiro cão paraquedista, mas foi o primeiro a saltar como parte do programa pioneiro de prender caçadores ilegais do céu.

RETRATO
Baleia-azul

Tendo em média 25m e pesando 160ton, as baleias-azuis (*Balaenoptera musculus*) não são apenas os **maiores mamíferos**, mas os **maiores animais** que já viveram na Terra. O maior espécime registrado, medido em 1909 em uma armação baleeira no Atlântico Sul, tinha colossais 33,57m. É quase o mesmo tamanho de três ônibus londrinos de dois andares.

Baleias-azuis são cheias de superlativos, do tamanho enorme ao apetite sem fim. Não é de surpreender que, dada sua magnitude, elas tenham o **maior coração**. Um deles, extraído de uma carcaça de 24m que encalhou em 2014, pesava 199,5kg — quase o mesmo que um piano vertical — e tinha 1,5m de cima a baixo.

Pesquisas recentes sugerem que, quando a baleia-azul mergulha, seu coração bate apenas duas vezes por minuto — o **batimento cardíaco mais lento de um mamífero**. Isso aumenta para quase 40 batidas na superfície do oceano, mas "é praticamente o máximo que o coração delas pode bater", de acordo com o dr. Jeremy Goldbogen, de Stanford.

Baleias-azuis podem ficar submersas por uma hora, sobretudo por terem os **maiores pulmões**. Juntos, eles podem guardar 5.000l de ar — o suficiente para encher 450 bexigas com um único sopro! Esses órgãos não são só enormes, mas também muito eficientes: até 90% do ar é transferido para o sangue.

VIDA NA TERRA

MAIOR DIFERENÇA DE TAMANHO ENTRE PREDADOR E PRESA
Krill são crustáceos semelhantes a camarões que crescem até os 50mm, tornando-os 500 vezes menores que as baleias-azuis que os comem. Em novembro de 2021, pesquisadores de Stanford revelaram que os misticetos (entre os quais a baleia-azul é a maior espécie) comem três vezes mais krill do que pensávamos — em média, 16ton por dia no verão. Para pegá-los, uma baleia enche a boca de água do mar rica em krill e pressiona a **maior língua** (em geral de 4ton) no céu da boca, expelindo a água. Então, barbatanas semelhantes a cabelos filtram o krill para consumo.

100%

Há tanto krills nos oceanos do Sul que seus cardumes podem ser vistos do espaço!

ALIMENTAR É ELEMENTAR
A dieta diária da baleia-azul requer uma grande ingestão calórica. Uma boca cheia de krill tem mais ou menos 457.000 calorias, ou o equivalente a 830 Big Macs. A baleia precisa de uma dieta bem rica para sustentar seu tamaho enorme, e essa bocada equivale a quase 200 vezes mais a energia que ela gasta para capturar a comida.

53

VIDA NA TERRA
Variedades

Tripas mais velhas
Órgãos internos de fósseis preservados de 550 milhões de anos foram desenterrados na Wood Canyon Formation de Nevada, EUA, relatados em jan/2020. Os tratos digestivos rudimentares foram encontrados dentro de conchas tubulares de *Cloudiniae*, um primitivo grupo de animais marinhos que remontam ao final do período Ediacarano — cerca de 300 milhões de anos antes dos dinossauros. Não tinham mais de 15cm e estão entre as primeiras formas de vida com concha da Terra.

Maior artrópode
O *Arthropleura armata* era um gigantesco milípede de até 2,6m — aproximadamente o tamanho de um urso polar — e mais de 0,45m de largura. Com cerca de 50 kg, seu corpo segmentado era fortemente revestido e tinha entre 32 e 64 pernas ao todo — muito aquém de seus descendentes mais diminutos (ver abaixo). *Arthropleura* viveu c. 345-295 milhões de anos atrás. Naquela época, os níveis de oxigênio na atmosfera eram bem mais altos que hoje, permitindo que os insetos crescessem tanto.

Mais pernas
Eumillipes persephone, uma espécie recém-descoberta de milípede da região de Goldfields, no oeste da Austrália, tem 1.306 pernas (653 pares) — mais que qualquer outro animal, vivo ou extinto. Mede apenas 95,7mm de comprimento e 0,95mm de largura e tem dois pares de membros em quase todos os 330 segmentos principais do corpo. Descoberto cerca de 60m abaixo do solo em um buraco criado para exploração mineral, o *Eumillipes* não tem pigmentação nem olhos, e explora os arredores por toque com a ajuda de um par de antenas enormes. Essa notável nova espécie semelhante a um fio foi descoberta em ago/2020 e descrita e nomeada em dez/2021 na revista *Scientific Reports*.

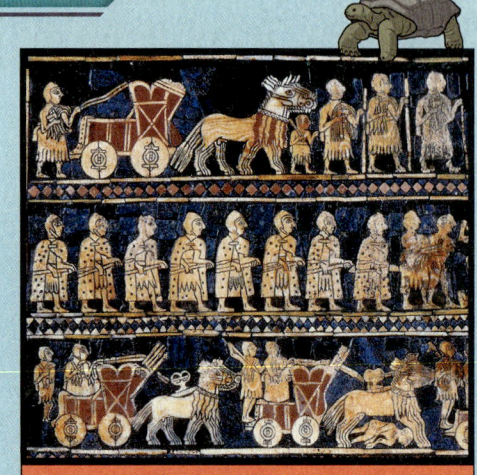

NOVO GÊNERO DE PLANTA CARNÍVORA
Um estudo de 2021 revelou que as *Triantha* conseguem parte de sua nutrição com carne. Nativas de pântanos e prados úmidos (sobretudo na América do Norte), as plantas capturam pequenas moscas usando um tipo de pelo pegajoso (tricomas) no caule para, em seguida, absorver os nutrientes.

PRIMEIRO ANIMAL HÍBRIDO FEITO POR HUMANOS
Restos do hoje extinto kunga — um atarracado equino usado para puxar vagões de guerra e carruagens reais — foram encontrados no Oriente Médio datando de c. 4.500 anos. Análise de DNA de seus ossos publicados em jan/2022 revelaram que o animal era cria da fêmea de burros domésticos (*Equus africanus asinus*) e burros selvagens sírios machos (*E. hemionus hemippus*), que não existem mais.

CÃO MAIS VELHO
O chihuahua Toby Keith (n. 9/1/2001) foi confirmado como o cão vivo mais velho em 16/3/2022, com 21 anos 66 dias. Ele vive com Gisela Shore (EUA) e suas "irmãs" Luna (uma buldogue-americano) e Lala (uma crista-chinês) em Greenacres, Flórida, EUA. Gisela descreve Toby Keith como "uma bênção. Ele é doce, gentil, amoroso... e meu pequeno guarda-costas".

ANIMAL TERRESTRE MAIS VELHO
Acredita-se que a tartaruga-gigante-de-aldabra (*Aldabrachelys gigantea hololissa*) Jonathan tenha nascido em 1832, o que significa que comemorou seus 190 anos em 2022. Vive no Atlântico Sul, na ilha de Santa Helena, e foi dito ser "completamente maduro" (pelo menos 50 anos) quando chegou lá em 1882.

O maior tubarão de todos os tempos só é superado por outro ser marinho: a baleia-azul (ver p.52-53).

MAIOR DENTE DE TODOS OS TEMPOS
Acredita-se que o extinto megalodon (*Otodus megalodon*; antes *Carcharodon megalodon*) tinha até 20m — o triplo de um tubarão-branco (*C. carcharias*). Um novo método de extrapolação de tamanho a partir da largura do dente (detalhe, ao lado de um dente de tubarão-branco) está por trás dessa estimativa.

BORBOLETAS MAIS ESCURAS
Em um estudo de borboletas escuras publicado em mar/2020, 3 espécies da subfamília Biblidinae — *Eunica chlorochroa*, *Catonephele antinoe* e machos da *C. numilia* (acima) — registraram uma reflexão de luz tão baixa quanto 0,06%. Isso se compara a leituras de 1-3% para borboletas com asas pretas (mas não ultrapretas). Para o **animal mais escuro**, ver p.47.

Lula mais profunda
Uma lula bigfin (*Magnapinna*) foi registrada perto do fundo do mar a uma profundidade de 6.212m na fossa das Filipinas, oeste do Pacífico. Essa observação, publicada na *Marine Biology* em 2/12/2021, estende a faixa batimétrica deste gênero por 1.477m. Esta é a 1ª lula conhecida a habitar a zona hadal, a região mais profunda do oceano, que começa em 6.000 m abaixo da superfície.

Maior colônia de peixes
Estima-se que um criadouro de *Neopagetopsis ionah* localizado sob uma plataforma de gelo no sul do mar de Weddell, na Antártica, inclua mais de 60 milhões de ninhos ativos. Isso significa que o local pode conter até 100 bilhões de ovos. Acredita-se que a megacolônia de 240 km² — quase o mesmo tamanho que a capital da Escócia, Edimburgo — tenha se formado ao longo de várias décadas.

Maior hotel de insetos
A Reserva Natural Highland Titles em Duroro, Argyll and Bute, RU, construiu uma mansão para minibestas de 199,9m³, conforme verificado em 28/3/2021. Sete pessoas levaram 6 meses para construir esse hotel para insetos, feito de espruce não nativa, bambu, tijolos, cascas de floresta e raspas de madeira. O objetivo é aumentar a biodiversidade e atrair mais visitantes ao parque.

Animal em cativeiro mais velho...
- **Leopardo:** A leoparda fêmea melanística, toda preta, (*Panthera pardus*) Raven (n. 15/7/1997) tinha 24 anos 26 dias em 10/8/2021. Ela é a felina exótica mais idosa no Centro de Pesquisa Animal e Educação (CARE) em Bridgeport, Texas, EUA.
- **Coala:** Midori (n. fev/1997) tinha ao menos 25 anos em 1/3/2022 — muito além da vida média de 15-16 anos dos coalas (*Phascolarctos cinereus*). Também é o **coala em cativeiro mais velho de todos os tempos**. Midori foi enviado ao Japão em 2003 como presente do governo estadual da Austrália Ocidental e desde então reside no Awaji Farm Park England Hill, em Hyogo.
- **Vombate:** Wain, um vombate-comum (*Vombatus ursinus*), foi resgatado da floresta e nascido c. jan/1989. Ele vive no Satsukiyama Zoo, em Ikeda, Osaka, Japão, e tinha ao menos 32 anos em 31/1/2022.
- **Cobra:** Uma sucuri-verde (*Eunectes murinus*) — a **espécie de cobra mais pesada** — nascida em 1/7/1983 tinha 37 anos 317 dias em 14/5/2021. Annie, cujo dono era Paul Swires até 2004, foi doada para o Montecasino Bird Gardens, em Johannesburg, África do Sul.
- **Preguiça:** Estima-se que Jan, uma preguiça-real (*Choloepus didactylus*), tivesse 6 meses quando encontrada na natureza em mai/1970, o que significa que terá 52 anos em 2022. No zoológico de Krefeld, Alemanha, desde 1986, em jan/2022 o quinquagenário tornou-se pai pela 20ª vez, com 1 filho (Kalle).

MAIOR LÍNGUA DE INSETO
A *Xanthopan praedicta* de Madagascar tem uma probóscide que pode chegar aos 28,5cm — mais de 4 vezes o comprimento do corpo! Apenas sua língua titânica pode alcançar o néctar no fundo das flores *Angraecum sesquipedale*, então o destino das duas espécies está irrevogavelmente entrelaçado.

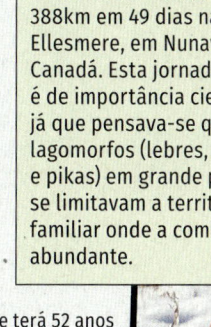

MAIOR JORNADA DE UM LAGOMORFO
Em 2019, uma lebre-ártica (*Lepus arcticus*) conhecida como "BBYY" saltou 388km em 49 dias na ilha Ellesmere, em Nunavut, Canadá. Esta jornada épica é de importância científica, já que pensava-se que lagomorfos (lebres, coelhos e pikas) em grande parte se limitavam a território familiar onde a comida é abundante.

PRIMEIRO ANIMAL COM POLEGARES OPOSITORES
O réptil voador pré-histórico Kunpengopterus antipollicatus foi chamado de "Macacodátilo" por sua habilidade de tocar a ponta dos dedos com o polegar — uma característica da maior parte dos primatas, incluindo humanos. Isso pode tê-lo ajudado a escalar árvores. A criatura viveu no nordeste da China c. 160 mi de anos atrás e foi descrita na *Current Biology* em abr/2021.

MAIOR ESQUELETO DE TRICERATOPS
O esqueleto montado de "Big John", um *Triceratops horridus* que data do fim do período Cretáceo, tem 7,15m de comprimento e 2,7m da pata aos quadris. Descoberto em 2014 na Dakota do Sul, EUA, o fóssil (detalhe com Iacopo Briano, especialista em leilões de história natural) foi comprado por US$7,7 milhões em outubro de 2021.

MULHER MAIS ALTA
Rumeysa Gelgi

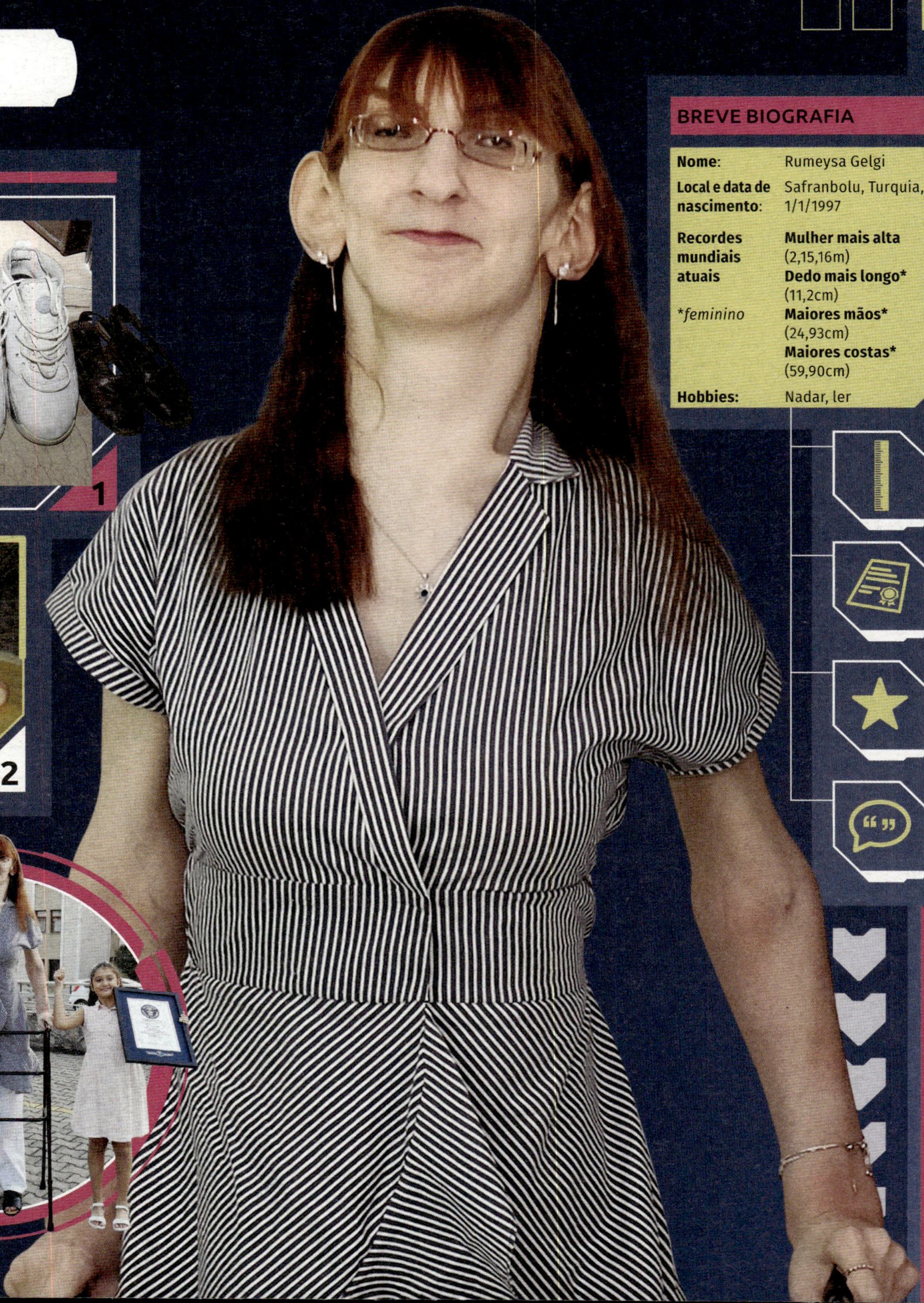

BREVE BIOGRAFIA

Nome: Rumeysa Gelgi
Local e data de nascimento: Safranbolu, Turquia, 1/1/1997
Recordes mundiais atuais: Mulher mais alta (2,15,16m)
Dedo mais longo* (11,2cm)
Maiores mãos* (24,93cm)
Maiores costas* (59,90cm)
*feminino
Hobbies: Nadar, ler

Rumeysa Gelgi (TUR) chama atenção por onde passa. Com uma altura de 2,15m, ela é a mulher viva mais alta do mundo.

Rumeysa deve sua incrível altura a uma condição extremamente rara chamada síndrome de Weaver, que causa crescimento acelerado e deformidades esqueléticas. Seu caso foi apenas o 27º já diagnosticado, e o 1º na Turquia. Ela usa cadeira de rodas e só consegue ficar de pé com um andador. Embora sua condição não torne a vida mais fácil, Rumeysa diz que ser tão alta a faz se sentir especial.

Em 2014, foi eleita **a adolescente mais alta do mundo** e usou isso para chamar atenção para a síndrome de Weaver e escoliose. Rumeysa se recusa a permitir que essas dificuldades físicas a deixem para trás: ela foi educada em casa e hoje é uma web designer qualificada.

Em 23/5/2021, a altura de Rumeysa foi reavaliada em 2,15,16m, confirmando-a como a **O mulher mais alta**. Ela ainda não conhece o **homem mais alto** — o também turco Sultan Kösen (ver p.72) —, mas gostaria. "Ser detentora de um recorde é algo incrível", diz. "Sei que apenas pessoas especiais conseguem isso, e agora sou uma delas".

1 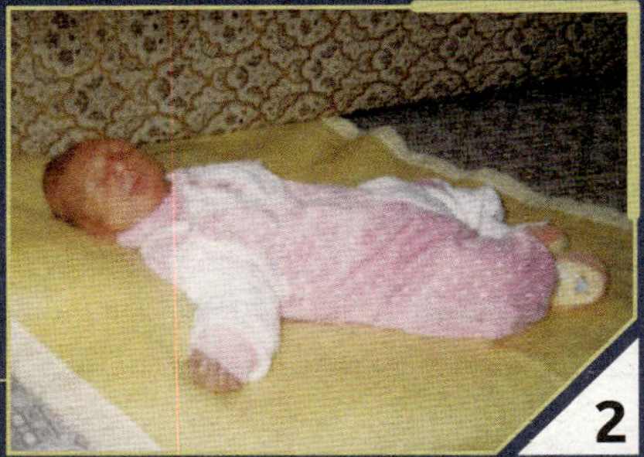
2 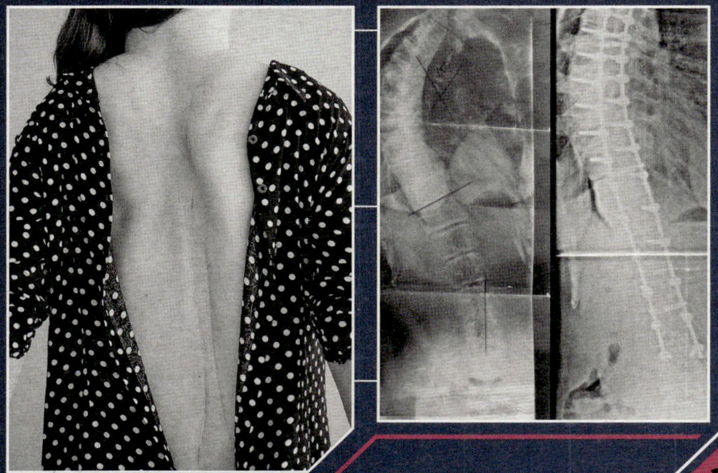
3

1. Rumeysa manda fazer sapatos sob medida para seus pés de 30,5cm. Também detém os recordes femininos para **dedo mais longo** (médio da direita), **maiores mãos** (do pulso à ponta do dedo) e **maiores costas** (vértebras T1-L5) — veja sua Breve biografia.

2. Rumeysa com um mês de vida. Quando bebê, ela sofreu com a saúde debilitada e precisou fazer uma cirurgia de peito aberto com 1 ano de idade. Conseguiu dar seus primeiros passos aos 5, com a ajuda de um andador, após 9 meses de fisioterapia.

3. Imagens de Rumeysa foram exibidas na exposição #IAmStraightForward de 2018, em Nova York. Seus raios-X mostram o impacto da escoliose — uma curvatura lateral na coluna.

4. Rumeysa utilizou a divulgação de seus títulos do GWR para falar de vários problemas médicos. Já apareceu na TV e em jornais.

5. A família de Rumeysa a apoia muito e fica orgulhosa de suas conquistas no GWR. Adora brincar com a sobrinha Zeynep (foto acima), com quem, segundo ela, seu "lado infantil" aflora.

6. Em 2021, recebeu o certificado da Codecademy após se formar como desenvolvedora front-end. Trabalhar na indústria de tecnologia era um sonho antigo.

Rumeysa estudou por 8 meses para conseguir sua qualificação de desenvolvedora da web da Codecademy.

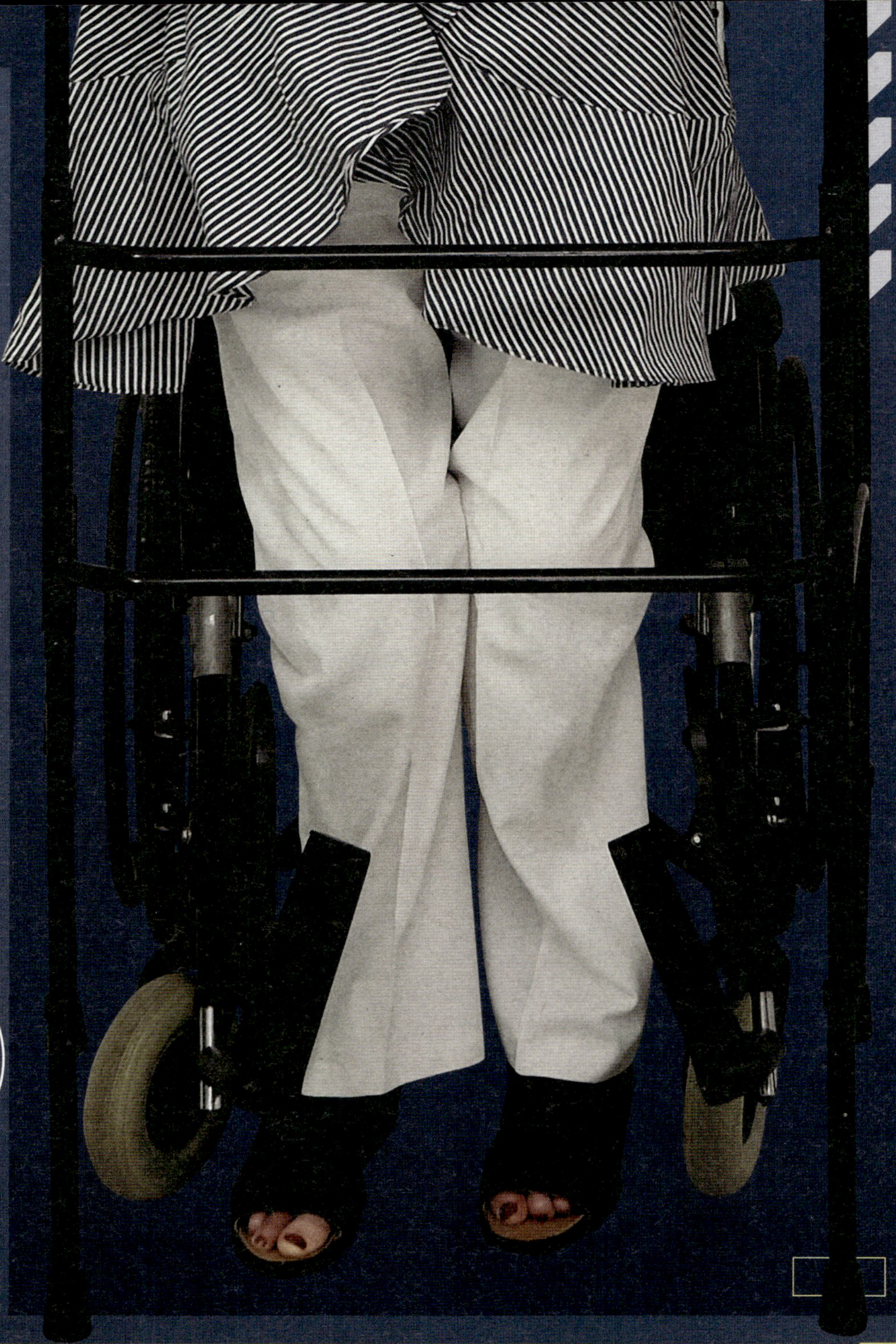

Saiba mais sobre Rumeysa na seção do Hall da Fama em www.guinnessworldrecords.com/2023

MAIOR ABERTURA DA BOCA (MULHER)
Samantha Ramsdell, de Norwalk, Connecticut, EUA, consegue abrir a mandíbula e separar os incisivos superiores e inferiores em impressionantes 6,52cm, como confirmado em 15/07/2021. Em sua boca cavernosa — que também se estende em 10cm de largura — cabe uma porção grande de batatas fritas. "Não é filtro", diz Samantha, a sensação do TikTok, "é só meu rosto!" Para seu equivalente masculino, veja p.62.

MISSÕES
Corpo humano

EXPLORAÇÃO · PESQUISA · DESCOBERTA
2023

Mais velhos...	60
Anatomia incrível	62
Unhas	64
Cabelo	66
O livro de casos de Adam Kay	68
Retrato: Maiores pés	70
Variedades	72

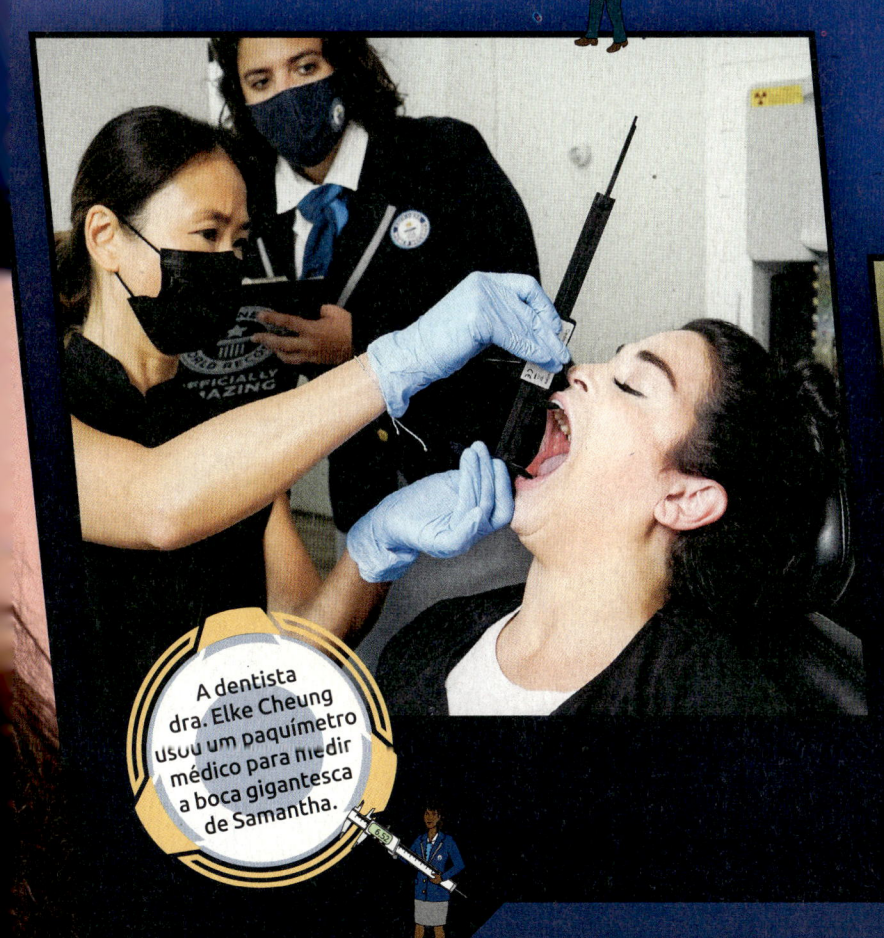

A dentista dra. Elke Cheung usou um paquímetro médico para medir a boca gigantesca de Samantha.

CORPO HUMANO
Mais velhos...

PESSOA A LANÇAR ÁLBUM COM MATERIAL NOVO
Tony Bennett (EUA, n. 3/8/1926) tinha 95 anos e 58 dias quando *Love for Sale*, seu 2º álbum colaborativo com Lady Gaga, foi lançado em 30/9/2021. Anunciado como seu 61º e último álbum de estúdio, a dupla homenageia o compositor americano Cole Porter.

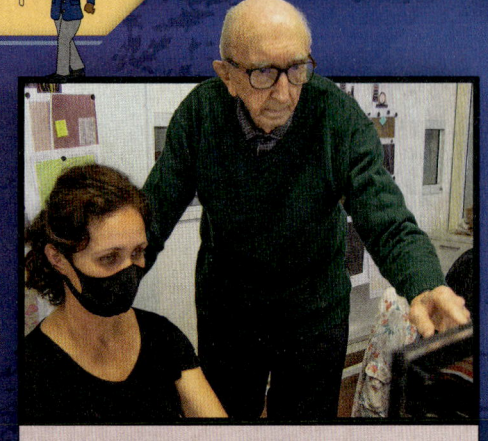

MAIOR CARREIRA NA MESMA EMPRESA
O gerente de vendas Walter Orthmann (BRA, n. 1922) trabalhou na empresa têxtil RenauxView em Brusque, Santa Catarina, Brasil, por 84 anos e 9 dias até 26/1/2022. Começou como auxiliar de expedição em 17/1/1938, quando a firma era chamada Industrias Renaux S.A.

INSTRUTORA DE DANÇA
Ulla Kasics (CHE, n. 19/1/1926) completou seus estudos de dança em 1948; em 1954, depois de dar à luz 2 filhos, fundou uma escola. Ela continua lecionando 4 dias por semana — como freelancer — com 95 anos e 164 dias, como verificado em Zurique, Suíça, em 2/7/2021.

PESSOA A CRUZAR O ATLÂNTICO A REMO
Em 5/2/2021, Frank Rothwell (RU, n. 9/7/1950) foi de San Sebastián, em La Gomera, nas ilhas Canárias, para Nelsonss Dockyard, em Antígua, aos 70 anos e 212 dias. Sua remada solo e sem assistência de 4.828km arrecadou US$1,3 mi para pesquisa de demência.

A IDADE NÃO IMPORTA

- Paciente cirúrgico: 116; Chiyo Miyako (JPN, n. 2/3/1901)
- Passageiro de caça: 115; Charlotte Hughes (RU, n. 1/8/1877)
- Passageiro de balão: 109; Emma Carrol (EUA, n. 18/5/1895)
- Barbeiro: 107; Anthony Mancinelli (EUA, n. ITA, 2/3/1911)
- Mais velho circum-navegador por transporte público: 106; Saburō Shōchi (JPN, n. 16/8/1906)

MAIS VELHO ATOR PROFISSIONAL A INTERPRETAR *HAMLET*
Ian McKellen (RU, n. 25/5/1939) tinha 82 anos e 28 dias na estreia de *Hamlet* no Teatro Royal Windsor, RU, em 21/6/2021. A produção foi notável por não fazer diferenciação de idade, cor e gênero.

Em 19/4/2022, o GWR ficou triste ao saber da morte de ▶ Kane Tanaka (JPN, n. 2/1/1903, à dir.). Com 119 anos e 107 dias, foi a 2ª humana mais velha registrada, atrás de Jeanne Calment (FRA, 21/2/1875-4/8/1997), que viveu até os 122 anos e 164 dias.

As 10 pessoas mais velhas vivas

	Nome	Nasc.	Idade
1	Lucile Randon (FRA)	11/2/1904	118 anos e 90 dias
2	Tekla Juniewicz (POL, n. UKR)	10/6/1906	115 anos e 336 dias
3	María Branyas Morera (ESP, n. EUA)	4/3/1907	115 anos e 69 dias
4	Casilda Benegas-Gallego (ARG, n. PRY)	8/4/1907	115 anos e 34 dias
5	Fusa Tatsumi (JPN)	24/4/1907	115 anos e 17 dias
6	Sofía Rojas (COL)	13/8/1907	114 anos e 272 dias
7	Bessie Hendricks (EUA)	7/11/1907	114 anos e 186 dias
8	Mila Mangold (EUA)	14/11/1907	114 anos e 179 dias
9	Edie Ceccarelli (EUA)	5/2/1908	114 anos e 96 dias
10	Kahoru Furuya (JPN)	18/2/1908	114 anos e 83 dias

Fonte: Gerontology Research Group; em 12/3/2022

CORPO HUMANO

GÊMEOS IDÊNTICOS
As irmãs japonesas Umeno Sumiyama (à dir.) e Koume Kodama nasceram em 5/11/1913 na vila de Nouma, na província de Kagawa — 3ª e 4ª de 11 irmãos. Até a morte de Koume em 3/2/2022, o par atingiu uma idade recorde para gêmeos monozigóticos de 108 anos e 90 dias.

MAIOR IDADE SOMADA DE 4 IRMÃOS VIVOS
Até 8/11/2021, os americanos Goebel — Geraldine (n. 3/4/1921), Marjorie (n. 19/5/1924), Robert (n. 2/8/1928) e Richard (n. 17/10/1929), filhos de Walter e Anne Goebel — tinham as idades somadas de 383 anos e 147 dias.

PESSOA
Irmã André, ou Lucile Randon (FRA, n. 11/2/1904), tinha 118 anos e 73 dias quando recebeu o título de **mulher e pessoa viva mais velha**. Também a **freira mais velha** — e a **sobrevivente mais velha da Covid-19** —, a ex-governanta e professora hoje reside em um asilo em Toulon, França.

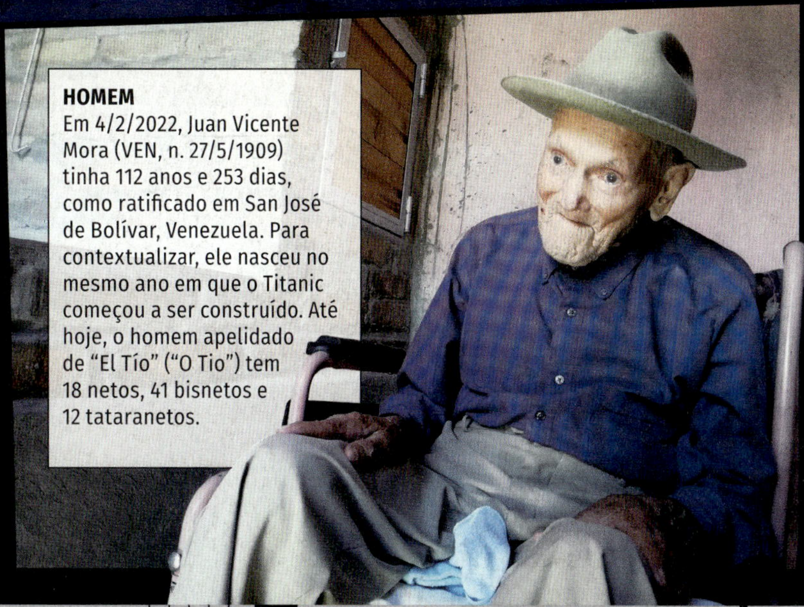

HOMEM
Em 4/2/2022, Juan Vicente Mora (VEN, n. 27/5/1909) tinha 112 anos e 253 dias, como ratificado em San José de Bolívar, Venezuela. Para contextualizar, ele nasceu no mesmo ano em que o Titanic começou a ser construído. Até hoje, o homem apelidado de "El Tío" ("O Tio") tem 18 netos, 41 bisnetos e 12 tataranetos.

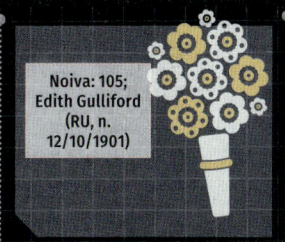

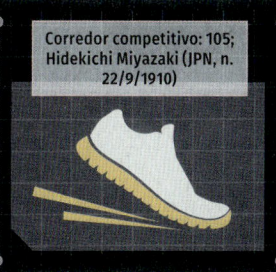

Usuário de tirolesa: 106; Jack Reynolds (RU, n. 6/4/1912)

Noiva: 105; Edith Gulliford (RU, n. 12/10/1901)

Juiz: 105; Albert R Alexander (EUA, n. 8/11/1859)

Corredor competitivo: 105; Hidekichi Miyazaki (JPN, n. 22/9/1910)

Piloto: 105; Cole Kugel (EUA, n. 14/3/1902)

Pessoa a escalar o K2 (feminino)
Vanessa O'Brien (RU/EUA, n. 2/12/1964) subiu o K2 (8.611m) — a 2ª montanha mais alta do mundo — em 28/7/2017, com 52 anos e 238 dias.

Pessoa a andar de John o' Groats a Land's End
Allan Knight (RU, n. 11/6/1945) completou sua jornada entre os dois extremos da Grã-Bretanha aos 76 anos e 144 dias em 2/11/2021. Ele foi ajudado por sua esposa Christina durante a caminhada épica, que completou em pouco menos de 2 meses.

Kite surfer
Em 28/7/2021, Susan Frieder (EUA, 21/1/1944) ainda praticava kitesurf regularmente na costa do Havaí, EUA, aos 77 anos e 188 dias.

Puladora de corda competitivo
Em 25/7/2021, Annie Judis (EUA, n. 23/11/1943) participou do American Jump Rope Virtual Championship em Beverly Hills, Califórnia, EUA, aos 77 anos e 244 dias.

Velocista de skate competitivo
Iichi Marumo (JPN, n. 1/4/1929) tinha 92 anos e 314 dias quando competiu no Japão Masters Championships, em Koriyama, Fukushima, em 9/1/2022. Competiu em 2 distâncias, com tempos de 2min28,47s nos 500m e 6min22,94s nos 1.000m.

Esquiador alpino
Em 5/4/2021, Junior Bounous (EUA, n. 24/8/1925) desceu de um helicóptero para a pista de esqui em Snowbird, em Utah, EUA, com 95 anos e 224 dias. Tornou-se instrutor em 1947, fez seu 1º esqui alpino em 1961 e entrou no National Ski Hall of Fame em 1996.

Rainha regente
Elizabeth II (n. 21/4/1926), rainha do RU e da Commonwealth, comemorou seu 96º aniversário em 2022. Sua Majestade subiu ao trono em 6/2/1952 e, em 22/4/2022, reinou sem interrupção por 70 anos e 75 dias, tornando-se também a **monarca viva com mais tempo de reinado**.

PESSOA MAIS VELHA NO ESPAÇO
A lenda de *Star Trek*, William Shatner (CAN, n. 22/3/1931), tinha 90 anos e 205 dias quando participou de um voo espacial suborbital em 13/10/2021. Shatner fazia parte da tripulação da missão New Shepard NS-18 da Blue Origin, lançada de Van Horn, Texas, EUA. Para o recorde **feminino**, ver p.34.

CORPO HUMANO
Anatomia incrível

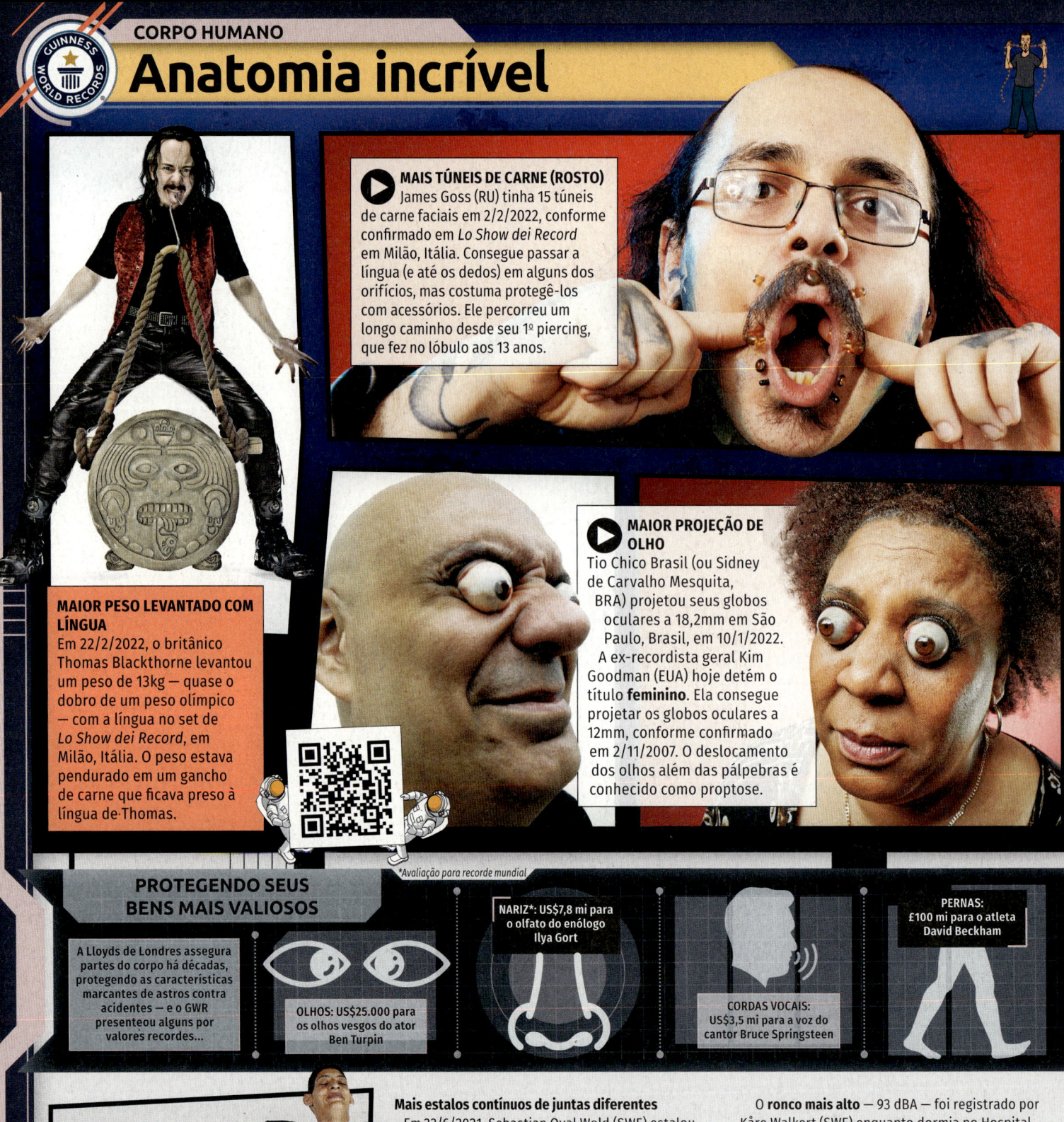

▶ MAIS TÚNEIS DE CARNE (ROSTO)
James Goss (RU) tinha 15 túneis de carne faciais em 2/2/2022, conforme confirmado em *Lo Show dei Record* em Milão, Itália. Consegue passar a língua (e até os dedos) em alguns dos orifícios, mas costuma protegê-los com acessórios. Ele percorreu um longo caminho desde seu 1º piercing, que fez no lóbulo aos 13 anos.

MAIOR PESO LEVANTADO COM LÍNGUA
Em 22/2/2022, o britânico Thomas Blackthorne levantou um peso de 13kg — quase o dobro de um peso olímpico — com a língua no set de *Lo Show dei Record*, em Milão, Itália. O peso estava pendurado em um gancho de carne que ficava preso à língua de Thomas.

▶ MAIOR PROJEÇÃO DE OLHO
Tio Chico Brasil (ou Sidney de Carvalho Mesquita, BRA) projetou seus globos oculares a 18,2mm em São Paulo, Brasil, em 10/1/2022. A ex-recordista geral Kim Goodman (EUA) hoje detém o título **feminino**. Ela consegue projetar os globos oculares a 12mm, conforme confirmado em 2/11/2007. O deslocamento dos olhos além das pálpebras é conhecido como proptose.

PROTEGENDO SEUS BENS MAIS VALIOSOS
A Lloyds de Londres assegura partes do corpo há décadas, protegendo as características marcantes de astros contra acidentes — e o GWR presenteou alguns por valores recordes...

*Avaliação para recorde mundial

- **OLHOS:** US$25.000 para os olhos vesgos do ator Ben Turpin
- **NARIZ*:** US$7,8 mi para o olfato do enólogo Ilya Gort
- **CORDAS VOCAIS:** US$3,5 mi para a voz do cantor Bruce Springsteen
- **PERNAS:** £100 mi para o atleta David Beckham

MAIOR ENVERGADURA DE BRAÇO
Mohamed Shehata (EGY) estica os braços a 250,3cm, quase o comprimento de um carro compacto. Seu alcance — verificado no Cairo, Egito, 27/4/2021 — tem a ver com a alta estatura: Mohamed tem 213,8cm. Ele também ostentou a **maior envergadura de mão** — 31,3cm — na mesma data.

Mais estalos contínuos de juntas diferentes
Em 23/6/2021, Sebastian Qval Wold (SWE) estalou audivelmente 36 articulações nos dedos das mãos e dos pés, pescoço, costas, tornozelos, pulsos, cotovelos e joelhos. Esta exibição — clinicamente conhecida como crepitação — foi documentada em Varberg, Halland, Suécia.

Língua mais larga
Em sua maior largura, a língua de Brian Thompson (EUA) mede 8,88cm, como ratificado em La Cañada, Califórnia, EUA, em 30/7/2018. Isso é mais que o diâmetro de uma bola de beisebol! O recorde **feminino** — 7,33cm — é de Emily Schlenker (EUA) e foi confirmado em Syracuse, Nova York, EUA, em 2/11/2014.

Clique de língua mais alto
Em 6/8/2003, Kunal Jain (CAN) gerou um pico de som de 114,2 dBA — mais alto que uma motosserra a uma distância de 1m — estalando a língua em Richmond Hill, Ontário, Canadá.

O **ronco mais alto** — 93 dBA — foi registrado por Kåre Walkert (SWE) enquanto dormia no Hospital Regional de Örebro, na Suécia, em 24/5/1993. Isso é semelhante ao barulho dentro de um metrô em movimento. Os roncos de Kåre foram exacerbados pela apneia, um distúrbio respiratório.

Mordida humana mais forte
Em ago/1986, Richard Hofmann (EUA) alcançou uma mordida de pelo menos 975 lbf por c. 2 segundos na Faculdade de Odontologia da Universidade da Flórida, EUA — mais de 6 vezes que a média humana. Nossa mordida poderosa vem da dupla de masseteres — os músculos mais fortes do corpo.

Maior medida de tórax muscular
Em 20/5/1993, foi confirmado que Isaac Nesser (EUA) tinha o peito de 188cm em Greensburg, Pensilvânia, EUA. Isaac devia sua prodigiosa musculatura ao levantamento de peso, que praticava sem falta duas vezes por dia em turnos de 2h. Seu treinamento incluiu supinos de 254kg e bíceps com halteres de 136kg.

CORPO HUMANO

MAIOR ABERTURA DE BOCA
Em 22/2/2022, a diferença entre os incisivos superiores e inferiores de Isaac Johnson (EUA) era de 10,19cm. O que isso significa? É o suficiente para acomodar um par de tangerinas, uma lata de refrigerante ou até uma bola de beisebol!

MAIOR CIRCUNFERÊNCIA DA LÍNGUA
Dante Barnes (EUA) ganhou mais de 16 milhões de curtidas pelos vídeos do TikTok em que infla a língua, como um balão, até cerca de 3 vezes o tamanho original. Dante flexiona os músculos de tal forma que a língua chega a 12,19cm de circunferência, conforme confirmado em Battle Creek, Michigan, EUA, em 24/12/2021. Pode crescer até 4,2cm de altura e 4cm de largura.

MÃOS: US$1,6 mi para o guitarrista do Rolling Stones Keith Richards

DENTES: US$4 mi para o comediante Ken Dodd

SORRISO: US$10 mi para os lábios da atriz America Ferrera

LÍNGUA*: US$14 mi para Gennaro Pelliccia

CABELO*: US$1 mi para Troy Polamalu, da NFL

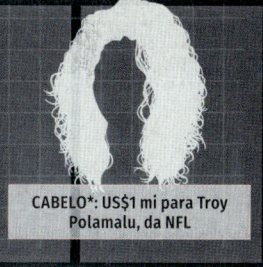

Mais piercings de língua
Em 5/1/2017, Francesco Vacca (EUA) tinha 20 piercings na língua. A contagem foi confirmada no estúdio de piercing Invisibleself em Lyndhurst, Nova Jersey, EUA.

Mais tatuagens de insetos
De abelhas e besouros a milípedes e mariposas, Michael Amoia (EUA) tem 864 insetos tatuados, verificado em 28/10/2021 em Nova York, EUA.

Mais modificações corporais
Rolf Buchholz (DEU) fez 516 alterações corporais, conforme verificado em 16/12/2012 em Dortmund, Alemanha. Elas incluem 481 piercings, 2 implantes subdérmicos de chifre e ímãs na ponta dos dedos da mão direita. O procedimento mais doloroso foi uma tatuagem na palma da mão.

Maria José Cristerna (MEX) tem o recorde **feminino**, com 49 modificações corporais. Ela tem muitas tatuagens, vários implantes transdérmicos na testa, peito e braços e vários piercings nas sobrancelhas, lábios, nariz, língua, lóbulos das orelhas, umbigo e mamilos.

O ▶ **maior número de modificações corporais de um casal** é de 84, por Victor Hugo Peralta (URY) e a esposa Gabriela Peralta (ARG), contados em Milão, Itália, em 7/6/2014. Suas alterações incluem 50 piercings, 8 microdérmicos, 14 implantes corporais, 5 implantes dentários, 4 alargadores de orelha, 2 parafusos de orelha e uma língua bifurcada (de Victor). Eles também têm mais de 50% do corpo coberto de tatuagens.

MAIOR TÚNEL DE CARNE
Kalawelo Kaiwi (EUA) tem um túnel de carne de 10,5cm em cada lóbulo, verificado em 14/7/2014 no Havaí, EUA. São grandes o suficiente para passar a mão. Suas outras modificações incluem língua bifurcada, implantes de chifre de silicone e spikes aparafusados no crânio.

CORPO HUMANO
Unhas

Dedão: 197,8cm
Anelar: 181,6cm
Mindinho: 179,1cm
Médio: 186,6cm
Indicador: 164,5cm

◉ 1980: Shridhar Chillal
Parou de cortar as unhas da mão esquerda em 1952; chegou a 909,6cm antes de serem cortadas usando uma ferramenta em 2018.

◉ 1999: Lee Redmond
Último corte em 1979; unhas banhadas regularmente em azeite morno, e chegaram a 865cm antes de quebrarem em um acidente de carro no início de 2009.

2009: Melvin Boothe
Medidas em 30/5/2009 com 985cm — mais longas que um ônibus londrino de 2 andares. Infelizmente, Melvin morreu naquele ano.

2011: Chris Walton
"A Duquesa", cantora de um clube em Las Vegas, começou sua odisseia de unhas em 1990, deixando-as crescer até 731,4cm antes de cortá-las em 2016.

2017: Ayanna Williams
"Minhas unhas são 50% de mim", disse Ayanna após herdar o recorde; até 2021, elas tinham alcançado 733,5cm antes de cortá-las.

O QUE É UMA UNHA?
Como pele e cabelo, as unhas são basicamente feitas de uma proteína fibrosa: queratina. Conforme novas células vivas se formam na matriz, no dedo, elas empurram as células velhas, que ficam menores e endurecem, formando as unhas.

- Ponta da unha
- Leito da unha, com a matriz
- Unha
- Osso
- Lúnula
- Tendão

O Guinness World Records abriu pela 1ª vez um arquivo de unhas em 1960, para reconhecer um padre chinês anônimo com unhas de 57,79cm. Hoje, com uma nova requerente de Minnesota, EUA, o recorde é superior a 13m, um aumento de mais de 2.200%!

A história daquele padre de Xangai, que supostamente não cortava as unhas havia 27 anos, data de 1910, mas só foi reconhecida pelo GWR na 8ª edição (1960). Desde então, as várias categorias de **unhas mais compridas** — que incluem masculino, feminino, uma mão, duas mãos e de todos os tempos — apareceram em todos os livros GWR e se tornaram um dos registros mais icônicos e amplamente discutidos.

Uma categoria surpreendentemente competitiva, o recorde mudou de mãos diversas vezes pelos anos. Acima, um line-up de alguns dos titulares mais recentes.

A mais nova incumbente — Diana Armstrong (EUA, à direita) — surgiu em 2022 após 24 anos de crescimento ininterrupto. Suas unhas pintadas com brilho, medidas em sua cidade natal Minneapolis, quebraram os recordes de **vivo** e **todos os tempos** para um par de mãos, estendendo-se em impressionantes 1.306,58cm. Só seu polegar direito, a mais longa de suas unhas, alcançou 138,94cm...

P&R: DIANA ARMSTRONG, DEUSA DAS UNHAS

Por que parou de cortar as unhas?
Passei por um momento ruim quando minha filha Latisha morreu em 1997. Ela teve uma crise de asma dormindo aos 16 anos, e tinha passado o dia anterior cuidando de minhas unhas. Depois disso, não consegui mais cortá-las. E não disse a ninguém o motivo. Nem meus filhos sabiam disso, pois mantive o segredo por anos.

Qual é a parte mais difícil de ter unhas longas?
Fechar o zíper da calça ou do casaco! Posso abrir uma lata de refrigerante com uma faca. Quando dirigia, tinha que colocar a mão para fora, então parei de dirigir. E em banheiros públicos, preciso usar a cabine mais larga — minhas unhas são compridas demais para as cabines normais!

Elas são difíceis de manter?
Não vou a uma manicure faz cerca de 22 anos — elas não querem se meter com essas unhas —, então meus netos cuidam delas. Cada unha leva dez horas para lixar e, para isso, preciso de uma lixadeira elétrica. Faço isso há 4-5 anos e uso entre 15-20 esmaltes. Pintei elas na semana passada e levei 4 dias!

CORPO HUMANO

▶ **2022: Diana Armstrong**
Unhas de ambas as mãos medidas em 13/3/2022, com 1.306,58cm; cortadas pela última vez em 1997 e mantidas como tributo à falecida filha Latisha. "Minhas unhas são parte de mim, e não consigo me imaginar cortando-as."

CORPO HUMANO
Cabelo

PELOS MAIS LONGOS

Ilustrados aqui estão os pelos mais longos, reproduzidos em tamanho real. Para se qualificar, o pelo ainda deve estar preso ao reclamante; a média de 3 medições molhadas determina o comprimento final.

- Peito: 28,2cm; Vittorio Lullo (ITA)
- Perna: 22,46cm; Jason Allen (EUA)
- Braço: 21,7cm; David Reed (EUA)
- Sobrancelha: 19,1cm; Zheng Shusen (CHN)
- Mamilo: 17cm; Daniele Tuveri (ITA)
- Abdômen: 16,77 cm; Elaine Martin (EUA)
- Costas: 13cm; Craig Bedford (RU)

PRIMEIRO TERNO DE BIGODE
Pam Kleemann-Passi, POLITIX e Nico da Germanicos Bespoke Tailors (todos AUS) criaram um terno de "mo-hair" em nov/2021. Fazia parte da campanha anual Movember — um evento que incentiva o crescimento do bigode para aumentar a conscientização sobre problemas de saúde masculinos. Os pelos foram adquiridos na rede Sustainable Salons na Austrália e de colaboradores cujas vidas foram afetadas por tais questões.

Fio mais grosso de cabelo humano
Um único fio de cabelo de 772 micrômetros de espessura foi arrancado da barba de Muhammad Umair Khan (PAK) em Lahore, Paquistão, conforme verificado em 3/3/2021. Isso é cerca de 4 vezes a espessura máxima média de um cabelo humano.

Cabelo mais comprido em uma adolescente
Em 29/7/2020, as tranças de Nilanshi Patel (IND) mediam 2m em Modasa, Gujarat, Índia. Apelidada de "Rapunzel da vida real", ela decidiu cortar as madeixas pela 1ª vez em 12 anos e as doou para um museu.

Maior afro
Aevin Dugas (EUA) cultivou um penteado natural de 25cm, com uma circunferência de 1,57m, como confirmado em Gonzales, Louisiana, EUA, em 2/4/2021.

Aplique de cabelo mais longo
Nikola Kulezic (SRB) aplicou uma extensão de cabelo medindo 820,29m na modelo Ivana Knežević em Šabac, Sérvia, em 26/6/2013. Kulezic usou cabelos sintéticos de várias cores e tons, que amarrou, tricotou, chamuscou e uniu para formar um aplique cerca de 7,5 vezes maior que um campo de futebol americano.

Barba mais longa
Sarwan Singh (CAN) tinha uma barba de 2,49m de comprimento, conforme verificado em 8/9/2011 em Surrey, British Columbia, Canadá. Sikh devoto, Singh segue estritamente os artigos de fé conhecidos como os "Cinco Ks", um dos quais — "Kesh" — proíbe o corte de cabelo. O recorde feminino — 25,5cm — é de Vivian Wheeler (EUA), conforme verificado no set de Lo Show dei Record em Milão, Itália, em 8/4/2011.

Dreadlocks de barba mais longos de todos os tempos
Hans N Langseth (NOR) deixou crescer uma barba — enrolada em dreadlocks — que media 5,33m no momento de sua morte em 1927. Ele queria que a barba fosse preservada para a posteridade, então o filho a doou para o Smithsonian Institution, dos EUA, em 1967.

Maiores campeonatos de barba e bigode
Em 1/9/2017, um total de 738 pessoas participaram do Campeonato Mundial de Barba e Bigode, organizado pelo Austin Facial Hair Club (EUA) no Texas.

No mesmo evento, Rose Geil (EUA) se tornou a primeira competidora feminina do campeonato na categoria "barba cheia". Ela ficou em um impressionante 6º lugar entre 107 participantes, com uma pontuação de 48,0. Geil atribui o crescimento dos pelos a uma mistura de síndrome do ovário policístico e genética.

Karl-Heinz Hille (DEU) foi o que obteve mais vitórias na competição, garantindo seu 8º título em 2011.

Maior doação de cabelo (individual)
Em 26/8/2021, Zahab Kamal Khan (EUA) doou 155cm de cabelo para confecção de perucas na instituição de caridade Children with Hair Loss. Foi seu primeiro corte de cabelo em 17 anos e aconteceu em McLean, Virgínia, EUA.

> O cabelo humano cresce cerca de 1,2cm por mês. Se não for cortado, em geral, crescerá até 60-90cm.

TRAN VAN HAY
Dizem que o dreadlock descomunal deste vietnamita septuagenário tinha 6,8m quando ele morreu em fev/2020. Isso o torna um candidato ao cabelo mais longo de todos os tempos? Infelizmente, não. Não tivemos a oportunidade de medi-lo antes de seu falecimento, então ele nunca se tornou um detentor oficial do título GWR.

CABELO MAIS COMPRIDO
A chinesa Xie Qiuping penteou o cabelo de 5,627m em 05/08/2004. Ela cortou as madeixas pela última vez em 1973, aos 13 anos. "Não dá trabalho nenhum", assegurou ao GWR. "Mas precisa de paciência e uma boa postura."

O recorde **masculino** está livre. Swami Pandarasannadhi, um monge em Madras, Índia, na década de 1940, supostamente tinha cabelos de 7,92m, mas eram embaraçados, talvez o resultado de uma condição capilar chamada plica neuropática. Para o recorde absoluto, o cabelo deve estar desembaraçado.

100%

CORPO HUMANO

CÍLIOS MAIS LONGOS
You Jianxia (CHN) tem cílios extremamente longos — os da pálpebra superior esquerda mediam 20,5cm em Xangai, China, em 20/5/2021. Embora a causa do fenômeno folicular seja um mistério, tem benefícios inesperados: "Graças aos meus cílios naturalmente longos, não preciso usar sombra ou delineador", disse ela ao GWR.

MAIOR COMPETIÇÃO DE CABELO CONGELADO
Em 1/4/2020, o Concurso de Congelamento de Cabelo Takhini Hot Springs (CAN) teve 288 candidatos em Whitehorse, Yukon, Canadá. Eles vão ao local quando a temperatura está abaixo de -20°C, mergulham a cabeça na água e penteiam o cabelo molhado, deixando-o congelar em formas extraordinárias.

PELOS DA ORELHA MAIS LONGOS
Os pelos brotando do centro das orelhas externas (no meio do pavilhão auricular) de Anthony Victor (IND) mediam até 18,1cm em 26/8/2007. Diretor aposentado, Victor foi apelidado de "professor da orelha cabeluda" pelos alunos.

TRANÇAS MAIS LONGAS
Asha Mandela (EUA) tem tranças de 5,96m de comprimento, como confirmado em 11/11/2009 no The Early Show, da CBS, em Nova York, EUA. Seu cabelo pesa 19kg — cerca de 3 vezes mais que uma bola de boliche —, e Asha leva 2 dias para lavá-lo e secá-lo. Ela prefere deitar-se ao sol com as tranças espalhadas ao redor, para que possam secar naturalmente.

DREADLOCKS MAIS LONGOS (MASCULINO)
Sudesh Muthu (CAN) tinha dreadlocks de 1,91m em 6/8/2010, quando foram medidos no escritório do GWR em Londres, RU.

MOICANO MAIS ALTO
Joseph Grisamore (EUA) tinha um moicano de 108,2cm em 20/9/2019, conforme confirmado em Park Rapids, Minnesota, EUA. Naquele dia, o surpreendente penteado foi preparado pelo cabeleireiro Kay Jettman, auxiliado pela esposa de Joseph (Laura), mãe (Kay) e meia lata de laquê "got2b Glued Blasting".

BOLA DE CABELO HUMANO MAIS PESADA
O cabeleireiro Steve Warden (EUA) começou a criar uma bola de aparas de cabelo — apelidada de "Hoss" — em seu salão Blockers em Cambridge, Ohio, EUA. Mas depois que Hoss foi exibido no museu Ripley's Believe It or Not! em Orlando, Flórida, os visitantes começaram a contribuir com mais cabelo, e as doações também vinham pelo correio. Em 13/12/2021, Hoss pesava 102,12kg.

67

Corpo humano

O LIVRO DE CASOS DE ADAM KAY!

Adam Kay é um médico que desistiu de tudo para se tornar escritor e comediante. Suas experiências em primeira mão na parte mais caótica da mesa de operações resultaram em uma série de best-sellers que revelam tudo que você precisa saber sobre como nossos corpos funcionam... e o que acontece quando eles dão defeito! Aqui, ele vasculhou os arquivos de saúde do GWR para escolher alguns dos recordes do corpo humano mais estranhos, nojentos e de revirar o estômago.

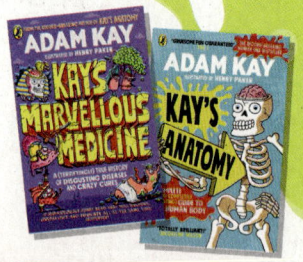

DOENÇA MAIS CONTAGIOSA
Se você teve sarampo, parabéns — sobreviveu à doença mais contagiosa conhecida! É causada por um vírus (*Measles morbillivirus*) tão contagioso que uma pessoa infectada vai — em média — passar a doença para outras 15 pessoas se não estiverem vacinadas. Eca!

LÍNGUA MAIS COMPRIDA
Ninguém tem uma língua maior que Nick Stoeberl, da Califórnia, EUA. Ele pode esticar tanto a língua que a ponta fica a 10,1cm dos lábios. O que você faria com um músculo tão forte? Bem, o Nick o enrola em plástico-filme e pinta! Ofissiaumente impressionanti!

MAIOR TEMPO SEGURANDO O FÔLEGO
Por quanto tempo você consegue segurar o fôlego? Alguns segundos? Talvez um minuto? Apostamos que ainda está longe de Budimir Šobat, da Croácia. Em 27/3/2021, esse mergulhador de 56 anos prendeu a respiração por 24min37,36s: mais que um episódio de *Os Simpsons*! E para provar que não estava trapaceando, ele fez isso em uma piscina! Gasp!

MAIOR COLEÇÃO DE DENTES HUMANOS
Talvez você colecione borrachas, brinquedos ou selos. Mas não Giovanni Battista Orsenigo, da Itália. Ele colecionava dentes. Dentes HUMANOS! Esse dentista guardou cada molar, canino e incisivo que arrancou e acabou com uma gaveta cheia deles — 2.000.744!

MAIOR CRISE DE SOLUÇOS
Em 1922, enquanto tentava pesar um porco, o fazendeiro americano Charles Osborne teve um ataque de soluços. E não parou de soluçar por um bom tempo; na verdade, só parou em 1990! Isso significa cerca de 430 milhões de soluços direto por 68 anos! Hic!

PIOR CASO DE COREOMANIA
Imagine não ser capaz de parar de dançar! Esse é o principal sintoma de uma condição médica chamada "tarantismo" ou coreomania. O caso mais abrangente reportado ocorreu em Aachen, Alemanha, em jul/1374, quando supostamente milhares de pessoas começaram a dançar de maneira frenética. Isso duraria horas — ou dias! — até os dançarinos caírem de exaustão. Pensava-se que o sintoma era causado por uma picada de aranha, mas isso jamais foi confirmado.

MAIOR QUEDA EM VÃO DE ELEVADOR
O pedreiro Stuart Jones (NZ) despencou 70m — 23 andares! — pelo vão de um elevador quando trabalhava no Midland Park, Wellington, Nova Zelândia, em mai/1998. Ele quebrou costelas, quadris, pernas e joelhos, mas, por incrível que pareça, sobreviveu para contar a história.

ARROTO MAIS ALTO
Neville Sharp (AUS) pode soltar um arroto — ou eructação, se estivermos sendo educados — de estourar os tímpanos com seus 112,4dB, ou seja, quase tão alto quanto um trombone bem no seu ouvido (só que muito mais fedido!).

SOBREVIVENTE DE MAIS PICADAS DE ABELHA

Um adulto comum pode sobreviver a 1.000 picadas de abelha, o que torna Johannes Relleke (ZWE) bem incomum. Em jan/1962, foi atacado por um enxame raivoso na mina de estanho Kamativi, Zimbábue. Apesar de entrar em um rio cheio de crocodilos, foi picado sem parar. Depois, médicos removeram um recorde de 2.443 ferrões!

CÉREBRO HUMANO MAIS PESADO

Em 1899, um pedaço de matéria cinzenta removido do crânio de um paciente de 21 anos (ele já estava morto, fique tranquilo!) alcançou 2.850g na balança — cerca do mesmo peso de 4 bolas de basquete e mais que um chihuahua! Em comparação, o cérebro de um adulto comum tem 1.350g — mais próximo de um abacaxi do que de um cãozinho de estimação!

MAIOR CRISE DE BOCEJO

Em 1888, o médico americano Edward W Lee reportou o caso de uma garota de 15 anos que começou a bocejar após a remoção de um dente e não parou — por 5 semanas! Mesmo doses de beladona e clorofórmio (**clorofórmio**) não conseguiram resolver. Moral da história? Cuide bem dos dentes — nunca se sabe...

MAIOR TEMPERATURA CORPORAL

É mau sinal quando o número no termômetro vai além da escala, como em Willie Jones (EUA). Em 10/7/1980, uma onda de calor o deixou com quase inacreditáveis 46,5° — e isso DEPOIS dos médicos o deixarem no gelo por 15min! É incrível, mas ele sobreviveu, deixando o Grady Memorial Hospital de Atlanta 24 dias depois, com o apelido dado por uma equipe incrédula: "Tocha Humana".

DIETA MAIS ESTRANHA

Na França, o Monsieur Mangetout ("Sr. Come-tudo"), Michel Lotito, tinha um gosto estranho para comida. Entre 1966 e 2007, ele consumiu um total de 18 bicicletas, 15 carrinhos de compras, várias TVs (na época em que eram maiores!) e um jatinho Cessna 150 inteiro! Isso era resultado de um transtorno chamado alotriofagia — um apetite por coisas que não são comida!

MAIOR OBJETO ESTRANHO DEIXADO EM PACIENTE

Saindo do hospital? Sempre dê uma olhada para ver se não esqueceu nada — e se os médicos não esqueceram nada em VOCÊ! Meena Purohit (IND) foi operado em 1/7/1989, mas cirurgiões distraídos deixaram um fórceps de 33cm em seu abdômen.

GRITO MAIS ALTO

Jill Drake (RU) deu um grito de 129dBA nas festas de Halloween no Millennium Dome de Londres em 2000. Como aperfeiçoar um grito que chega quase a doer? Jill acredita que seu uivo de cair o queixo vem da época em que ela trabalhava como professora assistente... SILÊNCIO AÍ ATRÁS, POR FAVOR!

MAIOR NARIZ

É melhor não meter o nariz com Mehmet Özyürek (TUR), pois ele tem um de 8,8cm. "Estou muito feliz com meu nariz e não tenho intenção de mudá-lo", disse ao GWR. "Sempre tive a impressão de que eu iria longe e seria alguém por causa de meu nariz." Sua tromba deu a ele uma lufada de oportunidade — e ele não vai estragar tudo.

NARIZ COM MAIOR SEGURO

Um bom senso de olfato pode ser divino. Ilja Gort (NDL), em mar/2008, assegurou seu nariz por US$7,8mi. Dono do vinhedo Château de La Garde em Bordeaux, França, e produtor de vinho de tulipa, Ilja tinha que se certificar de que continuaria *au fait* com o aroma da bebida. (Outras partes do corpo asseguradas nas p.62-63.)

MAIOR NARIZ DE TODOS OS TEMPOS

O nariz de Mehmet pode ser ímpar hoje, mas a história sugere um nariz com o dobro do tamanho. Há relatos de que Thomar Wedders tinha um nariz de 19cm, que exibia em um circo itinerante na Inglaterra em 1770.

CORPO HUMANO

RETRATO
Maiores pés

Quando menino, Jeison Rodríguez (VEN) ia descalço para a escola porque não conseguia encontrar sapatos de seu tamanho. Hoje, o dono dos **maiores pés** viaja o mundo graças aos seus incríveis atributos. Tiramos uma foto do sapato direito de Jeison na Calçada da Fama, bem em frente ao GWR Museum em Hollywood Boulevard. Como seu pé ficaria ao lado do dele?

Compare o sapato 56 de Jeison com o 26/27 de seu sobrinho.

Com 2,2m de altura, Jeison Orlando Rodríguez Hernández sempre se destacou na multidão. Mas são os pés fenomenais do venezuelano que chamam a atenção de todos.

Jeison deve sua estatura avantajada a uma hipófise hiperativa. Aos 9 anos, reparou que seus pés eram maiores que os dos amigos — um estirão levou o número de sapato a aumentar de 35 para 42/43 em um ano! Mas suas extremidades chamativas hão facilitaram sua vida. Jeison sofria bullying e não conseguia encontrar calçados que serviam, tendo que usar sandálias feitas de restos. Muitas vezes, acabava indo descalço para a escola.

Robert Wadlow (EUA, 1918-40), o **maior homem do mundo**, usava sapatos de tamanho americano 37AA (algo como o 58 brasileiro), equivalente a um pé de 47cm. Mas Jeison acreditava ter os **maiores** pés de alguém vivo, e, em 2014, entrou em contato com o GWR. Ele recebeu o título um ano depois, mas ainda estava crescendo. Em 2018, foi à cidade francesa de Beauvais, onde descobriram que seu pé esquerdo aumentara para 40,47cm e o direito, para 40,55cm.

Jeison sonha em ser confeiteiro, mas também quer ajudar aqueles que se encontram na mesma condição. Ele falou sobre os problemas que enfrenta em shows internacionais de TV, e agora seus sapatos são feitos à mão, graças ao sapateiro Georg Wessels (acima, à direita). De fato, as sandálias originais de Jeison ocupam um lugar de honra no museu de Georg.

Pode ser que Jeison nunca venha a ser imortalizado na Calçada da Fama, mas para o GWR, ele sempre estará um passo à frente dos outros.

100%

CORPO HUMANO
Variedades

Mais recente espécie humana
A espécie humana mais recentemente descoberta é o *Homo longi* ("Homem Dragão"), que foi descrita pela primeira vez na revista científica *The Innovation* em 25/6/2021. Um crânio foi desenterrado em 1933 na cidade de Harbin, China, mas só foi datado há pouco tempo — é de pelo menos 146.000 anos atrás, do Pleistoceno Médio. Enorme e de sobrancelhas pronunciadas, o hominídeo tinha rosto largo, mas de aparência moderna. A espécie pode ser o parente mais próximo do *H. sapiens*, mais que os neandertais, que ocupam a posição hoje.

Surto de coronavírus mais mortal
Até 31/3/2022, a Covid-19 matou 6.132.461 pessoas e infectou 483.556.595 pessoas, de acordo com a Organização Mundial da Saúde (OMS).
Também representa a **1ª pandemia de coronavírus**, tendo sido classificada como um surto global pela OMS em 11/3/2020. O vírus foi detectado pela 1ª vez em Wuhan, China, no fim de 2019.

Tetraplégico de vida mais longa
Donald Clarence James (CAN, n. 12/8/1933) está paralisado há 69 anos e 192 dias, até 19/2/2021. Sua condição não limitou sua coragem e determinação, tornando-o uma inspiração para todos que o conhecem — sobretudo o sobrinho Brent, que se candidatou ao GWR em nome do tio.

Marcapasso com mais tempo de funcionamento
Em 17/6/2021, o marcapasso de Stephen Peech (RU) estava funcionando havia 37 anos e 251 dias. Ele tinha então 75 anos de idade.

Maior sobrevivência de uma única substituição de válvula cardíaca artificial
Em 4/12/1972, Annabella Bell (RU) recebeu uma válvula mitral artificial substituta para seu coração. Ela tem o implante há 49 anos e 60 dias, verificado em Falkirk, RU, em 2/2/2022.
A pessoa que **mais tempo sobreviveu com uma substituição de válvula cardíaca artificial dupla** é Seth Wharton (EUA). Suas substituições das válvulas aórtica e mitral foram instaladas em 2/10/1990 e ainda funcionavam bem 31 anos e 207 dias depois, conforme confirmado em LaVale, Maryland, EUA, em 27/4/2022.

▶ **FAMÍLIA MAIS ALTA**
Savanna Trapp-Blanchfield, Scott Trapp, Kristine Trapp, Molly Steede e Adam Trapp (todos EUA) têm uma altura média de 203,29cm, conforme verificado em Duluth, Minnesota, EUA, em 6/12/2020. "Sempre tivemos orgulho de nossa altura e queremos representar isso de maneira positiva."

▶ **HOMEM MAIS BAIXO**
Edward "Niño" Hernández (COL) media 72,1cm em 29/2/2020 em Bogotá, Colômbia. A estatura é resultado de hipotireoidismo, no qual a tireoide não produz hormônio suficiente. Edward, que completou 35 anos em 2022, é um apaixonado dançarino de reggaeton e vallenato.

▶ **ADOLESCENTE MAIS BAIXO (MASCULINO)**
Em 23/3/2022, Dor Bahadur Khapangi, do Nepal, media 73,43cm em Lainchaur, Katmandu. O jovem de 17 anos pesa 10kg e foi apresentado ao GWR pelo colega nepalês Thaneswar Guragai, que detém vários recordes mundiais, entre eles o **maior nº de vezes a passar por uma raquete de tênis em um minuto** (38).

▶ **QUANDO SULTAN ENCONTROU JYOTI**
Em 2018, o **homem mais alto** e a **mulher mais baixa** do mundo foram convidados a se encontrar no sopé da Grande Pirâmide de Gizé, Egito. Sultan Kösen (TUR) mede 251cm, enquanto a diminuta Jyoti Amge (IND) mede 62,8cm. Em 2014, Jyoti participou do seriado *American Horror Story* (EUA) como Ma Petite, tornando-se a **atriz mais baixa** do mundo.

▶ **MULHER MAIS BAIXA (NÃO MÓVEL)**
Wildine Aumoithe (EUA) media 72cm em North Miami Beach, Flórida, EUA, em 13/10/2021. Wildine nasceu com displasia SADDAN — um distúrbio raro de crescimento ósseo —, mas não deixa que isso a impeça de ter uma vida plena. Ela diz que, mesmo que o mundo não tenha sido feito para ela, pode conquistá-lo e espera ser uma inspiração para outras pessoas baixas.

CORPO HUMANO

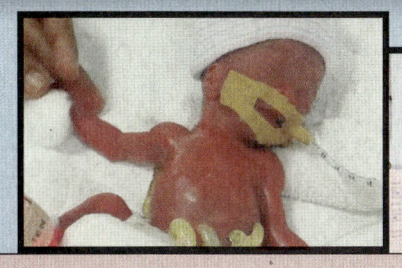

NASCIMENTO MAIS LEVE
Kwek Yu Xuan (SGP) pesava apenas 212g — menos que uma lata de sopa — quando nasceu por cesariana de emergência no National University Hospital, Cingapura, em 9/6/2020. Sua idade gestacional de 24 semanas e 6 dias significava que ela era 4 meses prematura. Seus pais, Kwek Wee Liang e Wong Mei Ling, enfim puderam levá-la para casa em ago/2021.

Embrião mais antigo usado em gravidez bem-sucedida
Em fev/2020, Tina e Ben Gibson, Tennessee, EUA, "adotaram" um embrião congelado em 14/10/1992. Ele foi implantado em Tina, que, em 26/10/2021, deu à luz a filha Molly Gibson. O nascimento do bebê, 29 anos e 12 dias após o congelamento, bateu o recorde estabelecido pela irmã Emma, que nasceu em 2018 — 14 anos após o congelamento do embrião.

Maior intervalo entre nascimentos de trigêmeos
Cian DeShane nasceu às 10h40 de 28/12/2019 em Burlington, Vermont, EUA. O gêmeo idêntico Declan e a irmã Rowan só vieram em 2/1/2020, com o nascimento de Rowan (às 23h14) 5 dias 12h34min após o de Cian. Isso significa que os trigêmeos nasceram em décadas diferentes.

Pernas mais longas (feminino)
Quando medida em 21/2/2020, Maci Currin, Cedar Park, Texas, EUA, tinha a perna esquerda de 135,2cm e a direita de 134,3cm.

Maior baço
O baço é um órgão que auxilia na defesa imunológica. Em adultos, tem em média 12,7cm, mas, durante sua esplenectomia em 14/9/2020, Megan Compton, Richmond, Virgínia, EUA, tirou um baço de 73,66cm. O corpo ainda pode funcionar sem ele.

MAIOR Nº DE CRIANÇAS NASCIDAS EM UM SÓ PARTO A SOBREVIVER
Em 6/5/2021, a Associated Press anunciou o parto de 9 crianças nascidas de Halima Cissé (MAL) na clínica Ain Borja, Casablanca, Marrocos. Esta é a **1ª incidência conhecida de 9 gêmeos** que sobreviveram ao nascimento.
Os médicos pensaram que Cissé estava grávida de 7, então ela foi levada de avião para Casablanca para atendimento especializado. Lá, em 4/5, deu à luz 9 bebês prematuros — com 30 semanas — em uma cesariana. As 5 meninas e 4 meninos pesavam entre 500g-1kg cada. Na foto, Cissé e o marido Kader Arby em out/2021, com as meninas Adama, Oumou, Hawa, Kadidia e Fatouma, e os meninos Oumar, Elhadji, Bah e Mohammed VI, aos 5 meses.

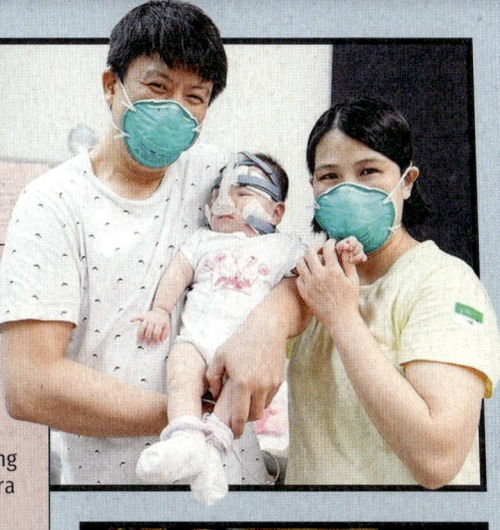

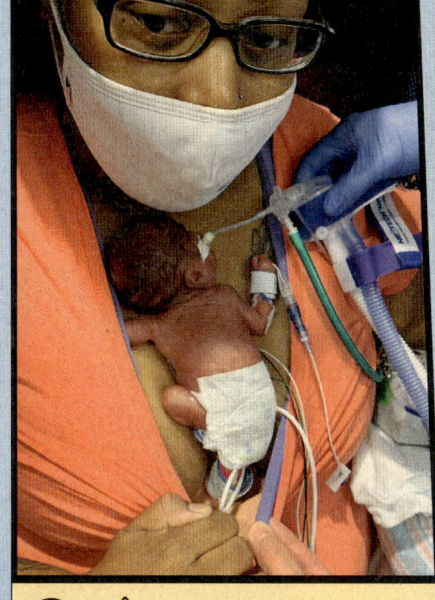

▶ MAIOR NÚMERO DE IRMÃOS COM ALBINISMO
Seis irmãos britânicos têm albinismo, como verificado em Coventry, RU, em 14/5/2021. A falta do pigmento melanina resulta em pele pálida, cabelos claros e visão ruim. São (sentido horário da esq.) Ghulam Ali, Muqadas Bibi, Haider Ali, Mohammed Rafi, Naseem Akhtar e Musarat Begum. Seus pais, Aslam Parvez e Shameem Akhtar, têm a mesma condição.

▶ BEBÊ MAIS PREMATURO
Curtis Zy-Keith Means (EUA) nasceu de Michelle Butler em 5/7/2020 em Birmingham, Alabama, EUA, com 21 semanas 1 dia, tornando-o prematuro de 132 dias. O período gestacional normal é de 40 semanas. Os médicos consideraram que suas chances de sobrevivência eram de menos de 1%, mas ele venceu e conseguiu deixar o hospital em abr/2021, com 9 meses.

▶ MAIOR DIFERENÇA DE ALTURA PARA UM CASAL
Mulher mais alta: Uma disparidade de altura de 56,8cm não provou ser barreira para James e Chloe Lusted (ambos RU, dir.). Ela tem 166,1cm, enquanto ele tem 109,3cm, como confirmado em Rhyl, Clwyd, RU, em 2/6/2021. O casal se casou em 2016 e tem uma filha, Olívia.
Homem mais alto: Em 14/4/1990, uma diferença de 94,5cm foi registrada entre o casal francês Fabien Pretou (188,5cm) e Natalie Lucius (94cm).
Mesmo sexo: As inscrições estão abertas para diferenças de altura em casais do mesmo sexo.

CUBO MÁGICO

Max Park

BREVE BIOGRAFIA

Nome: Max Park
Local de nascimento: Cerritos, Califórnia, EUA
Recordes mundiais atuais:
- **3x3x3 (uma mão):** 6,82s
- **4x4x4 (média):** 20,68s
- **5x5x5:** 34,92s
- **5x5x5 (média):** 39,49s
- **6x6x6:** 1min9,51s
- **6x6x6 (média):** 1min15,63s
- **7x7x7:** 1min40,89s
- **7x7x7 (média):** 1min46,57s

Max Park pode resolver um cubo mágico em um piscar de olhos. Ele estabeleceu 47 recordes mundiais, ganhou 314 medalhas de ouro e se tornou campeão mundial. Mas nem todos seus triunfos foram pontuais.

Ao ser diagnosticado com autismo aos 2 anos, disseram a seus pais, Schwan e Miki, que ele precisaria de ajuda pelo resto da vida. Para Max, era difícil desenvolver habilidades sociais e motoras finas, que afetam a coordenação muscular dos dedos e da mão. Cubos mágicos eram uma solução para os dois problemas, e ele logo mostrou que tinha talento. Com 10 anos, ganhou seu segundo torneio de cubo mágico, vencendo adultos diplomados. Essas competições davam a Max mais que uma chance de vitória: também o apresentavam a uma comunidade com um grande interesse comum, ajudando-o a praticar habilidades sociais, o que pode ser difícil para autistas.

Sua jornada para o topo foi confirmada em 7/2017, quando ganhou o prestigioso título 3x3x3 no Campeonato Mundial de Cubo Mágico, em Paris, com um tempo médio de 5 soluções de apenas 6,85s. E ele continua a expandir seus limites. Em 22/1/2022, Max foi rápido como um raio e melhorou seu recorde para **solução mais rápida de 4x4x4 (média)**, com um tempo de 20,68s.

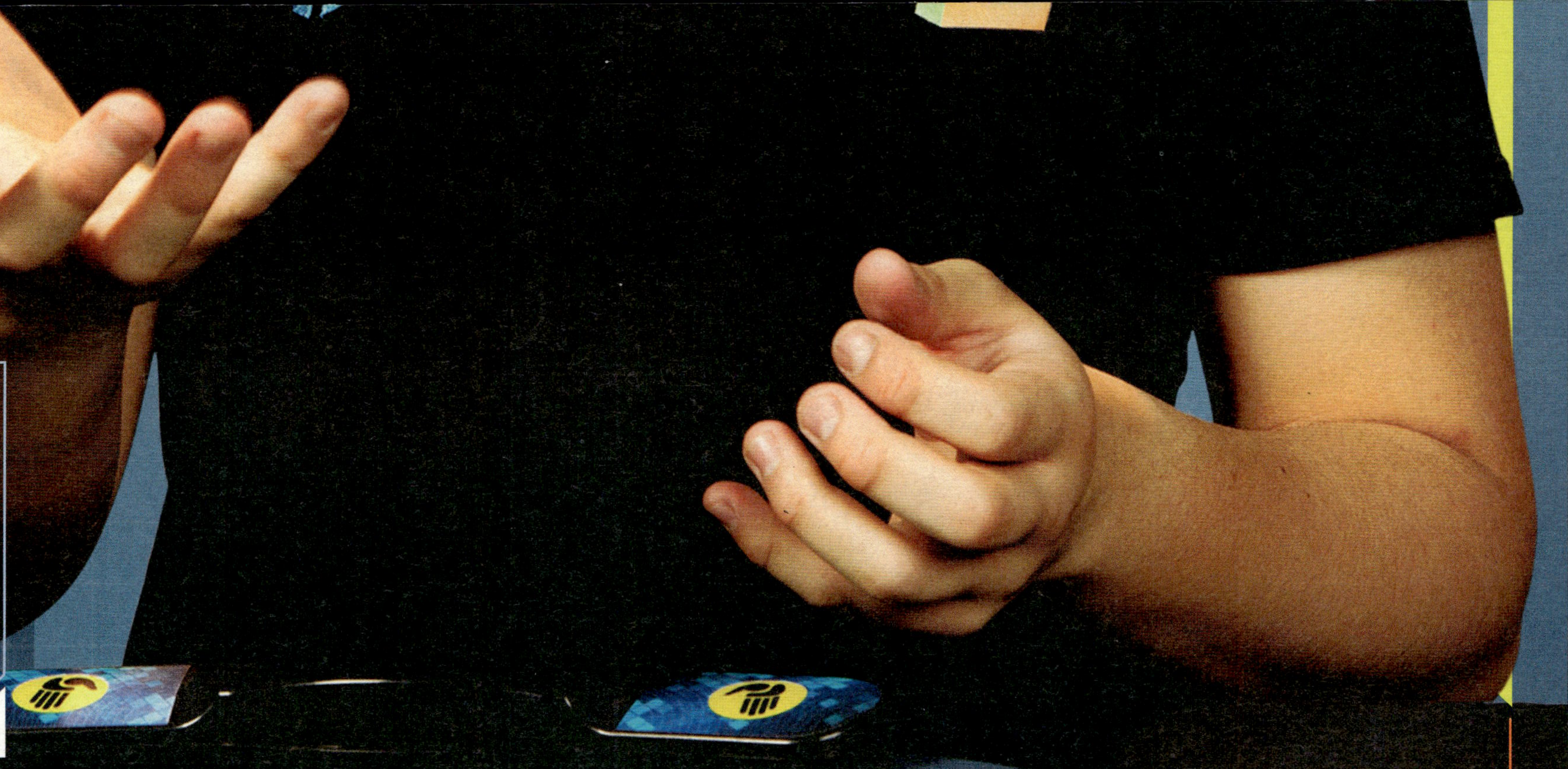

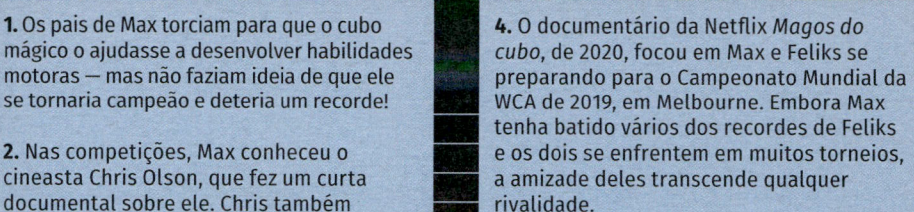

Max ajudou a popularizar o "a100" — o tempo médio para resolver 100 cubos seguidos.

1. Os pais de Max torciam para que o cubo mágico o ajudasse a desenvolver habilidades motoras — mas não faziam ideia de que ele se tornaria campeão e deteria um recorde!

2. Nas competições, Max conheceu o cineasta Chris Olson, que fez um curta documental sobre ele. Chris também produziu o documentário *Why We Cube* e trabalhou em *Magos do cubo* (ver #4).

3. Max e o bicampeão mundial de 3x3x3 Feliks Zemdegs promovendo um campeonato em 2018. Visto como um dos maiores atletas do esporte na história, Feliks foi a primeira pessoa a quem Max pediu um autógrafo.

4. O documentário da Netflix *Magos do cubo*, de 2020, focou em Max e Feliks se preparando para o Campeonato Mundial da WCA de 2019, em Melbourne. Embora Max tenha batido vários dos recordes de Feliks e os dois se enfrentem em muitos torneios, a amizade deles transcende qualquer rivalidade.

5. Max competindo na final 3x3x3 no Campeonato Mundial de 2019. Mesmo desapontado por ter terminado em 4º lugar, com o alemão Philipp Weyer levando o ouro, Max ganhou outros 5 eventos no torneio, confirmando-o como um dos maiores astros do cubo mágico. Seu lema é: "Não pense, só resolva."

Saiba mais sobre Max na seção do Hall da Fama em www.guinnessworldrecords.com/2023

▶ **CORDA BAMBA MAIS ALTA**
Em 2/12/2021, Rafael Zugno Bridi (BRA) andou nas nuvens sobre uma corda bamba de 2,5cm de largura entre dois balões de ar quente a 1.901m sobre Praia Grande, Santa Catarina, Brasil. Bridi fez a travessia de 18m descalço. Seus pés foram certificados pela International Slackline Association. Em 2020, Bridi e Alexander Schulz (DEU) viraram notícia quando ambos completaram a **corda bamba mais longa sobre um vulcão ativo** — 261m —, o monte Yasur em Vanuatu (página ao lado).

Outro recorde absoluto de corda bamba foi quebrado em 2021: a **corda bamba mais longa** (página ao lado, à direita). Em 4-6/7, uma equipe de 15 pessoas tentou fazer a travessia de 2.130m sobre o vale Lapporten, Suécia. Mas só 4 completaram a caminhada de 600m de altura sem cair: Quirin Herterich, Lukas Irmler, Ruben Langer e Friedi Kühne (todos DEU). Esses recordes foram certificados pela International Slackline Association.

çanhas extraordinárias

MISSÕES

EXPLORAÇÃO
DESCOBERTA
PESQUISA
2023

O time da "LavaLine" enfrentou chuva ácida, lava quente e fumaça tóxica para cruzar o monte Yasur.

Em família	78
Multitarefas	80
Habilidades incríveis	82
Coleções	84
Gigantes do jardim	86
Comemorações natalinas!	88
Fanáticos por ginástica	90
Habilidades com bola	92
Montanhismo	94
Jornadas épicas	96
Sem limites	98
Variedades	100
Retrato: Boneco de neve mais alto	102
Jovens prodígios	104

Corda de segurança para proteção

77

FAÇANHAS EXTRAORDINÁRIAS
Em família

OS PIONEIROS PICCARD
Bertrand Piccard (CHE), aventureiro da terceira geração, seguiu os passos pioneiros da família quando ele e o copiloto Brian Jones (GBA) completaram a **primeira volta ao mundo de balão**. Em 21/03/1999, o *Breitling Orbiter 3* tocou o chão do deserto do Egito, 19 dias e 21h após partir do Château d'Oex, na Suíça — uma distância total de 40,814km. À direita, mais recordes dos Piccard.

Os recordes dos Piccard começam com dois irmãos suíços, Auguste e Jean-Felix:
• **1931**: Auguste estabelece o recorde de **voo de maior altitude** (15.781m) e se torna a primeira pessoa a alcançar a estratosfera.
• **1934**: A mulher de Jean-Felix, Jeannette Ridlon, faz o **voo de maior altitude realizado por uma mulher** (17.550m).
• **1937**: Jean-Felix completa o primeiro voo com um aglomerado de balões.
• **1948**: Auguste e o filho Jacques se voltam ao mar e constroem o **primeiro batiscafo** (um veículo submersível chamado *FNRS-2*).
• **1960**: Jacques faz o primeiro mergulho tripulado em Challenger Deep.
• **1963**: Don, balonista e primo de Jacques, faz a primeira travessia com balão de ar quente pelo canal da Mancha.
• **1999**: Bertrand, filho de Jacques (à esquerda, com o pai e o avô), realiza a **primeira volta ao mundo de balão** (à esquerda).
• **2016**: Bertrand completa a **primeira volta ao mundo em avião movido a energia solar**, o *Solar Impulse*.

LINHA DO TEMPO DOS PICCARD
1931
1934
1937
1948
1960
1963
1999
2016

A Trupe Kehaiovi
A família búlgara circense Kehaiovi conquistou seu primeiro recorde em 21/07/1976, ao usar trampolins para criar a **torre humana mais alta** (seis pessoas). Eles acrescentaram outra em 1986, com o patriarca da família, George Kehaiov, sustentando seis acrobatas nos ombros para formar uma torre com sete pessoas.

Duas das filhas de George, Dessi e Getti, ganharam seus próprios títulos do GWR. Dessi bateu três vezes o recorde de **maior número de bambolês** girados ao mesmo tempo entre 1987 e 1989, indo de 65 para 97 (hoje esse recorde é de Marawa Ibrahim, com 200). Getti mantém o recorde de **maior giro de bambolê**, estabelecido com um aro de 5,18m em 2/11/2018.

Família Lauenburger, os encantadores de cães
As habilidades de adestramento de Wolfgang Lauenburger e a filha, Alexa, renderam-lhes quatro títulos do GWR mantidos até hoje, assim como aparições em shows de talento mundo afora. Guiada por Wolfganf, a cadela Emma completou os **10m mais rápidos nas patas traseiras** (3,05s), em 8/12/2019, enquanto outra cadela, Maya, conquistou o **maior número de giros feito por um cão em 30 segundos** (43). E Alexa ganhou com Emma o **tempo mais rápido para pular cinco barreiras nas patas traseiras** (5,66s) e depois, **mais cães em uma fila de conga** (oito).

Os equilibristas Braun
No dia 30/07/2005, a jovem mãe fanática por exercício Cricket Braun (EUA) conquistou o **maior tempo sobre uma prancha de equilíbrio** (1h30min38s) em Salt Lake City, Utah, EUA.

Quase uma década depois, após o recorde de Cricket ter sido batido várias vezes por famosos quebradores de recorde, como Ashrita Furman e Silvio Sabba (na página ao lado), sua filha de 17 anos, Tatum, recuperou o título para a família com o tempo de 7h25min30s, em 10/07/2015. Esse novo marco foi batido por ninguém menos que sua irmã mais velha, Cally, equilibrando-se na prancha por 8h2min29s em 29/07/2019.

A coleção dos Connors
Lily e Rhianna Connors, de Swansea, Reino Unido, têm uma paixão por coleções. No dia 20/06/2016, foi confirmado que Lily, na época com 12 anos, era dona da **maior coleção de memorabília de *Doctor Who***, com 6.641 itens. Três anos depois, em 24/09/2019, a irmã mais nova, Rhianna, chegou ao GWR com a **maior coleção de brinquedos em miniatura**, com impressionantes 2.271 itens.

O irmão de Lily e Rhianna, Thomas, traçou um caminho de quebra de recordes diferente. No dia 28/10/2012, conquistou o **maior número de arremessos livres de costas em um minuto** (nove), quebrando um recorde de basquete estabelecido pelo símbolo da NBA, Harry the Hawk. Desde então, aumentou este número para 13. Além disso, em 25/09/2014, Thomas reivindicou o recorde de **maior número de arremessos de costas feitos do meio da quadra em um minuto**, acertando seis.

OS HIPERATIVOS HICKSON
Eamonn Hickson (IRL, à esquerda) já quebrou cinco recordes, inclusive os **100m mais rápidos engatinhando** (55,4s), em 25/07/2019. Após seu primeiro título em 2014, toda a família se viciou em recordes. A irmã Sandra (centro) tem três, incluindo a **milha mais rápida com algemas (feminino)**, feita em 6min37s em 18/05/2018, e o irmão Jason (centro, direita) possui quatro, incluindo o **maior número de chutes de conversão no rugby em um minuto** (12), em 9/12/2018. O companheiro de Sandra, Nathan Missin (direita), iniciou sua jornada em 12/12/2020, com o recorde da **milha mais rápida carregando uma mochila de 27kg** em 6min54s.

Os ascendentes Smith
Por anos, David "Bala de Canhão" Smith (EUA) foi conhecido como o maior homem-bala do mundo. Usando um canhão gigante de projeto próprio, quebrou o recorde do **voo mais rápido de homem-bala**, em 13/08/1995, ao percorrer 54,9m.

Todos os sete filhos dele foram lançados do canhão, e um deles, David "Tiro" Smith Jr., entrou de cabeça no negócio de homem-bala. Desde a aposentadoria do pai, David Jr. já quebrou o recorde de distância quatro vezes, a última com um voo de 59,4m, em 13/03/2018.

FAÇANHAS EXTRAORDINÁRIAS

OS SUPERLATIVOS SABBA
Desde o primeiro título em 2011, o italiano Silvio Sabba tornou-se um dos quebradores de recordes mais prolíficos. Em 20/10/2021, tinha 223 títulos. Seu filho, Cristian, começou em 2019 com o **tempo mais rápido para montar e derrubar um conjunto de dominó (equipe de quatro)**. Hoje ele tem oito recordes, nada mal para um menino de 12 anos!

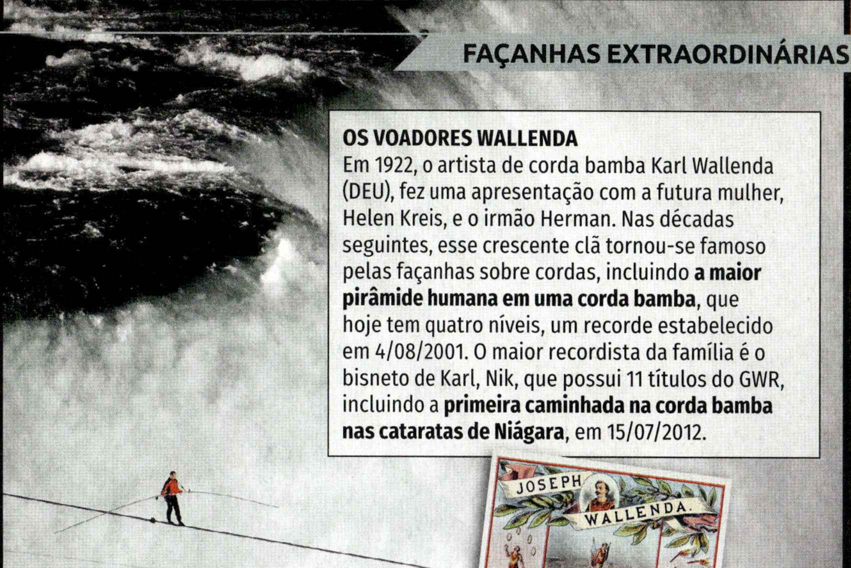

OS VOADORES WALLENDA
Em 1922, o artista de corda bamba Karl Wallenda (DEU), fez uma apresentação com a futura mulher, Helen Kreis, e o irmão Herman. Nas décadas seguintes, esse crescente clã tornou-se famoso pelas façanhas sobre cordas, incluindo **a maior pirâmide humana em uma corda bamba**, que hoje tem quatro níveis, um recorde estabelecido em 4/08/2001. O maior recordista da família é o bisneto de Karl, Nik, que possui 11 títulos do GWR, incluindo a **primeira caminhada na corda bamba nas cataratas de Niágara**, em 15/07/2012.

A fila atual nas apresentações dos Voadores Wallenda inclui seis primos de Nik, liderados por seu tio Tino.

A PRIMEIRA FAMÍLIA DE DRAG RACING
Em seus 43 anos de Drag Racing da NHRA, John Force (EUA) ganhou 154 eventos (**maior número de vitórias na carreira**) e 16 campeonatos de Funny Car (**maior número de vitórias em campeonatos**). Suas três filhas já dirigiram na equipe, e Brittany (na foto) é recordista solo. Em 1/11/2019, conquistou a **maior velocidade em uma corrida Top Fuel** (abaixo), atingindo 544,23km/h em Las Vegas, Nevada.

BOLHAS & FILHOS
EM 13/04/2016, Ray Bubbles (ou Umar Shoaib) e o filho Rayhaan conquistaram o **mais longo rali de bolhas** (10 acertos) em Rungis, França. Depois, o recorde foi batido pelos pai e filho Eran e Lucian Backler, com 17 acertos. Mas o irmão de Rayhaan, Farhaan, ainda tem o título da versão solo: em 23/09/2018, no festival Bubble Daze, em Caernarfon, Reino Unido, Farhaan teve o **maior número de quiques de uma bolha de sabão em uma película de sabão** (113).

FAÇANHAS EXTRAORDINÁRIAS
Multitarefas

MAIS MALABARES DE SERRA ELÉTRICA EM UM UNICICLO
Space Cowboy, ou Chayne Hultgren (AUS) faz malabarismo com uma serra elétrica, mesmo quando está em seu gigantesco uniciclo! Em sua melhor performance, no Greentop Circus, em Sheffield, South Yorkshire, RU, em 29/7/2015, ele pegou a serra ligada 10 vezes. Esse destemido artista detém o mesmo recorde em um **uniciclo elétrico** — também de 10 —, em 9/5/2017.

MAIOR TEMPO GIRANDO BAMBOLÊ EM POSIÇÃO DE PRANCHA
Em 5/6/2021, Kai Sandmeyer (DEU) girou um bambolê por 6min34s enquanto fazia prancha entre dois pontos de apoio em uma academia de Ehingen, Alemanha. Ele dobrou o recorde anterior, de ObaroEne Otitigbe (EUA) em 5/12/2020. Kai se preparou com um programa diário de exercícios abdominais e yoga.

200M MAIS RÁPIDOS DE BICICLETA COM O CORPO EM CHAMAS
Em 29/1/2022, o dublê e detentor de vários recordes Josef Tödtling (AUT) ateou fogo a si mesmo para percorrer o famoso circuito de Monza, perto de Milão, Itália. A proeza, gravada para *Lo Show dei Record*, é o 5º título do GWR que Tödtling conquistou em chamas.

O slackline atual vem dos alpinistas do Parque Nacional de Yosemite, na Califórnia, no fim dos anos 1970.

MARATONA MAIS RÁPIDA ENQUANTO...

- **Fazia malabarismo de costas (3 objetos):** 5h51min25s por Joe Salter (EUA) em 22/9/2013 em Moline, Illinois, EUA
- **Girava um bambolê:** 5h5min57s, por Sasha Kenney (SVN) em 22/4/2012 em Londres, RU
- **Controlava uma bola de tênis:** 4h13min6s, por David Smith (RU) em 7/3/2020 em Telford, Shropshire, RU
- **Fazia malabarismo com 3 objetos (feminino):** 4h2min30s, por Sarah Szefi (EUA) em 7/10/2018 em Chicago, Illinois, EUA.

FUGA MAIS RÁPIDA DE UMA CAMISA DE FORÇA ENQUANTO ENGOLIA UMA ESPADA
Frankie Stiletto, ou Rachael Williams (EUA), livrou-se de uma camisa de força em 47,94s enquanto engolia uma espada de 38cm em 2/4/2016 em Dallas, Texas, EUA. A ex-estudante de neurociência e hoje artista de circo aprendeu a arte de engolir espadas em apenas 18 meses.

Maior distância esquiada com malabarismo de 3 objetos
Tommy Tropic, ou Thomas Petrie (EUA), percorreu 1,6km fazendo malabarismo e esquiando em Boyne Falls, Michigan, EUA, em 6/1/2021. Ele se uniu à levantadora de peso Lillii Armstrong (EUA) no mesmo dia para estabelecer a **maior distância esquiada enquanto 2 malabaristas trocavam 6 objetos entre si**: 400m. Tropic também detém a **maior distância percorrida em skate fazendo malabarismo com 3 objetos**: 5km.

100m mais rápidos com bambolê
Em 18/5/2019, Thomas Gallant (EUA) marcou seu último ano no colégio ao correr 100m em 15,97s enquanto girava um bambolê em Saint Johns, Flórida, EUA.

Maior tempo pulando com um bambolê
Zhang Jiqing (CHN) celebrou o GWR Day 2018 ao pular corda por 1min32,65s enquanto girava um bambolê em Pequim, na China. Ele tinha 63 anos.

Menor tempo para resolver um cubo mágico em um hoverboard
Em 7/3/2021, Samuel Smookler (EUA) uniu seus 2 hobbies favoritos — cubo mágico e hoverboard —, finalizando em 15,86s em Altadena, Califórnia, EUA. Ele tinha só 13 anos. Outras soluções rápidas de cubos mágicos 3x3x3 em contextos incomuns:
- **Em um pula-pula:** 9,61s, por Xia Yan (CHN) em Xian, Shaanxi, em 7/1/2021.
- **Com um bambolê:** 9,87s, por Josiah Plett (CAN) em Victoria, British Columbia, em 14/2/2021.
- **Em uma bicicleta:** 14,95s, por Ramanathan Venkatachalam (IND) em Chennai, Índia, em 18/11/2020.
- **Em queda livre:** 30,14s, por Nitin Subramanian (EUA) em Waialua, Havaí, EUA, em 19/3/2021.

Mais chicotada com 2 chicotes em chamas em 30s (corpo em chamas)
O inflamado circense Aaron Bonk (EUA) deu 92 chicotadas com um chicote pegando fogo e com o corpo em chamas em 26/7/2018 em Brunswick, Ohio, EUA.

FAÇANHAS EXTRAORDINÁRIAS

MAIS TÁBUAS QUEBRADAS EM QUEDA LIVRE
Ernie Torres (EUA) arrebentou 12 tábuas de pinho enquanto pulava de paraquedas sobre Eloy, Arizona, EUA, em 23/5/2013. Ele só tinha 70s para bater o antigo recorde de 7, estabelecido pelo ator Jason David Frank, de *Power Rangers*. Ernie, faixa preta em Tangsudo, arrecadava dinheiro para soldados americanos.

MAIS PESO LEVANTADO EM UM HALTER SOBRE UM UNICICLO
Em 5/4/2021, Jason Auld (RU) ergueu 68kg acima da cabeça sobre um uniciclo em Edimburgo, RU. Jason tinha o conjunto de habilidades perfeito para esse recorde, tendo sido uniciclista profissional por 14 anos e também treinador do *Ninja Warrior*. Ele é membro fundador do Team Voodoo, uma equipe de uniciclismo extremo.

MAIS MALABARES EM UNICICLO NA CORDA BAMBA (CINCO OBJETOS)
Em 18/1/2020, Raul Cañas Zamora (MEX) conseguiu pegar 10 vezes seus malabares enquanto atravessava uma corda bamba com um uniciclo em Dubai, EAU. O recorde aconteceu a bordo do cruzeiro MSC *Bellissima*, onde Raul trabalhava para o Cirque du Soleil. Ele também detém o recorde equivalente para **três objetos**, com incríveis 203 capturas.

- Fazia dribles com duas bolas de basquete: 3h50min26s, por Kev Howarth (RU) em 6/10/2019 em Katowice, Polônia.
- Pulava corda: 3h29min54s, por Volkan Yıldız (TUR) em 4/3/2018 em Antalya, Turquia.
- Fazia dribles com uma bola de futebol: 3h27min16s, por Alistair Kealty (AUS) em Antalya, Turquia, em 3/3/2019.
- Fazia malabarismo com três objetos: 2h50min12s, por Michal Kapral (CAN) em 30/9/2007 em Toronto, Ontário, Canadá

Mais polichinelos consecutivos (corpo em chamas)
Em 13/8/2015, Sean Kinney (EUA), de Los Angeles, Califórnia, decidiu celebrar seus 45 anos transformando-se em uma vela de aniversário. Ele fez 30 polichinelos em 30s — um feito impressionante, considerando que prendeu a respiração o tempo inteiro.

Maior tempo controlando uma bola de futebol em um slackline
Em 14/1/2016, o craque em embaixadinhas John Farnworth (RU) combinou a paixão por corda bamba e futebol ao manter uma bola no ar por 29,82s em Preston, Lancashire, RU. A corda foi fixada a 8,1m de altura.

Maior número de cambalhotas com uma bicicleta em uma bola suíça em 1min
Em 16/9/2021, o ciclista de biketrial Matthew Turner (RU) deu 11 cambalhotas seguidas com uma bicicleta com a ajuda de uma bola suíça colocada no lugar certo. Ele começava dando meia cambalhota na bola e então quicava para continuar nas duas rodas. O recorde aconteceu no *Blue Peter*, da CBBC.

Mais pulos em uma corda bamba
Juan Pedro Carrillo (EUA) deu 1.323 pulos enquanto se equilibrava na corda bamba do Big Apple Circus Big Top de Boston, Massachusetts, EUA, em 26/4/2004.

O recorde de **um minuto** é de 211, por Henry Ayala (VEN) em 30/9/2003 no Billy Smart's Circus em Bristol, RU. A corda foi fixada a 8,1m de altura.

A **maior quantidade de pulos em um uniciclo em um minuto** é de 237, por Peter Nestler (EUA) em 20/2/2013 no colégio Moorhead em Conroe, Texas, EUA.

Maior fuga de um mergulho mortal
O mágico Robert Gallup (AUS) levou a multitarefa ao extremo para sua proeza de 1997, "O Desafio do Mergulho Mortal". Suas pernas e mãos foram algemadas e acorrentadas, ele foi colocado dentro de um saco de pano, trancado em uma gaiola e então lançado de um avião a 5.485m sobre o deserto de Mojave na Califórnia, EUA. Com menos de 1min para o impacto, a 240km/h, ele escapou e conseguiu abrir o paraquedas do lado de fora da gaiola.

MAIOR PESO LEVANTADO PENDURADO PELOS DENTES
Leonardo Costache (ROM) ergueu 101,3kg em Bucareste, Romênia, em 16/8/2020. Esses dentes de aço também detêm o recorde de **mais pegadas de malabarismo em 1min enquanto pendurado pelos dentes (três objetos)** — 195, em Gilleleje, Dinamarca, em 4/7/2019.

FAÇANHAS EXTRAORDINÁRIAS
Habilidades incríveis

MAIOR TEMPO RODANDO 30 BAMBOLÊS
Mariam Olayiwola (RU) manteve 30 bambolês ao redor de seu torso por 2min9,33s em Londres, RU, em 15/8/2021, superando o próprio recorde de 35s. Mariam, ex-cientista ambiental, se tornou artista de bambolê depois de ser atropelada por um carro em 2019 enquanto cruzava a rua.

DARYL TAN HONG NA
Esse cingapurense gosta de resolver cubos mágicos de forma um pouco mais difícil... Ele tem o **menor tempo para completar um cubo mágico com uma mão (de cabeça para baixo)** — 17,12s e o recorde de velocidade para **dois cubos mágicos simultaneamente (de cabeça para baixo)** — 56,61s. Ambos os recordes foram estabelecidos em 18/4/2021.

▶ MENOR TEMPO PARA PASSAR DE PATINS DEBAIXO DE 10 BARRAS
Em 20/2/2021, Shrishti Dharmendra Sharma (IND) levou só 1,69s para rolar por debaixo de 10 barras em Umred, Maharashtra, Índia. Havia um espaço de 1m entre as barras de 30cm. Shrishti melhora sua flexibilidade fenomenal com yoga.

MAIS OVOS EQUILIBRADOS NAS COSTAS DA MÃO
Ibrahim Sadeq (IRQ, à dir.) empilhou e manteve 18 ovos nas costas da mão esquerda em Nasiriyah, Iraque, em 10/7/2021. Jack Harris (RU), equilibrou o mesmo número em Londres, RU, em 30/5/2020. Ambos mantiveram os ovos no lugar por 5s, como mandam as regras do GWR.

OBJETOS MAIS PESADOS PUXADOS

- **Riquixá e mais três pessoas (com as cavidades oculares):** 0,411ton, por Space Cowboy (ou Chayne Hultgren, AUS)
- **Carro (com a barba):** 2,205ton, por Kapil Gehlot (IND) por 40m.
- **Rebocador com carro (caminhando sobre as mãos):** 4,0ton, por Matteo Pavone (ITA).
- **Caminhão (feminino, de saltos altos):** 6,586ton, por Lia Grimanis (CAN) por 5m.
- **Ônibus (feminino, com o cabelo):** 12,216ton, por Asha Rani (RU) por 5m.

▶ 20M MAIS RÁPIDOS DE CAMBALHOTA
Para provar que "força pode ser combinada com flexibilidade", Sogia Tepla (UKR) contorceu seu corpo em um formato circular — ao se deitar de bruços e erguer as pernas acima da cabeça — e rolou por 20m em apenas 10,49s. Com 13 anos, ela chegou a esse recorde em Milão, Itália, em 10/2/2022.

▶ Menor tempo para comer uma banana (sem as mãos)
Leah Shutkever (RU), gourmet e estrela das mídias sociais, engoliu uma banana em 20,33s em 24/10/2021. Ela também bateu o recorde de **cachorro-quente (sem as mãos)** — 18,1s — em 11/4 do mesmo ano. Seus muitos feitos de comida incluem a maior quantidade em 1min de **tomates** (8), **salsichas** (10), **minipicles** (23) e **amêndoas** (40).

100m mais rápidos engatinhando (feminino)
Julie Holland (EUA) levou só 22,99s para engatinhar por uma pista de 100m em Vernon, British Columbia, Canadá, em 9/8/2021. Seu modo de correr imitava o de um cavalo.

Pilha de cadeiras mais alta
Em 22/4/2021, Jay Ehsan (RU) ergueu uma torre de cadeiras de 5,2m em Manchester, RU, em cerca de 45min. Com a ajuda de uma escada, ele empilhou 31 cadeiras.

MAIOR DURAÇÃO DE...
Malabarismo com 3 bolas em chamas: 2min25,2s, por Michael Francis (CAN) em Kitchener, Canadá, em 5/6/2021.

Beijo com pimenta habanero: 3min36,86s, por Lance Rich e Matthew Burnham (ambos EUA) em Shreveport, Louisiana, EUA, em 8/5/2021.

Rotação de bola de basquete sobre ponta de lápis: 1h11min, por Ryosuke Kanaoka (JPN) em Osaka, Japão, em 2/7/2021.

Surfe em 1 onda: 8h, pela wakesurfista Lori Keeton (EUA) em Rockville, Indiana, EUA, em 8/6/2021.

MAIS...
High-fives altos e baixos em queda livre: Emily Aucutt and Josh Carratt (ambos RU) trocaram 32 high-fives durante uma queda livre de 63s sobre o Langar Airfield, em Nottingham, RU, em 9/7/2021. O feito foi organizado pela marca de álcool em gel Carex.

Chamas sopradas em 30s: Christopher Campbell (CAN) "cuspiu fogo" 55 vezes em London, Ontário, Canadá, em 26/1/2021. A tentativa ocorreu durante um concurso de comer asas de frango apimentadas chamado "Noite Quente".

FAÇANHAS EXTRAORDINÁRIAS

▶ MAIS ELOS DE CORRENTE FEITOS DE GRAFITE
Koppineedi Vijaya Mohan (IND) fez 246 elos de um grafite em Narasapuram, Andhra Pradesh, Índia, em 1/7/2021. Sua criação detalhista tinha 37cm. Mohan espera melhorar suas habilidades criativas e firmar seu lugar no campo da arte em miniatura.

▶ MAIS GIROS DE CABEÇA PARA BAIXO NO SKYSURF
Em 1/11/2021, Keith "KĒBĒ" Edward Snyder (EUA) deu 160 giros completos de cabeça para baixo enquanto praticava skysurf. Ele bateu o recorde existente por quase 100 giros! Esse feito estonteante aconteceu acima do planalto de Giza, no Cairo, Egito.

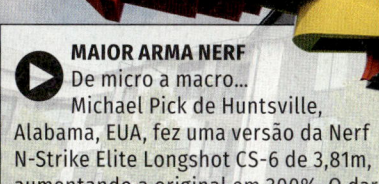

MENOR ASPIRADOR DE PÓ
O especialista em miniaturização Ahsan Qayyum (PAK) — antigo detentor do recorde acima — criou um aspirador de pó funcional com só 1,3cm. Entalhado a partir de um lápis oco, ele funciona com energia elétrica.

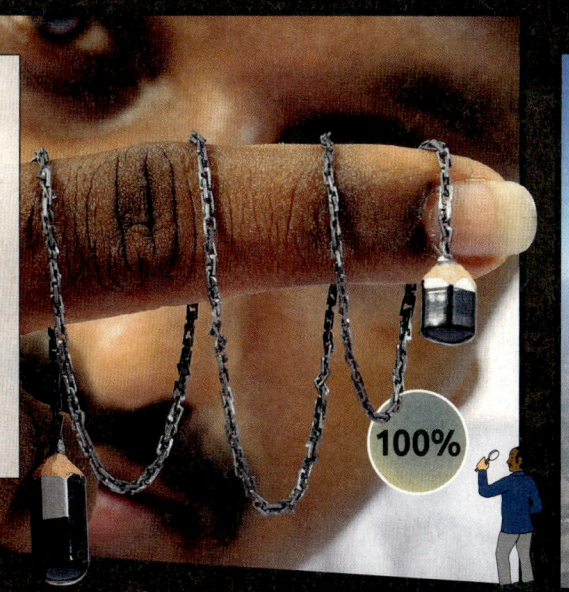

▶ MAIOR ARMA NERF
De micro a macro... Michael Pick de Huntsville, Alabama, EUA, fez uma versão da Nerf N-Strike Elite Longshot CS-6 de 3,81m, aumentando a original em 300%. O dardo de 30cm que ela atira pode atravessar melancias e até concreto.

Trenó (em camionete): 16,5ton, por Kevin Fast (CAN) por 5m.

Casa (sobre rodas): 35,9ton, por Kevin Fast, por 11,95m.

Locomotiva: 184,97ton, por Jordan Steffens (AUS) por 5m.

Avião: 188,83ton, por Kevin Fast por 8,8m.

Navio: 10,300ton, por George Olesen (DNK) por 5m.

Velas acesas na boca: Em 25/6/2021, Garrett James (EUA) manteve 105 velas acesas na boca por quase 40s em Charlotte, Carolina do Norte, EUA.

Cubos mágicos resolvidos de cabeça para baixo: Li Zhihao (CHN) completou 195 cubos mágicos em Shangluo, Shaanxi, China, em 23/1/2021. A **maior quantidade de cubos mágicos resolvidos enquanto girava um bambolê** é de 1.015, por Josiah Plett (CAN) em Victoria, British Columbia, Canadá, em 13/2/2021.

Pegadas consecutivas em malabarismo de 5 raquetes de tênis: Em 28/5/2021, Lauri Koskinen (FIN) pegou 501 vezes 5 raquetes em Masala, Uusimaa, Finlândia. O versátil detentor de vários recordes tem ainda a **maior quantidade de cambalhotas em bola de exercícios em 30s** (88) e **mais piruetas consecutivas enquanto fazia malabarismo com 1 serra elétrica e 2 bolas** (9).

Sanduíches feitos em 3min: A Elmwood School preparou 1.334 sanduíches em Rockcliffe Park, Ontário, Canadá, em 5/10/2021.

MAIS EM 1 MINUTO
Sapatos arrumados: 18, Joshua Block (EUA), Paramus, New Jersey, EUA, 6/6/2021.

Blocos de concreto quebrados com chutes de cima para baixo: 37, N Narayanan (IND), Madurai, Índia, 6/4/2021.

Truques de mágica: 37, Avery Chin (MYS), Kuala Lumpur, Malásia, 31/8/2021.

Palmas com uma mão: 468, Cory Macellaro (EUA), Wading River, New York, EUA, 15/8/2021.

Bastões de beisebol quebrados com as mãos: 68, Muhamed Kahrimanovic (DEU, n. BIH), Milão, Itália, 14/2/2022.

PRIMEIRA LUTA DE TRAVESSEIROS PAY-PER-VIEW
Em 29/1/2022, uma brincadeira divertida se tornou esporte profissional com o *Pillow Fight Championship: Pound Down* em Miami, Flórida, EUA. Os lutadores usaram travesseiros especiais e protetores bucais, e podiam ser vistos por US$12,99 na FITE.TV. Hauley Tillman levou o duelo masculino enquanto Istela Nunes (à dir.), peso-palha no UFC, ganhou uma batalha de 8 lutas para se tornar a 1ª campeã feminina do PFC.

FAÇANHAS EXTRAORDINÁRIAS
Coleções

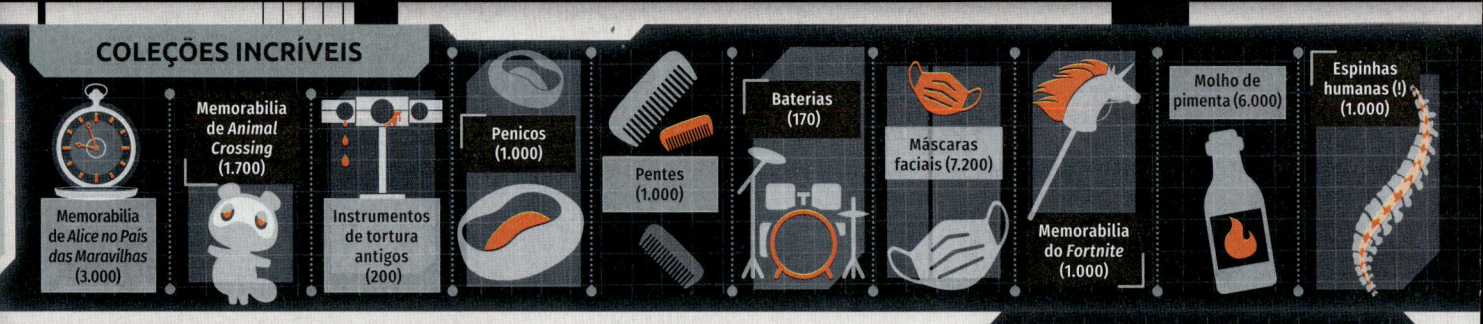

BE@RBRICK BEARS
Até 20/12/2020, Gao Ke (CHN) adquirira 1.008 bonecos Be@rbrick em Pequim, China. Produzidos pela Medicom Toy, do Japão, esses colecionáveis ursinhos são estilizados conforme ícones da cultura pop. Quantos você consegue identificar aqui?

▶ MEMORABILIA DO ESTÚDIO GHIBLI
Eloïse Jéglot (FRA) tem um carinho especial pelo famoso estúdio japonês desde os 6 anos, quando sua mãe comprou um DVD de *Princesa Mononoke* (1997). Até 7/10/2021, ela tinha 1.304 itens de mercadorias licenciadas do estúdio Ghibli em sua casa em Paris, França. Suas tatuagens coloridas inspiradas em produções do Ghibli também são homenagens ao estúdio.

CUBOS MÁGICOS
Florian Kastenmeier (DEU) reuniu 1.519 cubos mágicos em Mindelheim, Baviéra, Alemanha, até 28/2/2022. Sua maior posse é um cubo mágico de 1977 da 1ª linha de produção da Hungria. No topo da lista de desejos dele está o protótipo original de madeira feito em 1974 pelo inventor Ernő Rubik.

COLEÇÕES INCRÍVEIS

- Memorabilia de *Alice no País das Maravilhas* (3.000)
- Memorabilia de *Animal Crossing* (1.700)
- Instrumentos de tortura antigos (200)
- Penicos (1.000)
- Pentes (1.000)
- Baterias (170)
- Máscaras faciais (7.200)
- Memorabilia do *Fortnite* (1.000)
- Molho de pimenta (6.000)
- Espinhas humanas (!) (1.000)

▶ BOLAS DE NATAL
Para celebrar o Natal de 2021, Sylvia Pope (RU) decorou a casa em Swansea, RU, com 1.760 enfeites. Chamada afetuosamente de "Vovó Bolinhas", Sylvia hoje tem tantos adornos que precisa começar a decorar a casa para o Natal em setembro.

Trevos de 6 folhas
Até 23/9/2021, László Hegedűs (HUN) tinha 27 trevos de 6 folhas ultrarraros. Reza a lenda que eles trazem um sexteto de vantagens: fé, esperança, amor, sorte, dinheiro e longevidade.

Saleiros e pimenteiros
O apimentado acumulador Salacnib "Sonny" Molina (EUA) tem 395 pares em Woodstock, Illinois, EUA. Seu gosto eclético em coleções se estende para **tubos de Pringles** (256), **copos de caveira** (307) e **fantoches de dedos** (497).

Meias
Até 30/9/2020, Ashan Fernando (EUA) tinha uma coleção de 660 pares de meia únicos em Berkley, Massachusetts, EUA.

Memorabilia de Manny Pacquiao
O campeão de boxe filipino inspirou a paixão por colecionismo de Marc Anthony Eser (PHL), que tem 705 itens relacionados a Pacquiao. Seu tesouro foi contado em Calamba, Laguna, Filipinas em 20/4/2021. O próprio Pacquiao tem vários recordes do GWR, incluindo **mais títulos de boxe em diferentes categorias**: 8.

Copos de papel
Rafael Levin (EUA) tem 800 copos de papel, conforme ratificado em 4/8/2021 em Woodmere, Nova York, EUA. Ele foi motivado a se inscrever nesse recorde para mostrar à irmã mais nova que "tudo é possível".

Cartão-chave de hotel
Como lembrança de suas viagens, Kamalesh Kumar Maheshwari, de Nashik, em Maharashtra, Índia, começou a guardar os cartões-chaves dos hotéis a que ia. Ele hoje tem 922 deles.

As 20 categorias acima estão abertas e à espera de inscrições. Colocamos o mínimo necessário para cada entre parênteses. Então, se seu banheiro está cheio de pentes ou se você não tem mais lugar para sentar na cozinha por causa de todos aqueles instrumentos de tortura, registre-se em www.guinnessworldrecords.com/apply.

FAÇANHAS EXTRAORDINÁRIAS

MEMORABILIA DE *POWER RANGERS*
Michael Nilsen, de Gilbert, Arizona, EUA, junta brinquedos e itens relacionados a *Power Rangers* desde 1993, e tinha 9.364 deles até 2/1/2021. Aos 9 anos, Michael ficou fascinado pelos robôs que mudam de forma ao se unirem no Megazord; assim que percebeu que poderia comprá-los e fazê-los "morfarem", começou a colecioná-los.

▶ MEMORABILIA DE *HARRY POTTER*
O menino bruxo de JK Rowling enfeitiçou de tal forma Tracey Nicol-Lewis (RU) que hoje ela tem 5.284 colecionáveis de *Harry Potter*. Tracey, que vem de Bargoed, em Mid-Glamorgan, País de Gales, incorporou-os a uma coleção ainda maior de **memorabilia do *Wizarding World*** com 5.434 itens da última vez que contou em abr/2021.

- Espremedores de limão (1.000)
- Memorabilia de *Minecraft* (1.000)
- Memorabilia de freiras (800)
- Sacos de papel (100)
- Chapéus de Papai Noel (1.000)
- Malas (200)
- Papel higiênico (1.000)
- Roupas de baixo (3.500)
- Convites de casamento (150)
- Memorabilia de zumbis (1.000)

Brinquedos de corda
Um coelho esquiador mecânico comprado por impulso há mais de 30 anos deu início à paixão de Marla Mogul (EUA) por brinquedos de corda. Até 30/3/2021, ela tinha mais de 1.258 em Los Angeles, Califórnia, EUA.

Fichas de cassino
Até 21/1/2022, Gregg Fisher (EUA) juntara 2.222 fichas de cassino e produtos de jogos, que são mantidos no nirvana das apostas, Las Vegas, Nevada, EUA.

Hashis
Benny Vervaeck (BEL) tem 2.529 pares únicos de hashis em Humbeek, Brabant, Bélgica. Seu par mais amado foi feito em Bali para comemorar o nascimento da filha.

Quebra-nozes
Ratificado em 23/7/2021, Arnas Jurskis (LTU) tem 10.000 quebra-nozes em um museu dedicado ao assunto em Vilnius, Lituânia. Seus favoritos são os franceses dos séculos 16-17, adornados com coroas, brasões e flores-de-lis.

Ferraduras
Petru Costin (MDA) teve a sorte de colecionar 13.855 ferraduras, verificado em Chișinău, Moldávia, em 4/7/2021. Ele também coleciona boinas militares.

Memorabilia de *One Piece*
Lam Siu Fung (CHN) tem 20.125 objetos do mangá, ratificado em Hong Kong, China, em 11/4/2021. Seu orgulho é a série de bonecos *Portrait of Pirates*.

Memorabilia de futebol
Até 30/6/2017, o Museu de Michel Platini em Mosfiloti, Chipre, exibia 40.669 itens de futebol. A galeria, que também vende kebab, foi fundada pelo superfã Philippos Stavrou Platini (CYP), que adotou o sobrenome em homenagem ao lendário meio-campista francês.

▶ BOLAS DE FUTEBOL
Em uma viagem à Copa do Mundo de 2006, na Alemanha, Rodrigo Rafael Romero Saldívar (MEX) comprou uma bola de futebol para jogar com um amigo. Isso inspirou uma paixão: até 21/5/2020, sua coleção em San Andrés Cholula, Puebla, México, crescera para 1.230 bolas. Ele adora a das Olimpíadas de 2012, quando o time masculino do México levou o ouro.

FAÇANHAS EXTRAORDINÁRIAS
Gigantes do jardim

MANGA MAIS PESADA
Germán Barrera e Reina María Marroquín (ambos COL) cultivaram uma manga de 4,25kg, verificada em Guayatá, Boyacá, Colômbia, em 25/7/2020. "É o reconhecimento da dedicação do campo de Guayatá e do amor pela natureza passado por nossos pais", disse Germán.

Mestre Jardineiro com mais pontos (GPC)*
Desde 2009, a Great Pumpkin Commonwealth (GPC) dá o título de "Mestre Jardineiro" para o produtor com o maior talento para cultivar produtos gigantes. Com 8 categorias, os cinco maiores vegetais de cada fazendeiro ganham nota conforme seu tamanho. Dos 54 inscritos em 2021, a professora Cindy Tobeck (EUA) ganhou com um recorde de 265,72 pontos. A grande plantação de Cindy consistia em: abobrinha de 920,8kg, moranga de 788,3kg, tomate de 3,26kg, abóbora-paulista de 69,2kg e cabaça de 3,29m.

MAIS PESADO...

Morango
Um morango Elan de 289g foi cultivado por Chahi Ariel (ISR), confirmado em Kadima-Zoran, Israel, em 12/2/2021. O tempo frio pode ter contribuído para isso.

Ameixa
Yoshiyuki Tomiyama (JPN), de Niigata, Japão, produziu uma ameixa da variedade Kiyo com peso de 354,3g em 14/8/2021. A circunferência da fruta era de 27,6cm, ou seja, maior que uma bola de beisebol.

Tomate*
Um tomate cultivado por Dan Sutherland (EUA) pesava 4,8kg quando medido em Walla Malla, Washington, EUA, em 15/7/2020.

Cabaça*
O espécime mais pesado do gênero *Lagenaria* (conforme reconhecido pelo GPC) é uma cabaça gigante pesando 213,41kg. Cultivada por Steve Connolly (EUA), foi analisada em 10/10/2020.

▶ **APRESENTANDO O MESTRE DA RAIZ**
Joe Atherton (RU) tem vários recordes do GWR. Antes do Torneio de Vegetais Gigantes CANNA UK em set/2021, ele já tinha 6 recordes por raízes longas: nabo, cercefi, cenoura, pastinaga, rabanete e beterraba (veja à direita). No último evento, ele apresentou o **alho-poró mais longo** (à esquerda), com 1,36m. "É muito estressante retirar os 'longos' da terra!", revelou Joe. "A pior parte é limpar a compostagem."

MAIOR...

Pé de coentro
Verificado em 12/11/2020, o pé de coentro de Dalbir Maan (AUS) tinha 2,25m em Melbourne, Victoria, Austrália. Dalbir usou esterco de vaca para garantir um solo rico em nutrientes.

Cebolinha
No 18º Festival Turístico de Cultura da Cebolinha de Zhangqiu, em 15/11/2020, uma cebolinha de 2,53m roubou a cena. Foi apresentada pelo Bureau de Agricultura e Assuntos Rurais do distrito de Zhangqiu (CHN) na cidade de Jinan, Shandong, China.

Girassol
Hans-Peter Schiffer (DEU) produziu um girassol de 9,17m, ratificado em 28/8/2014, em Kaarst, Nordrhein-Westfalen, Alemanha. É a 4ª vez que ele bate esse recorde.

Mamoeiro
Em 2/9/2021, um mamoeiro de 14,55m foi certificado em Cafelândia, Paraná, Brasil. O recorde é dividido entre seu antigo dono, Gilberto Franz, e o atual, Tarcísio Foltz (ambos BRA).

Pé de tomate
A Nutriculture (RU) revelou um pé de tomate de 19,8m — mais do triplo do tamanho de uma girafa — em Mawdesley, Lancashire, RU, em 11/5/2000.
A **maior quantidade de tomate em um só pé** é 1.269, colhidos por Douglas Smith (RU) em Stanstead Abbotts, Hertfordshire, RU, em 27/9/2021. Ele bateu o próprio recorde de 839, de 2 semanas antes.

▶ **VAGEM MAIS PESADA†**
Em 23/9/2021, Joe Atherton (veja acima) apresentou uma vagem de 106g — mais que o dobro do peso de uma bola de golfe — durante o Torneio de Vegetais Gigantes CANNA UK, que ocorre todo ano em Malvern, Worcestershire, RU. As vagens também são conhecidas como favas.

CEREJA MAIS PESADA
Os irmãos italianos Alberto e Giuseppe Rosso cultivaram uma cereja Carmen de 33,05g, ratificada em 22/6/2021 em Pecetto Torinese, Turim, Itália. A família Rosso cultiva cerejas há mais de um século e hoje produz mais de 70 variedades. As cerejas dessa região são famosas por sua doçura.

RECORDE DE RAÍZES DE JOE†

- Nabo: 4,06m, 2019
- Cercefi: 5,57m, 2020
- Cenoura: 6,24m, 2016
- Pastinaga: 6,55m, 2017
- Rabanete: 6,70m, 2017
- Beterraba: 8,56m, 2020

Ratificado por: *Great Pumpkin Commonwealth; †Torneio de Vegetais Gigantes CANNA UK

FAÇANHAS EXTRAORDINÁRIAS

ABOBRINHA MAIS PESADA*
Todd e Donna Skinner (ambos EUA) tiveram uma abobrinha de 981,57kg autenticada em 10/10/2021, em Dublin, Ohio, EUA. Passavam mais de 50 horas semanais no pico da estação cuidando das plantas. Abobrinhas e morangas são da mesma família, a única diferença é a cor do fruto.

BERINGELA MAIS PESADA†
Peter Glazebrook (RU) apresentou uma beringela de 3,12kg em set/2021. Uma lenda nas competições de vegetais gigantes, Peter cultivou uma infinidade de produtos prodigiosos por décadas, incluindo a **couve-flor mais pesada** (27,48kg) e a **batata mais pesada†** (4,98kg).

MORANGA MAIS PESADA*
Conforme confirmado em um torneio em Peccioli, Itália, em 26/9/2021, Stefano Cutrupi (ITA) cultivou uma moranga do tipo Atlantic Giant com 1.226kg, batendo o recorde de 1.190,49kg que existia desde 2016. Stefano teve uma temporada fenomenal, conquistando também o 2º e o 3º lugares.

ABÓBORA-DE-PESCOÇO MAIS PESADA*
Henry Swenson (EUA), de 19 anos, revelou uma abóbora-de-pescoço de 29,7kg em uma competição na Frerichs Farm em Warren, Rhode Island, EUA, em 9/10/2021. Cultivada de uma semente "55,5 Brown", vinda do antigo detentor do recorde, essa abóbora gigantesca era 20 vezes mais pesada que o vegetal típico.

Há quanto tempo planta morangas?
Comecei em 2008 e foquei no cultivo de Atlantic Giants desde então.

Como se sentiu quando confirmaram seu recorde mundial?
Eu estava de costas para a balança. Quando meus amigos viram o peso, me viraram, animados. Gritei até ficar sem voz!

Qual é o segredo de cultivar morangas gigantes?
Não há segredo. Assim como em qualquer outra coisa, é só correr atrás com técnica e perseverança.

Seria possível produzir uma moranga ainda maior?
Tudo é possível. Recordes são feitos para serem quebrados. Vou tentar no ano que vem!

Inspirado por *A máfia dos tigres*, o artista Mike Rudolph fez essa cabaça para um desfile de Halloween.

MAIOR LANTERNA DE HALLOWEEN POR CIRCUNFERÊNCIA*
Essa decoração de Halloween tamanho XGG foi esculpida de uma cabaça com 5,91m de circunferência de cima a baixo, cultivada por Travis Gienger (EUA, acima). Foi ratificada em 12/10/2020 e então levada à cidade natal de Travis: Anoka, Minnesota (a "capital mundial do Halloween"), para as festividades de 31/10. Com 1.065,9kg antes de ser esculpida, é também a **lanterna mais pesada**.*

ABÓBORA-PAULISTA MAIS PESADA†
Vincent Sjodin (RU) cultivou uma abóbora-paulista monstruosa com peso de 116,4kg! Ele atribui seu sucesso à inclusão de tripas e cabeças de peixe na compostagem.

87

FAÇANHAS EXTRAORDINÁRIAS
Comemorações natalinas!

ÁRVORE DE NATAL MAIS ANTIGA
Paul Parker (RU) tem uma árvore de natal artificial que está na família desde 1886. Com 30cm, ela fica em um vaso e foi comprada por sua tia-bisavó Lou, talvez no Woolworths. Foi passada a ele por sua mãe em 2008, dando continuidade aos 136 anos de tradição.

Celebrações e festivais religiosos — como Diwali, Ramadã, Pessach e Día de los muertos— muitas vezes dão origem a recordes inspiradores. Mas nenhuma outra data gera tantas inscrições no GWR quanto o Natal...

MAIOR COLEÇÃO DE BROCHES DE NATAL
Adam Wide (RU) possui 7.929 broches festivos de joias, conforme conferido em 2/12/2021 em Berlim, Alemanha. Seu broche mais antigo data dos anos 1920 e seu item mais adorado é uma peça inspirada na Art Nouveau que incorpora platina e joias preciosas.

Primeiro cartão de Natal impresso
Os cartões festivos produzidos em massa foram impressos e vendidos pela 1ª vez no Reino Unido em 1843. A litografia retrata uma família desfrutando de uma ceia de Natal, rodeada de cenas de caridade. Somente 12 dos mil cartões originais ainda existem. Um deles, enviado pelo empresário Sir Arthur Cole à mãe, foi vendido por US$28.146 em um leilão em 24/11/2001 e tornou-se o **cartão de Natal mais caro**.

Árvore de Natal mais alta
Em dez/1950, um abeto-de-douglas (*Pseudotsuga menziesii*) foi colocado e enfeitado no Northgate Mall, em Seattle, Washington, EUA. O shopping fora inaugurado em abril daquele ano e a árvore pretendia atrair atenção da mídia e dos clientes.
A **árvore artificial mais alta** foi feita de tubos de aço, concreto, arame e madeira — e pintada e decorada — pelos Serviços Sociais Arjuna Ranatunga, em Colombo, Sri Lanka. Tinha 72,1m de altura quando medida em 24/12/2016.

Lista de desejos mais longa para o Papai Noel
A Hyundai de Pequim e a Agência de Turismo de Mohe (ambos CHN) coletaram 124.969 pedidos escritos para o Papai Noel. A lista foi apresentada ao Papai Noel em Santa Village, em Mohe, Heilongjiang, China, em 28/12/2017.

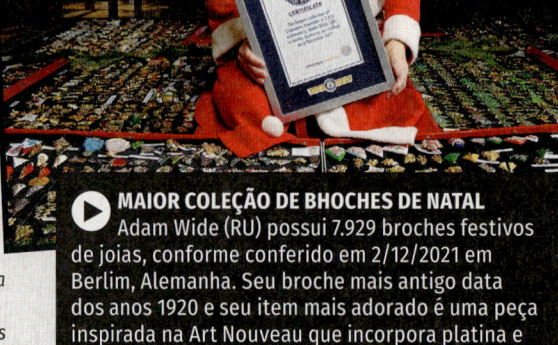

Maior corrente para abrir um *cracker* de Natal
Um total de 1.081 pessoas fizeram fila para abrir a tradicional decoração de mesa britânica em 10/12/2015, em um evento organizado pela Harrodian School, em Barnes, Londres, RU.

Mais pessoas vestindo um suéter de Natal
Em 19/12/2015, o Kansas Athletics (EUA) juntou 3.473 pessoas vestindo suéteres natalinos. O feito de mau gosto da moda ocorreu em um jogo de basquete contra Montana, em Lawrence, Kansas, EUA.

Maior grupo de cantores de músicas natalinas
O coral Godswill Akpabio Unity Choir (NGA) reuniu 25.272 cantores no estádio Uyo Township, em Akwa Bom, Nigéria, em 13/12/2014.

Mais couves-de-Bruxelas consumidas em 1min
Linus Urbanec (SWE) engoliu 31 deste vegetal "ame-ou-odeie" em 60s em Rottne, Suécia, em 26/11/2008.
Outro quitute favorito é o *stollen*, o pão alemão com frutas, nozes, especiarias e marzipã. A **maior quantidade de *stollens* consumidos em 1min** foi 336g, por André Ortolf (DEU) em Krumbach, Alemanha, em 5/10/2018.
Até André teria tido dificuldades com o **stollen mais longo**. Criado pelo Lidl (NDL), tinha 72,1m de comprimento, confirmado na estação ferroviária de Haarlem, Holanda, em 10/12/2010.

MAIOR COLEÇÃO DE MEMORABILIA DE PAPAI NOEL
Jean-Guy Laquerre (CAN) tem 25.104 objetos diferentes com tema de Papai Noel, na contagem mais recente. Seu tesouro incluía 2.360 estatuetas, 2.846 cartões e cartões-postais de 33 países, 1.312 guardanapos e 241 broches.
A **maior coleção de bonecos de neve** pertence a Karen Schmidt (EUA, foto ao lado) com 5.127 itens em 19/3/2013. Seus favoritos são um pássaro vermelho com um boneco e uma boneca de neve rosa que canta "Santa Baby".

COMIDAS FESTIVAS GIGANTES

Bolo de Natal
9x6m, peso 3.825kg. Criado por Just Bake (IND).

Pudim de Natal
Cerca de 1,5m, peso 3.280kg. Feito pelos moradores de Aughton em Lancashire, RU.

Biscoito de gengibre — casa
18,28mx3,07m, volume de 1.110,1m³. Feito pelo Traditions Club (EUA).

Biscoito de gengibre — boneco
Cerca de 3,7m de altura x 2,9m de comprimento, peso 651kg. Preparado por IKEA Furuset (NOR).

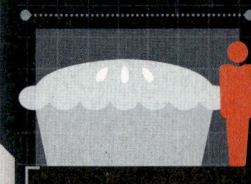

Torta de carne
6,1x1,5m, peso 1.025kg. Feito em Burton upon Trent, Staffordshire, RU, por Messrs L and W Radford Ltda.

Quentão
2.034,7 litros. Feito por Alessandro De Dea e Fabrizio Vigilante (ambos ITA).

Altura média humana (1,65m)

FAÇANHAS EXTRAORDINÁRIAS

MENOR TEMPO PARA VESTIR A ROUPA DE PAPAI NOEL
Theo Toksvig-Stewart (RU) vestiu a roupa branca e vermelha de Papai Noel em 28,91s durante a filmagem do episódio natalino de *QI* (BBC), em 17/8/2020. A façanha era planejada para a anfitriã do programa, Sandi Toksvig, mas ela deixou o filho tomar seu lugar.

MAIS *CRACKERS* NATALINOS ABERTOS POR UM INDIVÍDUO EM 30s
Em 21/12/2021, o DJ Joel Corry (RU) abriu 41 *crackers* natalinos em uma rápida sucessão no baile Jingle Bell da estação de rádio Capital FM. O feito ocorreu nos bastidores do evento, na Arena O2 em Londres, RU.

MAIS PESSOAS VESTIDAS DE BONECO DE NEVE
Em 8/12/2017, um grupo de 489 pessoas, organizado pelo Centro Social e Cultural da Atalhada (PRT), se vestiu de bonecos de neve em Lagoa, Açores, Portugal. A reunião foi feita para arrecadar fundos para a comunidade local.

MAIOR ENFEITE DE NATAL
O Dubai Mall (Emaar Malls) apresentou uma decoração colorida e festiva de 4,68m de diâmetro em Dubai, EAU, em 19/12/2018. Suspenso do teto da galeria do shopping, o ornamento gigantesco pesava 1.100kg, quase o peso de um Mini Cooper. Para ver a maior coleção de enfeites de Natal, vá para a p.84.

▶ ESCOLA DE PAPAI NOEL MAIS ANTIGA
A Escola de Papai Noel Charles W Howard foi fundada em out/1937 em Albion, Nova York, EUA, e comemorou seu 85º aniversário em 2022. Seu fundador, um ex-fazendeiro e Papai Noel de loja, abriu a escola em sua casa antes de expandir para um local maior em Midland, Michigan. Os graduados originalmente recebiam um DPN — Diploma de Papai Noel.

FILME DE NATAL COM MAIOR BILHETERIA
O Grinch (EUA, 2018), arrecadou US$513.537.178 em suas várias exibições entre 8/11/2018 e 21/1/2022. A fantasia animada é baseada no livro de 1957, *Como o Grinch roubou o Natal*, de Dr. Seuss (ou Theodor Seuss Geisel), e conta com a voz de Benedict Cumberbatch como o malvado boneco verde do Grinch.

SINGLE DE NATAL MAIS VENDIDO
Gravado pela 1ª vez em 1942, "White Christmas", de Bing Crosby, vendeu mais de 50 milhões de cópias pelo mundo em vinil, fita cassete e CD, tornando-o não só um álbum de festividades singular, mas o **single mais vendido** de todos os tempos. A versão de Crosby da música é relançada anualmente e continua a vender no séc.21; sua última aparição no RU foi no Nº48, em jan/2022.

89

FAÇANHAS EXTRAORDINÁRIAS
Fanáticos por ginástica

Por conta da pandemia da Covid-19, o GWR viu um grande aumento nas solicitações de desafios de condicionamento físico, já que os aspirantes a recordistas procuravam se manter saudáveis em casa. Conheça os incríveis atletas que levam o corpo ao limite para redefinir o que é fisicamente possível.

Darine superou a amputação da perna e a fratura no quadril e é personal trainer e coach.

Aaron Greally

Marcus Winship

Jake Palmer

Samuel Stafford

GINÁSTICA "EM 1MIN"

AFUNDO
Masc.: 75, de Christian Roberto López Rodríguez (ESP) em 13/8/2020
Fem.: 80, de Sandra Hickson (IRL) em 25/7/2019

POLICHINELO
Masc.: 132, de Fares Mohamed Shaban (EGY) em 15/3/2021
Fem.: 132, de Melanie Bemis (EUA) em 7/5/2021

BURPEES
Masc.: 48, de Wesley Prado (BRA) em 23/7/2020
Fem.: 40, de Leigh Scott (UK) em 23/5/2018

PULO E AGACHO
Masc.: 80, de Ali Mounir (EGY) em 23/3/2020
Fem.: 67, de Areej Al Hammadi (EAU) em 24/6/2021

MAIS VEZES AGACHANDO COM O PESO DO CORPO EM 1MIN (FEMININO)
Karenjeet Kaur Bains (RU) completou 42 agachamentos de 67,5kg em Warwick, RU, em 7/3/2022. A velocista adolescente começou a fazer levantamento de peso aos 17 anos e é a primeira mulher sikh a representar a Grã-Bretanha no esporte.

1. Cadeira mais longa (feminino, AP1)
Darine Barbar (LBN) manteve-se sentada apoiada na parede por 2min8,24s em 4/6/2021 em Dubai, EAU. Seu recorde marcou o lançamento da Iniciativa de Imparidade GWR (ver p.10-11). Darine, que perdeu a perna esquerda para um câncer ósseo aos 15 anos, foi classificada na categoria AP1 (amputação unilateral acima do joelho).

2. Maior número de burpees peito-terra em 1h (feminino)
Em 8/8/2021, Issy Watson (CAN) completou 829 burpees peito-terra em 60min em Victoria, British Columbia, Canadá. Entre as repetições, ela tinha que colocar os dois braços em ângulos retos do corpo deitada no chão.

3. Mais pulos em uma corda humana em 1min
A equipe de ginástica acrobática Acropolis (RU) conseguiu 57 saltos em uma corda humana em 60s em 15/2/2022. Competiram pelo recorde com o Wildcats Cheerteam da Itália em *Lo Show dei Record* em Milão, batendo o recorde anterior por 9.

4. Lache mais distante (balanço de barra a barra)
Em 10/11/2020, The Flying Phoenix, ou Najee Richardson (EUA), atirou-se 5,56m de uma barra a outra em Hainesport, Nova Jersey, EUA. O mestre do lache também alcançou **o lache mais alto** — 2,28m — e o **salto de gato lache mais distante (da barra à parede)** — 4,90m.

5. Triatlo mais longo
Em 8/5/2021, Adrian Bennett (RU) completou um triatlo de 189 dias pela ilha de Cingapura, cobrindo uma distância total de 7.519,67km. O professor de design superou em quase 20km seu objetivo de nadar 225km, pedalar 5.820km e correr 1.450km.

6. Barra L-sit mais longa pendurada em um braço (feminino)
Stefanie Millinger (AUT) conseguiu manter uma barra L-sit em um braço por 1min38,05s em Salzburg, Áustria,

FAÇANHAS EXTRAORDINÁRIAS

Mohammad bateu o recorde de flexões com mochila de 40lb — 2,5 bolas de boliche.

A pose de yoga "roda" é uma curva profunda conhecida como "ponte" em ginástica.

BARRA
Masc.: 74, de Hong Zhongtao (CHN) em 30/10/2020
Fem.: 36, de Amanda Stacey (EUA) em 19/8/2021

AGACHAMENTO PISTOLA
Masc.: 52, de William Rauhaus (DEU) em 27/7/2016
Fem.: 42, de Kara Webb (AUS) em 1/2/2017

FLEXÃO NO PUNHO
Masc.: 113, de Jagdishram B Midle (IND) em 3/3/2019
Fem.: 70, de Eva Clarke (AUS) em 9/1/2015

LEVANTAMENTO TERRA
Masc.: 5.834,8kg, de Viacheslav Pavlichuk (UKR) em 15/4/2021
Fem.: 3.160,5kg, de Katie Carlisle (AUS) em 17/7/2021

em 13/8/2021. Acrobata e artista de handstand que treina até 10h por dia, Stefanie detém vários títulos GWR. Incluem o **maior tempo em L-sit (feminino)** — 10min15s — e o **maior tempo equilibrada nas mãos** — 59min6s.

7. Mais flexões nos punhos com mochila de 40lb em 3min (masc.)
Em 1/10/2021, Mohammad Abdul Kader Feido (SYR) fez 148 flexões nos punhos em 180s em Latakia, Síria. Ele também detém recordes de **mais flexões nas costas das mãos com mochila de 40lb em 1min** (65) e **mais flexões de arqueiro em 1min** (122).

8. Mais muscle-ups consecutivos nos anéis
O ginasta Simen Solberg Uriansrud (NOR) fez 20 muscle-ups consecutivos em 13/6/de 2021 em Oslo, Noruega. Ele tinha que realizar cada flexão nos anéis até que o corpo estivesse apoiado nos braços retos e estendidos. Simen bateu o recorde anterior por 1.

9. Handstand mais longo em plataforma giratória (masc.)
Em 16/3/2022, Nicolas Montes de Oca (MEX) ficou em um handstand por 25,78s enquanto girava em alta velocidade em Amatlán, Morelos, México. Nove dias depois, ele adicionou o **handstand mais longo em um braço (masc.)** — 1 min11,82 seg — à crescente lista de recordes.

10. Maior número de saltos aéreos frontais em tecido seda em 1min
Em 13/12/2021, Celeste Dixon (AUS) fez 23 rotações para a frente em 60s enrolada em um pedaço de tecido suspenso em Adelaide, Austrália. A ginasta de padrão olímpico já competiu 5 vezes no Australian Ninja Warrior. Detém títulos GWR em **mais burpees de cambalhota para trás em 30s** — 8 — e os **10m mais rápidos andando com as mãos enquanto segura uma bola medicinal de 10kg entre as pernas (fem.)** — 10,55 seg.

11. Mais tempo na pose da roda de yoga
Sanjeevi Suresh (IND) fez um Chakrasana — erguendo-se com as costas arqueadas e mãos e pés no chão — por 22min52,5s em 22/7/2021 em Thoothukudi, Tamil Nadu, Índia. O jovem de 18 anos pratica yoga há 5 anos.

MAIS FLEXÕES EM UM BRAÇO COM OS DEDOS EM 1MIN
Mahmoud Mohamed Ayoub (EGY) fez 72 flexões de um braço na ponta dos dedos em 60s em El Kharga, Egito, em 10/5/2021. Ele é detentor de vários recordes esportivos e de condicionamento físico do GWR.

FAÇANHAS EXTRAORDINÁRIAS
Habilidades com bola

TARUN KUMAR CHEDDY (MUS)
Tarun se aprimorou nas ilhas Maurício e ganhou os títulos freestyle do GWR com bolas de basquete, futebol e rugby. Seus recordes incluem **mais pegadas na nuca de bola de basquete em 1min** (48) e **mais lançamentos e pegadas na nuca de uma bola de rugby em 30s** (22).

ASH RANDALL (RU)
Os talentos de Ash no freestyle o levaram a muitos países e a apresentar suas habilidades ao lado de astros como o One Direction e a lenda de Bollywood Shah Rukh Khan. Entre seus vários títulos do GWR estão **mais pedaladas em 1min** — tanto **para a frente** (127) quanto **para trás** (99).

ZAILA AVANT-GARDE (EUA)
Promessa do basquete, Zaila também é malabarista, uniciclista e ganhadora do Scripps National Spelling Bee 2021. Em 2/11/2020, ela completou **mais quicadas de 4 bolas de basquete em 1min** (255), e bateu ou igualou 3 outros títulos do GWR.

JUNJI NAKASONE (JPN)
Quando o assunto é basquete freestyle, "JJ" é o campeão da quadra. Entre seus recordes podemos contar **mais rolagens no braço em 1min com 3 bolas** (49), **maior lançamento e pegada de uma bola girando** (6,2m) e **mais tempo girando 4 bolas** (21,65s).

TAMÁS FELFÖLDI (HUN)
Um dos membros do Face Team Acrobatic Sports Theatre, Tamás igualou o recorde de **mais zerinhos de basquete com 1 braço em 1min** (28) em 20/8/2020, chegando ao total de Drew Hoops (RU) em 27/7/2014.

MAIS TOQUES DE BOLA EM 1MIN

O malabarismo no futebol requer reflexos rápidos e concentração. Freestylers conseguem tocar na bola várias vezes por segundo — às vezes com as partes mais improváveis do corpo!

- Cabeça: Gao Chong (CHN) — 341
- Joelho: Konok Karmakar (BGD) — 162
- Calcanhar: Sinan Öztürk (DEU) — 157
- Lábios: Daniel Cutting (RU) — 153

BEN NUTTALL (RU)
O freestyler profissional Ben aprendeu suas habilidades de desafiar a gravidade nas ruas de Birmingham, sua cidade natal. Recebeu os títulos GWR por **mais pegadas com o joelho em 30s** (31) e **mais toques consecutivos de bola de rugby com os pés** (187).

Mais quiques de bola de basquete em 1min (2 bolas)
Em 7/7/2021, Sean Daly (IRL) quicou um par de bolas 729 vezes por 60s em Cork, Irlanda. Agachado na quadra, ele teve uma média de incríveis 12 quicadas por segundo.

Milha mais rápida com uma bola de futebol na cabeça
Yee Ming Low (MYS) andou 1 milha (1,6km) em 8min35s com uma bola na testa no estádio de atletismo MPSJ em Selangor, Malásia, em 20/3/2010. Mesmo com as regras dizendo que ele poderia recomeçar do mesmo ponto caso a bola caísse Yee Ming Low completou toda a distância sem deixar a bola cair uma vez sequer.

Maratona mais rápida fazendo malabarismo com uma bola
Abraham Muñoz (MEX) correu 42,1km enquanto fazia malabarismo com uma bola de futebol por 5h41min52s na Maratona da Cidade do México em 28/8/2016. Ele só perdeu o controle da bola 4 vezes, e a primeira foi após 4 horas.

Abraham também tem os recordes de **100m mais rápidos** (17,53s) e **milha mais rápida** (8min17,28s) fazendo embaixadinhas. E em 31/7/2017, ele deu **mais toques de bola em 1h (masculino)** — 11.901 — em Nova York, EUA.

Maior altura para lançar e controlar uma bola com o pescoço
Em 11/10/2019, o freestyler profissional Daniel Cutting (RU) venceu o vento e a chuva no campo de atletismo Stantonbury em Milton Keynes, RU, ao lançar uma bola a 6m no ar e pegá-la com o pescoço.

Maior altura controlando uma bola
O ex-jogador da Inglaterra Jamie Redknapp chutou uma bola a 18,6m no ar antes de controlá-la com 3 toques em 9/7/2015 em Londres, RU. Jamie enfrentou o desafio para o painel de esportes do show *A League of Their Own* (CPL, RU).

Em 7/7/2017, Jamie se juntou ao espanhol ganhador da Copa Cesc Fàbregas para dar a **maior quantidade de passes por uma dupla em 30s** — 15.

FAÇANHAS EXTRAORDINÁRIAS

JOHN FARNWORTH (RU)
Seja fazendo embaixadinhas pelos Himalaias ou no deserto do Saara, John está sempre buscando novos desafios. Entre seus títulos do GWR estão **mais tempo controlando uma bola na corda-bamba** (29,82s) e **mais gols de voleio em 30s** (28).

John já se apresentou em todos os lugares: de teatros na Broadway a finais da Copa do Mundo.

KONOK KARMAKAR (BGD)
Konok inspirou outros quebradores de recordes bangladeses com seus vários títulos do GWR, que incluem **mais toques de bola com o joelho em 1min** (162) e **mais truque "hotstepper" em 30s** (49) e **1min** (90).

CHINONSO ECHE (NGA)
"Eche, o Garoto Incrível" não recebeu esse apelido à toa. O prodígio adolescente já tem 4 certificados GWR, incluindo **mais toques consecutivos em 1min enquanto equilibrava uma bola na cabeça** (111) e **mais cabeceadas deitado de bruços em 1min** (233).

Canela: Leon Walraven (NLD) — 267
Ombros: Yuuki Yoshinaga (JPN) — 230
Solas: Yuuki Yoshinaga — 402
Dedos: John Farnworth (RU) — 109

Mais toques de bola em 1h
Em 22/9/2020, Maya Fung (EUA) deu 13.300 toques enquanto controlava uma bola por 60min em Prosper, Texas, EUA — uma média de mais de 3 toques por segundo! Jogadora de futsal e freestyler de rua, Maya passou 3 anos praticando para esse recorde, que bateu o recorde **masculino** (ver ao lado) por 1.399. A bola não tocou no chão durante uma hora.

Mais toques de bola em 1min
Chloe Hegland (CAN) deu 339 toques em uma bola de futebol por 60s em Pequim, China, em 3/11/2007. O recorde de **30s** também é dela — 163 —, batido em 23/2/2008, em Madrid, Espanha.

Mais tempo dando cabeceadas em dupla
Em 8/4/2021, Agim Agushi e Bujar Ajeti, do Kosovo, cabecearam uma bola um para o outro por 34min1s em Pristina, Kosovo. Foi a 3ª vez que Agim conquistou esse recorde.

Mais tempo controlando uma bola sem parar...
Sem rodeios (masculino): 10h7min29s, por Mark Jordan (EUA) em 30/11/2018, em Stanford, Connecticut, EUA.
Sem rodeios (feminino): 7h5min25s, por Cláudia Martini (BRA) em Caxias do Sul, Brasil, em 12/7/1996.
Com a cabeça: 8h32min3s, por Thomas Lundman (SWE) em Lidingö, Suécia, em 27/2/2004.
Com a cabeça, sentado: 4h9min26s, por Tomas Lundman, em 20/4/2007 em Estocolmo, Suécia.
Com as solas: 28min47s, por Masaru Kitagawa (JPN), em Yokohama, Kanagawa, Japão, em 3/7/2016.
Deitado: 11min9,97s por Akinori Wase (JPN) em 14/1/2017 em Yangon, Birmânia.

Mais tempo girando uma bola de basquete fazendo dribles
Em 4/8/2020, em Buderim, Queensland, Austrália, o batedor de recordes em série Brendan Kelbie (AUS) passou 1min14,40s fazendo dribles com uma bola de basquete enquanto girava outra sobre o dedo. No mesmo dia, ele também conquistou o recorde de **mais tempo girando uma bola no nariz** — 9,57s.

LAURA BIONDO (VEN)
Ex-artista do Cirque du Soleil, Laura se tornou campeã mundial em freestyle com um bocado de títulos GWR. Ela ganhou mais dois no Dia GWR 2021 (ver p.12), incluindo **mais crossovers sentada em 30s** (feminino) — 62.

FAÇANHAS EXTRAORDINÁRIAS
Montanhismo

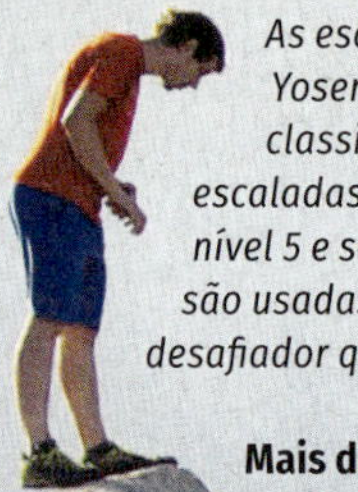

As escaladas aqui são descritas usando o Yosemite Decimal System, desenvolvido para classificar a dificuldade de caminhadas e escaladas. Assim, a subida em rocha é coberta pelo nível 5 e seus muitos subníveis. Acima de 5.10, letras são usadas para distinções mais sutis — 5.15c é mais desafiador que 5.15a, por exemplo.

Mais difícil...
- **Escalada solo livre:** "Panem et Circenses" ("Pão e Circo") é uma escalada 5,14b perto de Arco, norte da Itália. A via de 15m foi feita solo livre por Alfredo Webber (ITA), de 52 anos, em mar/2021.
- **Escalada por amputado:** Urko Carmona Barandiaran (ESP), cuja perna direita foi amputada acima do joelho após um acidente de carro, fez 2 percursos 5.13c sem prótese. Ambas as subidas foram feitas em locais espanhóis — "Ximpleta", em Margalef, em 2012, e "Paideia", em Rodellar, em 2015.
- **Flash ascent (masculino):** Em 10/2/22018, Adam Ondra (CZE; ao lado) escalou a "Supercrackinette" de 5.15a em Saint-Léger-du-Ventoux, França, em uma "flash ascent" (ou seja, na 1ª tentativa). Esta é a única flash ascent de 5.15a na história. A partir de 3/2/2022, Ondra também pegou o recorde de **mais escaladas 5.15** — 70.
- **Flash ascent (feminino):** Janja Garnbret (SVN) escalou a rota "Fish Eye", de 5.14b, em Oliana, Espanha, em 1/11/2021. Na mesma viagem, Garnbret também escalou uma 2ª rota 5.14b conhecida como "American Hustle".

Primeiro paraplégico a subir El Capitan
As pernas de Mark Wellman (EUA) ficaram paralisadas após uma queda em 1982. Apesar disso, em 26/7/1989, ele escalou El Capitan. Ao longo de 8 dias, com seu amigo Mike Corbett liderando, Wellman realizou cerca de 7.000 flexões, usando apenas os braços e a força do abdômen para escalar o penhasco pela via "Shield".

Escalada mais rápida de "The Naked Edge"
Em 22/5/2020, John Ebers e Ben Wilbur (ambos EUA) levaram apenas 24min14s para completar "The Naked Edge" — um desafio multi-pitch de 5.11b em Eldorado Canyon, Colorado, EUA. A rota aceita para escaladores de velocidade inclui subir a partir da base do cânion, escalar a parede vertical de 150m e retornar à base.

Mais subidas da mesma via de escalada
Em 26/2/2012, aos 63 anos, Ken Nichols (EUA) completou sua 10.000ª escalada de "Dol Guldur" — uma via de 5.11 em East Peak, Connecticut, EUA. Escalou a montanha pela 1ª vez em 1975 e gosta dela por seu nível de dificuldade consistente.

Via de escalada mais longa
As escaladas mais longas do mundo vão para os lados, não para cima. Conhecidas como "travessias de cinturão", elas atravessam grandes falésias. A via contínua mais longa (em que os alpinistas não precisam caminhar entre faixas de penhascos desconexas) é a "El Capitan Girdle Traverse", de 4.267m de comprimento, indo do lado inferior direito para o lado superior esquerdo. Foi estabelecida pelos alpinistas americanos Chris McNamara e Mark Melvin em abr/1998 e nunca foi repetida.

Escalada de teto mais longa
A "Great Rift" é uma via de 762m de comprimento na parte inferior da ponte da estrada M5 perto de Exeter, em Devon, RU. Esta extenuante "via de fissuras" de 5.13 (ou seja, seguindo rachaduras naturais na superfície) foi descoberta por Tom Randall e Pete Whittaker (ambos RU), que atravessaram a rota ao longo de 4 dias em nov/2021. A "Great Rift" não tem apoios além do estreito espaço entre os dois deques, que Randall e Whittaker também usavam para apoiar o portaledge em que dormiam todas as noites.

PRIMEIRA ESCALADA LIVRE DA VIA "NOSE" DE EL CAPITAN
Uma das escaladas mais difíceis do mundo, El Capitan é um monólito de granito de 900m no Parque Nacional de Yosemite, Califórnia, EUA. A via mais famosa para o topo é a difícil subida de 5.13c "Nose". Só foi escalada de forma livre em 16/9/1993, quando Lynn Hill (EUA) descobriu como passar pela crux (ponto mais difícil) da subida, chamada "Changing Corners".

PRIMEIRA ESCALADA SOLO LIVRE DE EL CAPITAN
Em 3/6/2017, Alex Honnold (EUA) escalou o monólito do Parque Nacional de Yosemite sem cordas, arreios ou outros equipamentos de proteção (detalhe) em 3h56min. Com cordas, Honnold e Tommy Caldwell (EUA) também fizeram a subida mais rápida de El Capitan — 1h58min7s — em 6/6/2018. Foram os 1ᵒˢ alpinistas a fazer isso em menos de 2h. Em 14/1/2015, Caldwell e Kevin Jorgeson (EUA) completaram a 1ª **escalada livre de "Dawn Wall" de El Capitan**. Levaram 19 dias para completar todos os 32 pitches (comprimentos de corda).

Outros alpinistas de elite levam até 4 dias para escalar El Capitan, por conta dos equipamentos.

ESTILOS DE ALPINISMO

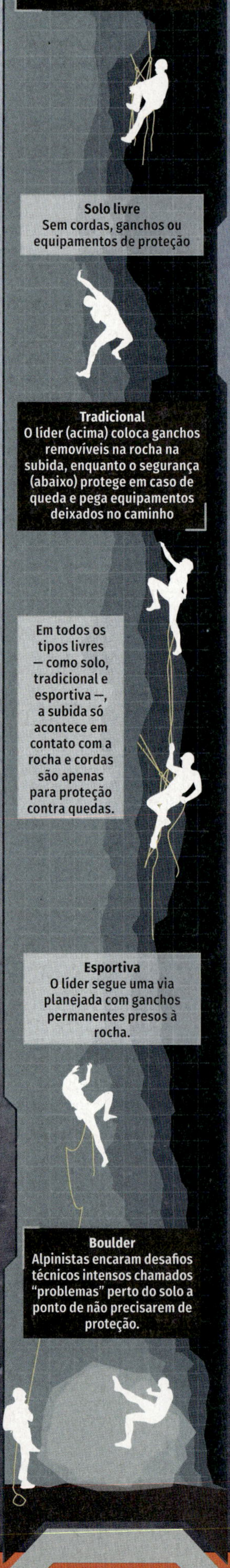

Cordas
Subida com suporte de cordas e ganchos na rocha

Solo livre
Sem cordas, ganchos ou equipamentos de proteção

Tradicional
O líder (acima) coloca ganchos removíveis na rocha na subida, enquanto o segurança (abaixo) protege em caso de queda e pega equipamentos deixados no caminho

Em todos os tipos livres — como solo, tradicional e esportiva —, a subida só acontece em contato com a rocha e cordas são apenas para proteção contra quedas.

Esportiva
O líder segue uma via planejada com ganchos permanentes presos à rocha.

Boulder
Alpinistas encaram desafios técnicos intensos chamados "problemas" perto do solo a ponto de não precisarem de proteção.

FAÇANHAS EXTRAORDINÁRIAS

VIA ESCALADA MAIS DIFÍCIL
"Silence" é uma escalada esportiva de 45m e 5.15d na caverna Hanshelleren, perto de Flatanger, Noruega. Não existem outras escaladas deste grau e apenas 1 pessoa já a fez: Adam Ondra (CZE), em 3/9/2017. Quase todo o percurso é invertido, atravessando o teto da caverna.

ESCALADA TRADICIONAL MAIS DIFÍCIL
"Tribe", perto de Cadarese, Itália, é uma rota suspensa de 30m e 5.15a. O 1º alpinista tradicional a enfrentar a via foi Jacopo Larcher (ITA, à dir.), que alcançou o topo em 22/3/2019.

O recorde **feminino** foi quebrado por Beth Rodden (EUA) em 14/2/2008, ao completar a rota de 5.14c "Meltdown", uma via vertical de 22m em Yosemite.

VIA DE ESCALADA MAIS DIFÍCIL (FEM.)
As subidas mais exigentes por mulheres são classificadas em 5.15b. Três conseguiram essa façanha. A 1ª foi Angela Eiter (AUT, abaixo), que escalou "La Planta de Shiva", em Villanueva del Rosario, Espanha, em 22/10/2017. Laura Rogora (ITA) e Julia Chanourdie (FRA) a igualaram com subidas de 5.15b em 2020.

MENOR TEMPO PARA ESCALAR EL CAPITAN (FEMININO)
Mayan Smith-Gobat (NZ, acima à dir. e abaixo) e Libby Sauter (EUA, à esq.) levaram apenas 4h43min para escalar o "Nose" de El Cap em 31/10/2014. Elas bateram o recorde anterior por 19min estabelecido 4 dias antes.

ESCALADA DE PROBLEMA DE BOULDER MAIS DIFÍCIL
"Burden of Dreams", em Lappnor, Finlândia, e "Return of the Sleepwalker", em Red Rock Canyon National Conservation Area, Nevada, EUA, são classificados como V17, a mais difícil. Foram escalados apenas 1 vez: por Nalle Hukkataival (FIN) em 23/10/2016, e por Daniel Woods (EUA, acima) em 30/3/2021.

PRIMEIRA PESSOA CEGA A LIDERAR UMA ESCALADA DA OLD MAN OF HOY
Em 4/6/2019, Jesse Dufton (RU) liderou uma subida da Old Man of Hoy de 137m nas ilhas Orkney, RU. Ele foi seguido por sua parceira com visão, Molly Thompson, até 6 pitches da face leste, de 5.9.

ESCALADA DE PROBLEMA DE BOULDER MAIS DIFÍCIL (FEMININO)
Três adolescentes alcançaram um grau de boulder V15 (o 3º mais alto). Ashima Shiraishi (EUA, à dir.) tinha 14 anos quando escalou "Horizon", no monte Hiei, Japão, em 22/3/2016; Kaddi Lehmann (DEU), de 18, escalou "Kryptos", perto de Balsthal, na Suíça, em mai/2018; e, em mai/2019, Mishka Ishi (JPN) escalou "Byaku-dou", no monte Hôrai, Japão, com apenas 13 anos.

FAÇANHAS EXTRAORDINÁRIAS
Jornadas épicas

1ª ESCALADA COMPLETA NO MAUNA KEA

MAIOR DISTÂNCIA VERTICAL A PÉ EM 1 MÊS
De 12/4-11/5/2021, Bárbara Padilla (GTM) percorreu 72.189,14m subindo e descendo o vulcão Tajamulco, em San Marcos, Guatemala. Ela fez 10 descidas e subidas no estratovulcão, que — com 4.203m — é a montanha mais alta da América Central.

MAIOR DISTÂNCIA PEDALADA EM ESTRADA EM 24H POR UM TIME DE 8 PESSOAS (FEMININO)
As "Octowomen" — Meera Velankar, Zainab Shoaib, Preeti Maske, Tasneem Mohsin, Sowmya Chandran, Priya Narayan, Sushma Swamy e Anjana Sudeendra (todas IND) — pedalaram ao todo 660,11km em 14/11/2021. A prova aconteceu em Karnataka, Índia.

Dia 3
Distância: 9,6km caminhada
Subida: 2.450m-4.207m

Maior distância pedalada em estrada em...		
Tempo	Ciclista	Distância
6h (masc.)	Christoph Strasser (AUT)	270,85km
6h (fem.)	Amanda Coker (EUA)	221,89km
12h (masc.)	Christoph Strasser	532,22km
12h (fem.)	Amanda Coker	435,55km
24h (masc.)	Christoph Strasser	1.026,22km
24h (fem.)	Amanda Coker	824,79km
1 semana (fem.)	Alexandra Meixner (AUT)	3.258,38km
1 semana (masc.)	Arvis Sprude (LTV)	3.022,48km
1 mês (fem.)	Alexandra Meixner	13.333,25km

Todos os recordes em bicicletas padrão em 2021; aprovados pela World Ultracycling Association (WUCA)

Dia 2
Distância: 60km de bicicleta
Subida: 0m-2.450km

Primeira remada solo da Europa continental para os EUA continentais
O soldado britânico Jack Jarvis remou de Lagos, Portugal, para Sandsprit Park, Flórida, EUA, entre 3/12/2021 e 24/3/2022. Levou 111 dias 12h22min para atravessar os 8.334km de viagem, feita em memória de seu avô. Também levantou US$79.380 para o brainstrust de caridade. No caminho, seu barco foi atingido por um marlim e ele recebeu uma mensagem de vídeo de David Beckham.

Mais rápida remada transatlântica solo (rota Trade Winds I, feminino)
Victoria Evans (RU) concluiu uma odisseia de 40 dias 21h1min entre Tenerife, Espanha, e Port St Charles, Barbados, em 24/3/2022. Na jornada, ela encontrou tubarões e tempo ruim, além de passar por seu 35º aniversário. A motivação principal de Evans foi arrecadar fundos para a instituição de caridade Women in Sport. Também queria ser um exemplo para mulheres e demonstrar que, com esforço e resiliência, tudo é possível.

Pessoa mais jovem a escalar o Everest e Lhotse (masculino)
O alpinista mais jovem a escalar 2 dos 5 maiores picos é Arjun Vajpai (IND, n. 9/6/1993), que tinha 17 anos e 345 dias quando escalou os 8.516m do Lhotse em 20/5/2011. Ele já escalara o Everest (8.848,8m), também conhecido como Sagarmāthā, ou Chomolungma, em 22/5/2010, tornando-se o indiano mais jovem a chegar ao topo da **montanha mais alta** da Terra.

Nado mais rápido no oceano
O nadador extremo dono de vários recordes Pablo Fernández Álvares (ESP) atravessou 250km do sul da Flórida, EUA, entre 19-20/7/2021, auxiliado pela Corrente do Golfo. Ele também alcançou o **nado mais distante em mar aberto em 24h** — 230km — em 19/7.

Nado no gelo mais longo
Em 3/4/2022, Krzysztof Kubiak (POL) nadou 4,70km no lago Ełckie, na Polônia — com uma temperatura média de 3,87°C —, como verificado pela International Ice Swimming Association. Ao todo, passou 1h23min18s na água.

Mais rápida circum-navegação de carro
O recorde de **1ºs e mais rápidos homem e mulher a circum-navegar a Terra de carro** cobrindo 6 continentes sob as regras aplicáveis em 1989 e 1991 abrangendo mais do que o comprimento do equador dirigindo (24.901 milhas rodoviárias; 40,075km), foi batido por Saloo Choudhury e sua esposa Neena Choudhury (ambos IND). A jornada levou 69 dias 19h5min de 9/9 a 17/11/1989. O casal dirigiu um 1989 Hindustan "Contessa Classic" começando e terminando em Délhi, Índia.

Fora de escala

Dia 1
Distância: 43km remada em canoa de guiga (timoneiro Chad Cabral)
Subida: 0m-0m

Entre 1-3/2/2021, o explorador Victor Vercovo e o cientista marinho dr. Clifford Kapono (ambos EUA) se tornaram as 1ªs pessoas a escalar o Mauna Kea no Havaí, EUA, do fundo do mar ao topo. Mauna Kea é a montanha mais alta do mundo: da base ao pico, tem 10.200m, embora mais da metade fique submerso. O Everest se estende *mais* acima do nível do mar, mas não é tão alto no total. Aqui, acompanhamos a ascensão pioneira de 9.323m em submersível de profundidade, canoa, bicicleta e a pé.

PESSOA MAIS JOVEM A ESCALAR AS 2 MONTANHAS MAIS ALTAS DA TERRA
Em 27/7/2021, aos 19 anos e 138 dias, Shehroze Kashif (PAK, n. 11/3/2002) chegou ao topo do K2 (8.611m) na fronteira entre China e Paquistão, tornando-o a **pessoa mais jovem a escalar o K2**. Ele chegara ao topo do Everest só 77 dias antes. Kashif começou a escalar aos 11 anos, no pico Makra (3.885m), no Paquistão.

Dia 1
Distância: 5,1km do fundo do mar à superfície
Subida: -5,116m-0m

FAÇANHAS EXTRAORDINÁRIAS

PRIMEIRA MULHER ASIÁTICA A ESQUIAR SOLO ATÉ O POLO SUL
Partindo da enseada Hercules em 21/11/2021, a médica do Exército Britânico Preet Chandi (RU) chegou ao polo Sul em 3/1/2022. Seu tempo de 40 dias 7h3min é o 3º mais rápido por uma mulher. Johanna Davidsson (SWE) é a **mulher mais rápida** a fazer essa viagem sozinha até hoje: 38 dias 23h5min em 2016.

PESSOA MAIS JOVEM A ESCALAR OS 7 PICOS VULCÂNICOS (MASC.)
Em 22/12/2021, aos 24 anos 119 dias, Yousef Al Refaie (n. 25/8/1997), do Kuwait, chegou ao seu 7º pico vulcânico: monte Sidley, na Antártica. Sua missão para escalar o vulcão mais alto de cada continente começou com o Kilimanjaro, na Tânzania, em 30/12/2015. Aqui ele acena com a bandeira do Kuwait no topo do Elbrus, na Rússia.

PRIMEIRA CIRCUM-NAVEGAÇÃO SOLO POR PESSOA COM AMPUTAÇÃO DUPLA
Dustin Reynolds velejou por 7 anos e meio em 4/12/2021, voltando ao Havaí, EUA, onde nasceu. Sua perna e seu braço esquerdos foram amputados após cair de motocicleta. Reynolds resolveu encarar esse desafio — apesar de não ter experiência velejando! — depois de ler sobre outras circum-navegações solo.

MAIS TRAVESSIAS A NADO PELO CANAL DA MANCHA
Chlöe McCardel (AUS) nadou entre o RU e a França pela 44ª vez em 13/12/2021, ratificado pela Channel Swimming Association. Seus registros incluem 3 travessias duplas e 1 travessia tripla. Seu tempo médio para a travessia do canal de 33km é de pouco menos de 10h25min.

PILOTOS MAIS JOVENS A CIRCUM-NAVEGAR SOLO O MUNDO EM AERONAVE
Masculino: Travis Ludlow (RU, n. 19/2/2003) tinha 18 anos e 149 dias quando completou sua jornada pelo ar em Teuge, Holanda, em 12/7/2021. Ele pilotou um monomotor Cessna 172R de 2001.
Feminino: Zara Rutherford (BEL, n. 5/7/2002) tinha 19 anos e 199 dias quando desceu em Kortrijk, Bélgica, em 20/1/2022. Isso também a tornou a **pessoa mais jovem a circum-navegar o mundo solo em ultraleve**.

FAÇANHAS EXTRAORDINÁRIAS
Sem limites

PRIMEIRA PESSOA A CRUZAR UM OCEANO EM BARCO CONTROLADO PELA BOCA
Natasha Lambert (RU), que tem paralisia cerebral discinética, liderou um grupo de 5 pessoas pelo Atlântico no *Blown Away*, entre Gran Canária e Santa Lúcia, de 22/11 a 11/12/2020. Seu pai montou o barco com uma tecnologia conhecida como "sip and puff", que permite controlar o navio com apenas respiração e língua. A viagem durou 18 dias 21h39min.

Em 1/7/2013, Lambert — que vive na ilha de Wight — tornou-se a 1ª pessoa a cruzar o canal da Mancha em barco controlado pela boca. Aos 16 anos, ela foi de Boulogne para Dover, RU, em 4h30min.

Primeiro amputado a completar a Marathon des Sables
Criada em 1986, esta ultramaratona de 6 dias que atravessa o Saara pelo sul do Marrocos tem 251 km — cerca de 6 maratonas regulares. Em abril de 1996, o ex-oficial do exército britânico Chris Moon (RU) tornou-se o 1º amputado a terminar a corrida. Ele havia perdido o braço e a perna direitos durante a limpeza de um campo minado no ano anterior.

Primeira expedição para o polo Sul por um amputado
O atleta paralímpico Cato Zahl Pedersen (NOR), que perdeu o braço esquerdo e metade do direito em um acidente aos 14 anos, foi da ilha Berkner, na plataforma de gelo de Filchner-Ronne da Antártica, ao polo Sul de nov a dez/1994. Ele chegou ao polo em 28/12, com os colegas noruegueses Odd Harald Hauge e Lars Ebbesen como parte da expedição "Sem braços ao polo Sul", atravessando 1.400km em 56 dias.

O oficial da Marinha Real Alan Lock (RU) completou a **1ª expedição ao polo Sul por uma pessoa cega** entre 25/11/2011 e 3/1/2012. Ele saiu da costa, acompanhado por dois companheiros com visão — Andrew Jensen e Richard Smith — e a guia Hannah McKeand, ex-dona do recorde feminino da **expedição mais rápida ao polo Sul** (ver p.97). A partir da Filchner-Ronne, eles cobriram 890km em esquis e trenós em 39 dias.

Maior jornada em cadeira de rodas
Entre 21/3/1985 e 22/5/1987, Rick Hansen (CAN) — que ficou paralisado da cintura para baixo em 1973 — rodou 40.075km, atravessando 4 continentes e 34 países. Ele começou e terminou a jornada em Vancouver, British Columbia, Canadá. Sua viagem épica arrecadou US$24 milhões para pesquisa de lesões na medula espinhal.

Cruzamento do Catar mais rápido em cadeira de rodas
Ahmed Al-Shahrani (QAT) atravessou o Catar de sul a norte em 1 dia 17h55min, terminando em Al Ruwais em 3/4/2021. Ele queria homenagear e incentivar a participação de pessoas com deficiência nos esportes.

Maior distância vertical em parede de escalada usando 1 mão em 1h (feminino)
A alpinista paralímpica Anoushé Husain (RU), que nasceu sem o antebraço direito e tem diversos problemas de saúde, fez uma elevação equivalente a 374,85m em uma parede de escalada no Castle Climbing Centre em Londres, RU, em 5/4/2022.

Maratona mais rápida (LA2, feminino)
Amy Winters (EUA), amputada abaixo do joelho, levou apenas 3h4min16s para correr a Maratona de Chicago, em Illinois, EUA, em 22/10/2006. Em 16/9/2007, ela também correu a **meia-maratona mais rápida (LA2, feminino)** — 1h25min56s — na Filadélfia, Pensilvânia, EUA. (Para uma lista completa de classificações de atletas paralímpicos do GWR, ver p.11.)

Em 2021, como Palmiero-Winters, ela estabeleceu o recorde da LA2 para **100 milhas mais rápidas em esteira**, ajudando a lançar a Iniciativa de Imparidade do GWR (ver p.10). Descubra outro dos esforços extenuantes desta atleta de resistência ao lado.

Mais ouros nas Surdolimpíadas
• **Masculino**: O nadador Terence Parkin (ZAF) conquistou 29 ouros nas Surdolimpíadas entre 1997 e 2009. Com ao todo 33 pódios — incluindo 1 bronze na corrida de ciclismo em Taipei 2009 —, Parkin acumulou o maior número de medalhas surdolímpicas.
• **Feminino**: A nadadora australiana Cindy-Lu Bailey conquistou 19 ouros entre 1981 e 1997. Seu total de 29 medalhas também é recorde, tornando-a a **maior medalhista surdolímpica (feminino)**.

MAIS OUROS INDIVIDUAIS NO CAMPEONATO MUNDIAL DE PARASURFISMO ISA
Entre 2015-21, Bruno Hansen (DNK) conquistou 6 ouros no campeonato mundial de parasurfismo na Califórnia, EUA. Hansen tornou-se uma lenda no mundo da adaptação atlética. Um roubo de carro o paralisou da cintura para baixo aos 25 anos, e ele diz que o surfe o ajudou a reconstruir sua vida, elogiando seus benefícios físicos, mentais e espirituais. (Ver tabela, à dir., para mais surfistas recordistas.)

CAMPEONATO MUNDIAL DE PARASURFISMO DA ISA

Título	Recorde	Recordista
Mais ouros individuais (feminino)	3	Melissa Reid (RU, esq.) e Victoria Feige (CAN, dir.)
Mais ouros individuais (masculino)	10	Davi Teixeira e Elias Figue Diel (ambos BRA)
Mais medalhas individuais (feminino)	6	Alana Nichols (EUA)
Mais medalhas por equipe	5	Brasil e EUA
Campeão mais jovem	11 anos e 138 dias	Davi Teixeira
Campeão mais velho	59 anos e 351 dias	Mark "Mono" Stewart (AUS)

Fonte: Associação Internacional de Surfe

EVEREST CONTRA AS CHANCES

Primeiro amputado
Tom Whittaker (EUA, n. RU): 27/5/1998. Escalou a montanha com uma prótese de pé.

Primeiro amputado de 1 braço
Gary Guller (EUA): 23/5/2003. Na 2ª tentativa, pelo lado sul do Nepal.

Primeira amputada
Arunima Sinha (IND): 21/5/2013. Pelo lado sul com uma prótese abaixo do joelho.

Primeiro amputado nas 2 pernas (lado norte)
Mark Inglis (NZ): 15/5/2006. Com 2 próteses nas pernas.

Primeiro amputado nas 2 pernas (lado sul)
Xia Boyu (CHN): 14/5/2018. Com 2 próteses nas pernas.

Primeira pessoa cega
Erik Weihenmayer (EUA): 25/5/2001. Foi a 1ª pessoa cega a escalar os Sete Cumes (2008).

Primeira pessoa surda (IH2)*
Satoshi Tamura (JPN): 24/5/2016.
*>55dB de perda auditiva

FAÇANHAS EXTRAORDINÁRIAS

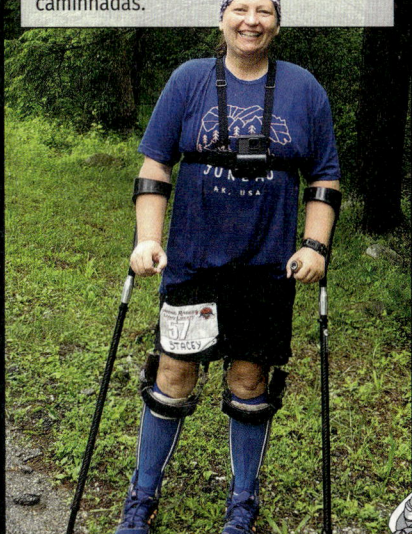

MAIS MEIAS-MARATONAS COMPLETAS EM 1 MÊS
Stacey Kozel (EUA) terminou 23 meias-maratonas em 18 estados dos EUA de 18/6 a 17/7/2019. Ela também fez o **maior nº de meias-maratonas com muletas em um ano** — 90 — até fev/2020. Lúpus — uma doença autoimune — deixou Kozel paralisada da cintura para baixo, mas, com a ajuda de cintas, ela se recusa a deixar de fazer suas amadas caminhadas.

PRIMEIRO AMPUTADO A ATRAVESSAR UM OCEANO A REMO SOLO
De 9/1 a 11/3/2019, Lee "Frank" Spencer (RU) atravessou o Atlântico de Portimão, Portugal, para Caiena, Guiana Francesa, no *Rowing Marine*. Com 5.856km, esta é a **maior distância remada solo por um amputado**. Seu tempo de 60 dias 16h6min também é a **mais rápida travessia a remo solo da Europa à América do Sul**.

▶ MAIOR SALTO DE RAMPA DE CADEIRA DE RODAS
O astro do wheelchair motocross Aaron Fotheringham (EUA) saltou por um espaço de 21,35m entre rampas em 20/7/2018, na Califórnia, EUA. No mesmo dia, ele bateu mais 2 recordes de cadeira de rodas: o **quarterpipe dropin mais alto** e o **handplant mais alto** — ambos de 8,4m.

PRIMEIRO SKATISTA SEM PERNAS A COMPLETAR UM LOOP
Em 8/10/2019, o brasileiro Felipe Nunes conquistou o "Tony Hawk's Loop of Death" em Vista, Califórnia, EUA. Seu primeiro skate foi presente de um vizinho. Sua praticidade logo o agradou e em pouco tempo Felipe usava um para se locomover em vez da cadeira de rodas.

AERONAVE MAIS PESADA PUXADA POR 100M POR GRUPO DE CADEIRANTES
Em 23/11/2018, o "Wheels4Wings" colocou 98 cadeirantes para transportar um Boeing 787-9 Dreamliner de 127,6ton. O Aeroporto de Heathrow, a British Airways e a Aerobility (todos RU) facilitaram o feito, que angariou fundos para pessoas com deficiência terem maior participação na aviação.

PRIMEIRA AMPUTADA A COMPLETAR A MARATHON DES SABLES
Amy Palmiero-Winters (ver ao lado) terminou essa corrida no deserto do Saara entre 7-12/4/2019. Ela — que treinava fazendo burpees em uma sauna — tinha uma prótese na perna coberta por uma pintura refletora e modificada para abrigar uma câmara de isolamento.

PRIMEIRA TETRAPLÉGICA PILOTO DE CORRIDAS
Em 2/5/2015, Nathalie McGloin (RU) dirigiu no circuito Brands Hatch, em Kent, RU, tendo conseguido sua licença de corrida dias antes. Desde então, desfrutou de uma série de retas finais no Top 10 Porsche Club Championship, e também corre no Classic Sports Car Club, em ambos os casos contra condutores não tetraplégicos. Em 2016, cofundou a instituição Spinal Track, que dá a outros motoristas deficientes a oportunidade de correr em carros modificados.

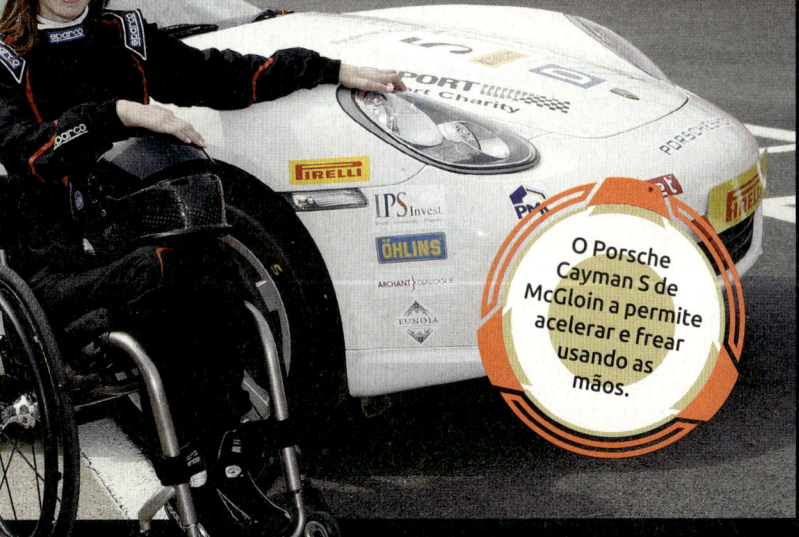

O Porsche Cayman S de McGloin a permite acelerar e frear usando as mãos.

FAÇANHAS EXTRAORDINÁRIAS
Variedades

Primeiro triple flair de BMX
Em 6/11/2022, o BMXer profissional Kieran Reilly (RU) deu 3 backflips seguidos de uma rotação de 180° no Asylum Skatepark em Sutton-in-Ashfield, Nottinghamshire, RU.

Maior distância a acertar um dardo na mosca
Paul Webber (NZ) atingiu o centro de um alvo de dardos a 7m em Auckland, Nova Zelândia, em 17/7/2021.

Field Goal mais longo de futebol americano vendado
Daniel Schuhmacher (DEU) — jogador do Düsseldorf Rhein Fire — chutou para 50 jardas em Colônia, Alemanha, em 25/3/2021. Isso é mais do que 5 ônibus londrinos!

Menor tempo para construir a Millennium Falcon™ (#75192) de LEGO®
Em 28/8/2021, Joshua LaFrance (EUA) construiu a espaçonave de Han Solo em 21h36min29s em Forest, Virgínia, EUA. Com 7.541 peças, este era o **maior conjunto de LEGO** — um recorde hoje detido pelo *Titanic* (#10294), de 135cm de comprimento e 9.090 peças.

Menor tempo para resolver um cubo mágico vendado
Tommy Cherry (EUA) demorou só 14,61s para completar um cubo mágico 3x3x3 vendado. Seu feito foi ratificado na competição Florida Big & Blind & Time em Orlando, EUA, em 13/3/2022.

O **menor tempo para resolver 3 cubos mágicos fazendo malabarismo** é de 4min31,01s, por Angel Alvarado (COL) em Bogotá, Colômbia, em 1/4/2022.

Maior tempo equilibrando uma motosserra na testa
O recordista em série David Rush (EUA) equilibrou uma motosserra na testa por 31min25s em Boise, Idaho, EUA, em 14/12/2021. A serra não estava ligada.

Maior tempo girando 3 bambolês com patins de salto alto
Em 16/9/2021, Symoné, ou Rachel Brown (RU), girou um trio de bambolês por 4min3s equilibrada sobre um par de patins de salto alto, em Londres, RU.

Veículo mais pesado empurrado por mais de 30m
Em 14/5/2021, Troy Conley-Magnusson (AUS) empurrou um caminhão de 11.770kg por 30,4m em Brisbane, Queensland, Austrália. Essa façanha arrecadou US$20.000 para instituições de caridade locais e foi dedicada ao seu mentor, o canadense Kevin Fast (ver p.83), e Ava, uma jovem sobrevivente de leucemia.

MENOR TEMPO PARA BEBER 1L DE MOLHO DE TOMATE
Em 9/7/2021, Mike Jack (CAN) bebeu 1l de molho de tomate em 1min32,54s em London, Ontário, Canadá. (O recorde de **ketchup** é uma garrafa de 396g em 17,53s pelo alemão André Ortolf.) Mike é um comedor competitivo vegano que quer usar seus títulos do GWR para provar que você pode ser vegetariano, mas ainda se divertir com a comida. Veja abaixo mais 3 de seus feitos superlativos.

Menor tempo para comer alface *(peso mínimo 163g)*	1min31,05s	6/3/2021
Menor tempo para comer 3 pimentas Bhut Jolokia	9,75s	26/1/2019
Mais pimentas Bhut Jolokia comidas em 1min	97g	2/3/2019

MAIS WINGS DE SAPATEADO EM 1MIN
A coreógrafa indicada ao Emmy Chloe Arnold (EUA) executou 123 wings em Los Angeles, Califórnia, em 13/4/2022. Nesse passo, a perna direita se move em um círculo no sentido horário enquanto a esquerda executa um círculo no anti-horário.

MAIS ESPADAS ENGOLIDAS DE CABEÇA PARA BAIXO
Em 10/2/2022, o engolidor de espadas Franz Huber (DEU) deslizou 9 lâminas pela garganta enquanto estava suspenso em Milão, Itália. Também detém recordes para a **espada engolida mais curva** (com 133°, na foto) e **mais espadas engolidas simultaneamente** (28).

MAIOR MARATONA DE HÓQUEI NO GELO
O Chestermere Recreation Center, em Alberta, Canadá, foi palco de uma batalha épica no gelo de 261h15s entre 30/3-11/4/2022. Quarenta participantes jogaram quase uma temporada inteira da NHL no gelo para arrecadar fundos para o Alberta Children's Hospital Foundation.

Maiores maratonas de esportes em 2021		
Futevôlei	24h	D Neuhold, L Saurugger, J Hofmann-Wellenhof e K Hofmann-Wellenhof (todos AUT)
Outdoor bowls (individuais)	28h23min	Colin Haysham e Nicholas Third (ambos NZ)
Four square	30h2min	A Grence, Chris Hetzel, Cole Hetzel, G McElwee, A Harris, M Harris, M Jackman, J Blair, R Turnbill e D Grence (todos USA)
Touch rugby	33h33min	Hoylake Rugby Club (RU)
Futebol de cinco	75h	Permanent Staff, Catterick Garrison (RU)
Basquete	120h2min	Revelas Family Foundation (EUA)

MAIS PEGADAS EM MALABARISMO DE 6 OBJETOS COM MÃOS E PÉS EM 30S
Em 9/11/2021, Kimberly Lester (RU) pegou 87 vezes 6 bolas de futebol tamanho 5 com mãos e pés em Benidorm, Espanha. Kimberly é uma renomada artista de malabarismo com pés que se apresenta em todo o mundo.

FAÇANHAS EXTRAORDINÁRIAS

MAIS "DOUBLE UNDER TO FROG SKIPS" CONSECUTIVOS
Geraldo Alken (NLD) executou 7 desses exaustivos truques consecutivamente em Papendrecht, Holanda, em 3/10/2021. Um "double under" é um salto em que a corda é passada duas vezes sob os pés. Para um "frog", o desafiante cai sobre as mãos antes de voltar à posição vertical e passar a corda sob os pés outra vez antes de pousar.

MAIS…
Giros horizontais de 360° em túnel de vento em 1min: 60, por Fuyuki Kono (JPN) em Koshigaya, Saitama, Japão, em 23/7/2021.

Colheres equilibradas no corpo: 85, por Abolfazl Saber Mokhtari (IRN) em Karaj, Irã, em 24/12/2021.

Cabers jogados em 1h: 161, por Jason Baines (CAN) nos Montreal Highland Games em Quebec, Canadá, em 1/8/2021.

Ollies consecutivos no skate: 323, por David Tavernor (RU) em Norwich, Norfolk, RU, em 23/8/2021.

MAIOR CAMINHADA DE CORDA BAMBA…*

Entre teleféricos
Em 2/9/2021, Yannick Loerwald, Justin Kroppa e Thomas Spöttl (todos AUT) cruzaram uma corda bamba de 65m entre duas gôndolas suspensas a 200m do vale Brandnertal, na Áustria.

Entre dois balões
Quirin Herterich (DEU) caminhou 88m descalço ao longo de uma corda bamba entre os topos de 2 balões sobre Rottach-Egern, em Tegernsee, Alemanha, em 10/10/2021. A travessia — em uma faixa de poliamida de 25mm — levou 6min41s, após a qual Herterich fez a viagem de volta e, então, foi de rapel até o chão.

Vendado
Alexander Schulz (DEU) andou por uma corda bamba de 1.712m a uma altura de 800m acima do Cañón del Sumidero, em Chiapas, México, em 30/12/2021. A caminhada durou 1h15min, mas o planejamento do evento durou 2 anos. A tentativa dobrou o recorde pessoal de Schulz para uma caminhada sem venda!

*Ratificados pela International Slackline Association (ISA)

MAIOR DISTÂNCIA DE LANÇAMENTO DE MÁQUINA DE LAVAR
Johan Espenkrona (SWE) lançou uma máquina de lavar (peso mínimo: 45,3kg) a uma distância de 4,45m em Milão, Itália, em 15/2/2022.
Naquele dia, ele superou Kelvin de Ruiter (NLD), que ainda detém vários títulos GWR, incluindo o **menor tempo para virar um carro 5 vezes** — 41,27s — e **20m mais rápido carregando um piano** — 15,8s — ambos também de fev/2022.

MAIS LATAS CORTADAS AO MEIO COM OS DENTES
Quem precisa de abridores de lata?! Em 3/2/2022, René "Golem" Richter (CZE) abriu 36 latas com os dentes em 60s em *Lo Show dei Record*, em Milão, Itália. No mesmo programa, 10 anos antes, ele havia alcançado o **maior peso suportado pela boca**: um banco de madeira com capacidade para 6 mulheres, totalizando 173,5kg.

MAIOR TORRE DE PLATAFORMAS EQUILIBRADAS EM ROLLA BOLLA
Uma rolla bolla, ou prancha de equilíbrio, é um aparato de circo composto por uma prancha equilibrada em um cilindro. Em 20/9/2021, Rubel Medini (ITA) ergueu uma torre de 11 prateleiras sobre uma única rolla bolla em Benidorm, Espanha, e ficou em cima dela por no mínimo 5 segundos.

RETRATO

Boneco de neve mais alto

Olympia é o boneco de neve mais alto do mundo — bem, tecnicamente, boneca de neve! —, com uma altura superior à da Estátua da Liberdade. Essa torre de neve dominou por um breve tempo a vista de Bethel, no Maine, EUA, mas a colocamos aqui em um local do país que serviu de inspiração para seu nome.

O nome "Olympia" significa "do Olimpo", a montanha na Grécia considerada o lar dos deuses. Então, para visualizar a enormidade dessa deidade de neve, nós a colocamos em uma montanha rochosa na capital da Grécia, Atenas, e nas ruínas de um famoso templo antigo: o Partenon.

A cidade de Bethel, no condado de Oxford, Maine, recebe o triplo da média de neve dos EUA. Em 1999, os moradores da cidade usaram a neve para erguer Angus, Rei da Montanha, um boneco de neve da altura de um prédio de 10 andares que quebrou recordes e fez a cidade receber seu 1º certificado GWR.

Vamos pular para 2008, quando a Câmara de Comércio de Bethel buscava ideias para atrair turistas e alguém sugeriu reconstruir um boneco de neve colossal e bater o próprio recorde…

Finalizada em 26/2 daquele ano, depois de um mês de trabalho, a boneca de neve de Bethel, que bateu novos recordes, tinha 37,21m, vencendo Angus por 2,58m. Como cenouras gigantes são raras (ver p.86!), as crianças da cidade fizeram seu nariz de treliça de arame e gaze; deram a ela um sorriso cativante feito de pneus e usaram esquis para os cílios.

Os deuses gregos podem ser imortais, mas Olympia não: ela derreteu cinco meses após ser criada.

FAÇANHAS EXTRAORDINÁRIAS

A Olympia de neve ganhou esse nome por causa de uma senadora do Maine. O nome dela? Olympia Snowe!

Cílios: 8 pares de esquis

Gorro de fleece: 14,6m de diâmetro

Olhos: guirlandas de 1,2m de diâmetro e 2 pneus para as pupilas

Lábios: 5 pneus vermelhos

Corpo: 5.890t de neve

Cachecol: 39,6m de extensão

Nariz: "cenoura" de 2,4m de treliça de arame e gaze

Pingente: floco de neve de 1,9m de diâmetro feito de mica

Braços: 2 abetos de 9m

Botões: 3 pneus de caminhão de 1,5m de diâmetro

Se sobrevivesse ao calor da Grécia, Olympia seria 23,5m mais alta que o Partenon!

Dos pés ao topo da cabeça, a Estátua da Liberdade, na Liberty Island em Nova York, tem 34m de altura — só uns metros mais baixa que o Olympia (medida da ponta do gorro).

JOVENS PRODÍGIOS
Wang Guanwutong

Uma preciosa dupla de breakdancers chineses marcou o Dia GWR 2021 da única forma que eles sabiam: dominando a pista de dança e mostrando seu talento.

Wang Guanwutong, de 11 anos, faz breakdance há 7 e já apresentou seus movimentos de b-boy na TV chinesa. Tinha 5 anos quando tentou air flares pela 1ª vez — um movimento acrobático no qual o dançarino alterna o apoio nas mãos enquanto gira as pernas no ar. Ele diz que passou meses caindo antes de conseguir, mas que adora um desafio e nunca desistiu. Em 29/9/2021, fez a **maior quantidade de air flares (masculino)** — 94, estabelecendo o recorde na 2ª tentativa.

Ainda mais jovem é Qi Yufan, de 7 anos, cujo apelido é Guoguo. Apesar da tenra idade, ela se saiu bem em diversos torneios de breakdance e já está de olho nas Olimpíadas. A menina quebrou o recorde feminino (e geral), com estonteantes 121 air flares seguidos em 10/10/2021.

1. Guanwutong é dono de 2 recordes, tendo também feito a **maior quantidade de air flares em um minuto (masculino)** — 55 — no *Beyond Dreams* (Tianjin TV) em 30/1/2018.

2. Habituado a vencer competições, Guanwutong espera poder um dia representar seu país nas Olimpíadas. O breakdance vai estrear nos Jogos de Paris 2024.

Quando começou a fazer breakdance e o que o atraiu para o esporte?
Danço desde que tinha 4 anos. Vi na TV e achei muito legal.

Alguma dica para iniciantes?
Faça um bom treinamento básico e comece devagar. Você não aprende o breakdance em 1 ou 2 dias. Continue e nunca desista.

Quem são suas inspirações?
Meu pai, que foi a primeira pessoa a me levar a um estúdio de dança, e meu treinador Geng Bin.

Quais foram os pontos altos de sua carreira?
Dançar com meu ídolo, Bouboo [breakdancer do hip-hop francês], em sua última apresentação na 3ª temporada do *Street Dance of China*. E conquistar 2 recordes do GWR!

Como é ter 2 recordes?
É um prazer e uma honra. Se você se esforçar, seus sonhos vão virar realidade.

Você vê o breakdance como uma carreira de longo prazo?
A estrada à frente é longa e imprevisível, mas vou continuar dançando. Isso se tornou parte da minha vida. E no futuro, vou fazer muito mais gente dançar!

Qi Yufan

Quando começou a fazer breakdance?
Em out/2018, com 4 anos e meio. Eu me apaixonei ao ver os reality shows de hip-hop com meu pai.

Com que frequência treina?
Todo dia — um pouco menos quando tenho escola e mais nos fins de semana.

Qual é a melhor coisa do breakdance?
Me traz alegria e me ajudou a fazer um monte de amigos.

Quem a inspira no mundo do breakdance?
Meu pai. Embora não saiba dançar, ele aprende muito vendo vídeos e pede conselhos ao meu professor.

O que sua família e amigos pensam de você ter um recorde?
Estão muito felizes e orgulhosos. Mas minha mãe disse para eu não ficar arrogante!

Quais são suas ambições com o breakdance?
Continuar dançando. Quero ir para os melhores lugares — as Olimpíadas, por exemplo.

1. Yufan mantém seu certificado do GWR na parede do quarto. "Olho para ele todo dia", diz. "É uma recompensa que me motiva."

2. Mesmo tendo participado de várias competições de breakdance, Yufan admite que ainda se sente nervosa. Seu conselho para iniciantes é "ouvir a música e praticar"!

JOVENS PRODÍGIOS
Michael "Dog" Artiaga

Quando Michael Artiaga (EUA, n. 20/11/2007) entrou no Campeonato Mundial de *Tetris* Clássico (CTWC), ele não tinha ideia de que faria história — ou que o último jogador entre ele e a glória seria seu próprio irmão!

Michael — ou DogPlayingTetris, ou Dog, para resumir — sempre se interessou por eletrônicos, e começou a codificar com 5 anos. Mas só engrenou no *Tetris* no Nintendo em 2019, inspirado pela vitória do CTWC 2018 de Joseph Saelee, de 16 anos.

Em dez/2020, Michael e o irmão mais velho, Andy (ou PixelAndy), se juntaram a 300 qualificados para o torneio do ano e abriram caminho até a final. O duelo de roer as unhas em 6/12 entrou no 5º set decisivo, com ambos os irmãos atrás da última tela; Michael, no entanto, marcou o "máximo" (999.999 pontos) para uma vitória estonteante. Com apenas 13 anos e 16 dias, ele tinha se tornado o **mais jovem campeão do Campeonato Mundial de *Tetris* Clássico.**

Quem apresentou você ao *Tetris*?
Joguei pela 1ª vez em um Game Boy de meu pai, mas não liguei muito. Foi só depois de assistir aos vídeos da final do CTWC 2018 entre Joseph Saelee e Jonas Neubauer que me interessei.

O que atraiu você ao jogo?
Tetris é diferente de outros jogos que são jogados competitivamente, por causa da quantidade de raciocínio rápido e compreensão necessários.

O que é "hypertapping"?
É uma técnica em que, em vez de segurar os botões, você os aperta mais de 10 vezes por segundo. Antes disso, as pessoas simplesmente seguravam os botões da direita e da esquerda para mexer as peças, o que não é muito rápido.

Você é bom em outros games?
Sou decente no speedrunning do *Super Mario Bros*. Na verdade, esse jogo tem muitas coisas em comum com o *Tetris*.

Como foi competir — e ganhar — de seu irmão?
Foi surreal. Era a 1ª vez que competíamos no campeonato mundial, então não esperávamos chegar nas finais. Quando aconteceu, estávamos querendo apenas fazer nosso melhor jogo. Acabar em 1º e 2º lugares foi incrível.

Como é ser o melhor no mundo em uma coisa?
Quando penso nisso, acho inacreditável. Quando comecei a jogar *Tetris*, nem esperava que chegaria perto dos profissionais. Me senti ótimo quando gente de todo o mundo me deu os parabéns quando ganhei. Mudou minha vida.

O que significa ser reconhecido no GWR?
É um sonho. Lembro-me de ler os livros do *GWR* na escola e ver vídeos no YouTube. Nunca teria esperado me tornar um deles.

1. Michael e Andy com os pais — que ficaram "superanimados" ao ver seus filhos na final.

2. Michael recebeu US$3.000 de prêmio, com os quais comprou uma bateria e uma guitarra, e também investiu em criptomoedas (ver p.202-03).

3. O CTWC 2020 aconteceu on-line, então cada irmão Artiaga estava em um quarto diferente da casa. Momentos depois da vitória de Michael na final competitiva (na foto), Andy apareceu para dar um high-five de parabéns.

4. Os irmãos Artiaga com seus troféus. Michael seguiu como campeão em 2021, vencendo Jacob Huff por 3 jogos a 1; seu irmão Andy terminou em 4º em 2021.

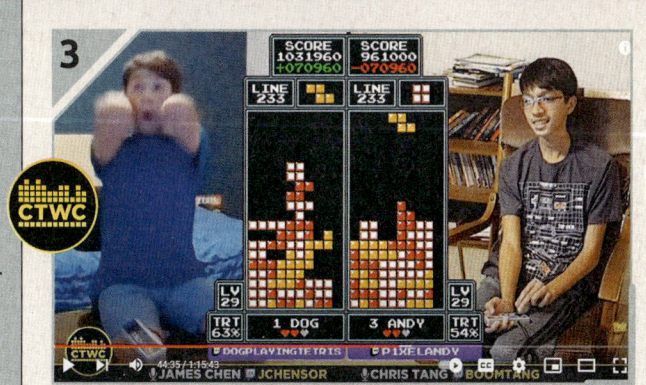

Para saber mais sobre os jovens prodígios recordistas, visite kids.guinnessworldrecords.com

JOVENS PRODÍGIOS
Abhimanyu Mishra

Imagine um "grande mestre de xadrez". É muito provável que você esteja pensando em alguém, digamos, mais velho...? Porém, Abhimanyu "Abhi" Mishra (n. 5/2/2009) de New Jersey, EUA, está vencendo preconceitos etários tão bem quanto vence seus oponentes.

Durante um campeonato na Hungria em 30/6/2021, Abhi conquistou sua 3ª "norma de grande mestre" com a vitória, o que, por sua vez, fez seu rating Elo (uma forma de pontuação que mede a habilidade de um jogador de xadrez) ir além do limite de 2.500 pontos. Com essas conquistas, ele não apenas podia reivindicar a estimada medalha de honra "GM", como também, aos 12 anos e 145 dias, tornar-se o **grande mestre de xadrez mais jovem** na história do jogo.

Mas esse prodígio não quer parar por aí. "Agora que me tornei grande mestre, a verdadeira jornada começa. Há tanto para aprender e fazer, e quero me tornar um super grande mestre [com Elo de 2.700 pontos] aos 15 anos. Meu objetivo é me tornar campeão mundial um dia."

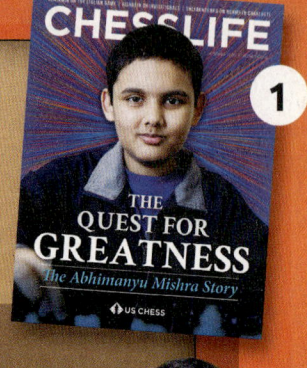

Quem lhe apresentou ao xadrez?
Meu pai, quando eu tinha 2 anos e meio. Comecei a competir em torneios aos 5. Ele me inspirou, pois foi meu primeiro mestre.

Quando percebeu que tinha uma afinidade especial com o jogo?
Como fui apresentado ao xadrez bem cedo, ele se tornou parte de minha vida. Depois que comecei a participar de campeonatos, percebi que era bem divertido e passei a gostar ainda mais.

Quais são os benefícios do xadrez?
O jogo ajuda nas habilidades analíticas e matemáticas. É bem parecido com a vida real. Auxilia na tomada de decisões fundamentais.

Achava que ia se tornar um grande mestre?
Desde que comecei a jogar, meu objetivo sempre foi me tornar o **grande mestre mais jovem**. Nesse ínterim, tive que alcançar outros marcos, inclusive me tornar o **mestre internacional mais jovem** [aos 10 anos e 276 dias].

Quantas horas você pratica por dia?
Desde a pandemia, tenho trabalhado 10-12 horas por dia, mas, em geral, são 7-8 horas de xadrez. Isso inclui aprender sobre aberturas e finalizações, além do meio do jogo, táticas e xadrez on-line.

Se pudesse jogar com qualquer pessoa, de qualquer época, quem seria?
Teria adorado jogar com [o campeão mundial de xadrez] Bobby Fischer. Seu amor pelo jogo era inigualável. Sua devoção [foi provada] pelo fato de ele ter aprendido russo, pois toda a literatura do jogo naquele tempo era nesse idioma.

Onde você se vê em dez anos?
Quero ser o melhor no mundo do xadrez e governá-lo como um rei. Eu me vejo no Campeonato Mundial de Xadrez... ou talvez *como* o campeão mundial!

Para saber mais sobre os jovens prodígios recordistas, visite kids.guinnessworldrecords.com

1. Abhimanyu se tornou um astro na comunidade de xadrez, especialmente desde que virou grande mestre. Ele apareceu na imprensa do mundo todo, inclusive na capa da revista *Chess Life*.

2. Para dar um tempo do tabuleiro, Abhi gosta de ler e jogar videogames.

3. Abhi conquistou seu primeiro troféu em um torneio aos 5 anos.

4. Magnus Carlsen, o campeão mundial atual, é um herói: "Podemos aprender tanto com ele", diz Abhi.

5. A **grande mestra mais jovem** é Hou Yifan (CHN, n. 27/2/1994), que chegou a esse nível em 2008, aos 14 anos e 184 dias.

JOVENS PRODÍGIOS
Scarlett Cheng

Se tem uma coisa que Scarlett Cheng (CHN) sabe é que nunca é cedo demais para começar a colecionar. Ela tem a maior coleção de protetores labiais — verificada em 24/4/2021 com chocantes 3.388 itens — com apenas 7 anos!

Scarlett vive em Hong Kong, na China, com seus pais e sua coleção de protetores labiais. No lugar de honra, está seu primeiro protetor, um presente de sua avó (ver **3**). Com esse início humilde, Scarlett juntou uma coleção internacional com itens de países distantes, como Israel, EUA e Suécia. Ela tem protetores labiais com sabor de seus doces favoritos — Skittles e M&Ms — e até alguns com gosto de cereais matinais!

Sua irmã mais velha — Kaylyn, de 9 anos — a ajuda na curadoria da coleção. As duas até fazem o próprio protetor labial orgânico e distribuem entre amigos e família. Para Scarlett, colecionar coisas bonitas é bem "divertido e prazeroso".

Por que você começou a colecionar protetores labiais?
Visitamos o Japão nas férias, e o clima estava tão seco que meus lábios começaram a rachar. Fui na farmácia e eles tinham tantos protetores tão lindos e com sabor... que me apaixonei! Acabamos comprando todos os especiais para testar.

Onde guarda seus protetores labiais?
Alguns dos meus favoritos ficam no quarto e o resto, em caixas etiquetadas. Por sorte, protetores labiais são pequenos e não ocupam muito espaço.

Quais são os itens mais raros de sua coleção?
Os protetores do Sour Patch Kids foram bem difíceis de achar em Hong Kong. Tive que encomendar dos EUA.

Existe algum protetor labial que você não tem e gostaria de ter?
Queria ter minha própria marca de protetor labial, com meu nome e rosto nela!

O que sua família e seus amigos pensam de você ser detentora de um recorde?
Muitos deles ficaram impressionados, pois não sabiam que eu tinha tantos. Mas todos estão bem animados e orgulhosos.

Um fato curioso sobre os protetores.
Eles existem desde o século 19. Não é incrível?!

1. Scarlett com a mãe, Joyce. Os pais apoiam completamente a paixão da filha por protetores labiais.

2. Como grandes fãs do *Guinness World Records*, Scarlett e a irmã Kaylyn têm um motivo ainda maior para celebrar a conquista de um lugar na história do GWR. De acordo com a família, ter um título do GWR é um feito "inesquecível".

3. O primeiro protetor de Scarlett é seu favorito. Presente da avó, ele tem o desenho da gata Marie do filme *Aristogatas* (1970, da Disney).

4. Scarlett e Kaylyn também se tornaram especialistas em fazer o próprio protetor labial em casa, usando cera e óleos essenciais.

JOVENS PRODÍGIOS
Olivier Rioux

Seja na quadra de basquete ou só andando na rua, Olivier Rioux, de Quebec, Canadá, está acostumado a se destacar da multidão. O adolescente de 2,13m aproveita ao máximo sua estatura superlativa e está a caminho da fama esportiva.

Aos 2 anos, já era claro que Olivier crescia a um ritmo bem maior que as outras crianças. Seus pais estavam determinados a garantir que ele se sentisse bem e orgulhoso de sua estatura, e o encorajaram a praticar esportes. Aos 5 — quando já tinha 1,57m! —, começou a jogar basquete. Hoje, quer se tornar profissional e hoje faz parte da equipe da IMG Academy em Bradenton, Flórida, EUA.

Candidatar-se a ao Guinness World Records foi ideia do próprio Olivier. Ao folhear um livro do *GWR*, viu que era maior que o **adolescente mais alto**. Em 19/12/2020, aos 14 anos, a altura de Olivier foi verificada em 2,269m: o recorde era dele.

Sabe por que é tão alto?
Os médicos investigaram e acham que só pode ser explicado pela genética. Meu pai mede 2,03m; minha mãe, 1,87m; e meu irmão mais velho, 2,05m.

Como se sente sendo tão alto?
Eu adoro. Sempre fui mais alto que meus amigos de escola ou meus colegas de equipe. Isso é o que a natureza planejou para mim. Aprendi a ficar em paz e feliz com isso.

Qual é a melhor coisa em ser tão alto?
Sou notado onde quer que eu vá. Gosto de interagir com as pessoas que vêm falar comigo, porque cada reação é especial.

O que os oponentes dizem quando veem você em um jogo de basquete?
Eu diria que eles ficam impressionados no início, mas isso não torna o jogo menos físico!

Quais são seus hobbies ou interesses além de basquete?
Gosto de fazer arte abstrata.

Quais são seus planos para o futuro?
Uma carreira no basquete profissional. Pretendo fazer tudo que for preciso para conseguir isso. Também espero ter a oportunidade de impactar minha comunidade por meio de ações ambientais.

Como é ter um certificado GWR?
Para mim é uma conquista porque leio livros do *GWR* desde criança.

1. Programas como o Brookwood Elite, em Quebec, ajudaram Olivier a aprimorar suas habilidades no basquete. Os treinadores elogiaram suas boas mãos e seus passes.

2. Olivier com a família: (da esq.) o irmão Émile, o pai Jean-François e a mãe Anne Gariepy.

3. Olivier diz que a pior coisa de ser alto é ter que passar por portas, pois "às vezes bato com a cabeça e dói".

4. Um dos personagens favoritos de Olivier é o alienígena Groot, de *Guardiões da Galáxia*, porque "ele é alto, amigável e ainda está crescendo".

JOVENS PRODÍGIOS
Tyler Hainey

O prodígio do patinete Tyler Hainey (RU) já dá mortais há anos. Após dominar o backflip simples e duplo, ele se preparou para o próximo desafio: quebrar um recorde estabelecido há uma década por um de seus heróis.

Assim que começou a andar de patinete, Tyler tinha talento. Em 2018, deu seu primeiro mortal — com apenas 6 anos! Naquele mesmo ano, tornou-se campeão sub-8 do RU e continuou a trabalhar nas rampas. Nem um acidente ocasional conseguiu detê-lo, apesar de ter quebrado o queixo após uma queda bem feia. Em 2021, um vídeo mostrando Tyler fazendo seu 1º mortal duplo viralizou, recebendo mais de 100 milhões de visualizações nas mídias sociais.

Mas Tyler poderia bater o recorde de **mais mortais de patinete em 1min** da lenda Dakota Schuetz? A marca de 12 de Kota fora estabelecida em 2012, mas, em 15/1/2022, Tyler deu 15 mortais em 60s. E, em 18/2/2022, também garantiu o recorde de **front flip** — 6 em 1min — em Milão, Itália.

Por que começou a andar de patinete?
Encontrei um em uma loja de brinquedos um dia e vi as manobras legais que dá para fazer nos vídeos do YouTube, então queria experimentar.

E gosta de outros esportes de rua?
Na verdade, andei de motocross aos 3 anos e também posso dar um mortal em uma BMX!

Como se sentiu ao dar o 1º mortal em 2018?
Foi a melhor sensação, pois era tãããããão assustador, mas também bem legal. Eu tinha me esforçado muito para aprender.

... e quanto ao mortal duplo em 2021?
Foi incrível — minhas emoções mostraram o quanto significava para mim. Me esforcei por mais de 3 anos e nunca desisti. Mesmo que tenha caído de cabeça uma vez e tenha doído muito, eu sabia que conseguiria.

Quanto tempo passa treinando?
Três ou 4 dias por semana — em geral, por algumas horas, mas, às vezes, o dia inteiro.

O que mais gosta de fazer?
Gosto de ir à academia, kickboxing e trampolim, pois ajudam nas manobras de patinete.

Acha que patinete pode ser esporte olímpico um dia?
Realmente espero que sim, pois adoraria participar das Olimpíadas com meu patinete!

Alguma dica para outras crianças pensando em levar o patinete para a pista de skate?
O melhor a fazer é pegar proteções e capacete, e andar até ficar confortável. Então pode começar em algumas rampas pequenas. Andar com os amigos é muito bom para ajudar com os nervos.

1. Tyler com seu ídolo Ryan Williams, que faz truques de patinete no Nitro Circus.

2. Como parte dos Scooter Boys, Tyler (2º da dir.) impressionou os juízes do *Britain's Got Talent* com seu audacioso talento em 2022.

3. No topo do pódio do Scoot Jam em out/2018, com os amigos Sam Voke (2º) e Helian González Piñeiro (3º).

4. Tyler praticando no quintal em uma rampa caseira construída por seu pai, Brian.

Para saber mais sobre os jovens prodígios recordistas, visite kids.guinnessworldrecords.com

JOVENS PRODÍGIOS
Rafał Biros

Rafał Biros (POL, n. 28/4/2008) é um cidadão cientista cósmico, um de muitos amadores que se debruçam sobre imagens do espaço para encontrar algo importante. Em 2020, ele se tornou um astro.

Inspirado pelo tio (ver **4**), ele se inscreveu no Sungrazer Project da NASA, que lhe deu acesso a imagens tiradas pelo *Solar and Heliospheric Observatory (SOHO)*. Em 13/11/2020, Rafał percebeu uma mancha móvel curiosa nas imagens. Mais tarde ficou provado que, aos 12 anos e 199 dias, ele se tornara a **pessoa mais jovem a descobrir um cometa** — uma bola celestial de rocha e gelo, neste caso de pouco mais de 10m de largura. "Ainda fico surpreso por ter acontecido" (com a família, à dir.) admitiu para a *Forbes*. "É incrível fazer algo assim."

A descoberta prova que a astronomia — como a quebra de recordes — é algo para todos, de crianças a aposentados. Qualquer um pode observar as imagens do *SOHO* no site **sungrazer.nrl.navy.mil**. Então, caçadores de cometas, o que estão esperando?

Há quanto tempo gosta de astronomia?
Desde o jardim de infância. Voltei a me dedicar em mai/2020, enquanto estudava a distância durante a quarentena de Covid. Aí comecei a procurar cometas.

Quem são suas inspirações?
Descobri o Sungrazer Project com meu tio Szymon, que me ensinou a procurar cometas. Também fui inspirado pelo astrônomo polonês Michał Kusiak. Foi um grande prazer conhecê-lo em pessoa (**2**).

Conte sobre quando se deu conta de que talvez tivesse descoberto um cometa.
Quando relatei o objeto, tinha 99% de certeza de que era um cometa. Fiquei chocado. Então esperei ansioso a confirmação de minha 1ª descoberta!

Seu 1º cometa recebeu um nome?
Foi batizado de SOHO-4094. No Sungrazer Project, não podemos batizar os objetos.

Já descobriu outros?
Sim. Dez do grupo Kreutz e 1 do grupo Meyer.

Quais são seus fenômenos cósmicos favoritos?
Cometas, claro. Mas também gosto de objetos do espaço profundo como nebulosas e galáxias. Infelizmente, elas são muito difíceis de observar.

Tem outros passatempos?
Também tenho interesse em genealogia e estou fazendo minha árvore genealógica. Descobrir os ancestrais também é um processo fascinante.

Qual a sensação de estar no livro GWR?
É incrível! Fico muito honrado e orgulhoso de fazer parte da família GWR.

1. Operado pela NASA e pela ESA, o *SOHO* levou à detecção de mais de 4.300 cometas até hoje.

2. O astrônomo Michał Kusiak — descobridor de 160 cometas e também polonês — é um dos heróis de Rafał.

3. O cometa de cauda dupla NEOWISE — descoberto em 2020 — e a Lua, fotografados por Rafał e o tio Szymon.

4. Rafał se tornou um caçador de cometas por causa do tio — mas insiste que não há rivalidade entre os dois!

5. Rafał em Olsztyn, Polônia, com a estátua do astrônomo polonês do século XVI Copérnico, que estabeleceu que o Sol (e não a Terra) era o centro do universo.

Para saber mais sobre os jovens prodígios recordistas, visite **kids.guinnessworldrecords.com**

JOVENS PRODÍGIOS
Brooke Cressey

Pegue uma ás dos números, adicione um app inovador criado para melhorar performances matemáticas, e qual o resultado? Uma nova recordista do GWR!

Times Tables Rock Stars (*TTRS*) é um programa de exercícios usado por muitas escolas para aperfeiçoar habilidades numéricas. Uma usuária que gostou do app foi Brooke Cressey (RU). Em 2021, aos 8 anos, ela competiu contra quase 400.000 outros jovens matemáticos no concurso *TTRS* England Rocks, uma série de desafios de multiplicação e divisão, e ganhou disparado, respondendo 41.627 questões em menos de 4h — um ritmo de 173 por minuto!

Um mês depois, em 3/12, chegou à **maior pontuação no *TTRS* em 1min** — 210 — em casa em Kent, RU. Seu pai, Mark, fica abismado com os cálculos velozes da filha, revelando que ela chega até a parar de piscar enquanto joga, porque isso atrapalha seu ritmo! E a jornada no GWR de Brooke só está começando... Ela já planeja bater o próprio recorde.

Sempre gostou de matemática?
Bom, sempre gostei de fazer multiplicações e divisões. E quando descobri o app *TTRS*, me apaixonei. Comecei a usar no fim de set/2020 e ainda tenho um vídeo de minhas primeiras tentativas em casa!

Você se lembra de sua 1ª pontuação máxima?
Foi 28.

Acha que consegue melhorar seu total de 210 questões em 1min?
Com certeza! No dia seguinte ao que bati o recorde, consegui uma pontuação de 211 no modo "Garagem", mas não foi oficial.

Tem alguma dica para quem estiver interessado em fazer o desafio *TTRS*?
É preciso treino e dedicação. Também é importante não se sentir pressionado.

O que família e amigos acham de seu recorde mundial?
Estão todos bem orgulhosos, mas acabei ganhando alguns apelidos novos. Agora me chamam de robô ou de Calculadora Humana!

Você superou mais de 400.000 pupilos na competição *TTRS* England Rocks de 2021. Estava confiante de que iria vencer?
Para ser sincera... sim! Tinha certeza de que era capaz, mas só depois que comecei a conseguir ter pontuações altas regularmente.

O que você diria para alguém que acha matemática chato?
Não tem problema, todo mundo tem opiniões diferentes. Mas matemática pode ser divertido com coisas como *TT Rock Stars*! Então por que não experimentar?

1. Brooke com o pai Mark, a mãe Shelley e a irmã Paige. Os pais admitem que não há precedentes na família para a habilidade dela com números.

2. Brooke treina cerca de 30min do *TTRS* toda manhã. Consegue responder 3 questões de multiplicação por segundo!

3. Brooke mostra com orgulho os espólios do sucesso: troféus e produtos do *TTRS*.

4. Seu triunfo no *TTRS* England Rocks 2021 — sob o pseudônimo "Heath Fox" — veio depois de 2.880 respostas certas a mais que o 2º lugar. É claro que ela foi a campeã.

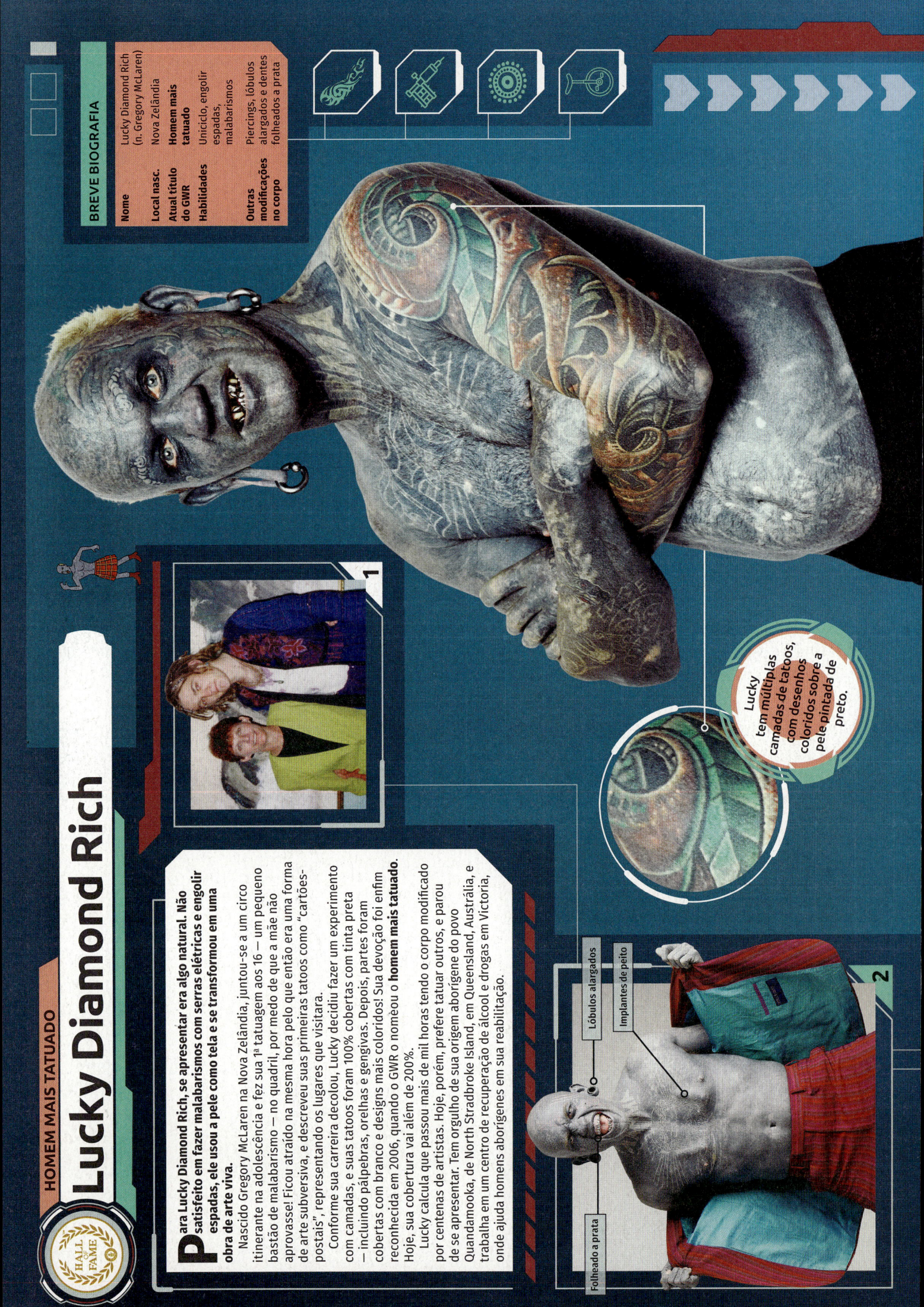

HOMEM MAIS TATUADO
Lucky Diamond Rich

BREVE BIOGRAFIA

Nome	Lucky Diamond Rich (n. Gregory McLaren)
Local nasc.	Nova Zelândia
Atual título do GWR	Homem mais tatuado
Habilidades	Uniciclo, engolir espadas, malabarismos
Outras modificações no corpo	Piercings, lóbulos alargados e dentes folheados a prata

Para Lucky Diamond Rich, se apresentar era algo natural. Não satisfeito em fazer malabarismos com serras elétricas e engolir espadas, ele usou a pele como tela e se transformou em uma **obra de arte viva**.

Nascido Gregory McLaren na Nova Zelândia, juntou-se a um circo itinerante na adolescência e fez sua 1ª tatuagem aos 16 — um pequeno bastão de malabarismo — no quadril, por medo de que a mãe não aprovasse! Ficou atraído na mesma hora pelo que então era uma forma de arte subversiva, e descreveu suas primeiras tatoos como "cartões-postais", representando os lugares que visitava.

Conforme sua carreira decolou, Lucky decidiu fazer um experimento com camadas, e suas tatoos foram 100% cobertas com tinta preta — incluindo pálpebras, orelhas e gengivas. Depois, partes foram cobertas com branco e designs mais coloridos! Sua devoção foi enfim reconhecida em 2006, quando o GWR o nomeou o **homem mais tatuado**. Hoje, sua cobertura vai além de 200%.

Lucky calcula que passou mais de mil horas tendo o corpo modificado por centenas de artistas. Hoje, porém, prefere tatuar outros, e parou de se apresentar. Tem orgulho de sua origem aborígene do povo Quandamooka, de North Stradbroke Island, em Queensland, Austrália, e trabalha em um centro de recuperação de álcool e drogas em Victoria, onde ajuda homens aborígenes em sua reabilitação.

> Lucky tem múltiplas camadas de tatoos, com desenhos coloridos sobre a pele pintada de preto.

Lóbulos alargados
Implantes de peito
Folheado a prata

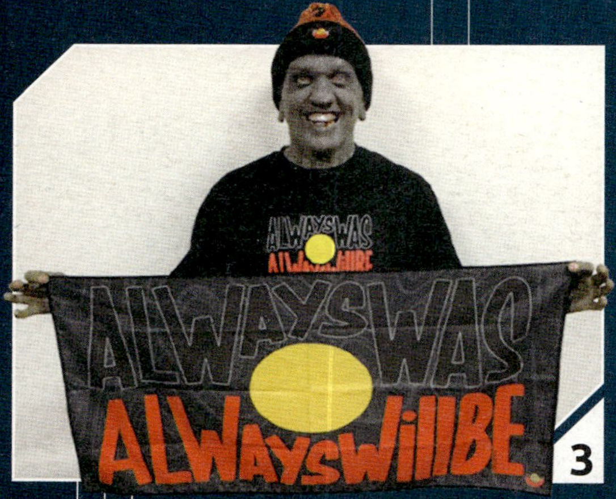

1. Lucky com sua orgulhosa mãe antes de embarcar na odisseia recordista de tatuagem... e antes de assumir o nome atual: "Sou sortudo por natureza, diamantes brutos são preciosíssimos e meu espírito se tornou rico com o aprendizado sobre como ser um bom ser humano!"

2. "Todo mundo reage de forma diferente quando me vê", diz Lucky. "Mas é como o clima: não dá para mudar, então tenho que aceitar." Ele acrescenta: "Debaixo da pele, sou igual a qualquer um, só que com muita tatuagem... O que as pessoas pensam de mim não me interessa! Estou confortável em meu corpo."

3. Lucky tem orgulho de sua origem nativa, e é visto aqui com a bandeira aborígene, feita por Harold Thomas, do povo Luritja, com proteção legal e status político.

4. Posando em um uniciclo de 3m para uma sessão de fotos do GWR, com o editor chefe Craig Glenday olhando para cima. Lucky diz que ter um recorde é "uma honra e um privilégio", e que gosta de ser reconhecido por suas aparições no livro.

5. Lucky passou o recorde de Tom Leppard (RU), o "homem leopardo de Skye", que tinha 99,5% do corpo tatuado. Lucky diz que foi mais fácil para ele do que para outros antigos detentores do recorde, já que muitos dos estigmas sobre tatuagens sumiram desde então.

Saiba mais sobre Lucky na seção do Hall da Fama em www.guinnessworldrecords.com/2023

112

Itinerário

EUA	116
Canadá	118
México	120
Caribe	121
América Central & do Sul	122
RU & Irlanda	124
França	126
Itália	127
Espanha	128
Portugal	129
Países nórdicos	130
Alemanha	132
Países Baixos	133
Leste europeu, do Sul & Central	134
Ásia Setentrional	136
Oriente Médio	138
África	140
Ásia Central & Meridional	142
China	144
Japão	145
Austrália	146
Nova Zelândia	147

Apesar do uso repetido em capas de livros, um meio de transporte que Phileas Fogg não usa no romance é o balão de ar quente!!

Inspirado no romance
Nossa pesquisa itinerante de superlativos é inspirada no livro de Julio Verne, <u>A volta ao mundo em 80 dias</u>, que celebra seu 150º aniversário em 2023. Será que o aventureiro Phileas Fogg e seu criado Passepartout vão ganhar a aposta de dar a volta ao mundo nesse pequeno espaço de tempo?

Volta ao mundo em 300 recordes

Seja bem-vindo ao Grand Tour global do GWR!

Desde a pandemia da Covid-19, todos nós tivemos que nos acostumar a viajar menos. Portanto, para manter nosso espírito aventureiro vivo, o GWR traz o mundo até você! Em cada parada de nossa circunavegação virtual por locais incríveis, você encontrará um quadro de estatísticas e fatos, o "Visão geral", seguido de nossa seleção de recordes imperdíveis. Pense nisso como um aperitivo... Quem sabe, quando as quarentenas e máscaras estiverem finalmente no passado, esse tour imaginário possa se tornar sua passagem para novas aventuras no mundo real?! Bon voyage!

VOLTA AO MUNDO EM 300 RECORDES

EUA

1: Gateway Arch
Onde quer que esteja em St. Louis, Missouri, você verá o majestoso Gateway Arch. O **monumento comemorativo mais alto** tem 192m de altura — o equivalente a um prédio de 63 andares —, e a mesma largura. De aço inoxidável, foi concluído em 28/10/1965 em comemoração à expansão para o Oeste após a Compra da Louisiana em 1803, quando o estado foi adquirido da França de Napoleão, uma transação que dobrou o tamanho dos EUA na época. Para uma vista imponente que se estende por quase 50km, pegue um elevador até o topo do arco.

2: Parque de Diversões Cedar Point
Os viciados em adrenalina terão muitas opções nessa extravagância do entretenimento em Sandusky, Ohio. Há emoções ininterruptas no local com **mais atrações em um parque de diversões** — 72 na última contagem. Dentre as 17 montanhas-russas, há a Top Thrill Dragster, com 128m de altura, a **primeira montanha-russa strata**, ou seja, uma pista de circuito completo com uma queda entre 121,9m e 152m. Segure bem!

3: The Narrows
O Parque Nacional de Zion, em Utah, é um paraíso para quem gosta de acampar e fazer caminhadas. Suas maravilhas naturais incluem o Crawford Arch, uma formação rochosa em curva cujo cume tem cerca de 300m. Mas uma de suas atrações mais sedutoras é The Narrows — o **cânion mais profundo do mundo**. Formado à medida que as águas do rio Virgin foram cortando o Navajo Sandstone, tem cerca de 600m de profundidade, mas suas paredes ficam, no máximo, a 10m de distância. O cânion corta 25km do parque, e leva-se cerca de 13h para atravessá-lo.

4: Dollywood
Dolly Parton é um ícone da música country que veio de "raízes pobres" (palavras dela) e atingiu o sucesso das estrelas. Ela alcançou o **maior número de décadas no Top 20 de músicas country da Billboard**: 6. Seu parque temático, Dollywood, em Pigeon Forge, Tennessee, une montanhas-russas e passeios emocionantes com experiências mais leves, como uma volta de trem pelos trilhos estreitos da Dollywood Express. E, é claro, muita música ao vivo.

5: Graceland
Outra atração imperdível do Tennessee é esta mansão em estilo colonial em Memphis. Foi comprada em 1957 por Elvis Presley, que, 45 anos após sua morte, permanece sendo o **artista solo mais vendido**, com 1 bilhão de vendas pelo mundo. Junte-se aos milhares de fãs que vão até lá todo ano para admirar a decoração kitsch do Quarto Selvagem e acompanhar a trajetória do memorável Rei do Rock na Casa dos Troféus.

6: Teatro Estadual
Os cinéfilos fazendo turismo pelo Meio-oeste vão querer parar em Washington, Iowa, para assistir a um filme no **cinema mais antigo em funcionamento**. Essa sala venerável abriu suas portas em 14/5/1897, e em 5/1/2022 estava em operação contínua por 124 anos e 236 dias. A 1ª película em movimento foi exibida usando um cinematógrafo feito em Paris, com ingressos baratos vendidos a 15¢, cerca de US$5 hoje.

7: Mauna Loa
O Havaí é um destino de férias bucólico, mas também abriga o Mauna Loa, o **maior vulcão em atividade**. Sua cúpula ampla e delicada tem 120km de comprimento e 50km de largura, com fluxos de lava endurecida que ocupam mais de 5.125km² da ilha. Já entrou em erupção 33 vezes desde 1843, quando a primeira delas foi registrada.

8: Estádio Dodger
O Brooklyn Dodgers abandonou Nova York, sua cidade natal, em 1957 e se mandou para a ensolarada Califórnia, renomeando-se Los Angeles Dodgers. Desde a inauguração do Estádio Dodger em 1962, cerca de 150 milhões de fãs já passaram por lá. É o **maior estádio de beisebol da Major League**, com capacidade para 56 mil espectadores sentados em sua configuração padrão. (É verdade que o Oakland Coliseum tem potencial para mais gente, mas só quando as seções adicionais estão abertas.) O campo também já recebeu artistas aclamados, como os Beatles, Michael Jackson e Beyoncé (ver pp.164-5). Então, por que não comprar um ingresso para assistir a um jogo ou a um show?

9: San Antonio
Qualquer pessoa viciada em Velho Oeste deve ir até esta cidade no Texas ver a Missão Alamo. Em 1836, cerca de 200 combatentes sitiados, incluindo Davy Crockett e James Bowie, resistiram ali por 13 dias contra cerca de 2.500 tropas mexicanas antes de serem derrotados. Assim, é um local apropriado para a ⬤ **mais alta escultura de bota de cowboy**. Com 10,74m de altura, o trabalho de Bob "Daddy-O" Wade prova que tudo no Texas é maior. Ela fica do lado de fora do North Star Mall, na San Pedro Avenue, 7.400.

10: Hyperion
Em algum lugar do Parque Nacional Redwood, na Califórnia, há uma imensa *Sequoia sempervirens*, ou sequoia-costeira. Apelidada de Hyperion, é a **árvore mais alta**, atingindo 116,07m em 2019 — ultrapassando facilmente a altura da Torre Elizabeth, em Londres (também conhecida como Big Ben). Este titã também tem a **coroa mais profunda** (medida do topo até o início da folhagem), com 90,9m. A Hyperion foi descoberta em 25/8/2006, mas sua localização permanece em segredo de estado no intuito de protegê-la.

11: Torre do Diabo
Este monte ideal para fotos em Wyoming foi criado há mais de 50 milhões de anos, depois que a lava atravessou a rocha sedimentar, esfriou e encolheu aos poucos. Conforme a rocha mais macia que a envolvia foi erodindo, o marco monolítico surgiu. É composto pelas **mais altas colunas vulcânicas** — algumas chegam a 264m acima das planícies. Os fãs de cinema a conhecem como a montanha misteriosa do filme de Steven Spielberg *Contatos imediatos do terceiro grau* (EUA, 1977).

12: Best Man
Esqueça Las Vegas. Qualquer um atrás de um casamento "rápido" deve ir para Shelbyville, Illinois. É o lar da **capela de casamentos mais rápida** — Best Man, que chega à velocidade de 99km/h. O reverendo Darrell Best equipou este antigo caminhão de bombeiro com vitrais, bancos, um púlpito e até um órgão de tubos. As pessoas podem se casar na estrada ou estacionar em um local de preferência... e ainda pegar uma carona até a festa!

Visão geral
- **Área:** 9.833.517km²
- **População:** 334,9 milhões
- **Fatos importantes:** os EUA ostentam alguns superlativos importantes, como a **maior economia** do mundo, com um PIB estimado de US$22,94 trilhões em out/2021, segundo o FMI. Devido ao seu tamanho, não é de se surpreender que o país também possua o **maior número de aeroportos**: 19.919, de acordo com a contagem mais recente. Curiosidade: você sabia que há 27 versões da bandeira com "estrelas e listras" desde que foi adotada como padrão em 1775?

VOLTA AO MUNDO EM 300 RECORDES

Canadá

Visão geral
- **Área:** 9.984.670km²
- **População:** 37,9 milhões
- **Fatos importantes:** o Canadá é o segundo maior país em área, e divide a **maior fronteira** do mundo com os EUA, de 8.963km. Também tem a **maior costa**, com 243.798km — incluindo milhares de ilhas — e a **maior ilha criada como resultado direto da ação humana:** a ilha René-Levasseur, de 2.020km², em Quebec, formada quando o reservatório Manicouagan, que é grande o suficiente para comportar 2,5 vezes a cidade de Nova York, foi preenchido.

1: Gôndola Peak 2 Peak
Gosta de altura? Então vá até Whistler, na Colúmbia Britânica, onde você vai encontrar o **teleférico mais alto** — 436m em sua maior elevação. Não é local para os acrofóbicos, já que é 55m mais alto que o teto do Empire State. Para uma emoção extra, você pode até escolher uma gôndola especial com chão de vidro! O cabo corre por cerca de 4,4km e conecta os cumes das montanhas Whistler e Blackcomb. O passeio também inclui o **trajeto sem apoio mais longo entre duas torres de teleférico** — um intervalo de 3,02km.

2: Festival de la Galette de Sarrasin
Há diversos incentivos para visitar este evento em Quebec de crepes de trigo-sarraceno, desde pratos de dar água na boca a belos artesanatos locais. E se você estivesse lá em 3/8/2019, teria visto a **maior corrida de demolição**. Essa extravagância destruidora contou com 125 motoristas audaciosos percorrendo uma pista de terra por 50min em Saint-Lazare-de-Bellechasse, um oferecimento dos organizadores Nicolas Tremblay, Julien Fournier e Paul Morin. Dirigindo um Toyota Corolla 2001, Mathieu Langlois foi o vencedor, levando um prêmio de US$7.563.

3: Saint-Louis-du-Ha! Ha!
Só no Canadá você pode enviar um cartão-postal para casa da **cidade com o maior número de pontos de exclamação!** Esse município de Quebec (população: 1.318) foi batizado com sua denominação singular em 1874. "Ha! Ha!" se refere ao francês arcaico "hâ-hâ", um elemento da paisagem que cria ou age como uma fronteira imaginária, nesse caso muito provavelmente o Témiscouata, um lago próximo.

4: Rogers Centre
Sede do time de beisebol Toronto Blue Jays, antes conhecido como SkyDome, esse estádio acomoda 67 mil pessoas para um show, 55 mil fãs de futebol e 50.600 loucos por beisebol. (Mas não todos ao mesmo tempo!) Entretanto, talvez seja mais conhecido por possuir o **maior teto retrátil**. Concluído em junho de 1989, abrange 209m e tem uma área de 3,2ha. Leva 20min para abrir, e quando está totalmente retraído, o campo inteiro e 91% dos assentos ficam descobertos.

5: CN Tower
É muito provável que, se for a Toronto, você verá a CN Tower — esteja isso em seus planos ou não —, já que essa torre de comunicação e observação tem 553,34m de altura. Finalizada em 2/4/1975, ela já foi a estrutura

Vista perfeita
*Com o teto do Rogers Centre aberto, a vista da CN Tower pode ser os jogos do Toronto Blue Jays. O editor fundador do GWR Ross McWhirter estava bem ali quando a antena da torre foi instalada, para confirmar o recorde de **torre mais alta**, um título mantido por mais de 30 anos. Em 1999, Ashrita Furman passou quase 1h subindo os degraus do jeito mais difícil — de pula-pula! (Ver p. ao lado.)*

e **torre mais alta** (até a construção da Burj Khalifa e da Torre Canton, respectivamente).

Ao redor de seu Restaurante 360, um local vertiginoso a 356m do chão, fica a **estrutura externa mais alta em uma torre**. Se tiver coragem para subir, vai vivenciar uma "caminhada" com as mãos soltas ao longo de uma borda de apenas 1,5m de largura. (Veja como o editor-chefe do GWR Craig Glenday parece tranquilo na foto abaixo!)

Você pode chegar à plataforma de observação a 346m em menos de 1min, via um dos 6 elevadores panorâmicos. Mas se você for o detentor do título do GWR Ashrita Furman (EUA), isso é um insulto de tão fácil. Em 23/7/1999, ele atingiu o **tempo mais rápido para subir a CN Tower de pula-pula**, saltando 1.899 vezes em 57min51s.

6: Regata Windsor de Abóbora
Essa competição anual conta com os competidores remando por 800m para atravessar o lago Pesaquid, na Nova Escócia, com "artesanato vegetal pessoal" — para nós, abóboras ocas). E, sim, abóboras motorizadas são permitidas. O evento chegou ao 21º ano em 2019, tornando-se a **corrida de barcos de abóbora mais longa**. E embora as restrições da Covid-19 tenha colocado tudo em suspensão por 2 anos, há grandes esperanças para seu retorno em 2022.

7: Torre do Estádio Olímpico de Montreal
Há muitas razões para os edifícios se inclinarem, mas alguns são construídos assim desde o início. Essa maravilha arquitetônica tem 165m de altura e uma curvatura de 45°, tornando-se a **torre inclinada mais alta**. Quer ir até o topo? Um funicular em dois níveis vai levá-lo pela parede externa da torre até o observatório em poucos minutos. Lá, uma vista panorâmica lhe espera, chegando a 80km de distância em dias claros.

8: Hidrovia do canal Rideau
Conforme as temperaturas despencam, o Canadá se torna o país das maravilhas para patinação no gelo. Quando esta hidrovia que corta Ottawa, em Ontário, congela temporariamente todo ano, ela se torna a **maior pista de gelo naturalmente congelada**, estendendo-se por 7,8km, com uma área de superfície total de 165.621m^2, o equivalente a 90 rinques de patinação olímpicos. Junte-se aos 20.000 visitantes que chegam todos os dias, aqueça-se nas muitas fogueiras pelo caminho e reenergize-se com uma ou duas "caudas de castor" — uma gulodice frita de açúcar e canela.

9: Festival Internacional de Jazz de Montreal
Com cerca de 3.000 artistas e 650 shows por ano (a maioria de graça), vale a pena reservar um tempo para ir à grande festa de jazz de Quebec. Em julho de 2004, para seu 25º aniversário, mais de 1,9 milhão de pessoas compareceram, tornando-o o **maior festival de jazz**.

10: Cataratas do Niágara
Localizada na fronteira com os EUA, essa cascata recebe 22,5 milhões de visitantes por ano e é a **cachoeira mais visitada**. Cerca de 169.900m^3 de água caem por minuto. Para se ter uma ideia, imagine cerca de 70 piscinas olímpicas! Não perca a chance de chegar perto das quedas em um passeio de barco de turismo — só não esqueça sua capa de chuva!

Em 30/7/1859, Charles Blondin, também conhecido como Jean-François Gravelet (FRA), fez a **primeira travessia de corda bamba do Niagara Gorge**. Ele atravessou 335m de corda a 48m acima das estrondosas cataratas.

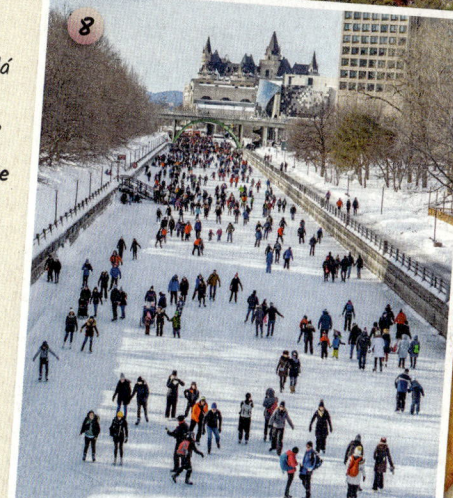

VOLTA AO MUNDO EM 300 RECORDES

México

1: Sistema de Cavernas de Yucatán
Exploradores intrépidos da península de Yucatán podem mergulhar no **maior sistema de cavernas submersas**, o Sistema Sac Actun ("Sistema de Cavernas Brancas") e Dos Ojos ("Dois Olhos"). Essas cavernas conectadas têm um total de 371,95km de extensão — 4 vezes o canal do Panamá. As cavernas são acessíveis através de buracos chamados cenotes, que os maias acreditavam ser portais para o submundo e onde depositavam objetos sagrados e até sacrifícios humanos!

2: Día de los Muertos
Em novembro, o México ganha vida com uma celebração colorida e alegre para os mortos. Um desfile pelas ruas com esqueletos gigantes e altares particulares chamados de ofrendas são decorados com fotografias e pertences dos falecidos. **O maior altar do Dia dos Mortos** foi organizado pelo estado de Hidalgo em 1/11/2019 e cobriu uma área de 1.044,3m² — cerca de duas quadras de basquete! O local foi enfeitado com inúmeras oferendas, incluindo 600 crânios feitos de açúcar, mil buquês de flores e mil velas.

3: La Quebrada
Os mergulhadores que desafiam a morte em La Quebrada ("A Ravina") em Acapulco saltam 35m em apenas 3,6m de profundidade de água — os **mergulhos de cabeça mais altos** executados regularmente. Uma tradição que começou com pescadores locais nos anos 1930 e virou uma das maiores atrações turísticas da cidade, com mergulhadores de 15-70 anos promovendo espetáculos diversas vezes ao dia. Os saltadores mais destemidos apareceram no filme de Elvis Presley de 1963, O seresteiro de Acapulco.

4: El Macro Mural Barrio de Palmitas
Em 2014-15, um coletivo de arte conhecido como German Crew passou 14 meses pintando a cidade de Pachuca de vermelho... e amarelo, e azul, e rosa! Com a ajuda de moradores, eles decoraram 209 fachadas com um trabalho de arte vibrante e singular — **mais fachadas cobertas por um mural**. A pintura de 20.000m² foi parte de um projeto do governo para unir a comunidade e reabilitar a vizinhança local.

5: Grande Pirâmide de Cholula
Também conhecida como Tlachihualtepetl ("montanha feita pelo homem"), este enorme monólito de pedras no estado de Puebla é a **maior pirâmide em volume**. Embora menor do que a Pirâmide de Khufu, no Egito (ver p.154), seu volume é maior em quase 2 milhões de m³. Foi construída pelo povo olmeca-xicalanca em 650-800 d.C. e recebe cerca de 220 mil visitantes por ano.

Festa no mar
O Parque Nacional Marinho de Yucatán tem o **maior conjunto de estátuas submersas em tamanho real**. A evolução silenciosa, 480 estátuas inspiradas nos moradores, é trabalho de Jason deCaires Taylor (RU). Elas ajudam a promover a recuperação dos recifes naturais.

Visão geral
- **Área:** 1.964.375km²
- **População:** 130,2 milhões
- **Fatos importantes:** o México é o 10º país mais populoso do mundo, com cerca de 25% da população na capital, Cidade do México, ou arredores. Dentre seus muitos tesouros estão a **maior estalactite submersa** — Tunich Ha, de 12,8m, no sistema de cavernas Chac Mool — e a Árbol del Tule, em Oaxaca: um cipreste-de-montezuma (Taxodium mucronatum) com a circunferência do tronco de cerca de 36,2m — a **maior de uma árvore**.

Volume: 4,45 milhões de m³

VOLTA AO MUNDO EM 300 RECORDES

Caribe

1: Rum Harewood 1780
Nenhuma viagem ao Caribe estaria completa sem uma ou duas taças de rum, o licor destilado de açúcar que se tornou sinônimo da região. O **rum mais antigo** data de 1780 e foi produzido em Barbados. Em 2011, uma caixa de garrafas esquecidas foi encontrada no porão de uma casa em West Yorkshire (RU). As últimas 16 foram leiloadas em dez/2014 e arrecadaram £100.000 para caridade.

2: Beija-flor-abelha
Os olhos precisam ficar atentos para espiar o **menor pássaro do mundo**. Nativo de Cuba, o beija-flor-abelha macho (Mellisuga helenae) chega a apenas 57mm de comprimento e pesa 1,6g — mais leve que uma carta de baralho. O pássaro pode bater as asas mais de 80 vezes por segundo e come a metade do peso do corpo em néctar todos os dias.

3: Universidad Santo Tomás de Aquino
Os fãs da cultura caribenha encontrarão a **primeira universidade do Novo Mundo** na atual Santo Domingo, República Dominicana. Fundada como seminário para monges católicos em 1518, o local tornou-se uma universidade por uma bula papal em 28/10/1538 e foi reconhecido oficialmente pela corte espanhola em 1558.

4: Bike em Toro
Se quiser acrescentar ousadia ao seu passeio, vá até o parque de aventuras Toroverde, em Porto Rico, e dê uma volta na **mais longa pista de bicicleta feita de cabos**. Você vai pedalar sobre a floresta por 322,25m de cabos de alta tensão.

5: Merengue
Apesar das influências africana e espanhola, o merengue é singular à ilha da República Dominicana. A **maior dança de merengue** contou com 844 participantes na capital, Santo Domingo, em 3/11/2019.

6: São Martinho
Com apenas 87km², São Martinho é a **menor ilha habitada e compartilhada** entre a França e a Holanda. Nenhuma viagem para cá está completa sem uma visita à praia Maho, para uma visão aterrorizante dos aviões se aproximando em baixa altitude do aeroporto internacional Princess Juliana. Uau!

7: Besouro-Hércules
Os visitantes das ilhas de Guadalupe e Dominica são aconselhados a tomar cuidado com esse inseto voador poderoso, a **maior espécie de besouro**! Um animal da subespécie Dynaster hercules hercules foi registrado com 172mm.

Visão geral

- **Área:** 223.768km²
- **População:** 38,7 milhões
- **Fatos importantes:** o Caribe engloba mais de 700 ilhas — sendo a maior delas Cuba (do tamanho das 5 outras maiores ilhas juntas). San Martin, com apenas 87km², é a **menor ilha compartilhada e inabitada** do mundo. Desde 1648, foi dividida entre o departamento francês de San Martin e, ao sul, o território holandês de Sint Maarten. Seu nome pré-colonial era Oualichi, ou "Ilha das mulheres".

VOLTA AO MUNDO EM 300 RECORDES

América Central & do Sul

Elevação: 6.310m

1: Reserva da Barreira de Corais de Belize
A Austrália pode ter a mais famosa (e **maior**) barreira de recifes (ver p.146), mas se você estiver na América Central, não perca o **maior sistema de recifes do hemisfério norte**. Com 963km², a reserva é quase 2,5 vezes maior que a ilha caribenha de Barbados e a segunda em tamanho, atrás apenas da Grande Barreira de Corais. A plataforma e o recife submarinos vão do México, no norte, até a Guatemala, no sul, e é destino obrigatório para fazer snorkel, vela e mergulho. Também é um habitat precioso de inúmeras espécies ameaçadas, como a tartaruga marinha, o peixe-boi e o crocodilo.

2: Monte Chimborazo
Se o monte Everest é a **montanha mais alta**, então seu cume está mais distante do centro do planeta do que qualquer outro ponto, certo? Não. O gigante do Himalaia atinge a maior altura acima do nível do mar, mas o **cume mais distante do núcleo da Terra** é o de Chimborazo, no Equador. Uma distância de 6.384,4km separa o cume desse pico andino do centro do nosso mundo — mais de 2km além do topo do Everest. Isso é possível porque a Terra é um "esferoide oblato", ou seja, ela se projeta sobre a linha do Equador.

3: Galápagos
Localizado na costa equatoriana, o arquipélago de Galápagos teve papel central na teoria da evolução. Em 1835, o naturalista Charles Darwin passou 19 dias lá fazendo pesquisas para seu trabalho inovador *A origem das espécies* (1859). É também lar dos **pinguins mais ao norte** — os pinguins-de-galápagos (Spheniscus mendiculus) são encontrados principalmente nas ilhas Fernandina e Isabela, a 0,16°N.

4: Kerepakupai Merú
Situado em um afluente acima do rio Caroní fica o principal destino turístico da Venezuela: a **cachoeira mais alta**, com uma queda de 979m — cerca de 18 vezes a queda das cataratas do Niágara (ver p.117) — das falésias da montanha Auyán-tepui. Você pode conhecê-la como Salto Ángel, em homenagem ao piloto americano Jimmie Angel, que a avistou no ar em 1933. Seu nome local, na língua indígena Pemón, significa algo como "cachoeira do lugar mais profundo".

5: San Bartolo
O arqueólogo William Saturno estava caminhando pela antiga cidade guatemalteca de San Bartolo em 2001 quando se deparou com um achado único: o **mural maia mais antigo**, datado de 100 a.C. A obra de arte vibrante conta a história da criação e oferece conceitos dessa civilização, como a forma que os reis governavam através do direito divino. A selva também abriga a **escrita maia mais antiga**, que data de 300-200 a.C.

6: Floresta Amazônica
Imagine-se em um lugar com copas de árvores tão densas que não é possível ver o céu. Essa é

Amazônia anfíbia
Apesar de enfrentar ameaças crescentes, essa vasta floresta tropical continua a sustentar uma rica variedade de vida selvagem. Dos mais de 8 mil anfíbios conhecidos, como os sapos, mais de 1.150 vivem no Brasil, onde fica 60% da Amazônia; é o **país com mais anfíbios**.

a visão de dentro da **maior floresta tropical**, que abrange 9 países e cerca de 6,5 milhões de km². A floresta verdejante é sustentada pelo rio Amazonas, que descarrega água a até 340.000m³/s! Embora não seja o **rio mais longo** (ver p.141), é o **maior rio por fluxo**.

7: Carnaval do Rio de Janeiro
A famosa festa brasileira existe há tempos, desde suas origens no séc. 18 com guerra de água — com suco de limão e lama opcionais... Com fantasias extravagantes e desfiles acompanhados pelas estrondosas baterias, o baile anual do Rio é o **maior carnaval** do mundo. Em geral, ocorre na primeira semana de março e atrai cerca de 2 milhões de pessoas por dia.

8: Monserrate Cerro Abajo
O evento radical da Red Bull conta com ciclistas ousados indo até o Cerro de Monserrate, uma montanha no centro de Bogotá, a capital colombiana, para a **maior descida de bicicleta em uma escadaria**. Cerca de 80% do percurso de 2,4km é em degraus — mais de mil, na verdade! O francês Adrien Loron venceu a edição de 2021 em 4min31s. Recomendamos que você vá caminhando mesmo.

9: Salar de Uyuni
No sudoeste da Bolívia fica o **maior deserto de sal**, que cobre 10.000km² — quase o tamanho da Jamaica. Ele contém cerca de 11 bilhões de toneladas de sal. Na temporada de chuvas (dez-abr), uma fina camada de água se forma sobre o leito árido do lago, criando reflexos deslumbrantes. Quer mais aventuras salgadas? Por que não parar, então, no **maior hotel de sal**? São 16 quartos no Palacio de Sal, uma instalação de 4.500m² com andares, paredes, tetos, camas e até um campo de golfe de 9 buracos, tudo feito de cloreto de sódio! O hotel atual foi reconstruído em 2007 com um milhão de blocos de sal.

10: Isla Escudo de Veraguas
Esta ilhota na costa do Panamá tem um pequenino residente endêmico: a preguiça-anã-de-três-dedos (*Bradypus pygmaeus*). O animal em grave risco de extinção — tanto a **menor preguiça** quanto a **mais rara** — não tem mais de 53cm, levemente maior que um bebê humano recém-nascido. A uma viagem de barco de 3 horas, esta ilha não é de fácil acesso, mas os fãs dos **mamíferos mais lentos** certamente vão correr até lá para ver essa pequena maravilha.

11: Machu Picchu
Poucos forasteiros haviam visto essa cidadela inca desde que seus habitantes originais a abandonaram no fim do séc. 16, mas ela chamou atenção global em 1911 quando divulgada pelo acadêmico americano Hiram Bingham. Construída na cordilheira dos Andes, na região de Cusco, sul do Peru, tornou-se o **local inca mais visitado**. Em 2018, um recorde de 1.578.030 pessoas foram lá para passear em meio às inconfundíveis ruínas envoltas em nuvens e lhamas locais.

12: Farol monumental de cabo de Hornos
Os oceanos Atlântico e Pacífico se encontram em cabo de Hornos, o ponto mais meridional da América do Sul, onde os ventos fortes e as marés bravas já afundaram muitos navios. Em uma tentativa de prevenir mais tragédias, construiu-se um farol na ilha Hornos, na Terra do Fogo, Chile, em 1991. Sinais de navegação mais simples podem ser encontrados em latitudes mais altas, mas localizado a 55,96°S fica o **farol mais ao sul**.

1.115 degraus

Flashes de luz a cada 5s

Torre de 11m

Visão geral
- **Área:** 18.504.123km²
- **População:** 521,1 milhões
- **Fatos importantes:** a região é conhecida por sua beleza natural e pela riqueza das culturas indígenas, do passado e do presente. Tem recordes por todos os cantos, desde florestas tropicais e recifes a rios e lagos imensos. Uma das maravilhas mais icônicas é a cordilheira dos Andes — a **maior cadeia de montanhas continental** — com alguns dos picos mais altos do planeta, mais de 50 deles além de 6.000m acima do nível do mar.

VOLTA AO MUNDO EM 300 RECORDES

RU & Irlanda

Visão geral
- **Área:** 313.883km²
- **População:** 72,3 milhões
- **Fatos importantes:** o Reino Unido é formado por 4 países: Inglaterra, Escócia, País de Gales e Irlanda do Norte. O Palácio de Buckingham, em Londres, é a casa de Sua Majestade Real Elizabeth II, que celebrou seu 70º ano no trono em 6/2/2022 e é **a rainha com maior tempo de reinado**. A ilha da Irlanda é lar da famosa cerveja Guinness, que nos anos 1950 inspirou um certo livro de recordes...

1: Alton Towers
Os caçadores de emoções estarão no sétimo céu neste parque temático e resort em Staffordshire, Inglaterra. Dentre suas 10 montanhas-russas está a The Smiler, que transporta passageiros a 85km/h pelo **maior número de inversões em uma montanha-russa**: 14. Há também um parque aquático, aventura em cordas altas e um campo de golfe maluco.

2: Joias da coroa
Há mais de 600 anos, a insígnia real dos reis e das rainhas da Inglaterra está guardada na Torre de Londres (ver #4). Essa coleção de coroas, mantos e cetros tem cerca de 140 objetos e é aberta à visitação do público. Ela inclui a coroa de Santo Eduardo, com 444 pedras preciosas e semi-preciosas, a **coroa mais valiosa**, estimada em US$4,5 mi.

3: Torre de St Patrick
No bairro de Liberties, em Dublin, capital irlandesa, você vai encontrar um moinho de vento desativado de 45,7m de altura. A Torre de St Patrick foi construída em 1757 como parte da Destilaria de Thomas Street, que em seu auge produzia 2 milhões de galões de uísque por ano. Em 1860, com o advento da era do vapor, as velas foram removidas e, nos anos 1920, a destilaria fechou. Hoje, o **moinho de vento mais alto** está desocupado.

4: Torre de Londres
Este forte histórico do lado norte do Tâmisa foi fundado no séc. 2 durante a conquista normanda. O Patrimônio Histórico da UNESCO abriga o **museu mais antigo** do mundo. O Royal Armouries Museum abriu as portas ao público em 1660, embora a coleção pudesse ser vista com hora marcada durante os 8 anos anteriores. Os objetos expostos incluem a **armadura mais alta**, com 2,05m. Diz-se que foi usada por João de Gante, o 1º duque de Lancaster, no séc. 14. A armadura é de origem alemã e data de cerca de 1540.

5: Stratford-upon-Avon
Esta cidade mercantil de West Midlands tornou-se famosa como o berço do Bardo, William Shakespeare (1564-1616). Estima-se que o **dramaturgo mais vendido** — que escreveu Hamlet, Macbeth e Romeu e Julieta — tenha vendido mais de 4 bilhões de cópias de suas obras. Há um total de 5 casas na cidade com ligação histórica com Shakespeare, incluindo a Hall's Croft (abaixo), onde sua filha Susanna viveu. A Royal Shakespeare Company também encena suas performances renomadas na cidade. Ver ou não ver, eis a questão...

6: Croke Park
O estádio nacional da Irlanda, em Dublin, é a sede da Associação Atlética Gaélica e sedia todas as finais esportivas do país, como futebol gaélico, hurling e camogie. A final do Campeonato Sênior de Futebol de 1961, entre Down e Offaly (detalhe), teve 90.556 espectadores — a **maior torcida em um jogo de futebol gaélico**. O recorde de **hurling**

de 84.856 pessoas — na final de 1954 entre Cork e Wexford — também ocorreu em Croke Park.

7: Beatles
Faça um passeio mágico e misterioso pela cidade de Liverpool, no norte da Inglaterra, em homenagem ao **grupo mais vendido**, que acumulou vendas estimadas de mais de 1 bi de singles e álbuns. Agende um passeio em um ônibus de turismo e veja onde a banda cresceu. Em Pier Head, você encontrará John, Paul, George e Ringo esculpidos em bronze por Andy Edwards. Vá até a Penny Lane para tirar uma selfie e visite os museus Fab Four da cidade antes de seguir para o Mathew Street para "twist and shout" no Cavern Club, o local lendário onde os Beatles tocaram 292 vezes de 1961 a 1963.

8: Giant's Causeway
O único Patrimônio Histórico da UNESCO da Irlanda do Norte é um grupo de 40.000 colunas de basalto interligadas na costa do Atlântico. Elas são resultado da antiga atividade vulcânica, embora a lenda popular as atribua ao gigante irlandês Finn MacCool. Em Port Noffer, você pode encontrar a "Bota do Gigante" de Finn — uma pedra desgastada no formato de um sapato. O basalto é a **rocha vulcânica mais comum** e representa mais de 90% do material na superfície da Terra.

9: Campeonato Mundial de Luta no Molho
O bar Rose N' Bowl, na vila de Stackstead, na Inglaterra, sedia uma competição esportiva atrevida, em que os combatentes lutam dentro de uma piscina de molho de carne Lancashire. Os pontos são computados por fantasias e entretenimento geral. O hexacampeão Joel Hicks conquistou o **maior número de vitórias** no evento, enquanto o recorde **feminino** é dividido por Emma Slater e The Oxo Fox, ou Roxy Afzal.

10: Lago Ness
Essas águas tranquilas das Terras Altas da Escócia tornaram-se a Meca dos criptozoologistas, que acreditam que um monstro marinho se esconde em algum lugar abaixo da superfície do lago de 56km². Embora não haja evidências concretas de que o Nessie tenha sido encontrado, relatos de "bestas aquáticas" estranhas na área datam desde o séc. 6. Ninguém procurou mais do que Steve Feltham, que se mudou para o local em 1991 e está há 30 anos conduzindo a **maior vigília contínua à procura do Monstro do Lago Ness**. Ele vive em uma biblioteca móvel convertida na costa e vasculha o lago em busca do monstro todos os dias.

11: Ferrovia Ffestiniog
Fundada em 23/5/1832, a ferrovia Ffestiniog, no País de Gales, é a **mais antiga empresa ferroviária independente**. Ela se estende por 21,7km ao longo do cenário pitoresco do Parque Nacional de Snowdonia, subindo 213m do porto de Porthmadog até a cidade de Blaenau Ffestiniog. Se preferir visitar o País de Gales de barco, entre no canal Llangollen e atravesse o rio Dee no **maior aqueduto navegável** do mundo: 38,4m de altura, o Aqueduto Pontcysyllte.

12: Stonehenge
Um dos marcos pré-históricos mais icônicos do mundo, o círculo de pedras na planície de Salisbury, em Wiltshire, Inglaterra, foi construído no fim do período neolítico, cerca de 2.500 a.C. O local abriga os **maiores trilitos** — estruturas feitas com duas pedras verticais e uma terceira horizontal sobre elas. Os blocos mais pesados chegam a pesar mais de 45t!

VOLTA AO MUNDO EM 300 RECORDES

França

Plataforma de observação a 276m de altura
1.665 degraus!

Visão geral
- **Área:** 551.500km², incluindo a Córsega, no Mediterrâneo; 643.801km², incluindo os 5 maiores de seus 13 territórios além-mar (Guiana Francesa, Guadalupe, Martinica, ilha de Mayotte e Reunião).
- **População:** 62,8 milhões; 68 milhões incluindo a população dos 11 territórios ultramarinos.
- **Fatos importantes:** a França é o **país mais visitado**, com 89,4 milhões de turistas (2018). Devido aos seus territórios, tem o **maior número de fusos horários** (13 em determinado momento do ano).

1: Torre Eiffel
Dominando o céu parisiense está a icônica Torre Eiffel, com 300m de altura — ou 324m, se incluirmos as antenas no topo. Foi construída para a Exposição Universal de Paris e nomeada em homenagem ao engenheiro Gustave Eiffel, cuja empresa projetou e construiu a torre. No momento de sua inauguração, em 31/3/1889, a torre gradeada de ferro forjado era a **estrutura mais alta do mundo**, e permanece sendo a **estrutura de ferro mais alta**. É também o **monumento pago mais visitado**, atraindo de 6-7 milhões de visitantes todo ano.

2: Versalhes
Nenhuma viagem a Paris está completa sem uma caminhada por seu **maior parque**. Os jardins do Palácio de Versalhes — a cerca de 20km a oeste do centro da cidade — foram criados por André Le Nôtre no fim do séc. XVII para o rei Luís XIV. Hoje, ele cobre mais de 800ha — o equivalente a mais de 30.500 quadras de tênis —, dos quais 100ha englobam o magnífico jardim formal, famoso por suas fontes, laranjais, caminhos e "bosquets" (bosques de árvores alinhadas perfeitamente). Espalhadas pelo terreno há também 221 esculturas de bronze, mármore ou chumbo.

3: Viaduto de Millau
Se você sair de Paris na direção do Mediterrâneo, poderá admirar a vista arrebatadora da **estrutura de ponte mais alta**. O Viaduto de Millau — que cruza o vale do rio Tarn na região da Occitânia — tem o apoio de sete pilares de concreto, sendo que o mais alto deles (#2) mede 244,9m de altura do solo até o convés da estrada. Se incluirmos os pilares de 87m, a altura da estrutura chega a um total de 336,4m. Para ver a **ponte mais alta**, vá para a p.152.

4: Tour de France
A corrida de bicicleta mais famosa do planeta atravessa as curvas sinuosas da França — e às vezes de alguns países vizinhos — desde 1903. Ela atrai o **maior público de evento esportivo**, chegando a 12 milhões de espectadores que se espalham pelo trajeto todo ano durante a competição de 23 dias.

5: Louvre
Os amantes de arte têm que ir nesse icônico museu em Paris, onde as paredes são preenchidas com 35 mil obras. É a **galeria de arte mais visitada**; em seu ano mais cheio, 2018, conquistou um recorde de 10,2 milhões de turistas que passaram por suas portas. A atração principal, é claro, é a Mona Lisa, de Leonardo da Vinci, que em 1911 tornou-se o famigerado **objeto roubado mais valioso** (não se preocupe, foi recuperado em 1913!).

Pilar 2 336,4 m
324 m
244,9 m
Altura da Torre Eiffel

Casamento $agrado!
Em 2004, quando Vanisha Mittal (IND) e Amit Bhatia (GBA) estavam planejando se casar, o local escolhido foi o Palácio de Versalhes! O pai da noiva — o magnata do aço bilionário Lakshmi Mittal — pagou a conta... de meros US$55 milhões, transformando-o no **casamento mais caro**!

Visão geral

- **Área:** 301.340km², incluindo as ilhas da Sardenha e da Sicília
- **População:** 62,3 milhões
- **Fatos importantes:** o Império Romano data da fundação de Roma, em 753 a.C., mas a República Italiana moderna só foi estabelecida em 1861. O país tem o **maior número de Patrimônios Mundiais** (58 em julho de 2021), incluindo Pompeia (destruída e preservada pela erupção do Vesúvio em 79 d.C.), Veneza e o vulcão Etna.

VOLTA AO MUNDO EM 300 RECORDES

Itália

1: Veneza
Considerada com frequência a cidade mais bonita e romântica do mundo, Veneza é também a **cidade mais inundada**. Construída sobre uma série de 118 pequenas ilhas da lagoa Veneziana, o município é periodicamente inundado, apesar da crescente — e preocupante — regularidade fora da época das cheias. Uma maré alta inesperada em novembro de 2019, por exemplo, deixou 80% da cidade submersa. Mas os venezianos se adaptaram bem, usando o Grande Canal de 3,8km de extensão como via principal, pegando ônibus aquáticos vaporetto e conectando as ruas com 400 pontes.

2: Vulcão Etna
Com 3.329m de altura, o Etna, na Sicília, é o maior vulcão ativo da Europa. Também é um dos mais ativos do mundo e proporcionou aos vulcanologistas o **mais longo registro de erupções** — explodindo cerca de 200 vezes desde que foi documentado pela primeira vez em 1500 a.C. O Etna também emite os **maiores anéis de fumaça**: vórtices de 200m de largura que podem durar até 10min.

3. Coliseu
Concluído em 80 d.C., o Anfiteatro Flaviano, ou Coliseu, em Roma, cobre 2ha — o equivalente a três campos de futebol. Não é só o **maior anfiteatro** já construído, mas também o maior ainda de pé. No auge do Império Romano, até 87 mil pessoas se amontoavam nessa arena para ver gladiadores e feras selvagens travarem combates mortais.

4: Santa Sé (Vaticano)
O **menor país** do mundo é o Vaticano, ou Santa Sé, que é uma espécie de enclave em Roma. A casa do Papa — e uma população de 825 pessoas (em 2019) — cobre apenas 0,44km² do território, o que significa que caberiam 18 Vaticanos nos jardins de Versalhes (ver página ao lado). Porém, a residência papal é o **maior palácio religioso**, com mais de mil quartos — incluindo a famosa Capela Sistina —, com mais de 16ha.

Um terremoto em 1349 destruiu cerca de 3/4 do muro externo

*A Guarda Suíça Pontifícia da cidade do Vaticano é a **unidade militar mais antiga**, que data de janeiro de 1506 (e com raízes anteriores a 1400)*

Buon appetito!

Os italianos têm um GRANDE apetite por seus pratos tradicionais:

Maiores...	Metragem	Proprietário
Cappuccino	4.250 litros	Altoga/Fiera Milano Fairground
Cazôla	931,4 kg	Piazza Litta, Ossana
Mortadela	920,8 kg	Gino Venturi
Pancetta	150,5 kg	Ponte dell'Olio/Piacenza
Panetone	332,2 kg	Davide Comaschi
Pizza	1.261,6 m²	NIPfood/Fiera Roma
Tiramisu	3.015 kg	Associazione Cons.erva
Mais compridos...		
Breadstick	116,5 m	Terminal Nord
Focaccia	169,2 m	PIAZZAGRANDE
Muçarela	106,1 m	Ente Provinciale Turismo di Avellino
Porchetta	44,9 m	Butchers of Monte San Savino
Salame (cozido)	16 m	Fratelli Daturi
Tiramisu	273,5 m	Galbani Santa Lucia

VOLTA AO MUNDO EM 300 RECORDES

Espanha

1: Gran Telescopio Canarias (GTC)
Em La Palma, nas ilhas Canárias, fica o **maior telescópio óptico único**. O GTC — que veio "à luz" em 13/7/2007 — possui um espelho composto por 36 segmentos hexagonais, que lhe conferem um diâmetro total de 10,4m. Para um passeio diurno de 90min, faça uma reserva com um dos "Guias Estrelares" do GTC.

2: Sobrino de Botín
Famoso pelo leitão assado — celebrado por Ernest Hemingway no romance O sol também se levanta —, o Sobrino de Botín, em Madri, é o **restaurante mais antigo** do mundo. Funciona desde sua inauguração em 1725 pelo cozinheiro francês Jean Botín. Hoje, pertence a Antonio Gonzáles e família, que servem os madrileños há três gerações.

3: La Tomatina
Na última quarta-feira de agosto, a cidade de Buñol, perto de Valencia, realiza seu festival anual do tomate. Em 2012, no auge de sua popularidade, cerca de 40 mil pessoas disputaram a **maior guerra de comida**, jogando ao menos 40 toneladas de tomate umas nas outras!

4: A Cruz dos Caídos
Com 152,4m de altura, sobre uma igreja subterrânea no Vale dos Caídos, Madri, fica a **maior cruz independente**. Esse complexo funerário monumental já abrigou os restos mortais de Francisco Franco, governante da Espanha de 1939 até 1975, apesar de ter sido exumado e levado para um cemitério mais modesto em outro canto da cidade em 2019.

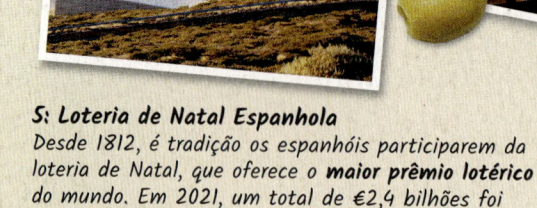

5: Loteria de Natal Espanhola
Desde 1812, é tradição os espanhóis participarem da loteria de Natal, que oferece o **maior prêmio lotérico** do mundo. Em 2021, um total de €2,4 bilhões foi disputado, com o prêmio principal, o "El Gordo", de cerca de €4 milhões.

6: Basílica da Sagrada Família
Dominando o horizonte de Barcelona está a inacabada Sagrada Família, de Antoni Gaudí, a **igreja de art nouveau mais alta**. Em 8/12/2021, a inauguração da Torre da Virgem Maria — uma das 18 torres monumentais, das quais só 9 estão finalizadas — elevou a altura da basílica para 138m. Planeja-se que a Torre de Jesus Cristo, a mais alta e ainda sem data de conclusão, chegue aos 172,5m, o que a transformaria na **igreja mais alta** (ver p.154).

7: Aqueduto de Segóvia
O **maior aqueduto romano ainda em uso** — após incríveis 19 séculos! — é a hidrovia de 28m de altura na moderna Segóvia. Ele transporta água por 32km do rio Fuenta Fría até a cidade, onde a famosa seção de 683m de extensão da ponte é sustentada por duas fileiras de 166 arcos semicirculares únicos e duplos.

Visão geral

- **Área:** 505.370km², incluindo as ilhas Baleares e Canárias
- **População:** 47,2 milhões
- **Fatos importantes:** Um dos principais motores da economia espanhola é o turismo. Em 2021, o país tinha **mais praias com Bandeira Azul**, 614. Uma monarquia constitucional foi restabelecida em 1978, e a atual "encarnação viva da Espanha", o rei Felipe VI, tem 1,97m de altura, tornando-o o **rei mais alto**. A Espanha também tem o **hino nacional sem palavras mais antigo**, a "Marcha Real", composta em 1761.

152,4m
93,1m — Altura da Estátua da Liberdade (incluindo o pedestal)

VOLTA AO MUNDO EM 300 RECORDES

Portugal

1: Vestido Morgadinha
Em 2020, a Associação Cultural, Recreativa e Social de Teivas — uma cidade 235km ao norte da capital, Lisboa — encomendou o **maior vestido de dança tradicional**. O vestido Morgadinha de 8m de altura é baseado no traje usado durante a dança com o mesmo nome, tradicional na festa de São João.

2: Pista de palafitas
O Aeroporto Internacional da ilha da Madeira tem a **pista mais longa sustentada por pilares**, que se estende por 1.020m sobre o oceano e amplia o total da pista de pouso para 2.781m.

3: Parque Eduardo VII
Este lindo parque verdejante em Lisboa abriga a maior bandeira portuguesa do mundo — com 20m de largura! — e foi também o local escolhido pelo hipermercado Modelo para uma ousada jogada de marketing. Para mostrar apoio à equipe portuguesa na Copa do Mundo de 2010, o Modelo estabeleceu o recorde de **mais bexigas lançadas**, em 05/06, dando um banho de balões vermelhos naqueles que faziam um piquenique no local.

4: Arroz de sardinha
A maior porção do prato português **arroz de sardinha** foi feita pela Confraria dos Sabores Poveiros na comunidade pesqueira de Póvoa de Varzim, em 6/7/2019. Uma panela de 2m de largura foi preenchida com 1.027kg de filé de peixe, cebola, alho, pimentão-vermelho, tomate, páprica doce e arroz e foi servida à comunidade como lembrete das vantagens dos produtos frescos regionais e da importância da culinária local.

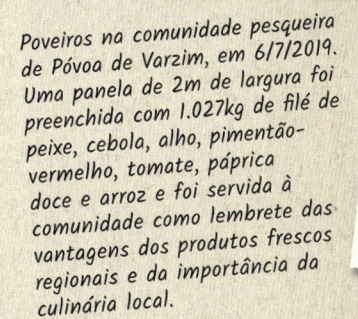

5: Livraria Bertrand
A **livraria mais antiga** do mundo fica na Rua Garret, no badalado bairro do Chiado, em Lisboa. Pedro Faure inaugurou a loja em 1732 antes de passá-la ao genro, Pierre Bertrand, que deu nome ao estabelecimento. A construção original foi destruída em um terremoto em 1755, mas foi reerguida; a loja atual data de 1773.

6: As ondas gigantes de Nazaré
Sinta toda a força do oceano Atlântico golpeando a costa portuguesa na praia do Norte, em Nazaré. Não são apenas ondas que se quebram aqui: os recordes também! O brasileiro Rodrigo Koxa conquistou a **maior onda surfada (ilimitada)** em 8/11/2017, pegando um swell de 24,38m; o recorde **feminino** é de 22,4m, por Maya Gabeira (BRA), em 11/2/2020.

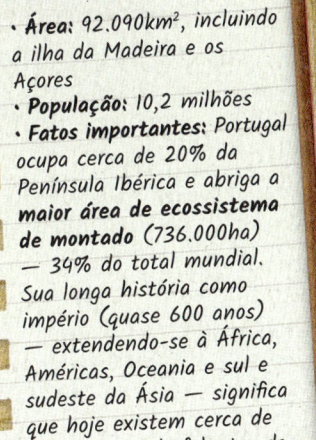

Maya Gabeira em ação, pegando uma onda mais alta que a Casa Branca!

Visão geral

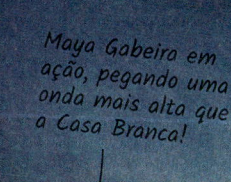

- **Área:** 92.090km², incluindo a ilha da Madeira e os Açores
- **População:** 10,2 milhões
- **Fatos importantes:** Portugal ocupa cerca de 20% da Península Ibérica e abriga a **maior área de ecossistema de montado** (736.000ha) — 34% do total mundial. Sua longa história como império (quase 600 anos) — extendendo-se à África, Américas, Oceania e sul e sudeste da Ásia — significa que hoje existem cerca de 250 milhões de falantes de português em todo o globo.

VOLTA AO MUNDO EM 300 RECORDES

Países nórdicos

Visão geral
- **Área:** 3.487.860km²
- **População:** 27,7 milhões
- **Fatos importantes:**
Os países nórdicos compreendem 5 Estados soberanos (Dinamarca, Finlândia, Islândia, Noruega e Suécia) e os territórios autônomos das ilhas Faroé e Groenlândia — a **maior ilha**, com uma área de 2.175.600km². A Noruega é o **país mais democrático**, segundo o Índice de Democracia 2020, elaborado pela revista *The Economist*, e a Islândia é o **país mais pacífico**, liderando o Índice Global da Paz 2021, à frente da Dinamarca.

1: Parque Polar Ártico — Centro de Vida Selvagem
A uma hora de Narvik, em uma latitude de 68,69°N, fica o **zoológico mais ao norte** do mundo. Lá, nos arredores nevados do interior norueguês, lobos rondam e bois-almiscarados se enfrentam na época do acasalamento. E não deixe de ver os ursos-pardos, cujo número no parque aumentou na primavera de 2020 com o nascimento de 3 filhotes.

2: Jardim Botânico Ártico-Alpino Tromsø
Operado pelo Museu da Universidade Norueguesa do Ártico, o **jardim botânico mais ao norte** fica no Círculo Polar Ártico, na Noruega, a 69,40°N. Aquecidas pela corrente do Golfo, suas 28 coleções temáticas abrigam plantas de todos os continentes, incluindo uma seleção da África capaz de sobreviver ao inverno ártico. Em geral, a temporada de flores vai de maio a outubro; não há portões, os visitantes podem entrar de graça.

3: Vikersundbakken
Os fãs de esporte e de altura têm que ir até a **colina de esqui mais alta** em Vikersund, Noruega. Inaugurada em 1936, foi reconstruída para o Campeonato Mundial de Voo de Esqui de 2012 e hoje tem 225m de altura. A Vikersundbakken já presenciou múltiplos recordes mundiais, incluindo o de **maior voo de esqui competitivo:** 253,5m, pelo austríaco Stefan Kraft, em 18/3/2017.

4: Castelo de Kajaani
Os fãs de história devem ir até 64,22°N na Finlândia, onde ficam as ruínas do **castelo mais ao norte**. Construído em uma pequena ilha fluvial entre 1604 e 1619, o castelo de Kajaani já serviu de prisão e foi ocupado pelo historiador sueco sem papas na língua Johannes Messenius. Foi implodido pelos russos em 1716 após um cerco de 5 semanas.

5: Labirinto de Samsø
Perca-se nas curvas e voltas do **maior labirinto permanente de árvores**, com 60.000m² — o mesmo que 12 campos de futebol. O labirinto fica na ilhota dinamarquesa de Samsø.

6: Hotel de Gelo
Se estiver atrás de um lugar exótico para ficar, dificilmente achará um local mais frio que o Hotel de Gelo, em Jukkasjärvi, na Suécia. Reconstruído todo inverno com blocos de água congelada do rio Torne, é a **maior estrutura de gelo**, com um piso, em 2021, de cerca de 2.870m². Conta com 15-20 quartos "padrão", além de 12 "suítes de arte" projetadas e esculpidas por artistas internacionais.

7: Colônia de papagaios-do-mar de Vestmannaeyjar
As ilhas islandesas de Vestmannaeyjar (ou ilhas de Westman, população: 4.300 pessoas) abrigam a **maior supercolônia de papagaios-do-mar** (*Fratercula arctica*) — com estimados 830 mil casais reprodutores durante a temporada de acasalamento entre abril e agosto. Isso é cerca de 20% da população mundial da ave, com uma média de 386 pássaros para cada morador da ilha!

Espaço incrível
O Labirinto de Samsø foi construído com abetos-falsos e 10 mil árvores recém-plantadas. O local é neutro em carbono e incentiva a diversidade biológica na área. Seus caminhos totalizam 5,5km de comprimento.

8: Globen
A Arena Avicii marca de forma inconfundível o horizonte da capital sueca, Estocolmo. O **maior edifício hemisférico** tem 85m de altura e um volume total de 600.000m³. Conhecido como Globen, foi inaugurado em 19/2/1989 e recebe jogos de hóquei no gelo e futsal, além de apresentações musicais.

9: Esqui
Durante séculos, o esqui teve um papel central no conceito nórdico de friluftsliv — "vida ao ar livre" —, popularizado nos tempos modernos pelo dramaturgo norueguês Henrik Ibsen. Em setembro de 2021, arqueólogos do Digervarden Ice Patch, na Noruega, recuperaram o segundo **par de esqui mais antigo** — sete anos após encontrarem o primeiro! Os esquis de madeira com fixação de bétula datam de 1.300 anos atrás. O que foi encontrado em 2014 está hoje exposto no Centro de Montanhas Norueguesas, em Lom; o outro está sendo estudado no Museu de Cultura Histórica, em Oslo.

10: Castelo de areia de Blokhus
Em 2/7/2021, a pequena cidade dinamarquesa de Blokhus revelou o ▶ **castelo de areia mais alto**, uma construção elaborada com 21,16m de altura. Uma equipe de 30 escultores patrocinados pela Kulturhuset & Skulpturparken Blokhus usou mais de 5.80St de areia para construir o forte temático de praia.

11: Olde, o pinguim-gentoo
O zoológico de Odense, na Dinamarca, é lar de uma amante de arenque geriátrica que sempre aparece para as multidões. Olde ("bisavó" em dinamarquês) é uma pinguim-gentoo fêmea (Pygoscelis papua) que celebrou seu 42º aniversário em 16/5/2021. Ela é o **pinguim mais velho em cativeiro**. A espécie gentoo costuma viver cerca de 15-20 anos, mas essa PI (pinguim idosa) não mostra sinais de cansaço!

12: Parque de diversões Bakken
Os caçadores de emoção tem que ir para Bakken, o parque de diversões de 439 anos em Copenhagen, Dinamarca. O Bakken abriu em 1583 e é o **parque de diversões em funcionamento mais antigo** do mundo. Possui barracas com jogos peculiares, lojas independentes e 31 atrações, incluindo a Rutschebanen, uma montanha-russa de madeira construída em 1932.

Topo do mundo?
Em 8/2021, pesquisadores na Groenlândia acharam uma ilha desconhecida, batizada de Qeqertaq Avannarleq. Eles relataram que ela fica 800m mais ao norte que a Oodaaq, uma ilhota localizada a 83,67°N, considerada a **ilha mais ao norte**. Topa ir até lá?

Legendas da imagem 10:
- vírus da COVID-19 (usando uma coroa!)
- Minions!
- Um médico carregando uma seringa da vacina
- Ciclistas
- Marco marítimo de Blokhus
- Cabanas de praia
- Dragão

VOLTA AO MUNDO EM 300 RECORDES

Alemanha

1: Oktoberfest de Munique
Inaugurada há cerca de 200 anos para marcar um casamento real, a Oktoberfest — o **maior festival de cerveja** — hoje é parte celebração de bebidas, parte feira divertida, com passeios e apresentações junto a uma variedade de bebidas alcoólicas. A versão de 2018, de 22/9 a 7/10, teve 7,9 milhões de litros de cerveja consumidos. Os 6,3 milhões de visitantes beberam cerveja em um local de 31ha — cerca de 3/4 do tamanho do **menor país**, o Vaticano (ver p.127).

2: Abadia de Weihenstephan
Amantes de cerveja também devem ir até a **cervejaria mais antiga em funcionamento**. Este antigo monastério beneditino na Baviera recebeu sua licença em 1040 d.C. Se estiver na área, por que não pedir também uma cerveja na segunda cervejaria mais antiga do mundo? A Abadia de Weltenburg, perto de Kelheim, fica a cerca de 60km ao norte; cerveja foi produzida aqui pela 1ª vez em 1050 d.C.

3: Castelo de Burghausen
O que não falta na Alemanha são castelos. Na verdade, o país tem mais de 2 mil deles! Mas no cume de um montanha na cidade de Burghausen, entre o rio Salzach e o lago Wöhrsee, essa maravilha medieval se destaca como o **castelo mais alto do mundo**, com 1.051m. Outrora uma 2ª casa para os duques da Baviera, o local tem um pátio interno principal, onde a família viveu um dia, e 5 grandes pátios externos. Passeie pelas muralhas, aprecie as vistas deslumbrantes da torre e tente não vomitar no museu da tortura — eca!

4: Pontes de Hamburgo
Os "pontistas" vão gostar da chance de viajar pelas quase 2.500 pontes rodoviárias, ferroviárias e pedonais que cruzam Hamburgo: a **cidade com mais pontes**. Apesar de ser conhecida como a "Veneza do Norte", Hamburgo possui mais pontes sobre seus rios, lagos e canais do que a própria Veneza — na verdade, mais de seis vezes do total!

5: Spreuerhofstrasse
Com apenas 31cm em sua forma mais esbelta, essa passagem na cidade de Reutlinger, no sul de Stuttgart, é a **rua mais estreita**, e data do início do séc. 18. Claustrofóbicos, cuidado: mal passa uma criança. E como um dos muros gradualmente se move para dentro, é melhor se apertar para fazer uma visita logo!

6: Porco-cofrinho de Ludwigsburg
A paixão alemã por wurst (salsicha) não é segredo, mas essa não é sua única fama suína... Em Ludwigsburg, você pode tirar uma selfie com o **maior porco-cofrinho** do mundo. A mascote de Kreissparkasse tem 5,58m de altura e quase o dobro do comprimento de uma kombi.

Visão geral

- **Área:** 357.022km²
- **População:** 79,9 milhões
- **Fatos importantes:** A Alemanha possui a maior economia e a 2ª maior população da Europa, atrás somente da Rússia. O país produziu algumas das maiores mentes, do físico Einstein a filósofos como Hegel. Hoje, realiza muitos eventos anuais de destaque na cultura, do Festival de cinema de Berlim e da Feira do Livro de Frankfurt à Gamescom em Colônia, o **maior festival de games** (2019: 373.000 pessoas).

Este porquinho (nem tão "inho" assim)...
Cofrinhos ou "bancos parados", como são conhecidos por colecionadores, têm uma história bastante longa, que remete, no mínimo, ao séc. 2 a.C. Os mais antigos em formato de porco vêm de Java, na Indonésia: javalis de terracota que datam de 1100.

VOLTA AO MUNDO EM 300 RECORDES

Países Baixos

Visão geral
- **Área:** 74.657km²
- **População:** 29,7 milhões
- **Fatos importantes:** Grande parte da Bélgica, da Holanda e de Luxemburgo está abaixo ou ao nível do mar — e por isso são chamados de "Países Baixos". Aproximadamente 27% da Holanda fica abaixo do nível do mar, tornando-a a nação mais baixa. Não é surpresa que também abrigue a **maior barragem**, a Oosterscheldedam, com 9km de extensão, que ajuda a rebater as tempestades do mar do Norte.

1: Kusttram
Todos a bordo para a **rota de bonde mais longa!** A rota do "Bonde Costeiro", de 68km, contorna a costa belga de Knokke a De Panne. Por coincidência, faz 68 paradas no caminho.

2: Salto no canal
Para cruzar as vias navegáveis da Holanda, os moradores aprenderam a saltar sobre elas, uma habilidade que se tornou esporte: fierljeppen ("salto distante"). Marrit van der Wal (NLD) detém o recorde de **salto feminino**, com 18,19m, em Burgum em 2019. O compatriota Jaco de Groot detém o recorde **masculino** — 22,21m, em Zegveld em 2017.

3: Retábulo de Gante
Apesar de toda fama, a Mona Lisa só foi roubada uma vez (ver p.126). Entretanto, a **pintura mais roubada** é o Retábulo de Gante — ou Adoração do Cordeiro Sagrado —, uma grande obra de arte Flamenga composta por 12 painéis, iniciada por Hubert van Eyck e finalizada por seu irmão, Jan, em 1432. A obra já sofreu 13 crimes e 7 roubos. Em 1934, 2 dos painéis foram afanados, dos quais somente um foi recuperado. Encontre-o se puder!

4: Waffles
Eles existem de uma forma ou outra há milênios, mas estão intimamente ligados a esta região — à Bélgica, em particular. Até um aficionado ferrenho teria dificuldade de comer a **maior pilha de waffles**: com 91,5m, foi servida em 28/6/2020 pelos irmãos belgas Francis e Michel De Buck em seu café, De Buck Au Pingouin, em Blankenberge.

5: Festival Pinkpop
Todo ano, cerca de 50.000 amantes de música vão até a província holandesa de Limburg para o Pinkpop. O **festival anual de música pop mais antigo** foi realizado por 50 anos consecutivos (1970-2019), até que a Covid-19 o obrigou a ser cancelado. Mas não entre em pânico: a festa volta em 2022.

6: Diário de Anne Frank
Este diário comovente vendeu mais de 30 milhões de exemplares e foi traduzido para 55 línguas, sendo o **diário mais vendido**. As memórias de Anne descrevem a vida que ela, família e amigos levavam na perseguição nazista em Amsterdã, na Holanda, durante a II Guerra Mundial. Visite a Casa de Anne Frank para seguir os passos da autora.

VOLTA AO MUNDO EM 300 RECORDES

Leste europeu, do Sul & Central

Visão geral
- **Área:** 6.040.692km²
- **População:** 605 milhões
- **Fatos importantes:** a Europa é o segundo menor dos sete continentes, mas sua área central, do intenso mar Báltico ao calmo Mediterrâneo, fervilha com a história de muitas culturas e impérios. Maravilhe-se com os **navios viking mais antigos** (700-750 d.C.) na ilha estoniana de Saaremaa; gaste 10 centimes na Suíça para dizer que usou a **moeda em circulação mais antiga** (cunhada desde 1879); ou vá até Çatalhüyük, na Turquia, para ver as cavernas neolíticas, as **casas mais antigas** do mundo, de cerca de 7.500-5.700 a.C.

1: Grande Colisor de Hádrons
Cerca de 100m abaixo do solo, na Organização Europeia para a Pesquisa Nuclear (CERN), perto da cidade suíça de Genebra, físicos estão se esforçando para replicar as condições do Big Bang. Para isso, usam aceleradores como o Grande Colisor de Hádrons (LHC) para lançar prótons quase à velocidade da luz. Com uma circunferência de 27km, esse anel gigantesco é o **maior instrumento científico**. A CERN também abriga o Compact Muon Solenoid (na foto), usado em estudos sobre matéria escura e na busca por outras dimensões. O LHC em si não é acessível, mas os fãs de ciência podem fazer uma visita guiada de graça no laboratório da CERN.

2: Teatro de Dionísio
A Acrópole, no coração de Atenas, Grécia, não é só sobre sua coroa, o templo Partenon (ver p.102-3). Em sua vertente sul, você encontra o **primeiro teatro permanente**, construído em cerca de 500 a.C. em homenagem a Dionísio, o deus do vinho e da folia. Originalmente, estima-se que acomodava 17.000 pessoas sentadas. O local era "arredondado", com fileiras de pedras construídas em declive com vista para o palco. Assim como as tragédias e comédias, o teatro também organizava competições nas quais a plateia podia escolher sua peça favorita.

3: Sede da Dentaprime
Que venham os Davis, Dianas, Doras, Danilos e Déboras: se estiver na Bulgária em algum momento, não deixe de ir à 3ª maior cidade, Varna, ou perderá uma oportunidade única de tirar uma selfie. Aberto em 2020, essa clínica dental de projeto curioso é o **maior prédio em formato de letra do alfabeto**; sua área total do piso é de 3.647m². É particularmente impressionante à noite, quando está aceso. Independente de seu nome, se estiver visitando essa cidade portuária do mar Negro, esse será um programa D-vertido!

4: Castelo de Predjama
No sudoeste da Eslovênia, perto da cidade de Postojna, você pode explorar uma fortaleza única semi-subterrânea. Com 35m de altura, é o **maior castelo em caverna** do mundo. Os fãs de **Game of Thrones** vão adorar, especialmente em julho, quando é palco de jogos medievais à fantasia. No Parque da Caverna Postojna, ali perto, você pode fazer um passeio subterrâneo pela paisagem "cársica" fascinante — calcário que se dissolveu em formações surreais.

5: Conheça um Mangalitza!
Viaje pela Hungria rural e você poderá pensar que está alucinando quando vir um porco Mangalitza, pois ele tem um traço bastante incomum. Com uma pelagem longa e grossa, como a de uma ovelha, o Mangalitza é o **porco doméstico mais peludo**. É originário da Hungria do séc. 19.

6: Bolo de espeto
Nenhuma visita à Lituânia está completa sem experimentar um šakotis, ou bolo de espeto. A massa doce é lentamente colocada em um espeto enquanto

assa em um forno especial ou na fogueira. No final, a sobremesa ganha uma aparência ramificada distinta — daí seu outro nome ser "bolo de árvore". O **maior bolo de espeto** pesava 85,8kg e foi assado por uma equipe de 5 pessoas da UAB Romnesa, em Druskininkai, em 2015. O doce é servido tradicionalmente em casamentos ou no Natal.

7: Palácio de Hofburg
Além de schnitzel, música clássica e Red Bull, a Áustria também é famosa pelos seus cavalos Lipizzan altamente treinados (reproduzidos na Eslovênia). Se gosta de adestramento, vai querer trotar até à Escola de Equitação Espanhola no Palácio de Hofburg, em Vienna, o **maior palácio-escola de equitação**. Seu salão barroco de 55x18m, que data do séc. 18 — e é repleto de candelabros! — é o cenário para perfomances elaboradas pelos talentosos equinos e seus cavaleiros igualmente habilidosos.

8: Festival de luta livre turca Kırkpınar
A luta livre turca desenvolveu seus próprios costumes e regras. Os participantes cobrem-se de azeite antes do combate, dificultando uma posição segura do oponente. Se você ficou atraído pela ideia de ver a luta ao vivo, vá até a península de Sarayiçi, onde a **competição de luta livre mais antiga** costuma ocorrer no fim de junho. Esse festival de uma semana acontece desde meados do séc. 14 e o vencedor recebe um cinturão de ouro e desfila em Edirne, a cidade vizinha.

9: Casa Keret
Varsóvia, a capital da Polônia, é um deleite turístico, do Centro de Ciências Copérnico à pitoresca cidade velha, reconstruída após a II Guerra Mundial com base em pinturas feitas por Canaletto, do séc. 18. Você também encontrará a **casa mais estreita**. Keret é uma pequena residência elevada de apenas 92cm na parte mais estreita e 152cm na mais larga, e ainda assim tem quarto, cozinha e banheiro separados, conectados por uma escada. Como não segue as regulamentações de construção local, tecnicamente a casa é uma instalação de arte.

10: Na zdraví!
Faça um brinde na República Tcheca, onde a cerveja é fabricada há mais de mil anos. O país é lar de renomadas cervejarias, como a Staropramen e a Pilsner Urquell. Você estará em boa companhia: os tchecos são responsáveis pelo **maior consumo de cerveja per capita**: 188,6 litros/pessoa foram comprados em 2019.

11: Dia Nacional do Traje Folclórico
O folclore é uma boa maneira de manter vivo o patrimônio cultural. O Dia Nacional do Traje Folclórico na Romênia dá destaque às roupas, músicas e performances históricas. O evento de mai/2017 incluiu a **maior quantidade de pessoas em trajes romenos** — 9.643 — e a **maior dança folclórica romena**, com 9.506 pessoas, ambos organizados pela comunidade Bistrița-Năsăud, da Transilvânia. Os vestidos tradicionais não são só coloridos, mas cheios de simbologias. Observe as videiras (vida eterna), os caracóis (evolução) e as flores (beleza passageira).

VOLTA AO MUNDO EM 300 RECORDES

Ásia Setentrional

Maiores profundidades de lagos por continente
- Ásia: Baikal: 1.642m
- África: Tanganyika: 1.470m
- América do Sul: O'Higgins (ou San Martín): 836m
- América do Norte: Grande Lago do Escravo (ou Tu Nedhe/Tucho/Tideè): 614m
- Europa: Hornindalsvatnet: 514m
- Oceania: Hauroko: 462m
- Antártida: Radok: 362m

1: Grande Ponte Banpo
Sobre o rio Han, na capital da Coreia do Sul, Seul, há uma ponte com um atrativo aquático extra. A **maior fonte em uma ponte**, com 1.140m de extensão, tem 380 esguichos móveis que lançam água a mais do dobro do comprimento de uma pista de boliche. De noite, luzes de LED iluminam os sprays dançantes com um caleidoscópio de cores.

2: Lago Baikal
Vá até o sudeste da Sibéria para entrar no **lago mais profundo**. Com 1.642m, o lago Baikal encobriria uma pilha de 5 torres Eiffel (ver p.126)! Também é o **maior lago de água doce por volume** (23.615km³) e o **lago mais antigo**, com 20-25 milhões de anos. No inverno, sua superfície congelada é ideal para patinação e passeios de trenó e moto de neve; no verão, caiaque, natação e caminhadas.

3: Laika
Preste suas homenagens em um memorial com tema de foguete em Moscou, que celebra uma vira-lata que entrou para história. Em 3/11/1957, como única passageira da nave *Sputnik 2*, Laika decolou do Cosmódromo de Baikonur, no Cazaquistão, e tornou-se o **primeiro animal a orbitar a Terra**. Tragicamente, sobreviveu a apenas algumas horas de voo — algo que só foi revelado em 2002 —, mas seu legado representa um salto enorme na história da exploração espacial.

4: Museu de Inteligência Intelectual
Os amantes de enigmas e charadas vão amar passar um tempo nesse museu na capital da Mongólia, Ulan Bator. Há mais de 5.000 quebra-cabeças para os visitantes montarem, e também a **maior coleção de jogos de xadrez** — 438, em 2019 —, que pertence a Tumen-Ulzii Zandraa (MNG). Além de comprar, ele também fez algumas peças, usando materiais como ébano, pedra e chifre de vaca.

5: Sky Deck
Se alturas vertiginosas o deixam enjoado, talvez seja melhor não olhar... Suba 478m na Lotte World Tower, em Seul, e suba em uma plataforma de observação com base transparente — a **maior plataforma de observação de vidro**. Apenas um painel de 45mm de espessura separa os visitantes da queda, mas ele suporta mais de 500kg/m² — o equivalente a um piano de cauda. Chegue ao Sky Deck em grande estilo através do Sky Shuttle — o **elevador de dois andares mais alto**, que sobe 496m.

6: Beringia, corrida de trenós puxados por cães
A dramática península de Kamchatka, no extremo leste da Ásia, é lar de fontes termais, montanhas com picos nevosos e vulcões. Em 1992, a região também sediou a **mais longa corrida de trenós puxados por cães de todos os tempos** — a Beringia-92 de 2.044km, indo de Esso a Markovo. Embora com a metade da distância, hoje a corrida anual continua para qualquer um com ambições de "latir-e-competir".

7: T Express
No parque temático Everland, em Yongin-si — o maior da Coreia do Sul —, uma atração se destaca. A T Express, com 56m de altura, é a **montanha-**

russa de madeira mais alta (um título que divide com a Wildfire da Suécia desde 2016). A atração, inaugurada em 2008, leva os aventureiros por seus trilhos barulhentos a até 104km/h!

8: Luta livre da Mongólia
A luta livre faz parte da tradição mongol há milênios; o imperador do séc. 13 Genghis Khan encorajava a luta entre seus guerreiros para mantê-los em forma. Permanece sendo o esporte preferido do país, e turistas têm uma série de competições nacionais para escolher todo ano. Ganha-se o combate forçando o oponente a tocar o chão com alguma parte do corpo além dos pés. **O maior torneio de luta livre da Mongólia** envolveu 6.002 participantes e foi organizado pela Federação Nacional de Luta Livre da Mongólia, em Ulan Bator, de 17-25/9/2011.

9: Festival Cold of Pole
Com temperaturas médias de -10°C no verão, certifique-se de levar muitos casacos para a Sibéria. Iacútia, no extremo leste da Rússia, abriga os **lugares mais frios permanentemente habitados**, um recorde dividido entre as cidades de Oymyakon (na foto) e Verkhoyansk. Ambas têm temperaturas registradas de -67,7°C — tão frio que os carros têm que ficar ligados para o motor não congelar! O festival Cold of Pole, em março, marca o fim do inverno e é apresentado por Chyskhaan, uma figura folclórica apelidada de "Senhor do Gelo".

10: Estepes da Mongólia
Se estiver visitando essa região extensa e acidentada, evitar multidões não será problema... A Mongólia é o **Estado soberano menos povoado**, com cerca de 3.198.913 cidadãos ocupando 1.553.556km² de terra; ou seja, meros 2,05 pessoas por km².

11: Festival de Mil Camelos
Você deve associar camelos a climas mais quentes, mas o norte/centro da Ásia conta com os próprios ruminantes de corcova. Populações de camelos-bactrianos (Camelus bactrianus) diminuíram de forma preocupante, o que estimulou esforços para aumentá-la. Esses animais são tão importantes para esta região que eles têm a **maior corrida de camelos** do mundo na cidade do deserto de Gobi, Dalanzadgad, na Mongólia. Em 2016, houve um recorde de 1.108 participantes.

12: Incheon
Esta cidade portuária e industrial da Coreia do Sul encontrou uma forma inovadora de renovar suas docas — uma obra de arte de 23.688,7m² de lombadas de livros retratando as 4 estações, pintada em 16 silos. **O maior mural externo** foi produzido por 22 artistas em 2018 usando cerca de 865.400 litros de tinta.

Visão geral
- **Área:** 18.882.616km²
- **População:** 223 milhões
- **Fatos importantes:** abrangendo a Eurásia, a Rússia é o **maior país**, com quase o dobro do tamanho dos EUA. Ela tem o maior rio da Europa, Volga, com 3.645km, e o maior lago, Ladoga, com 18.130km². Sob o império de Genghis Khan e seus herdeiros, a Mongólia foi o **maior império contíguo** (24 milhões de km² no fim do séc. 13). A península Coreana, separada em 1945, permanece dividida entre comunistas e democratas. A Coreia do Sul é hoje um dínamo de alta tecnologia graças a marcas como a Samsung.

Uma ou duas corcovas?
O "camelot" anual da Mongólia é parte de um festival que ocorre desde 1997. Com 2 dias, tem duas corridas, pólo de camelo e vários esportes de equipe, todos com camelos de duas corcovas. Seus primos de uma só corcova são os dromedários.

VOLTA AO MUNDO EM 300 RECORDES

Oriente Médio

1: Teleférico de Jericó
Na Bíblia, Jesus jejuou durante 40 dias e 40 noites no Monte das Tentações, e lá foi tentado pelo Diabo. Muitos identificam o local como monte da Quarentena, com vista para Jericó, na Palestina, onde ergueu-se um mosteiro grego ortodoxo. No passado, os turistas levavam 1h para subi-lo, mas hoje um teleférico de 12 cabines transporta-os em 5min. É a **rota mais baixa de teleférico**, que liga a estação de Fonte de Eliseu, a 219,9m abaixo do nível do mar, a outra estação no monte ainda cerca de 50m abaixo do nível do mar. O passeio de 1.328m de distância oferece um panorama de Jericó de tirar o fôlego — considerada a **mais antiga cidade continuamente habitada**, com raízes que datam de pelo menos 9.000 a.C.

2: Shibam
Essa cidade do Iêmen representa um exemplo precoce de planejamento urbano vertical. Grande parte da população de cerca de 7.000 pessoas vive aglomerada em prédios residenciais de tijolo de barro e 12 andares, alguns com mais de 30m. As residências altas começaram a surgir depois que Shibam foi inundada em 1532-33, e a maioria das suas 500 torres foram construídas nas décadas seguintes, tornando-a a **cidade de prédios mais antiga**.

3: Montanha-russa EpiQ
Os caçadores de emoções têm uma descarga de adrenalina garantida no parque de diversões Quest, do projeto Doha Oasis, no Qatar. O resort tem mais de 30 montanhas-russas e atrações, incluindo a **maior montanha-russa indoor** — a EpiQ —, que faz jus ao nome, Épica, chegando aos 56,7m de altura.

4: Reserva Natural Enot Tsukim
Descanse dos passeios emocionantes neste paraíso natural na costa do mar Morto, em Israel. A cerca de 430m abaixo do nível do mar, essa área é a **reserva natural com a altitude mais baixa** da Terra e a **zona úmida com a altitude mais baixa**. Embora o mar Morto seja salgado demais para ter plantas, este oásis de 5,8km tem salinidade mais baixa devido à água doce subterrânea das montanhas da Judeia. Sua vida selvagem inclui a hiena-riscada (*Hyaena hyaena*, o maior carnívoro de Israel) e o besouro-joia do Oriente Médio (*Steraspis squamosa*) — uma das 210 espécies de insetos documentadas na região. Aproxime-se ainda mais da natureza com os passeios guiados e as expedições oferecidas.

5: Cemitério de Ur
A cidade-estado de Ur, hoje no Iraque, foi local do **primeiro cemitério real**, com cerca de 1.800 túmulos que datam de 2.600 a.C. Destes, 16 eram tumbas elaboradas com artefatos espetaculares, como joias ornamentais (foto) e os restos mortais de servos e cortesãos. Se estiver por lá, não deixe de visitar o zigurate próximo — estilo dominante de construção religiosa da antiga

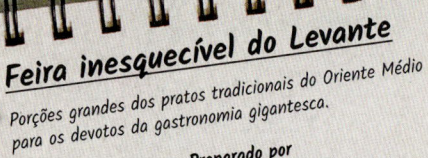

Visão geral
- **Área:** 6.472.375km²
- **População:** 362,2 milhões
- **Fatos importantes:** indo de Israel ao Irã, incluindo toda a península Arábica, o Oriente Médio incorpora os 560.000km² de Rub' al Khali, o **maior deserto contínuo de areia**, com uma área maior que a França Metropolitana! A região combina locais históricos como Damasco, na Síria — a **mais antiga capital**, habitada desde cerca de 2.500 a.C. —, com a ultramodernidade de Dubai, caracterizada pelo Burj Khalifa, o ⦿ **edifício mais alto** (ver p.155).

Feira inesquecível do Levante
Porções grandes dos pratos tradicionais do Oriente Médio para os devotos da gastronomia gigantesca.

Maior...	Peso	Preparado por
Falafel	101,5kg	Hilton Dead Sea Resort & Spa (JOR)
Quibe	233kg	Al-Midan (LBN)
Fatteh (porção)	3.438,2kg	Chef Ramzi Choueiri & alunos da universidade de Al-Kafaât (ambos LBN)
Fattoush	4.432,5kg	Município de Kab Elias (LBN)
Hummus (porção)	10.452kg	Chef Ramzi Choueiri & alunos da universidade de Al-Kafaât (ambos LBN)

Mesopotâmia — construído durante o reinado de Ur-Nammu (cerca de 2113-2095 a.C.). Localizado em Muqayyar, tinha originalmente 3 andares, dos quais somente o 1º e parte do 2º sobreviveram. Seu exterior foi reconstruído nos anos 1980.

6: Sala de Concertos Maraya
Os fãs de história antiga vão se maravilhar com as tumbas e os monumentos em Al-Hijr — o 1º Patrimônio Mundial da UNESCO na Arábia Saudita. Se estiver pela área, encontre um tempinho para refletir na Sala de Concertos Maraya, o **maior prédio espelhado**. Criado pela Comissão Real para AlUla (SAU), a Maraya — que significa "espelhado" em árabe — possui uma fachada de vidro de 9.740m² que reflete a linda paisagem vulcânica. A sala de 500 lugares recebe concertos e outros eventos durante o ano inteiro.

7: Relógio Makkah
A cidade sagrada de Mecca, na Arábia Saudita, é o destino de milhões de fiéis todo ano. Esteja lá para louvar na Grande Mesquita — o local mais sagrado do Islã — ou simplesmente como turista, e certifique-se de checar a hora na Torre Real do Relógio Makkah (ver p.155) com o **maior relógio do mundo**. Com 43m, seu diâmetro tem cerca do dobro do comprimento de uma pista de boliche. Vale fazer a viagem até lá em cima, não só pela vista: os 4 andares superiores da torre são um museu de astronomia.

8: Voo sobre Jebel Jais
Satisfaça seu desejo por velocidade nesse passeio emocionante no emirado de Ras Al Khaimah. A **tirolesa mais longa** abrange uma distância ininterrupta de 2.831m — maior que 26 campos de futebol! Aventureiros atingem até 150km/h, de uma altura de 1.680m acima do nível do mar, aproximando-se da montanha Jebel Jais. Criado pela Toro Verde e pela Autoridade de Desenvolvimento do Turismo de Ras al Khaimah (ambos EAU), o passeio oferece 3 minutos de euforia — ou de puro terror! —, mas memórias para toda a vida.

9: Caviar Almas
Caviar é sinônimo de vida chique e bolsos gordos, e o **caviar mais caro** de todos é o Almas, produzido a partir dos ovos dourados do esturjão-beluga (*Huso huso*), que vive no sul do mar Cáspio, na costa do Irã. Em 2006, somente 1kg deste "ouro negro" ficava por cerca de US$34.500. Dica: os conhecedores colocam o caviar entre o dedo indicador e o polegar antes de consumi-lo.

10: Piscina de pérola
O Oriente Médio pode ser conhecido pelo terreno árido, mas a Deep Dive Dubai, nos EAU, destaca-se com a **⊙ piscina mais profunda** do mundo. Inaugurada em 2021, o poço principal tem 60m de profundidade — o triplo da altura da Casa Branca. E tem mais: esta instalação tem tema de cidade submersa saído direto de um filme de ficção científica. Adereços aprimoram a experiência, desde uma biblioteca a um carro de luxo. Você também pode participar de um jogo de totó embaixo d'água!

Roupa de luto
A cruz de madeira proeminente com barra dupla faz da <u>kanaga</u> uma das máscaras do povo Dogon mais conhecidas. É usada pelos membros da sociedade Awa nos rituais fúnebres conhecidos como <u>dama</u>.

VOLTA AO MUNDO EM 300 RECORDES

África

1: Festival Sigui
O povo Dogon, de Mali, é famoso por suas danças com máscaras espetaculares. São realizadas pela sociedade Awa, um grupo só de homens que esculpem suas próprias máscaras e aprendem a falar *sigi so* ("a língua do mato"). Dentre as responsabilidades dos Awa está o Festival do Sigui, que pode durar mais de 5 anos com cada aldeia Dogon se revezando para comandar uma série de festas e rituais. Celebrando a passagem de conhecimento para a nova geração, a **mais longa cerimônia religiosa** só acontece uma vez a cada 60 anos; o próximo Sigui deve ter início em 2032.

2: Universidade de Al-Karaouine
Fundada em 859 d.C., na cidade de Fez, no Marrocos, a **sede mais antiga de ensino superior** educa alunos há mais de mil anos e conta com o papa Silvestre II e o geógrafo/diplomata Leo Africanus entre seus ex-alunos. Foi inaugurada como uma mesquita com escola e biblioteca adjacentes, e só foi oficialmente designada como universidade em 1963. Hoje, atrai estudiosos do mundo todo, principalmente os interessados em estudos islâmicos e linguística árabe.

3: Lagos alcalinos da África Oriental
O Vale do Rift, no Quênia e na Tanzânia, é onde ficam os **lagos mais alcalinos**, que chegam a 50°C e possuem níveis de pH de 10-12, cáusticos o suficiente para queimar a pele! Mas isso não detém o flamingo menor (<u>Phoeniconaias minor</u>), que se reúne em grandes bandos para se alimentar de algas, tornando sua pluma naquele tom familiar rosa-avermelhado. Os lagos alcalinos devem sua ação corrosiva à alta concentração de carbonato de sódio, cloro e fósforo produzidos pelos vulcões locais.

A África Oriental também abriga o **lago mais salgado** — a lagoa Gaet'ale, na região de Afar, na Etiópia. Ela tem 43,3% de sal por peso, sendo mais salgada do que o mar Morto.

4: Baga de mármore
A <u>Pollia condensata</u> é uma planta perene encontrada nas florestas africanas que produz frutinhas de um azul-metálico vívido. Essas bolinhas brilhantes são os **objetos orgânicos mais brilhantes**, com reflexos de aproximadamente 30% de um espelho de prata. Como não têm valor nutricional, cientistas acreditam que o brilho é uma estratégia evolutiva para atrair pássaros a pegar a fruta e usá-la como decoração do ninho, e assim incentivar a polinização.

5: Biete Medhane Alem
Lalibela, na Etiópia, é uma cidade famosa por suas igrejas de rochas. Imagina-se que foram escavadas no cenário rochoso por volta do séc. 12, como parte de um plano para criar uma "Nova Jerusalém". A maior de todas, a Biete Medhane Alem ("Casa do Salvador do Mundo"), com 33,5m de comprimento, é a **maior igreja monolítica**. Junte-se aos fiéis em busca da bênção da Cruz de Lalibela, um artefato de procissão de 7kg mantido lá.

Guia de amantes de Safáris
Faça um safári com essas feras enormes!

Maior...	Espécies	Peso / altura
Animal terrestre	Elefante-africano	4-7t / 3-3,7m
Rinoceronte	Rinoceronte-branco-do-sul	3,6t / 1,7m
Mamífero de rio	Hipopótamo	3,6t / 1,45m
Primata	Gorila-de-grauer	163kg / 1,75m
Pássaro	Avestruz-do-norte-da-África	156kg / 2,7m
Lêmure	Indri	7,5kg / 72cm
Mais alto...		**Altura**
Animal terrestre	Girafa	5,5m

6: Cavernas de Sudwala
Formadas de rochas dolomíticas pré-cambrianas em Mpumalanga, na África do Sul, acredita-se que as **cavernas mais antigas** da Terra surgiram cerca de 240 milhões de anos atrás. As Cavernas de Sudwala abriram para o público nos anos 1960 e podem ser visitadas durante o ano todo. São subterrâneas, e nelas você vai encontrar espeleotemas (formações minerais) de 150 milhões de anos, como o "Lowveld Rocket" e o "Screaming Monster". Se estiver se sentindo aventureiro, tente fazer o Tour Crystal — mas só se quiser caminhar pela água e rastejar por túneis!

7: Parque Nacional Tsingy de Bemaraha
O Grand Tsingy, em Madagascar, é uma massa de pedra calcária de 600km² da era jurássica, que ao longo de milhões de anos erodiu e formou uma "floresta de pedra" de pináculos afiados. Planeje uma caminhada guiada pela **maior floresta de pedra** para apreciar a paisagem exótica com pináculos naturais de 90m de altura. Há também 11 espécies de lêmures dentro do parque.

Situada a 400km da costa Leste da África, Madagascar é a **ilha mais antiga** e a 4ª maior do mundo. Ela separou-se do subcontinente indiano há cerca de 80-100 milhões de anos.

8: Saara
O Saara envolve 10 países e uma área 5.800 vezes maior do que Londres, sendo o **maior deserto quente** do mundo. Seu calor escaldante, os campos de dunas varridos pelo vento (ergs) e as imponentes cordilheiras de areia (draa) podem criar condições inóspitas para os viajantes, mas continua sendo uma maravilha natural. Uma criatura que tornou o deserto sua casa é a **menor raposa**, um feneco de 40cm cujas orelhas gigantes ajudam a manter-se refrescado.

9: Couscous
A semolina cozida no vapor é uma comida deliciosa da culinária norte-africana e pode ser servida como acompanhamento, sobremesa ou prato principal. Seria necessário um baita apetite para raspar a **maior tigela de couscous**, preparada na Feira Internacional de Argel de 2004, na Argélia, pesando 6,04t — o mesmo que um elefante adulto (ver ao lado!)

10: Grande Esfinge de Giza
Um dos marcos mais conhecidos do Egito, a Esfinge é uma estátua de pedra calcária de uma criatura mitológica com corpo de leão e cabeça de humano. Acredita-se que seu rosto seja do rei Khafre (cerca de 2575-2465 a.C.), embora o nariz tenha desaparecido há séculos. Feita em um único bloco de pedra, a Esfinge é a **maior escultura monolítica**, com 73,5m de comprimento. Ela fica próxima da Pirâmide de Khufu, uma recordista nata (ver p.154 e p.160).

Visão geral
- **Área:** 30.293.969km²
- **População:** 1,37 bilhão
- **Fatos importantes:** os humanos habitam a África há mais tempo do que qualquer outro continente — os **mais antigos ossos de Homo sapiens** datam de cerca de 300.000 anos e foram desenterrados no Marrocos. Hoje, é o continente com **mais países** — 54, sendo o mais novo o Sudão do Sul — e com **mais fronteiras** — 108; ou 110, se incluirmos a República Árabe Saaraui Democrática. Também tem 2 grandes rios: o Nilo, com 6.695km, o **mais longo**, e o Congo, o **mais profundo**, com ponto mais baixo de 220m.

VOLTA AO MUNDO EM 300 RECORDES

Ásia Central & Meridional

Peso médio:
1 jaca =
10-15x abacaxi

1: Nanga Parbat
Também conhecido como Diamir, esse pico do Himalaia, na região de Caxemira, administrada pelo Paquistão, é o 9º mais alto do mundo, com 8.125m. Tem uma reputação terrível entre os alpinistas, que precisam enfrentar suas geleiras instáveis e propensão a tempestades. Como 1 em cada 5 tentativas de chegar ao cume do Nanga Parbat termina em tragédia, seu apelido é "Montanha Assassina"! Também é a **montanha que aumenta mais rápido**, com mais 7mm por ano.

2: Cratera de Darvaza
Em um campo de gás natural no deserto de Karakum, no Turcomenistão, fica a "Porta para o Inferno": uma cratera em chamas que queima desde 1971. Acredita-se que sua formação se deu após um colapso no solo, quando um equipamento rompeu um vazio subterrâneo, e geólogos incendiaram a cratera para evitar um vazamento maior de gás. O resultado foi a **cratera de metano em chamas por mais tempo**. Em nov/2013, o aventureiro canadense George Kourounis foi ao fundo do buraco de 30m vestindo uma roupa de alumínio resistente ao calor, tornando-se a **primeira pessoa a explorar a cratera de Darvaza**.
Contudo, o fim deste marco incendiário deve estar próximo; em jan/2022, o governo turcomeno anunciou que planeja extinguir o fogo.

3: Jaca
Uma viagem a Bangladesh não estaria completa sem a fruta nacional, a jaca. Ela chega aos 0,9m e pode pesar 5 vezes uma bola de boliche — tornando-a a **maior fruta que cresce em árvore**. Um único pé de jaca (Artocarpus heterophyllus) pode produzir até 200 frutas por ano. Seu custo baixo e alto valor nutricional faz da jaca um ingrediente básico da culinária de Bangladesh, usada em tudo, de sopas a saladas e curries.

4: Thaipusam
Todo ano em jan/fev, os tâmeis hindus se reúnem para celebrar a ocasião em que Murugan, o deus da guerra, recebeu uma lança divina para derrotar o demônio Surapadman e seus irmãos. Os fiéis fazem kavadi, atos de devoção que vão de carregar potes de leite de arroz a atravessar as bochechas com palitos. O **maior festival Thaipusam** acontece na Malásia. Ao menos 1 milhão de devotos embarcam em uma jornada de 8h do Templo Sri Mahamariamman na capital, Kuala Lumpur, às cavernas sagradas de Batu, a cerca de 15km de distância.

5: Templo Ranganathaswamy
Este local sagrado de mil anos na ilha de Srirangam em Tamil Nadu, Índia, é dedicado a Ranganatha, uma forma da deidade hindu Vishnu. O complexo possui 13 gopuram (torres de entrada) ornamentais, concluídas em 1987, que chegam aos 72m. Este exemplo impressionante da arquitetura dravidiana — o **maior** e **mais alto complexo de templo hindu** do mundo — foi nomeado como Patrimônio Mundial da UNESCO e hoje está pendente de avaliação.

6: Centro de Reabilitação de Orangotangos Sepilok
Vivendo na copa das árvores das selvas da Indonésia, os orangotangos

(Pongo) são os **maiores mamíferos arborícolas**. Desde 1964, o **santuário de orangotangos mais antigo** já ajudou mais de 300 órfãos resgatados na natureza. O lar para primatas doentes fica na Reserva Florestal Kabili-Sepilok, de 43km², no estado de Sabah, em Bornéu, Malásia. É bem envolvido na educação para conservação, assim como em dar assistência a outras espécies ameaçadas como ursos-malaios (os **menores ursos**), gibões e elefantes. Fica aberto o ano inteiro para visitantes e voluntários.

7: Angkor Wat
Construído pelo rei Khmer Suryavarman II durante seu reinado de 1113-1150 d.C., o templo Angkor Wat, no Camboja, é a **maior estrutura religiosa** já erguida. Faça um passeio pelos 162,6ha e admire as galerias ornamentadas e a montanha-templo central. Originalmente dedicado ao deus hindu Vishnu, o local se transformou aos poucos em um centro de cultos budistas. Já abrigou uma população de cerca de 80.000 pessoas, mas foi abandonado em meados do séc. 15.

8: Lago Toba
Cerca de 75.000 anos atrás, uma supererupção vulcânica na ilha de Sumatra quase extinguiu a humanidade... Felizmente, também criou o agora idílico lago Toba que, com cerca de 100x30km, é a **maior cratera de lago**. O Toba também contém a ilha de Samosir, lar original do povo Toba Batak. Com uma área de 630km², Samosir é a **maior ilha em um lago em uma ilha**.

9: Estátua da Unidade
Em uma ilha perto de Sarovar Dam, no estado de Gurajat, Índia, há uma estátua de 182m de altura de Sardar Vallabhbhai Patel, um dos fundadores da Índia. A **maior estátua** do mundo é tão proeminente que é visível a 7km de distância. Pegue o elevador dentro dela até a galeria de observação, localizada a 153m do chão, que oferece vistas deslumbrantes dos reservatórios e das montanhas ao redor, ou visite à noite para ver um show de projeção a laser.

10: Caverna do rio da Montanha
Nas profundezas do Parque Nacional Phong Nha-Ke Bàng, no Vietnã, fica Hang Son Đoòng, a **maior caverna**. Sua entrada foi descoberta por um agricultor em 1991, embora mais 18 anos tenham se passado até uma pesquisa formal ser feita; hoje sabemos que ela se estende por ao menos 6,5km. Os exploradores que encaram a jornada de 6h pela selva e os 200m de descida na caverna serão recompensados com uma das maravilhas escondidas mais espetaculares da Terra.

11: Istana Nurul Iman
Para uma exibição deslumbrante da opulência real, faça uma viagem a Brunei, um Estado soberano na costa norte de Bornéu. A alguns quilômetros ao sudeste da capital Bandar Seri Begawan fica o Palácio da Luz e da Fé, casa oficial do 29º sultão de Brunei e sede do governo do país. O **maior palácio ocupado** do mundo contém 1.788 quartos, mais do dobro de Buckingham, incluindo um salão de banquetes com 5.000 lugares, uma mesquita e uma garagem para 110 carros. Tem também um estábulo climatizado para 200 cavalos de pólo e 5 piscinas. Vale dizer que a residência fica aberta ao público somente por 3 dias a cada ano lunar, durante o festival Hard Raya, que marca o fim do Ramadã.

Altura: 182m
Altura: 9x a Estátua da Liberdade (sem o pedestal)

Visão geral
- **Área:** 10.551.875km²
- **População:** 2,5 bilhões
- **Fatos importantes:** a região é famosa pelos extremos geológicos, do monte Everest (ou Sagarmāthā, ou Chomolungma), a **montanha mais alta**, com 8.848,8m, ao **ponto mais profundo do oceano**, o Challenger Deep, no oceano Pacífico, com 10.935m. Suas maravilhas arquitetônicas, em geral religiosas, não são menos impressionantes do que os feitos da natureza; só a Tailândia tem mais de 35.000 templos!

VOLTA AO MUNDO EM 300 RECORDES

China

1: Muralha da China
A muralha mais longa do mundo é, na verdade, uma série de muros, trincheiras, torres e portões, reconstruídos e complementados por diversas dinastias ao longo de 2.000 anos. Uma pesquisa de 2012 estimou sua extensão histórica total em mais de 20.000km, embora hoje só algumas centenas de quilômetros permaneçam intactos. Os trechos mais populares estão em Jiankou, Mutianyu e Jinshanling.

2: Templo Yuan-Dao Guanyin
Os visitantes de Taiwan podem encontrar paz no templo Yuan-Dao Guanyin. Sobre o complexo há uma estátua da deusa budista da misericórdia, Guanyin, sob alguns disfarces, pode ser representada com mil braços e olhos. Levou 20 anos para ficar pronta e é a **maior escultura de aço**, com 30,3m de altura e 35,9m de comprimento.

3: Pagode Sakyamuni
O condado de Yingxian, em Shanxi, abriga uma torre de mil anos conhecida como Muta. A partir de uma base de pedra, a construção se eleva por 5 andares até os 67,3m — tornando-a o **pagode de madeira mais alto**. Construído em 1056 d.C., durante a dinastia Liao, a estrutura resistiu a terremotos e fogo de artilharia de guerra.

4: A Cidade Proibida
Ocupando 72ha no coração de Pequim, a Cidade Proibida é um complexo extenso de pátios, salões e jardins imponentes. Lar dos imperadores das dinastias Ming e Qing entre 1420 e 1924, o local ganhou esse nome porque a maioria dos cidadãos era impedida de entrar. Mas hoje os portões da Cidade Proibida ficam abertos para turistas. Na verdade, esse Patrimônio Mundial da Unesco é o **palácio mais visitado** e recebeu cerca de 17 milhões de visitantes em 2018.

5: Pandas gigantes
Esses mamíferos monocromáticos são um tesouro nacional. Apenas 1.864 pandas-gigantes (Ailuropoda melanoleuca) vivem em seu habitat natural, a floresta de clima ameno nas montanhas do sudoeste da China. Eles se alimentam de bambu, e os machos chegam aos 136kg. O **maior habitat desses animais** é o Santuário de Pandas-gigantes de Sichuan, com 9.245km², que abriga 30% da população global da espécie.

6: Exército de Terracota
Em 1974, agricultores perto de Xian, na província de Shaanxi, depararam-se com poços contendo mais de 8 mil soldados, militares e outras figuras de barro. Esse "exército de Terracota" — o **maior grupo de estátuas em tamanho real** — foi criado para vigiar o túmulo de Qin Shi Huangdi, o primeiro imperador da China, morto em 210 a.C. Hoje, há um museu no local.

Visão geral
- **Área:** 9.596.960km²
- **População:** 1,39 bilhão
- **Fatos importantes:** a China tem a **maior população**. Seu território cruza cinco zonas de fuso horário geográficos, mas desde 1949 o país segue só um, portanto é o **maior país com um único fuso horário**. Unindo tradição e modernidade, possui tanto o Mosteiro Rongbuk — o **templo mais alto**, a 5.100m acima do nível do mar — quanto o Centro de Ciências de Guangdong — o **maior museu científico**, com uma área de 126.514m².

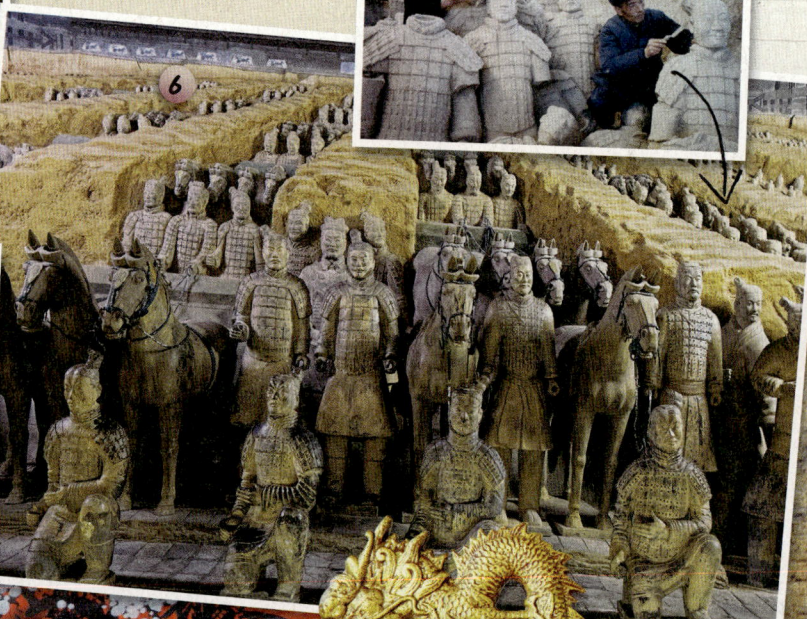

VOLTA AO MUNDO EM 300 RECORDES

Japão

1: Macacos-japoneses
Habitantes da área montanhosa de Jigokudani, em Honshū, os macacos-japoneses (Macaca fuscata) são os **primatas mais setentrionais** depois dos humanos. Eles ficam aquecidos em invernos de -15°C banhando-se em fontes vulcânicas quentes.

2: Museu Ghibli
Faça uma "viagem de Chihiro" pela cidade de Mitaka para se divertir no mundo melancólico do Studio Ghibli. O museu foi projetado por Hayao Miyazaki, diretor de filmes clássicos como Meu amigo Totoro (1988) e O castelo animado (2004). O **estúdio de animação não inglês de maior sucesso** faturou US$ 1,39 bilhão com 19 longas-metragens.

3: Gundam Factory
Os fãs de robôs gigantes precisam incluir Yokohama em seu itinerário. Para marcar o 40º aniversário da série de anime Mobile Suit Gundam, em 2020, a Gundam Factory criou uma versão de 18m de altura do robô Gundam RX-78-2, que ganha vida a cada hora. É o **maior robô humanoide**.

4: Estádio de Sumô Ryōgoku
Vá até o bairro Yokoami, em Tóquio, para vivenciar o esporte tradicional do Japão: o sumô. Essa antiga forma de luta livre é repleta de rituais, com combatentes gigantes purificando o dohjō (ringue) com sal antes de lutarem. Com capacidade para 11.908 pessoas, Ryōgoku é o **maior estádio de sumô** e é palco de 3 dos 6 torneios oficiais (honbasho) — em janeiro, maio e setembro. Os assentos ao lado do ringue são os melhores, mas cuidado com os lutadores voadores!

5: Festival da Neve de Sapporo
Em fevereiro, a maior cidade de Hokkaido comemora por 7 dias o festival da chegada da neve. Teve início em 1950, quando uma coleção de esculturas de estudantes em Odori Park atraiu 50 mil pessoas. Desde 1974, o festival conta com Concurso Internacional de Esculturas de Neve. As equipes passam semanas criando obras de arte espetaculares como a **maior escultura de neve do Star Wars** em 2015, que contou com um Darth Vader segurando um sabre de luz e foi feita com 3.175t de neve.

6: Flor de cerejeira
A primavera chega ao Japão em uma colorida enxurrada de pétalas rosas e brancas produzidas pelas árvores sakura. A LEGOLAND em Nagoya celebrou a flor nacional criando sua própria versão com as pequenas peças. Com 4,38m de altura e 4,93m de comprimento, é a **maior cerejeira feita de Lego**.

Visão geral
- **Área:** 377.915km²
- **População:** 124,6 milhões
- **Fatos importantes:** o Japão tem 5 ilhas: Honshū, Hokkaido, Kyūshū, Shikoku e Okinawa. A última é onde fica Tóquio, a **maior capital**, com uma população de 37.468.302 pessoas. O país abriga a **casa imperial mais antiga**, com uma linha de sucessão de 126 imperadores da dinastia Yamato. Os amantes de doce devem ir para Kyoto em busca da **loja de doces mais antiga** — Ichimonjiya Wasuke, que vende gulodeimas desde o ano 1000 d.C.

A primavera se adiantou
Se você quer ver as árvores sakura de Kyoto repletas de flores, não deixe para última hora! Estudos mostram que, em 2021, o pico dessas flores foi no dia 26/3 — o mais cedo desde os primeiros registros em 812 d.C.

VOLTA AO MUNDO EM 300 RECORDES

Austrália

1: Santuário Lone Pine Koala
Os fãs de vida selvagem vão querer parar em Brisbane para ver essa instituição venerável. Inaugurada em 1927 por Claude Reid, é o **santuário de coalas mais antigo** e lar de mais de 130 desses ícones australianos adoráveis. Você terá muitas chances de aperfeiçoar suas fotos, pois os coalas passam até 19h/dia dormindo — não são preguiçosos, só conservam energia, uma vez que as folhas de eucalipto que comem têm pouquíssimos nutrientes.

2: Campeonatos Nacionais de Biciclo
Sua origem pode ter sido na França, mas esse peculiar protótipo de bicicleta é celebrado com estilo todo ano na cidade de Evandale, na Tasmânia, na **maior competição de biciclo**. Além de diversas corridas, o evento conta com uma feira vitoriana. Os novatos no biciclo também são bem-vindos... mas boa sorte para fazê-lo caber em sua mala!

3: Wave Rock
Se estiver em Hyden, no leste de Perth, dê uma parada para tirar uma foto em Wave Rock ("onda de pedra"). Com cerca de 2,7 bilhões de anos e 12m de altura, essa curva graciosa formou-se ao longo de milênios conforme o granito ia sendo erodido pelo solo ácido que o cobria. Com uma área exposta de 1.320m², é a **maior inclinação de erupção**. A pedra fica para o norte de Hyden.

4: Grande Barreira de Corais
Se há uma parada obrigatória em uma viagem à Austrália, é a estrutura majestosa de corais na costa de Queensland. Com 2.027km, é o **maior recife** (feito de milhares de pequenos recifes). Mergulhe para se misturar às mais de 1.500 espécies de peixes (10% do total do mundo!), incluindo várias estrelas de Procurando Nemo, do peixe-palhaço ao cirurgião-patela, às tartarugas marinhas e às estrelas-do-mar. Dica importante: evite as águas-vivas no inverno (jun-ago).

5: Estádio Austrália
Devido à paixão australiana por esportes, é de se imaginar que eles construíram um local imenso em Sydney para os Jogos Olímpicos em 2000. Foi projetado para acomodar 110.000 espectadores — a **maior capacidade de um estádio olímpico** —, apesar de terem comparecido cerca de 114.000 na cerimônia de encerramento. Hoje, recebe jogos de rugby e futebol e também shows de música.

6: Floresta tropical de Daintree
Viaje à era dos dinossauros nessa luxuosa maravilha tropical na costa de Queensland. Daintree é a **floresta tropical mais antiga** do mundo — data de cerca de 180 milhões de anos; compare-a aos "meros" 55 milhões de anos da Amazônia (ver p.122). Com cerca de 1.200km², também é o maior bloco contíguo de selva do país.

Visão geral

- **Área:** 7.741.220km²
- **População:** 25,8 milhões
- **Fatos importantes:** a Austrália é o **menor continente**, mas a **maior ilha continental**. Também é o **continente mais plano**, sem grandes áreas montanhosas e elevação média de apenas 330m. Porém, talvez sua mais famosa formação geológica desafie o relevo do deserto: Uluru, o **maior monólito de arenito**. Lar de muitos animais singulares, um dos mais icônicos da Austrália é o canguru-vermelho (Osphranter rufus), o **maior marsupial**.

VOLTA AO MUNDO EM 300 RECORDES

Nova Zelândia

1: Bonança de observação de aves

A Nova Zelândia ostenta uma abundância na quebra de recordes de aves. Isso inclui o kākāpo (Strigops habroptila), ou papagaio-coruja, o **papagaio mais pesado**. Os machos chegam aos 4kg. Estão em grande risco de extinção, então os observadores dispostos têm que se submeter a uma quarentena antes de viajar ao lar desses animais.

A ave nacional, da qual deriva o apelido dos neozelandeses, é o kiwi; para tentar avistar um na natureza, vá até uma reserva natural ou inscreva-se em um tour da vida selvagem. O kiwi-marrom (Apteryx australis) coloca os **maiores ovos com relação ao tamanho do corpo**. Uma fêmea de 1,7kg produziu um ovo de 406g — quase ¼ de sua massa corporal!

O raríssimo pinguim-de-olho-amarelo (Megadyptes antipodes) é o **pinguim menos sociável**. Nativo da Nova Zelândia e de algumas ilhas subantárticas, ele faz o ninho sozinho, longe da vista de outros pássaros.

2: Baldwin Street

A 2ª maior cidade da Ilha Sul, Dunedin, contém essa ruela banal, exceto pela inclinação de 34,8% (19°), tornando-a **rua mais íngreme**. Que ótima maneira de testar suas panturrilhas! Se for até lá em julho, fique para a corrida anual de Cadbury Jaffa, em que milhares de balas são lançadas ladeira abaixo.

3: Lago Frying Pan

Os que gostam de programas ao ar livre vão amar a beleza acidentada do vale vulcânico de Waimangu. Aqui você vai encontrar o fumegante lago Frying Pan ("frigideira", também conhecido como Caldeirão de Waimangu) — a **maior fonte termal**, com cerca de 3,8ha. Sua temperatura média alcança os 60°C e a água é ácida, então é melhor deixar para as formas de vida termofílicas — micro-organismos como bactérias e algas —, que aguentam esse calor.

4: Árvore de Ranfurly

Diz a lenda que em 1901, lorde Ranfurly, então governador do país, plantou uma Sitka Spruce (Picea sitchensis) na ilha de Campbell — uma das mais austrais. Sua companhia mais próxima fica a cerca de 222km, tornando-a a **árvore mais remota**. Expedições ocorrem vez ou outra, mas caso não consiga agendar, aqui está uma foto do abeto solitário.

5: Caverna Matainaka

Para visitar um dos pontos turísticos mais distintos do país, vai precisar ir para debaixo da terra. A costa de Otago, na Ilha Sul, tem a **maior caverna marinha**, com 1,54km. Por causa da ação constante das ondas, ela cresce um pouco mais a cada ano. Pegue um caiaque e reme por esse mundo subterrâneo sombrio.

6: Wellington

Conheça a história de Aotearoa (o nome maori do país), com ênfase na cultura indígena, no Museu da Nova Zelândia Te Papa Tongarewa. Uma viagem de 5min no icônico bonde vermelho leva você às montanhas para tirar fotos da **capital mais ao sul do planeta** (entre Estados soberanos), a 41,28°S.

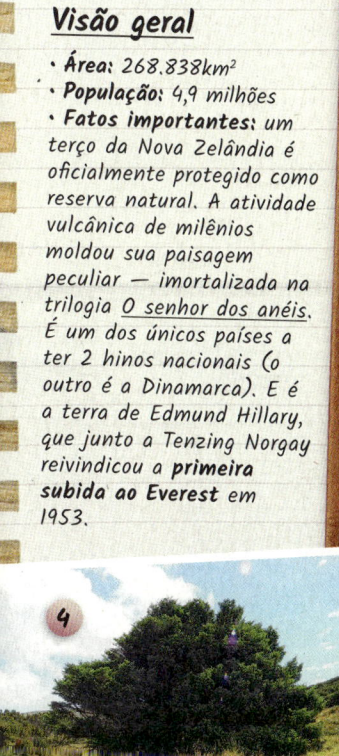

Visão geral

- **Área:** 268.838km²
- **População:** 4,9 milhões
- **Fatos importantes:** um terço da Nova Zelândia é oficialmente protegido como reserva natural. A atividade vulcânica de milênios moldou sua paisagem peculiar — imortalizada na trilogia O senhor dos anéis. É um dos únicos países a ter 2 hinos nacionais (o outro é a Dinamarca). E é a terra de Edmund Hillary, que junto a Tenzing Norgay reivindicou a **primeira subida ao Everest** em 1953.

ENGENHEIRO DE LEGO
David Aguilar

Aos 5 anos, David Aguilar, de Andorra, foi apresentado ao LEGO®. Quem poderia imaginar as invenções incríveis que resultariam desse encontro?

Nascido sem o braço direito, David (que também atende pelo apelido Hand Solo) construiu sua 1ª prótese de LEGO com apenas 9 anos. Embora, na época, as peças disponíveis não fossem adequadas para usos práticos, aquela foi a centelha que lhe permitiu continuar melhorando seu braço de LEGO.

Aos 18, David fez um avanço crucial ao reutilizar partes do Helicóptero de Resgate do LEGO Technic (set #9396) para criar seu modelo Mark-I (MK-I), uma referência à armadura nº 1 do Homem de Ferro. Com a mão preênsil e o cotovelo móvel, a **primeira prótese funcional de braço feita de LEGO** era forte o suficiente para aguentar flexões!

Agora, David trabalha no MK-VI, com o qual espera dar movimentos independentes ao cotovelo e à mão. Também está animado para fazer próteses com impressão 3D.

Esse inventor é hoje um palestrante requisitado, inclusive na conferência de inovações da NASA de 2019 e outras. Sua visibilidade permite que David nos encoraje a pensar fora da caixa (de LEGO) e perceba todo o nosso potencial.

BREVE BIOGRAFIA

Nome: David Aguilar Amphoux
Local de nascimento: Andorra la Vella, Andorra
Apelido: Hand Solo
Nível acadêmico: Estudante de bioengenharia
Recordes mundiais atuais:
- 1ª prótese de braço de LEGO
- 1ª prótese de braço de LEGO controlada pelo pé
- 1ª prótese de braço de LEGO com uma stylus

O MK-II de David (acima) usa partes do Avião a Jato do LEGO Technic (#42066).

MK-I
MK-II
MK-III
MK-IV

1. Aos 9 anos, David com sua primeira tentativa de fazer uma prótese de LEGO. "O LEGO foi meu primeiro brinquedo: era possível construir uma infinidade de coisa. A imaginação era o limite!"

2. O MK-II tinha uma pinça para pegar objetos e também dobrava. Ao instalar um motor de LEGO, David conseguiu erguer objetos mais pesados.

3. A cada nova versão, os designs de David aumentavam a funcionalidade das próteses. Feitas de peças de plástico, são bem mais baratas que as convencionais, cuja manutenção é muito cara.

4. Quando a notícia do trabalho de David chegou a Zaure Bektemissova, na França, ela logo entrou em contato. Seu filho de 8 anos, Beknur, nasceu com membros parcialmente desenvolvidos, e ela tinha dificuldade de encontrar próteses apropriadas. Em resposta, David criou duas próteses de LEGO novas em folha: o MK-Beknur para pegar objetos — ◐ **a primeira prótese de braço feita de LEGO controlada pelo pé** — e o eMK-Beknur, ◐ **a primeira prótese de braço feita de LEGO com uma stylus.**

5. Em 2020, David se uniu a Sébastien Mauvais, editor da *Briques Mag*, no programa de TV *LEGO MASTERS França*. Eles ergueram o troféu feito de LEGO dos campeões.

6. David pilotando seu patinete elétrico INOKIM OX Super com um sistema de freio modificado e um membro artificial. O patinete foi desenvolvido pelo pai de David, Ferren Aguilar (detalhe), que faz veículos sob medida para o filho desde criança. Recentemente, os dois escreveram um livro, *Pieza a Pieza* (Peça por peça), que conta a vida de David. Foi publicado em 2021, e o subtítulo resume bem suas habilidades extraordinárias de engenharia: "A história do garoto que construiu a si mesmo".

Saiba mais sobre David na seção do Hall da Fama em www.guinnessworldrecords.com/2023

148

MAIOR CARRO

Em 1/3/2022, uma recordista clássica recuperou sua coroa. *American Dream* é uma limusine de 30,51m que pode acomodar 75 passageiros. Foi projetada pelo lendário customizador de carros Jay Ohrberg, e — em uma outra encarnação — ganhou as manchetes como o carro mais longo em 1986. Mas os custos para mantê-la e outros desafios (onde *estacionar* um carro desses?!) a transformaram em uma sucata negligenciada. Em 2019, o magnata imobiliário e colecionador de carros Michael Dezer encontrou seus tristes restos no eBay e a tirou das mãos do antigo dono Michael Manning (na foto, todos EUA). Com a ajuda de um time de mecânicos — e a um custo de US$250.000 —, a dupla ressuscitou a *American Dream*. Por que não dar uma olhada nela? Fica em exibição no Dezerland Park em Orlando, Flórida, EUA. Impossível não vê-la!

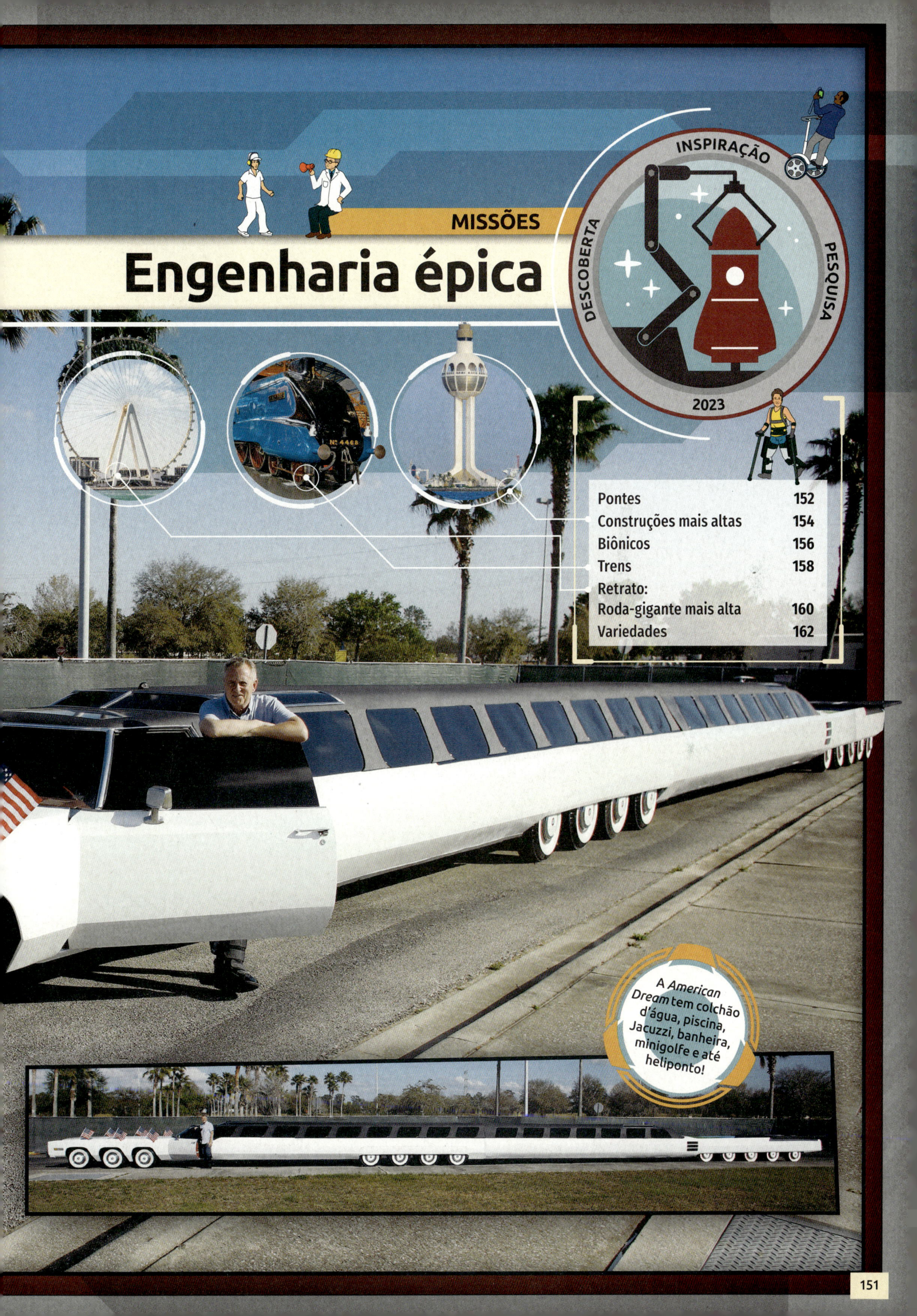

MISSÕES

Engenharia épica

INSPIRAÇÃO
DESCOBERTA
PESQUISA
2023

Pontes	152
Construções mais altas	154
Biônicos	156
Trens	158
Retrato: Roda-gigante mais alta	160
Variedades	162

A American Dream tem colchão d'água, piscina, Jacuzzi, banheira, minigolfe e até heliponto!

ENGENHARIA ÉPICA
Pontes

PONTE MAIS ALTA
A Primeira Ponte de Beipanjiang fica 565,4m acima do rio Beipan, na China, entre Yunnan e Guizhou. Essa ponte estaiada foi inaugurada em 29/12/2016. O One World Trade Center, o maior prédio dos EUA, caberia sob ela. Para a **estrutura de ponte mais alta**, vá até a p.126.

PRIMEIRA PONTE COM DUPLA HÉLICE
Com 280m, a ponte Helix, em Singapura, é única até hoje. Projetada pela Cox Architecture and Architects 61 com engenheiros da Arup, ela tem duas hélices de aço que se entrelaçam para criar uma complexa treliça tubular. Foi inaugurada em 18/7/2010 com custo total de US$60,2 mi.

MAIOR TÚNEL-PONTE
O trevo Hong Kong-Zhuhai-Macau no estuário do rio das Pérolas, na China, tem 29,6km de extensão, consistindo em 3 pontes estaiadas que totalizam 22,9km e um túnel submarino de 6,7km, além de 4 ilhas artificiais. Considerando as estradas contíguas, o complexo se estende por 55km.

TIPOS DE PONTE
Arco: o peso externo é sustentado pelas fundações em cada ponta.
Arco amarrado: cabos verticais e um tabuleiro tensionado contêm a pressão externa.
Estaiada: o peso do tabuleiro é sustentado por cabos conectados a torres.
Pênsil: cabos presos entre torres sustentam a carga no tabuleiro.

MAIOR PONTE DE AÇO IMPRESSA EM 3D
A ponte MX3D, de 8,7m, cruza o Oudezijds Achterburgwal, um canal no distrito de De Wallen, em Amsterdã, Holanda. A empresa holandesa de engenharia MX3D usou tecnologia robótica de impressão 3D para sua construção; assim, a ponte é um pedaço contínuo de metal, sem junções ou seções separadas.

A ponte foi inaugurada pela rainha Máxima da Holanda (esquerda), em 15/7/2021.

Mais antiga ponte pênsil rodoviária
Em 2021, a ponte Union completou 201 anos de pé. Ela atravessa o rio Tweed entre as cidades britânicas de Horncliffe, em Northumberland, e Fishwick, em Berwickshire. Originalmente, a ponte usava correntes de ferro forjado para sustentar seu tabuleiro. Tem um limite de 2t de peso e apenas um carro pode cruzá-la de cada vez.

Primeira ponte inclinada
A Gateshead Millennium, ou ponte "Piscadela", foi inaugurada em 17/9/2001. Ela se prolonga por 126m sobre o rio Tyne, em Newcastle upon Tyne, RU. Em vez de se erguer na vertical, a ponte se move longitudinalmente nos eixos das margens. Ao se fechar para que barcos passem por baixo, seu movimento parece uma piscada de olho bem lenta — é daí que vem seu apelido.

Primeira ponte enrolada
Até hoje, a única ponte que se enrola no mundo é a "Rolling Bridge" sobre Paddington Basin, em Londres,

ENGENHARIA ÉPICA

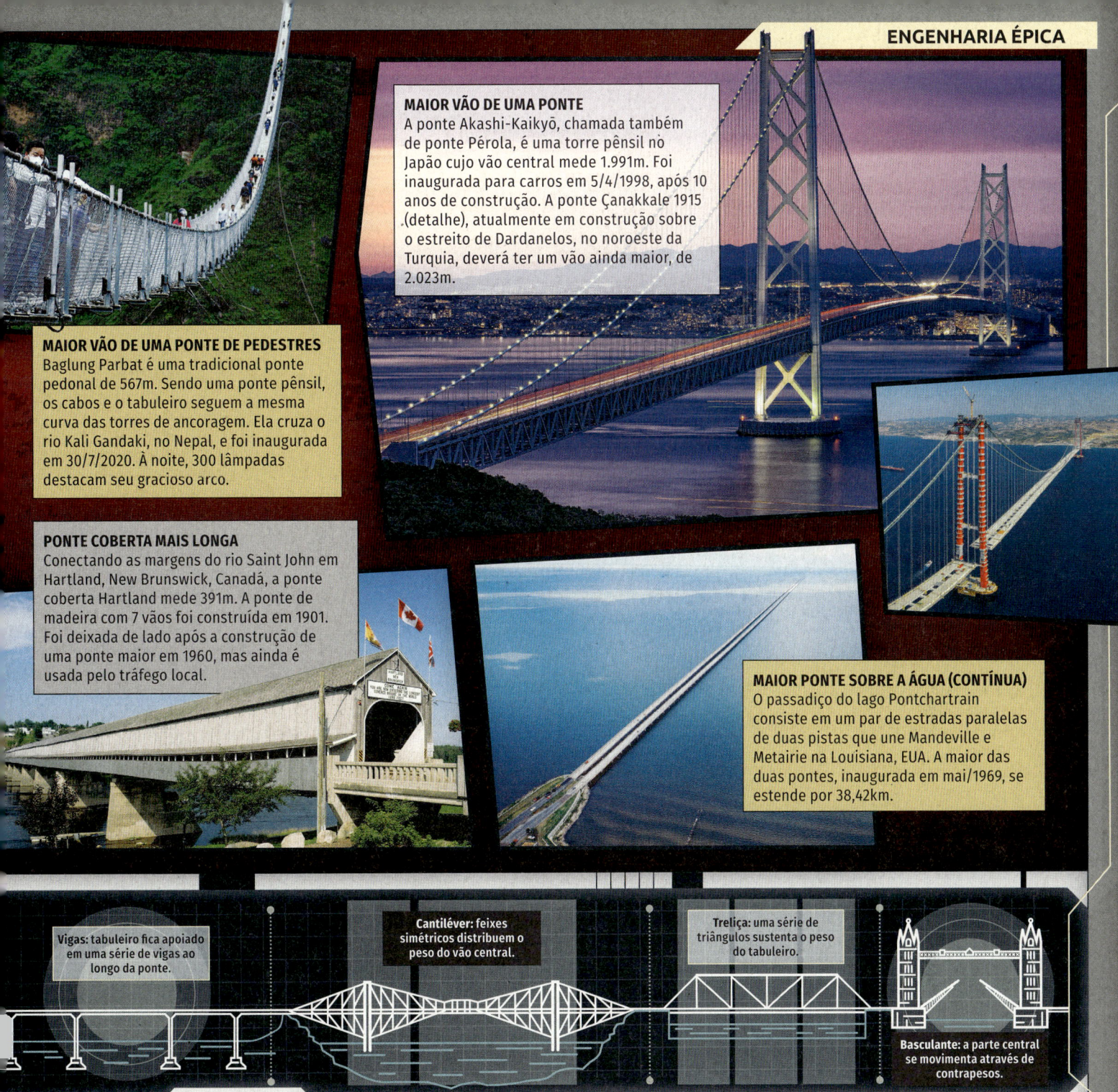

MAIOR VÃO DE UMA PONTE
A ponte Akashi-Kaikyō, chamada também de ponte Pérola, é uma torre pênsil no Japão cujo vão central mede 1.991m. Foi inaugurada para carros em 5/4/1998, após 10 anos de construção. A ponte Çanakkale 1915 (detalhe), atualmente em construção sobre o estreito de Dardanelos, no noroeste da Turquia, deverá ter um vão ainda maior, de 2.023m.

MAIOR VÃO DE UMA PONTE DE PEDESTRES
Baglung Parbat é uma tradicional ponte pedonal de 567m. Sendo uma ponte pênsil, os cabos e o tabuleiro seguem a mesma curva das torres de ancoragem. Ela cruza o rio Kali Gandaki, no Nepal, e foi inaugurada em 30/7/2020. À noite, 300 lâmpadas destacam seu gracioso arco.

PONTE COBERTA MAIS LONGA
Conectando as margens do rio Saint John em Hartland, New Brunswick, Canadá, a ponte coberta Hartland mede 391m. A ponte de madeira com 7 vãos foi construída em 1901. Foi deixada de lado após a construção de uma ponte maior em 1960, mas ainda é usada pelo tráfego local.

MAIOR PONTE SOBRE A ÁGUA (CONTÍNUA)
O passadiço do lago Pontchartrain consiste em um par de estradas paralelas de duas pistas que une Mandeville e Metairie na Louisiana, EUA. A maior das duas pontes, inaugurada em mai/1969, se estende por 38,42km.

Vigas: tabuleiro fica apoiado em uma série de vigas ao longo da ponte.

Cantiléver: feixes simétricos distribuem o peso do vão central.

Treliça: uma série de triângulos sustenta o peso do tabuleiro.

Basculante: a parte central se movimenta através de contrapesos.

RU. Projetada pelo Heatherwick Studio e finalizada em 2004, a ponte pedonal de madeira e aço usa pistões hidráulicos para enrolar seus 8 segmentos como a cauda de um escorpião. Quando fechada, forma um octógono; aberta, se estende por 12,9m acima de uma entrada do canal.

Ponte mais larga
A ponte San Francisco-Oakland Bay na Califórnia, EUA, é, na verdade, um complexo de pontes que cruzam a baía de São Francisco. O vão leste (inaugurado em 2013) tem um tabuleiro com 78,74m de largura no total, o que inclui 10 pistas para carros, uma ciclovia de 4,7m e um espaço onde a torre central sustenta os dois tabuleiros. Ela foi planejada para suportar um terremoto de 8,5 de magnitude.

Maior...
Ponte de plástico
O Aberfeldy Golf Club em Perth and Kinross, RU, tem uma ponte de plástico reforçado sobre o rio Tay. Ela mede 113m e tem um vão principal de 63m.

Vão de ponte basculante
Sendo tanto rodoviária quanto ferroviária, a ponte Rethe tem uma seção de basculante que mede 104,2m entre seus suportes de carreto. Ela cruza uma rota hidroviária de Hamburgo, Alemanha.

O país também abriga a **ponte-canal mais longa**. A ponte aquática Magdeburg tem 918m e conecta o Mittellandkanal com o canal Elbe-Havel, e pode ser usada por barcos de até 1.350t.

Vão de ponte rodoviária e ferroviária
A ponte Tsing Ma em Hong Kong, China, inaugurada para o público em mai/1997, tem o vão principal de 1.377m. Um dia, esse recorde passará a ser da ponte Yavuz Sultan Selim na Turquia, mas, até 2021, nenhum trilho tinha sido instalado lá.

Ponte flutuante
A seção flutuante da ponte Evergreen Point, nos EUA, mede 2.349,5m. Ela conecta Seattle a Bellevue, Washington, do outro lado do lago Washington.

MAIOR VÃO DE PONTE DE ARCO
A Terceira Ponte de Pingnan tem um vão central de 575m. Ela cruza o rio Xunjiang, perto de Pingnan, em Guangxi, China, e foi aberta para o tráfego em 28/12/2020. A estrutura é conhecida como "tabuleiro intermediário", um desenho em que o tabuleiro passa pelo arco e é sustentado por cabos.

153

ENGENHARIA ÉPICA
Construções mais altas

1. Prédio de madeira
Localizada às margens do lago Mjøsa na cidade norueguesa de Brumunddal, a Mjøstårnet é uma torre de 18 andares com 85,4m. Foi projetada pela Voll Arkitekter e construída pelas HENT e Moelven Limtre (todas NOR), e sua finalização ocorreu em 3/2009. A Mjøstårnet contém escritórios, apartamentos, um hotel, um restaurante e uma piscina. Sua estrutura de sustentação é feita de madeira laminada colada, ou "glulam" — tábuas de madeira unidas por um adesivo forte.

2. Estrutura de madeira
Uma torre treliçada em Gliwice, Polônia, tem 118m de altura — dois metros maior que a **árvore mais alta**, Hyperion (ver p.117). Construída em 1935, sua função original era fazer transmissões de rádio, e hoje serve como torre de celular. Embora a torre de Gliwice seja a maior estrutura de madeira de pé atualmente, ainda é menor do que a **mais alta** — a torre de transmissão de 190m em Mühlacker, Alemanha, demolida em 1945.

3. Farol
Embora não tenha sido construído para ajudar embarcações, com seus 133m, a Torra de Controle Portuário de Jeddah, na Arábia Saudita, consta na "Lista de Luzes" da Agência Nacional de Informação Geoespacial. A torre de observação de concreto e metal foi erguida em 1990 no píer de entrada do Porto de Jeddah. Sua altitude focal (a distância entre a luz e o nível do mar) é de 137m e produz 3 flashes brancos a cada 20s.

4. Pirâmide
A Pirâmide de Khufu, em Giza, Egito, tinha 146,7m, mas a erosão e o vandalismo diminuíram sua altura para 137,5m. Foi criada como tumba do faraó Khufu, sendo finalizada em cerca de 2560 a.C., após supostos 27 anos de trabalho, e é a mais antiga das Sete Maravilhas do Mundo Antigo. A Grande Pirâmide permaneceu como a **estrutura mais alta construída pelo homem** por quase 4.000 anos, até o pináculo de 160m (que não durou muito tempo) da Catedral de Lincoln (RU) ser completado em 1311.

5. Pagode
Concluído em 2007, o Pagode Tianning, em Changzhou, China, tem 153,7m. A construção levou cinco anos e custou mais ou menos 300 milhões de yuan (US$38,5 mi). No topo do templo de 13 andares há um pináculo de ouro com um sino de bronze de 30t que pode ser ouvido a 5km de distância. O Pagode Tianning é o quinto templo do tipo erguido no local desde a dinastia Tang (618-907).

6. Igreja
A Catedral de Ulm, uma igreja luterana no estado alemão de Baden-Württemberg, tem um pináculo que alcança 161,53m. A basílica foi construída em partes durante vários séculos, entre 1377 e 1890. Foi considerada completa com 100m em 1543, e o trabalho só foi retomado no séc. 19, quando a base do prédio foi renovada e reforçada, e uma torre foi adicionada à fundação do séc. 14.

Na Espanha, o trabalho continua para terminar a Basílica da Sagrada Família em Barcelona (ver p.128). Projetada por Antoni Gaudí, a igreja está em construção desde 1882 e um dia sua torre central terá 172,5m.

7. Turbina de energia eólica
Esse projeto-piloto de Gaildorf, perto de Stuttgart, na Alemanha, conta com quatro enormes turbinas em torres híbridas com uma altura de 178m e um rotor de 246,5m. As turbinas foram feitas pela firma de engenharia Max Bögl Wind AG (DEU) e conectadas ao sistema elétrico em 19/12/2017. Cada uma tem um açude na base que alimenta uma central hidrelétrica reversível no vale, gerando 42 gigawatt-horas por ano.

8. Roda-gigante
Inaugurada em 22/10/2021, a roda-gigante Ain Dubai na ilha Bluewaters, nos EAU, tem 250m do chão ao topo. Veja as p.148-49 para mais detalhes.

A **roda-gigante sem centro mais alta**, uma versão futurista da tradicional atração, tem 142,5m e fica sobre o rio Bailang, em Weifang, Shandong, na China.

9. Minarete
O prédio mais alto da África é o minarete de 264,3m no Djamaa el Djazaïr, um gigantesco complexo religioso em Argel, a capital argelina. Como está sobre uma área de atividade sísmica, o minarete foi feito para suportar um terremoto de magnitude 9. O Djamaa el Djazaïr se estende por um terreno de cerca de 400.000m², incluindo um salão de 20.000m² que acomoda 37.000 fiéis. A construção começou em 2012 e terminou em 29/4/2019, com um custo reportado de aproximadamente US$1 bi.

10. Estrutura de ferro
Com originalmente 300m de altura — e hoje 330m graças a uma antena de TV adicionada em mar/2022 —, a Torre Eiffel é um elemento icônico na paisagem parisiense (ver p.126). Mesmo assim, quando sua construção foi proposta, houve protestos dos artistas da cidade, que diziam que a "Dama de Ferro" ia estragar a vista. A torre foi erguida com 18.038 partes metálicas e sua construção levou 2 anos. Foi inaugurada em 31/3/1889, a tempo da Exposição Universal. A torre foi a **estrutura mais alta** do mundo até 27/5/1930, quando o edifício Chrysler, de 319m, foi construído em Nova York, EUA.

11. Hotel
O hotel Gevora, em Dubai, EAU, mede 356,33m do chão ao topo. O prédio, facilmente reconhecível pela fachada dourada, conta com 75 andares e 528 quartos. As comodidades incluem quatro restaurantes, uma piscina a céu aberto, um spa de luxo e uma academia. A construção de alto nível levou quatro anos e sua inauguração foi em 9/2/2018.

12. Prédio de aço
Situado no coração de Chicago, a Willis (antiga Sears) Tower é o terceiro maior prédio da América do Norte. Esse arranha-céu de aço com 108 andares tem 442m, pesa 201.848t e ocupa um espaço de 416.000m². Foram necessários 2.000 operários e três anos para erguer essa torre, finalizada em 5/1973. Depois disso, prédios superaltos (arranha-céus com mais de 300m) foram construídos com um centro de concreto reforçado.

13. Prédio residencial
A Central Park Tower, em Nova York, EUA, é um arranha-céu de 472,4m com 179 apartamentos de luxo e comodidades como piscina no terraço, academia e clube exclusivo. A torre pertence à Extell Development Company (EUA) e foi finalizada em 17/9/2019. Segundo relatos, suas unidades mais "baratas" foram vendidas por mais de US$6 mi, e o maior apartamento da cobertura foi anunciado por US$63 mi.

14. Prédio desocupado
O Goldin Finance 117 é um arranha-céu de 128 andares na cidade chinesa de Tianjin, cuja estrutura foi montada em 9/2015 a uma altura de 596,6m. Na época, isso o tornava o quinto prédio mais alto do mundo. Porém, o dono da torre teve dificuldades financeiras e foi forçado a interromper o trabalho no arranha-céu.

Os três hotéis mais altos do mundo ficam em Dubai: o Gevora (ver 11, acima), o J W Marriott Marquis Dubai (355m) e o Rose Tayhaan by Rotana (333m).

ENGENHARIA ÉPICA

em dezembro do mesmo ano, deixando-o inacabado e desocupado. Em resposta a este e outros fracassos públicos, em 4/2020, o governo chinês promulgou novos regulamentos de planejamento urbano que, na prática, proíbem a construção de novos prédios com mais de 500m de altura.

15. Torre de relógio
A Makkah Clock Royal Tower, em Meca, na Arábia Saudita, tem 601m. Faz parte do complexo de sete hotéis chamado Abraj Al Bait, próximo à Grande Mesquita de Meca, sagrada no Islã, e estima-se que sua construção tenha custado US$16 bi. A torre possui o **maior relógio**, com um diâmetro de 43m — seis vezes maior que o da Elizabeth Tower, no Parlamento do RU, popularmente conhecido como "Big Ben".

16. Torre sinuosa
O Conselho de Prédios Altos e Habitat Urbano define edifícios "sinuosos" como aqueles cujos andares ou fachada rotacionam conforme ganha altura. A Shanghai Tower, na China, com 632m, é um prédio misto de 128 andares contorcido em 120° do chão ao teto. Isso ajuda a direcionar ventos fortes,

permitindo que a torre seja erguida com menos aço de reforço estrutural e um afunilamento menor do que de outras construções semelhantes. A Shanghai Tower foi oficialmente finalizada em 2/9/2014.

17. Torre
O Tokyo Skytree chega a 634m acima do distrito de Sumida, na capital japonesa. Finalizado em 2/2012, uma das principais funções do Skytree é a transmissão de sinais de rádio e TV; sua predecessora, a Tokyo Tower (333m) ficou cercada por muito edifícios altos e não conseguia mais transmitir o sinal de TV digital de forma abrangente.

18. Edifício
O maior de todos é o Burj Khalifa, que eleva-se aos céus de Dubai com 828m — o dobro da altura do Empire State. O design de três alas da torre foi inspirado no lírio-aranha, *Hymenocallis*, uma planta do deserto local. O Burj Khalifa foi projetado pela Emaar Properties (EAU) e oficialmente inaugurado em 4/1/2010. Além disso, ele tem a **maior quantidade de andares em um prédio** (163) e a **plataforma de observação externa mais alta** (555,7m) — apropriadamente chamada de No Topo, no 148° andar.

O design de "bengala" do Goldin Finance 117 seria coroado com um átrio no formato de diamante.

Cada uma das quatro faces do relógio na Makkah Clock Royal Tower é coberta por 98 mi de pedaços de vidro em mosaico e iluminada por 2 mi de lâmpadas LED.

O elevador Electric's NexWay da Mitsubishi, localizado na unidade OB-3 da Shanghai Tower atravessa 121 andares a 73,8km/h, sendo assim o elevador mais rápido.

ENGENHARIA ÉPICA
Biônicos

Primeiro exoesqueleto à bateria
Desenvolvido de 1965-1971, o Hardiman era um traje de levantamento hidráulico experimental de 680kg criado pela GE (EUA) para o Exército dos EUA. Foi projetado para permitir que os usuários carregassem objetos de até 340kg, mas foi abandonado na fase de protótipo, devido à tendência de "movimentos violentos e descontrolados".

Seleção de cartas mais rápida por interface cérebro-computador
Ao monitorar a atividade cerebral, é possível identificar sinais que podem ser usados para controlar dispositivos externos. A tecnologia é promissora para quem tem dificuldade em escrever ou falar. Em mai/2021, uma equipe de Stanford (EUA) testou uma interface cérebro-computador que permitia a usuários paralisados escreverem frases de até 90 caracteres por minuto. Ela funciona fazendo com que as pessoas se visualizem escrevendo à mão.

Uma tentativa inicial de uma abordagem mais direta, o 1º **sistema pensamento-fala** foi descrito em abr/2019 por uma equipe da Universidade da Califórnia, São Francisco (EUA). O dispositivo monitorava a atividade neural das pessoas enquanto imaginavam falar e usava isso para gerar fala automatizada mais compreensível.

Mais próteses controladas pela mente
Em dez/2014, Leslie Baugh, do Colorado, EUA, que perdeu os braços em um acidente, tornou-se a 1ª pessoa capaz de usar 2 próteses de braços controladas pelos nervos ao mesmo tempo. Ele precisou de uma cirurgia para conectar os nervos aos membros.

MAIOR DISTÂNCIA PERCORRIDA POR PARAPLÉGICO
Michael Roccati (ITA), paralisado em um acidente de moto, pode andar graças a um implante de medula espinhal desenvolvido pelo neurocientista francês Grégoire Courtine e pela neurocirurgiã suíça Jocelyne Bloch. Como parte da fisioterapia, ele caminhou 500m no início de 2022.

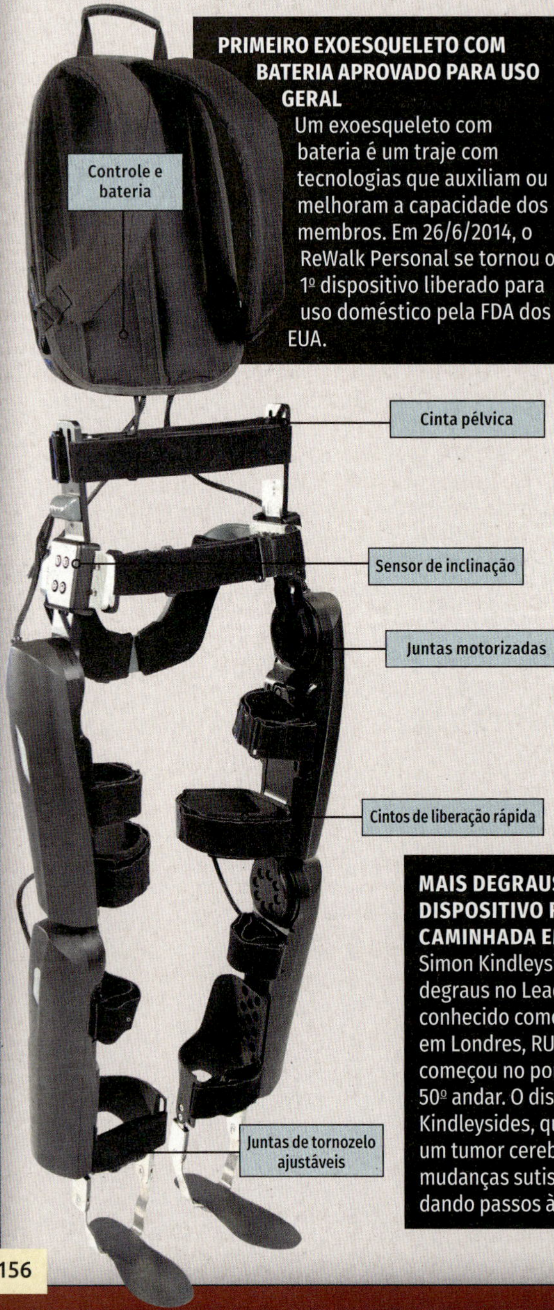

PRIMEIRO EXOESQUELETO COM BATERIA APROVADO PARA USO GERAL
Um exoesqueleto com bateria é um traje com tecnologias que auxiliam ou melhoram a capacidade dos membros. Em 26/6/2014, o ReWalk Personal se tornou o 1º dispositivo liberado para uso doméstico pela FDA dos EUA.

- Controle e bateria
- Cinta pélvica
- Sensor de inclinação
- Juntas motorizadas
- Cintos de liberação rápida
- Juntas de tornozelo ajustáveis

Também teve que treinar a mente para trabalhar com as próteses antes de enfim poder mover os braços com o cérebro. Elas foram desenvolvidas por pesquisadores do Johns Hopkins Applied Physics Laboratory em Laurel, Maryland, EUA.

Menor tempo de reação artificial
Outra área de pesquisa é o uso de estímulos elétricos — seja de nervos ou músculos — para controlar partes do corpo cujos nervos foram danificados (acima). Em mai/2019, pesquisadores da Universidade de Chicago (que desenvolveram o DextrEMS, ao lado) geraram um tempo de reação artificial de 50 milissegundos com estimulação eletromuscular. Isso é 5 vezes mais rápido que o normal.

Neuroprótese mais comum
Implantes cocleares foram instalados em mais de 736.900 pessoas no mundo, de acordo com os Institutos Nacionais de Saúde dos Estados Unidos em dez/2019. Os dispositivos combinam um microfone externo com um implante dentro do crânio que estimula o nervo auditivo, restaurando algum grau de audição em indivíduos completamente surdos.

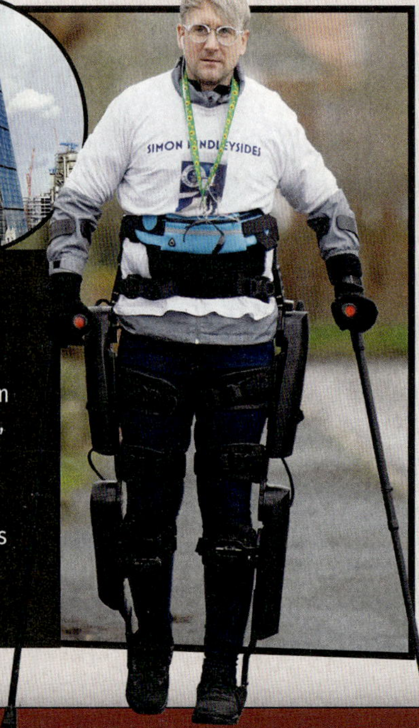

MAIS DEGRAUS SUBIDOS EM DISPOSITIVO ROBÓTICO DE CAMINHADA EM 8H
Simon Kindleysides (RU) subiu 1.444 degraus no Leadenhall Building, também conhecido como Cheesegrater (detalhe), em Londres, RU, em 12/3/2022. O feito começou no porão e terminou no 50º andar. O dispositivo permite que Kindleysides, que ficou paraplégico após um tumor cerebral, suba detectando mudanças sutis no equilíbrio do corpo dando passos à frente.

TECNOLOGIA BIÔNICA

O termo "biônico" descreve dispositivos artificiais usados para superar deficiências ou aprimorar habilidades. Essas tecnologias imitam ou auxiliam as funções de partes do corpo humano, em vez de atuar como soluções pontuais físicas. Abaixo, definimos os 4 tipos básicos.

Monitoramento
Implantes e dispositivos externos que detectam funções do corpo, como monitores de açúcar no sangue, eletrocardiogramas e rastreadores de exercícios.

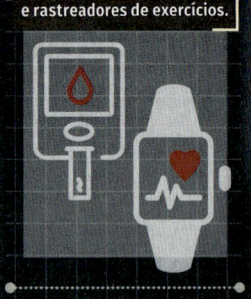

Órtese
Dispositivos que ajudam funções corporais fracas ou prejudicadas, como exoesqueletos, aparelhos auditivos e marca-passos.

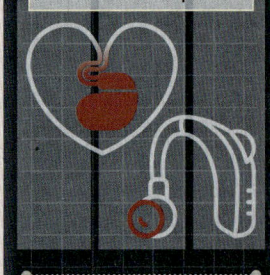

Prótese
Dispositivos que substituem funções corporais perdidas, como membros artificiais, implantes cocleares e corações artificiais.

Implante ciborgue
Dispositivos que aprimoram habilidades e sentidos existentes ou adicionam novos, como exoesqueletos industriais e implantes que permitem a detecção de campos magnéticos.

ENGENHARIA ÉPICA

MAIOR COMPETIÇÃO PARA USUÁRIOS E DESENVOLVEDORES DE DISPOSITIVOS DE AJUDA
O Cybathlon é um campeonato feito para impulsionar melhorias nas tecnologias de ajuda. A edição de 2016, realizada em 8/10, atraiu 66 equipes de países como China e Brasil. O evento, organizado em parceria com a universidade suíça ETH Zurich, acontece a cada 4 anos, desafiando as equipes com tarefas mundanas, como descer escadas enquanto carregam vários objetos.

CONTROLE DE MÃO BIÔNICA MAIS PRECISO
A escala de 0 a 1 do "índice de independência" é usada para descrever até que ponto cada dedo é capaz de se mover sozinho. Em out/2021, uma equipe da Universidade de Chicago, liderada pelo dr Pedro Lopes (PRT), testou o sistema DextrEMS, combinando estimuladores elétricos com freios mecânicos, alcançando um índice de independência de 0,6 (o de um humano típico é 0,8).

Atuadores DextrEMS usados para posicionar os dedos para tocar acordes

MAIS BATIDAS EM 1MIN USANDO UMA PRÓTESE DE BAQUETA
Jason Barnes deu 2.400 batidas em 60s em Atlanta, Geórgia, EUA, em 25/7/2018, usando uma prótese criada por Gil Weinberg (ambos EUA). Ele usava uma faixa eletromiográfica que detecta a atividade muscular do antebraço e aciona o braço artificial motorizado na bateria.

A maior parte da massa do traje ou de qualquer objeto carregado é transferida ao chão pelas pernas.

EXOESQUELETO HUMANO MAIS VENDIDO
De acordo com n[os] divulgados pela empresa de robótica Innophys (JPN) em 7/7/2021, vendeu-se um total de 20.000 Muscle Suits desde o lançamento em fev/2016. O Muscle Suit é um exoesqueleto de quadril e costas, projetado para dar uma força de elevação adicional de 25,5kg.

EXOESQUELETO HUMANO MAIS FORTE
O Guardian XO é um traje robótico de corpo inteiro da Sarcos Robotics (EUA) que permite que o operador levante objetos de até 90kg — quase o mesmo que um canguru adulto! O operador suporta apenas cerca de 5% dessa carga. A Sarcos revelou seu protótipo em abr/2019. O traje foi projetado para lidar com objetos pesados demais para um humano levantar de forma confortável, mas, em geral, pequenos demais para o uso prático de guinchos mecânicos e empilhadeiras.

ENGENHARIA ÉPICA
Trens

MAIOR EXIBIÇÃO DE LOCOMOTIVAS
Até 30/6/2021, o Da'an Locomotive Expo Park (CHN) tinha uma frota de 79 marias-fumaça em Jilin, China. A China Railway não aposentou a última destas locomotivas da série QJ das linhas principais até 2002.

PRIMEIRO TREM SOLAR EM HORÁRIO REGULAR
O Byron Bay Solar Train levou seus primeiros clientes em 16/12/2017. Seu teto tem um painel solar fino que gera até 6,5kW de eletricidade. O trem percorre um trecho antes desativado de 3km da linha Murwillumbah entre North Beach e Byron Beach em New South Wales, Austrália.

MARIA-FUMAÇA MAIS PODEROSA EM OPERAÇÃO
O "Big Boy" 4014 da Union Pacific tem uma força de tração de 135.375 libras-força a 16km/h. A locomotiva foi feita em nov/1941 pela American Locomotive Company e aposentada em 1959. Retirada de um museu em 2012, ela retornou ao serviço em 4/5/2019 para puxar trens de excursão.

FERROVIAS MAIS LONGAS
- Rússia: 85.555km
- Índia: 67.956km
- Alemanha: 38.399km

EMPRESA FERROVIÁRIA COM MAIS PASSAGEIROS
Em 209, a Indian Railways levou 8.439.000.000 passageiros de acordo com as estatísticas reunidas pela International Union of Railways. Esse número mudou apenas um pouco em 2020 — para 8.086.000.000 — apesar da pandemia de Covid-19.

Rede ferroviária com mais passageiros (país)
De acordo com a International Union of Railways, cerca de 8.989.900.000 passageiros usaram as ferrovias do Japão em 2019. A maior empresa é a East Japan Railway Company, que só perde para a Indian Railways em termos de números de passageiros.

Metrô com mais passageiros
Em 2019, o metrô de Pequim, na China, teve uma média diária de 10.869.000 pessoas, e levou 3.962.351.000 passageiros durante o ano. Em 2020, a pandemia fez esses números baixarem para 6.269.000 e 2.293.984.000 respectivamente.

Primeira observadora de trem
A 1ª pessoa confirmada a ter o hobby de observar trens foi Fanny Johnson (RU), que, em 1861 — aos 14 anos — começou um diário chamado "Nome das locomotivas do Grande Oeste que vi". Ela anotou o número das várias marias-fumaça que passavam perto de sua casa em Westbourne Park, Londres, RU. O hobby ainda é popular, como demonstrado pelo **observador de trens no TikTok com mais seguidores** (ver p. 210-11).

Primeiro serviço regular de trem
A Oystermouth Railway, que mais tarde se tornou a Swansea and Mumbles Railway, começou a atender clientes em Swansea, RU, em 25/3/1807.

Primeiro sistema de trem subterrâneo
A seção inaugural do metrô londrino abriu em 10/1/1863, com as primeiras viagens de passageiro no dia seguinte. O trecho inicial do que era chamado de Metropolitan Railway tinha 6km entre Paddington e Farringdon Street. Para construí-lo, os engenheiros usaram o sistema "corte e cobre", criando túneis de tijolos em trincheiras para depois aterrá-los.

O **maior sistema de metrô** é o de Xangai, na China. Ao todo, seus trilhos somam 831km, com a abertura de duas linhas de metrô sem condutor em 30/12/2021.

Todos os números de passageiros são baseados em dados de 2019, para evitar distorções devido aos efeitos dos lockdowns de Covid-19.

ENGENHARIA ÉPICA

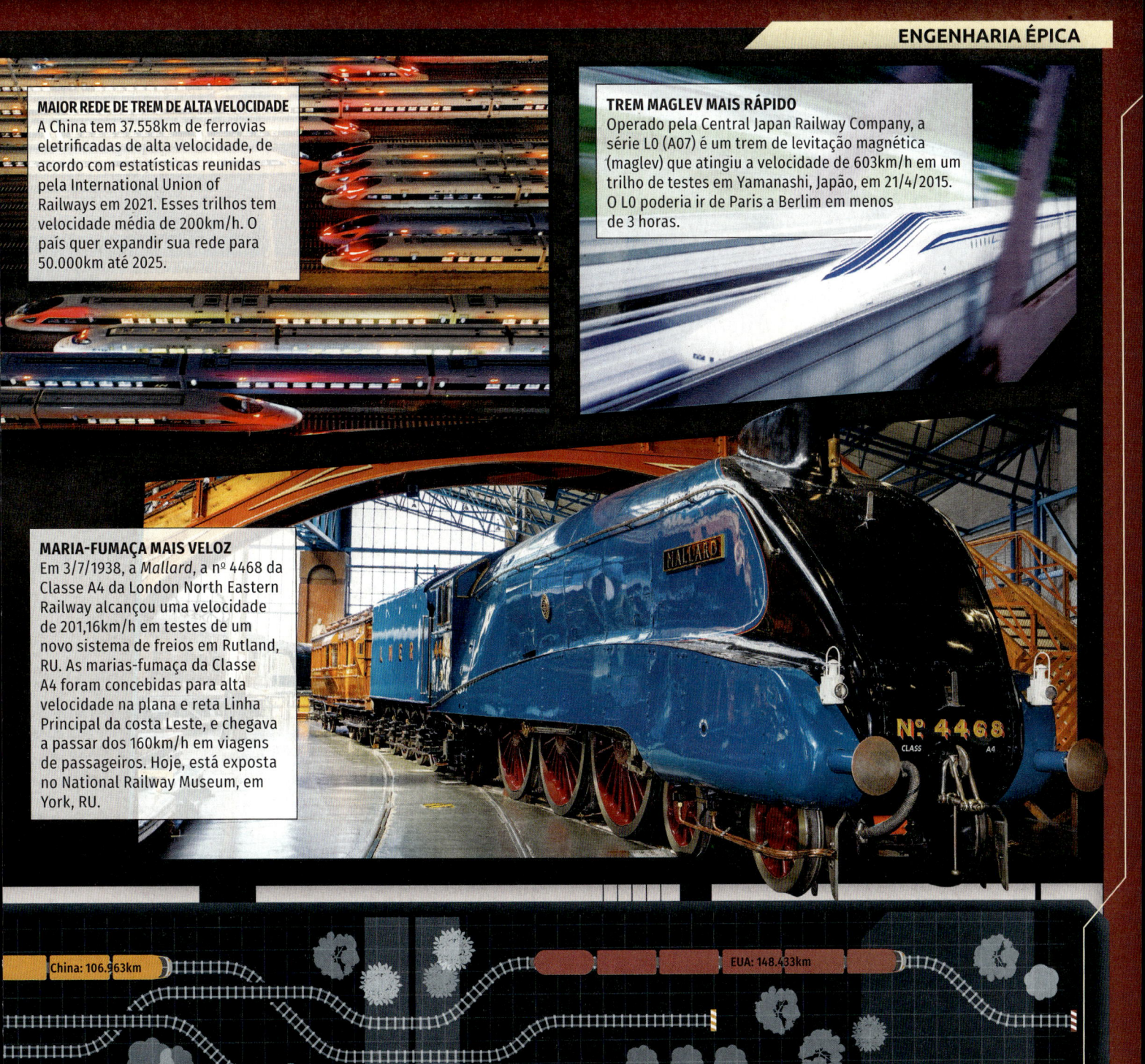

MAIOR REDE DE TREM DE ALTA VELOCIDADE
A China tem 37.558km de ferrovias eletrificadas de alta velocidade, de acordo com estatísticas reunidas pela International Union of Railways em 2021. Esses trilhos tem velocidade média de 200km/h. O país quer expandir sua rede para 50.000km até 2025.

TREM MAGLEV MAIS RÁPIDO
Operado pela Central Japan Railway Company, a série L0 (A07) é um trem de levitação magnética (maglev) que atingiu a velocidade de 603km/h em um trilho de testes em Yamanashi, Japão, em 21/4/2015. O L0 poderia ir de Paris a Berlim em menos de 3 horas.

MARIA-FUMAÇA MAIS VELOZ
Em 3/7/1938, a *Mallard*, a nº 4468 da Classe A4 da London North Eastern Railway alcançou uma velocidade de 201,16km/h em testes de um novo sistema de freios em Rutland, RU. As marias-fumaça da Classe A4 foram concebidas para alta velocidade na plana e reta Linha Principal da costa Leste, e chegava a passar dos 160km/h em viagens de passageiros. Hoje, está exposta no National Railway Museum, em York, RU.

China: 106.963km

EUA: 148.433km

A **maior quantidade de estações em um metrô** é de 468, em Nova York, EUA, embora só 277 sejam subterrâneas. Em jan/2022, foi anunciado que o número de passageiros caiu para 2,2 milhões de pessoas — cerca de 40% antes da pandemia.

Maior estação de trem (plataformas)
Construída em 1903-13, a Grand Central Terminal na Park Avenue e 42nd Street em Nova York tem 44 plataformas localizadas em dois níveis subterrâneos, com 41 trilhos no superior e 26 no inferior. A criação de um terminal de comutação para a ferrovia de Long Island, programado para o fim de 2022, adicionará 4 plataformas e 8 trilhos.

A **maior plataforma de estação** fica na Gorakhpur Junction, em Uttar Pradesh, Índia. A plataforma nº 1 mede 1.366m incluindo as rampas e 1.355 sem elas.

Maior distância percorrida por trem desgovernado
Em 27/3/1884, 8 vagões soltos e carregados de carvão viajaram por 156km nos EUA. Mais ou menos às 17h, uma tempestade arrancou o teto de uma rotunda em Akron, Colorado, empurrando os vagões para o leste. Como a linha descia até as Grandes Planícies, eles chegaram a velocidades de 64km/h. Em Benkelman, Nebraska, 2 engenheiros ferroviários os seguiram em uma locomotiva e conseguiram acoplá-los ao trem até parar às 19h30.

Rota de bonde mais longa
A Rota 75, da Public Transport Victoria, tem 22,8km, indo de Vermont South, nos subúrbios orientais de Melbourne, Austrália, ao distrito central e empresarial da cidade. A rota foi expandida para seu tamanho atual em 26/1/2014.

A Austrália também tem a **estrada de ferro reta mais longa**. Por 478km na planície Nullarbor, a Trans-Australian Railway não tem curvas, embora suba e desça, da Milha 496 entre Nurina e Loongana, oeste da Austrália, à Milha 793 entre Ooldea e Watson, sul do país.

MAIS LONGA FERROVIA DE CRIANÇAS
A Gyermekvasút (Ferrovia das Crianças), na Hungria, é uma pequena ferrovia de 11,7km com uma equipe de crianças de 10-14 anos que trabalham sob supervisão. Também conhecida como Linha 7, faz uma jornada só de ida de cerca de 50min e para em 7 estações entre Hűvösvölgy e Széchenyihegy, no lado Buda de Budapeste. Está em operação desde 31/7/1948.

159

ENGENHARIA ÉPICA

RETRATO

Roda-gigante mais alta

Chegando a 250m de altura sobre uma ilha artificial nos EAU, a Ain Dubai é uma versão ampliada e de alta tecnologia da tradicional atração de parques de diversão. Para dar uma ideia de seu tamanho, nós a colocamos ao lado de um dos grandes feitos de engenharia do mundo antigo — a Grande Pirâmide de Gizé, no Egito.

A Ain Dubai tem um total de 2.400km de cabos — 12 vezes mais que o canal de Suez.

naugurada em 21/10/2021, a Ain Dubai, na ilha Bluewaters, leva seus passageiros para uma jornada revolucionária de 38min pelos céus, proporcionando uma visão à beira-mar da silhueta inconfundível de Dubai.

A **maior roda-gigante** mede 250m do chão ao topo e tem 48 cabines, com uma capacidade total para 1.750 pessoas. É 82,5m mais alta que a antiga detentora do recorde, a Las Vegas High Roller, e mais de 3 vezes maior que a **primeira roda-gigante**. A foto em detalhe também mostrava essa maravilha da engenharia no planalto de Gizé, longe de sua casa real: Chicago, Illinois, EUA. Apesar de menor, originalmente a roda-gigante de George Ferris conseguia acomodar 2.160 passageiros em suas 36 cabines.

A roda-gigante de Chicago foi construída em apenas 6 meses, mas planejar a Ain Dubai com a altura de um prédio de 60 andares apresentou inúmeros desafios. Ao todo, a empresa líder do projeto, Hyundai Engineering & Construction, levou 6 anos para fazer a Ain Dubai girar. Os 192 cabos tensionados que formam sua estrutura e suportam seu peso só poderiam ser presos quando a borda estivesse completa e posicionada. Isso significa que a roda teve que ser construída em segmentos, como uma pizza de 8 pedaços, ligados ao centro por vigas de aço e reforçados com uma camada de aço temporária ao redor da borda. Para ver comparações com outras construções colossais, vá para a p.154-55.

ENGENHARIA ÉPICA
Variedades

MAIOR CÚPULA GEODÉSICA
O teto autosuportante do Jeddah Superdome tem um diâmetro de 210,1m, abrangendo um espaço de 46m de altura e largura suficiente para conter uma pista de corrida de tamanho olímpico. Este espaço multiuso para eventos, localizado na 2ª cidade da Arábia Saudita, foi construído entre fev/2020-jun/2021 (processo de construção na foto).

Primeira IA inventora
Em jul/2021, DABUS — uma rede neural criada por Stephen Thaler (EUA) — tornou-se a 1ª inteligência artificial a ter um pedido de patente bem-sucedido. DABUS e Thaler foram colistados como inventores na patente sul-africana ZA2021/03242 "Recipiente de alimentos, dispositivos e métodos para atrair atenção aprimorada". As inovações — um recipiente plástico usando geometria fractal para facilitar o aquecimento e uma luz pulsada chamativa — resultaram de soluções de processamento de DABUS até uma que era potencialmente útil.

Laser mais potente
A instalação ELI-Nuclear Physics em Măgurele, Romênia, tem 2 lasers de 10 petawatts (PW) que podem ser usados em conjunto para focar 20 petawatts de energia em um alvo. Um petawatt é um quatrilhão (10^{15}) watts. Parte do projeto de pesquisa Extreme Light Infrastructure da UE, foram testados pela 1ª vez em 10 petawatts em mar/2019.

O **feixe de laser de maior intensidade** é de 110 zettawatts por cm², pelo Center for Relativistic Laser Science (CoReLS) em Gwangju, Coreia do Sul. Um zettawatt é um sextilhão (10^{21}) watts. Os resultados foram publicados em 6/5/2021.

Sequência mais completa do genoma humano
"Genoma" é o conjunto completo de DNA de um organismo. Em 27/5/2021, o grupo de pesquisa internacional Telomere-to-Telomere (T2T) publicou um rascunho do artigo sobre uma sequência T2T-CHM13, que engloba todos os 3,055 bilhões de pares de bases de uma amostra do genoma humano. Sequências genômicas anteriores foram incapazes de decifrar vários trechos longos de padrões repetidos e confusos.

Amostra de núcleo submarino mais profunda
Em 14/5/2021, um núcleo foi retirado do leito marítimo da fossa do Japão, 8.023m abaixo do nível do mar. Foi coletado usando o Giant Piston Corer, uma perfuratriz de 40m no navio de pesquisa japonês *Kaimei*. Núcleos de oceano profundo podem ser usados para coletar dados sobre mudanças climáticas históricas.

Túnel de esgoto mais longo
O "Túnel Emisor Oriente", na Cidade do México, tem 62,1km, com diâmetro de 7m. Este bueiro transporta águas residuais da bacia endorreica da capital do México (um lago sem vazão) sob as montanhas ao norte, até o ponto onde é drenado, no rio Pánuco. É maior que o **túnel rodoviário mais longo** — o Lærdal, da Noruega, de 24,5km — e o **túnel ferroviário mais longo** — o Gotthard BaseTunnel, de 57km, entre Göschenen e Airolo, na Suíça.

MAIS DRONES NO AR SIMULTANEAMENTE
O Shenzhen High Great Innovation Technology Development (CHN) lançou 5.164 drones ao céu em Shenzhen, Guangdong, China, em 18/5/2021. Eles foram cuidadosamente organizados em fileiras para show de luzes. Cada um pesava 0,54kg — menos que uma lata de feijão.

MAIOR EXTENSÃO DE COTA DE MALHA
Hill House, em Helensburgh, RU, está envolta em uma camada de cota de malha de 2.700m² sob uma estrutura de aço. Conhecida como "Hill House Box", foi projetada pela Carmody Groarke Architects para o National Trust for Scotland para proteger a estrutura Art Nouveau — projetada por Charles e Margaret Mackintosh — durante a restauração. A cobertura metálica foi concluída em 31/5/2019.

A cota protege a casa da chuva, de modo que os danos na construção possam secar.

PERCURSO DE TELEFÉRICO PÚBLICO MAIS LONGO
A Linha 2 da Cidade do México mede 10.555,3m — cerca de 4 vezes o comprimento do National Mall de Washington —, da estação Constitución de 1917 à Santa Marta. Criado pelo Sistema de Transporte Público Cablebús (MEX), foi inaugurado em 8/8/2021. O sistema pode transportar 200.000 pessoas por dia e tem 308 cabines.

ENGENHARIA ÉPICA

Maior máquina de perfuração de túneis
Construído por Herrenknecht (DEU), o Mixshield S880 Qin Liangyu tem diâmetro máximo de blindagem de 17,63m, 120m de comprimento e pesa 5.346ton. Foi usado pela Bouygues Construction (FRA) para fazer o túnel rodoviário submarino Chek Lap Kok até Tuen Mun em Hong Kong, China. A seção de 5km foi criada entre 25/3-3/11/2015, quando o diâmetro de blindagem foi reduzido para 14m no fim do projeto com outra máquina Herrenknecht.

A **máquina de perfuração de túneis mais rápida** é a Robbins Mk 12C de 3,4m de diâmetro, construída para escavar o túnel de redirecionamento de esgoto Katoomba Carrier nas montanhas Azuis da Austrália. Em ago/1994, bateu o recorde de distância em 1 dia de 172,4m, removendo 1.565,3m^3 de rocha.

Viagem mais longa em veículo de célula de combustível sem reabastecer
De 23-24/8/2021, um Toyota Mirai movido a hidrogênio atravessou 1.360,37km sem reabastecer em Gardena, Califórnia, EUA. O evento foi organizado pela Toyota, e os pilotos foram Wayne Gerdes e Bob Winger (todos EUA).

Maior máquina de Goldberg
O cartunista Reuben Garrett Lucius Goldberg ficou famoso por suas imagens detalhadas de invenções absurdamente complexas e inspirou inventores a criar equivalentes reais. Chevrolet Menlo, Wang Xiqi e Guan Jian (todos CHN) criaram uma máquina de Goldberg com 427 passos que acendia uma luz de neón, como verificado em Langfang, Hebei, em 24/9/2021.

BICICLETA MAIS ALTA
Adam Zdanowicz (POL) montou uma bicicleta de 7,41m em Białystok, Polônia, em 21/12/2020. Levou cerca de um mês para fazer o projeto, mais 3 semanas para construí-la. A bicicleta em forma de árvore de Natal é toda feita de materiais reciclados.

AERONAVE ELÉTRICA MAIS RÁPIDA
Em 16/11/2021, o Rolls-Royce *Spirit of Innovation*, pilotado por Steve Jones (RU), atingiu uma média de 555,9km/h em um percurso de 3km em Wiltshire, RU. A aeronave experimental é baseada no avião de corrida Nemesis NXT, mas está equipada com um motor elétrico de 400kW (detalhe).

TÚNEL MAIS LONGO ATRAVESSADO DE AVIÃO
Em 4/9/2021, o piloto e Red Bull Air Racer Dario Costa (ITA) voou 1,73km com o avião de corrida pelos túneis de Çatalca, na rodovia norte de Marmara, Turquia. Com apenas 4m das pontas das asas até as paredes, Costa viajou pelos túneis a uma velocidade média de 245km/h.

Ao sair dos túneis após o voo de 44s, Costa comemorou com um loop no ar.

PRIMEIRA ROTATÓRIA SUBAQUÁTICA
Em 19/12/2020, o túnel Eysturoy, nas ilhas Faroé, foi aberto ao tráfego. Inclui uma rotatória submarina localizada sob o Skálafjørður, um fiorde que divide a ilha de Eysturoy. O túnel une as cidades de Runavík e Strendur, ambas localizadas na ilha, à capital Tórshavn, na ilha de Streymoy.

BREVE BIOGRAFIA

Nome: Beyoncé Giselle Knowles-Carter
Local Nasc.: Houston, Texas, USA
Recordes mundiais atuais:
- **Mais prêmios BET:** 32
- **Mais prêmios Grammy conquistados por uma vocalista:** 28
- **Mais nominações ao Grammy (feminino):** 79
- **Mais prêmios do MTV Music Awards:** 30

MEGASTAR DA MÚSICA
Beyoncé

Ela já vendeu mais de 200 milhões de discos, estrelou filmes e aniquilou recordes da indústria da música. É ícone da moda, ativista e filantropa. Não é surpresa que seja chamada de "Queen Bey".

Desde pequena, Beyoncé demonstrou um grande talento para cantar e dançar. Aos 8, ela juntou-se ao Girl's Tyme, que viraria um dos grupos femininos de maior sucesso na história: o Destiny's Child.

O trio se separou em 2006, mas como artista solo Beyoncé só cresceu. Sucessos como "Crazy in love" e "Single Ladies (Put a Ring On It)" tornaram-se clássicos das pistas de dança, enquanto "Halo" foi ouvido mais de 1 bilhão de vezes no Spotify. Com o álbum *Lemonade*, de 2016, ela se tornou a **primeira artista a estrear no nº 1 nos EUA com seus 6 primeiros álbuns em estúdio**.

Beyoncé continua quebrando barreiras dentro e fora do palco. Em 2021, ela estava entre as 12 primeiras celebridades na Calçada da Fama da Black Music & Entertainment em Atlanta, Geórgia.

Os recordes não param com ela. Seu marido, Jay-Z, ostenta os próprios títulos do GWR (ver p.180-181), e agora até os filhos estão entrando em ação: quebrar recordes virou uma tradição da família Knowles.

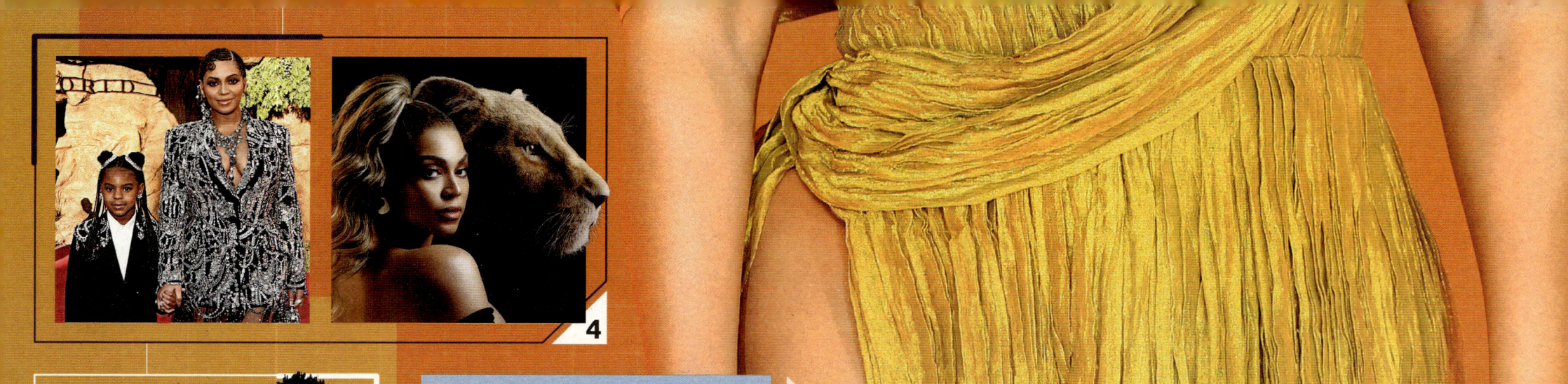

Beyoncé escreveu e dirigiu HOMECOMING, em 2019, filme premiado da NETFLIX.

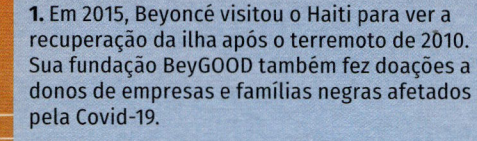

A FILM BY BEYONCÉ
HOMECOMING
NOW STREAMING | NETFLIX

Saiba mais sobre Beyoncé na seção do Hall da Fama em www.guinnessworldrecords.com/2023

1. Em 2015, Beyoncé visitou o Haiti para ver a recuperação da ilha após o terremoto de 2010. Sua fundação BeyGOOD também fez doações a donos de empresas e famílias negras afetados pela Covid-19.

2. Em 2003, dando um prêmio à lenda do pop Michael Jackson, Beyoncé o considera uma de suas maiores inspirações musicais, que "me ajudou a me tornar a artista que sou".

3. Junto às amigas do Destiny's Child Kelly Rowland e Michelle Williams, Beyoncé conquistou um sucesso inigualável. O single "Independent Women Pt 1", lançado em ago/2000, ficou o **maior número de semanas no nº 1 na parada de singles dos EUA por um grupo feminino**: 11.

4. Beyoncé dublou Nala e fez a curadoria da trilha sonora para *O rei leão* de 2019. Na faixa "Brown Skin Girl", foi acompanhada pela filha Blue Ivy (n. 7/1/2012), a **pessoa mais jovem a receber individualmente um Grammy**, aos 9 anos e 66 dias.

5. Como The Carters, Beyoncé e o marido, Jay-Z, lançaram o álbum *Everything is Love* e embarcaram em duas turnês mundiais. Eles têm o **maior número de Grammys recebidos por um casal**: 51.

6. Na cerimônia do 63º Grammy Awards, em 14/3/2021, Beyoncé adicionou mais 4 troféus à sua coleção, chegando a um total de 28, o **maior número de Grammys conquistado por uma mulher** e também **por uma vocalista**, desde o início do prêmio em 1959.

164

MAIOR AUDIÊNCIA DE ESTREIA DE UMA SÉRIE ORIGINAL NETFLIX

Lançada em 17/9/2021, a série original Netflix *Round 6* (Siren Pictures) foi vista por 142 milhões de assinantes em seu 1º mês — 2/3 do quadro de assinantes do serviço de streaming. O thriller de sobrevivência de 9 episódios foi criado pelo cineasta sul-coreano Hwang Dong-hyuk e chegou à posição nº 1 em 97 territórios. A trama envolve 456 competidores arriscando a vida em uma série de desafios para ganhar o prêmio de US$38,8 mi.

Um mês após a estreia, a Bloomberg revelou que *Round 6* fez o valor da Netflix aumentar em US$19 bi na bolsa de valores.

MISSÕES
Entretenimento

EXPLORAÇÃO · PESQUISA · DESCOBERTA
2023

Efeitos especiais & visuais	168
100 anos da Disney	170
TV	172
Livros & revistas	174
Puzzles	176
Quebra-cabeças	178
Música pop	180
Gostaria de agradecer...	182
Top 25 recordes de games	184
Retrato: Orquestra do gigante	192
Variedades	194

Os desafios em *Round 6* são inspirados em jogos tradicionais da Coreia do Sul.

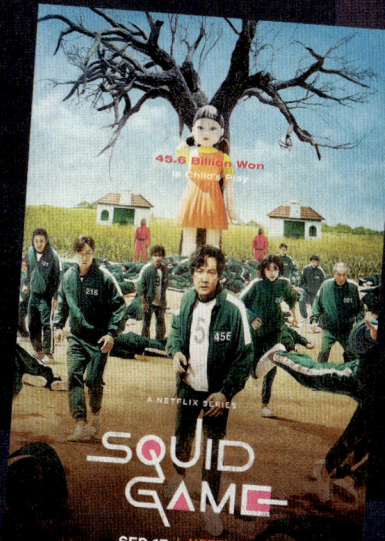

ENTRETENIMENTO
Efeitos especiais & visuais

MAIOR ANIMATRÔNICO
Um espinossauro construído pelo Stan Winston Studio (EUA) para *Jurassic Park III* (EUA, 2011) pesava 11.340kg e tinha quase 13,7m. O boneco hidráulico de 735Kw ficava em um carrinho motorizado.

MAIS ROSTOS IMPRESSOS EM 3D PARA UM FILME DE *STOP MOTION*
Para a comédia *Link perdido* (CAN/EUA, 2019), o LAIKA (EUA) usou 106.000 rostos coloridos impressos em 3D. Cada um tinha uma expressão diferente, e eles eram trocados entre frames da animação.

3.260 painéis de LED, cobrindo uma área de 720m²

MAIS ANIMAIS FOTORREALISTAS CRIADOS PARA UM FILME
O Rei Leão (EUA/RU, 2019) apresentou 86 espécies diferentes geradas por computador, criadas pela Moving Picture Company (RU). Mais de 1.280 artistas, incluindo 130 animadores, construíram esse zoológico virtual com 237.000 imagens de referência.

MAIOR PALCO DE GRAVAÇÃO DE LED
O quase circular (310º) Pixomondo e William F White International LED Stage em Vancouver, Canadá, tem 27,4m de profundidade, 24,3m de largura e 8,3m de altura. Os painéis que cobrem paredes e teto criam efeitos especiais sem telas verdes.

TOP 10 FILMES COM VFX MAIS INFLUENTES DA VES

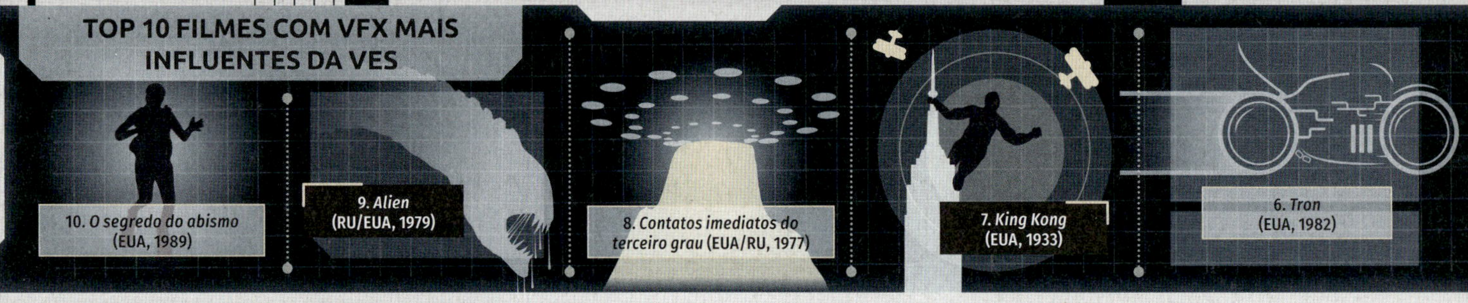

10. *O segredo do abismo* (EUA, 1989)
9. *Alien* (RU/EUA, 1979)
8. *Contatos imediatos do terceiro grau* (EUA/RU, 1977)
7. *King Kong* (EUA, 1933)
6. *Tron* (EUA, 1982)

Primeiro Oscar para efeitos especiais
O 1º Oscar para Melhores Efeitos Especiais (hoje Efeitos Visuais) foi entregue em 29/2/1940 para *E as chuvas chegaram* (EUA, 1939), que usou uma tela dividida com atores e miniaturas para um terremoto e inundação devastadores.
O **maior nº de Oscars de Efeitos Visuais** é 8 (2 de Contribuições Especiais), de Dennis Muren (EUA), por filmes como *Jurassic Park* e *O segredo do abismo*.

MAIOR Nº DE TOMADAS DE EFEITOS VISUAIS EM UM FILME
O nº de tomadas de VFX em blockbusters continua a crescer, com o cinema da Índia hoje à frente de Hollywood. O épico de SS Rajamouli *Baahubali: The Beginning* (IND, 2015) continha cerca de 4.500 tomadas diferentes VFX criadas por mais de 600 funcionários em 16 estúdios.

Primeiro tanque de nuvens usado em um filme
A aparência de céu nublado pode ser criada com líquidos em um tanque cheio de sal e água potável. A 1ª tomada assim em um longa-metragem foi feita por Scott Squires, com a supervisão de Douglas Trumbull (ambos EUA), para o filme *Contatos imediatos do terceiro grau*, de Steven Spielberg.

Primeira substituição digital de rosto em um filme
Em *Jurassic Park*, a dublê Nathalie B Bollinger fez uma cena em que Lex Murphy (Ariana Richards) cai do teto. O rosto da atriz foi adicionado à tomada por uma substituição digital da ILM (ver à dir.).

Maior quantidade de chuva em ambiente interno em filme
Uma cena de tempestade em *Maus momentos no Hotel Royale* (EUA, 2018) foi filmada sob 42 "saídas de chuva" capazes de despejar 9.092 litros de água por minuto, que eram drenados e reutilizados.

ENTRETENIMENTO

TOMADA ÚNICA MAIS LONGA DE EFEITOS VISUAIS
A tomada inicial de *Gravidade* (EUA/RU, 2013), de Alfonso Cuarón, dura 12min46s sem nenhum corte aparente. A cena mostra astronautas — incluindo personagens interpretados por Sandra Bullock e George Clooney — consertando o Hubble Space Telescope até que detritos os atingem. Os efeitos foram criados pela Framestore (RU).

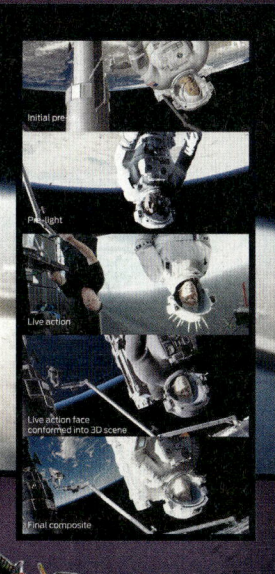

MODELO DE CG MAIS COMPLICADO EM UM FILME
O robô Devastator em *Transformers: A vingança dos derrotados* (EUA, 2009) foi feito de 52.632 peças individuais criadas com 11,7mi de polígonos sobrepostos por 6.467 texturas. Foi um trabalho da ILM (ver abaixo).

MAIOR EFEITO VISUAL
O interior do planeta Ego, em *Guardiões da Galáxia Vol.2* (EUA, 2017) foi criado como uma realista "tomada heroica" pelo Wētā FX (NZ), que usou pesquisa sobre Mandelbulb (fractais em 3D) para produzir o efeito, com a renderização de um recorde de 361 bilhões de polígonos.

5. *Jurassic Park* (EUA, 1993)

3. *2001: Uma odisseia no espaço* (RU/EUA, 1968) & *Matrix* (EUA/AUS, 1999)

2. *Blade Runner* (EUA, 1982)

1. *Star Wars: Episódio IV — Uma nova esperança* (EUA, 1977)

Maiores sequências de batalhas cinematográficas
A trilogia *O Senhor dos Anéis* (NZ/EUA, 2001-03), de Peter Jackson, continha cenas de combate com mais de 200.000 personagens. Foram criados pelo software de simulação de multidões "Massive", da Wētā FX, que usava IA para determinar como eles interagiam.

Maior orçamento de produção de um filme
O orçamento de *Avatar* (EUA, 2009) era de US$425 mi, de acordo com The Numbers. O filme se tornou o 1º a arrecadar US$2 bi no fim de semana de 29-30/1/2010, e em 21/3/2022 era **o mais lucrativo**, com US$2.845.899.541 de bilheteria global.

Maior quantidade de explosivos em tomada
Um trio de explosões usando 136,4kg de um equivalente de TNT foi feita em 8/3/2019 para *Sem tempo para morrer* (RU/EUA, 2021) A tomada foi filmada em Salisbury Plain, RU, e foi o trabalho de EON Productions, MGM Studios, Universal Pictures, Chris Corbould e Event Horizon (todos RU).

ESTÚDIO DE EFEITOS VISUAIS MAIS LONGEVO
A Industrial Light & Magic (ILM) foi fundada em 26/5/1975 por George Lucas durante as filmagens de *Star Wars: Episódio IV — Uma nova esperança* (1977, acima, à dir.). O estúdio criou VFX para mais de 350 filmes, incluindo *O segredo do abismo* e *Jurassic Park*, recebendo diversos Oscars. A ILM continua trabalhando na franquia *Star Wars*, fornecendo efeitos para a série *The Mandalorian* (2019, abaixo, à dir.).

ENTRETENIMENTO
100 anos da Disney

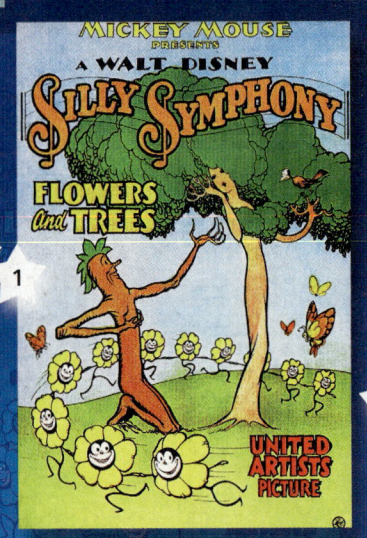

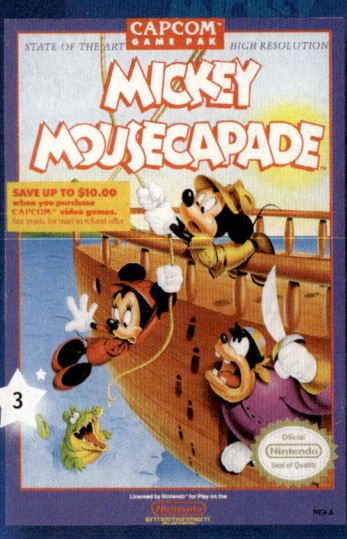

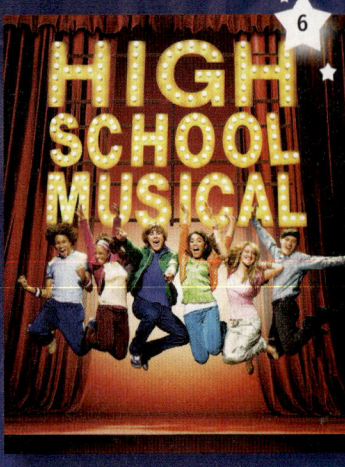

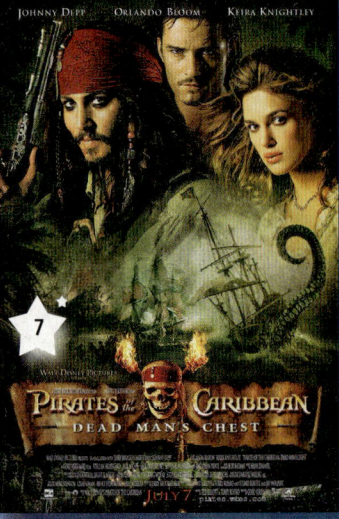

9. *Divertida mente* (2015)
Metascore: 94
Bilheteria: US$853,6mi

7. *Branca de Neve e os sete anões* (1937)
Metascore: 95
Bilheteria: US$184,9mi

Top 10 de animações da Disney
O Metacritic se baseia em críticas para classificar filmes com nota máxima de 100, e as animações mais aclamadas da Disney são uma mistura mágica de passado e presente.

10. *Toy Story 3* (2010)
Metascore: 92
Bilheteria: US$1,07bi

8. *WALL-E* (2008)
Metascore: 95
Bilheteria: US$532,5mi

No dia 16/11/1923, Walt Disney e seu irmão Roy fundaram o Disney Brothers Cartoon Studio (depois renomeado The Walt Disney Company). Em 2023, esse estúdio pioneiro celebra seu centenário — cem anos de filmes, programas, games e parques de diversões que bateram recordes. E com aquisições empolgantes como a Marvel e *Star Wars* expandindo esse império, o "final feliz" da Disney ainda está longe de chegar.

1. Primeira animação em cores
Estreando nos cinemas em 1932, a animação original em Technicolor *Flores e árvores*, uma das "Silly Symphonies", tinha 8min e se tornou o **primeiro desenho a ganhar um Oscar** no mesmo ano (veja à esquerda).

2. Animação com maior bilheteria (inflação ajustada; mercado interno)
Inspirado numa história do séc. 19 dos Irmãos Grimm, o primeiro longa da Disney — *Branca de Neve e os sete anões* (1937) — mostrou o grande potencial da animação nos cinemas. Apesar de outra adaptação de conto de fadas deter o topo da bilheteria hoje (veja **10**), com a inflação ajustada, *Branca de Neve* ainda reina supremo — e sozinho. Sua bilheteria de US$184,9 milhões nos EUA é quase US$1,55 bilhão na correção atual.

3. Primeiro jogo de plataforma da Disney
Estrelando seu amado ratinho, o **primeiro game da Disney** era simplesmente chamado *Mickey Mouse* (Nintendo) e envolvia o personagem pegando ovos que caíam sem parar; foi lançado no Game & Watch em 9/11/1981. Diversos outros games se seguiram a este, mas foi apenas seis anos depois que o primeiro jogo de plataforma surgiu, com *Mickey Mousecapade* (Hudson Soft), lançado para o Nintendo em 6/3/1987.

4. Obra de entretenimento mais lucrativa
A animação *O rei leão*, de 1994, foi adaptada para os palcos pela diretora Julie Taymor. Estreou na Broadway em 1997 e foi um sucesso retumbante, com várias montagens pelo mundo. Até 2020, o musical já tinha acumulado mais de US$9,1 bilhões, tornando-se a obra de entretenimento mais lucrativa da história, superando qualquer filme, livro, peça, musical ou game (sem o ajuste da inflação).

5. Game da Disney de maior sucesso
Lançado para o PlayStation 2 em 2002, *Kingdom Hearts* (Square) vendeu 6,3 milhões de unidades até 26/1/2019, segundo o VGChartz. Foi o início de uma série revolucionária que uniu personagens de todo o universo Disney.

MAIS OSCARS RECEBIDOS
Ele pode ter morrido em 1966, mas Walter Elias Disney (EUA) ainda detém o recorde, ganhando 26 Oscar (quatro honorários). O primeiro foi em 1932 (acima, veja **1**) e o último, póstumo, em 1969 por *Ursinho Pooh e o dia chuvoso*.

6. *Toy Story* (1995)
Metascore: 95
Bilheteria: US$365,3mi

4. *Fantasia* (1940)
Metascore: 96
Bilheteria: US$83,3mi

2. *Dumbo* (1941)
Metascore: 96
Bilheteria: US$6mi

5. *A Bela e a Fera* (1991)
Metascore: 95
Bilheteria: US$438,7mi

3. *Ratatouille* (2007)
Metascore: 96
Bilheteria: US$626,5mi

1. *Pinóquio* (1940)
Metascore: 99
Bilheteria: US$84,3mi

CASTELO MAIS ALTO DE PARQUE DE DIVERSÕES
Inspirado nos palácios da Europa, o inconfundível Castelo da Cinderela, no Magic Kingdom, chega aos 57,3m com sua maior torre. É a atração principal do Walt Disney World, na Flórida, desde a abertura do parque em 1971. A construção ficou ainda mais consagrada como símbolo da Disney ao ser incluída na logo em 1985.

6. Mais músicas de um álbum de trilha sonora no US Hot 100 ao mesmo tempo
Em 11/2/2006, nove canções do filme *High School Musical* entraram no Hot 100. A música mais bem colocada, "Breaking Free", pulou 82 posições, saindo do da 86ª para a 4ª na 2ª semana que entrou na tabela, uma escalada recorde na época.

7. Filme de pirata com maior bilheteria
Nenhum outro filme de bucaneiros acumulou mais "moedas de ouro" que a segunda parte da franquia *Piratas do Caribe: O baú da morte* (2006). Sua incrível bilheteria chegou a US$1,06 bilhão.

8. Filme de animação mais caro
Uma recontagem moderna de Rapunzel, *Enrolados* (2010) tinha um orçamento de US$260 milhões, e boa parte foi usado para animar as longas mechas.

9. Primeiro filme com uma codiretora a arrecadar US$1 bi
Frozen, coescrito e codirigido por Jennifer Lee e Chris Buck (ambos EUA), arrecadou US$1,27 bilhão desde o lançamento em 2013. Lee e Buck repetiram a parceria em *Frozen 2* (**10**), 2019, que hoje é a **animação de maior bilheteria**, com US$1,45 bilhão, colocando-a em 10º lugar entre os filmes gerais.

11. Animação original com maior bilheteria
A Pixar se juntou à Disney em 2006. *Os Incríveis 2* rendeu US$1,24 bilhão, colocando-o no topo das animações que não são spin-offs. Entre todas as animações, só é superado pelos filmes *Frozen* (**9**, **10**), que se inspiram no conto de 1844, "A rainha da neve", de Hans Christian Andersen.

12. Filme da Disney com maior bilheteria
Nos últimos anos, a Disney adquiriu alguns dos gigantes de Hollywood, como a Marvel (em 2009) e a Lucasfilm (em 2012). *Vingadores: Ultimato* (2019) é a maior bilheteria até hoje, com US$2,8 bilhões.

13. Maior show original de streaming
A Disney entrou no streaming em 11/2019 com a Disney+. A atração principal, *The Mandalorian*, foi a série original on-line mais popular de 2020-21, de acordo com o Parrot Analytics. Globalmente, foi vista 57,6 vezes mais do que um programa de TV comum (veja mais no verso).

ENTRETENIMENTO
TV

Expressões de demanda entre 6/3/2021 e 5/3/2022

PARROT ANALYTICS

Para avaliar o interesse entre plataformas de uma série — de streaming a mídias sociais —, o GWR trabalha com o Parrot Analytics. As "Expressões de demanda per capita" (DEx/c) comparam o engajamento global de uma série em relação à média. Um valor de 10 significa que há uma demanda 10 vezes maior que a média.

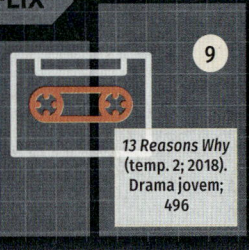

Variedades: *The Tonight Show Starring Jimmy Fallon* (NBC), 26,2

Horror: *American Horror Story* (FX), 31,6

Documentário: *Cosmos: Mundos possíveis* (National Geographic), 14,6

Comédia: *The Big Bang Theory* (CBS), 43,0

Drama médico: *The Good Doctor* (ABC), 41,8

Show de TV (geral): *Attack on Titan* (MBS), 75,4

TOP 10 SHOWS DA NETFLIX*

*milhões de horas assistidas nas 1ªs 28h, até 1/3/2022

- **10** *The Witcher* (temp. 2; 2021). Drama de fantasia; 484
- **9** *13 Reasons Why* (temp. 2; 2018). Drama jovem; 496
- **8** *Inventando Anna* (minissérie; 2022). Drama de crime; 511
- **7** *The Witcher* (temp. 1; 2019). 541
- **6** *All of Us Are Dead* (temp. 1; 2022). Drama de sobrevivência/horror; 560

ATOR DE TV MAIS BEM PAGO
Dwayne "The Rock" Johnson (EUA) ganhou cerca de US$270 mi no ano que terminou em 31/12/2021, segundo a *Forbes*. Ele é o astro — e assunto — da comédia biográfica *Young Rock* (NBC, 2021-). Reese Witherspoon (EUA) detém o recorde **feminino**, com ganhos de cerca de US$115 mi no mesmo período. Ela estrela e produz *The Morning Show* (Apple TV+, 2019-).

Série com melhor classificação (atual)
The Underground Railroad (Amazon Prime, 2021) tem um Metascore de 92 no Metacritic, tornando-a a série com melhor classificação do último ano civil completo. Baseada no romance homônimo de Colson Whitehead, é uma fantasia ambientada no séc. 19 que segue os escravizados Cora e Caesar enquanto tentam conseguir a liberdade usando uma misteriosa ferrovia subterrânea e são perseguidos pelo caçador de recompensas Ridgeway. O show ganhou o Globo de Ouro de Melhor Minissérie ou Filme para Televisão.

Mais Emmys ganhados por apresentador de reality ou programa competitivo
RuPaul Charles (EUA) ganhou 6 Emmys por *RuPaul's Drag Race* (Logo TV/VH-1, 2016-21). Como produtor, ele também foi 4 vezes vencedor do Outstanding Competition Program em 2018-21, e ganhou Outstanding Unstructured Reality Program por *Drag Race: Untucked!* em 2021. Isso leva seu total para 11, tornando-o o **vencedor negro mais premiado da história do Emmy**.

Primeira transgênero indicada ao Emmy (protagonista)
Em 13/7/2021, Michaela Jaé Rodriguez (EUA) foi indicada para Melhor Atriz em Série Dramática no 73º Primetime Emmy Awards. Foi selecionada por sua atuação como Blanca Rodriguez em *Pose* (FX); ver também p.182. A **1ª indicada transgênero** foi Laverne Cox (EUA) em 2014, por interpretar Sophia Burset em *Orange is the New Black* (Melhor Atriz Convidada em Série de Comédia).

Em 2021, a Netflix ganhou 44 Emmys, levando mais prêmios que qualquer outra emissora pela 1ª vez e igualando o recorde da CBS de 1974 de **maior nº de vitórias por uma rede em um ano**.

The Handmaid's Tale (Hulu) foi indicado 21 vezes em 2021, mas não conseguiu nenhuma vitória, quebrando o recorde de 17 alcançado por *Mad Men* (AMC) em 2012 para a **maior "esnobada" do Emmy**.

Mais dirigíveis do Nickelodeon Kids' Choice Awards ganhados por Show de TV Favorito
Um revival da sitcom adolescente americana *iCarly* (Nickelodeon, 2021; série original 2007-12) conquistou

ENTRETENIMENTO

Adaptação de filme: *Cobra Kai* (Netflix), 34,8

Adaptação de HQ: *WandaVision* (Disney+), 61,3

Adaptação de livro: *Game of Thrones* (HBO), 73,1

Reality Show: *Shark Tank India* (Sony), 27,0

Drama legal: *Billions* (Showtime), 39,1

5 — *Stranger Things* (temp. 3; 2019). Sci-fi/horror; 582

4 — *La casa de papel* (parte 4; 2020). Drama de crime; 619

3 — *Bridgerton* (temp. 1; 2020). Romance histórico; 625

2 — *Bridgerton* (temp. 2; 2022). 656

1 — *Round 6* (temp. 1; 2021). Drama de sobrevivência; 1.650

seu 4º prêmio de Show de TV Favorito no Nickelodeon Kids' Choice Awards em 9/4/2022 — uma cerimônia coorganizada por Miranda Cosgrove, que reprisou seu papel de Carly Shay. A sitcom empatou com *Home Improvement* (ABC, 1991-99) com o maior nº de vitórias na categoria.

O **maior nº de votos do público recebidos para uma premiação infantil** é 513.183.993, pelo Nickelodeon Brazil Kids' Choice Awards, verificado em 15/9/2021.

Mais testes de elenco recebidos on-line em 24h
Em 10/8/2021, a Netflix (EUA) recebeu 4.139 respostas de aspirantes a astros a uma chamada de elenco on-line em Los Angeles, Califórnia, EUA. O evento, realizado para promover o lançamento da Netflix *Reality*, queria concorrentes para diversos programas.

Apresentador mais velho de show de talentos
Song Hae (KOR, n. 27/4/1927) tinha 94 anos e 350 dias em 12/4/2022, verificado em Seul, Coreia do Sul. Lenda na indústria de entretenimento coreana, ele apresenta o show de talentos *National Singing Contest* desde 1988 — um cargo que lhe rendeu o apelido carinhoso de "Vovô Favorito da Coreia".

Show musical mais longevo com o mesmo apresentador
Em 17/9/2021, Tamori (ou Kazuyoshi Morita) liderou o *Music Station* por 34 anos 167 dias. Ele estreou em 3/4/1987. O programa era transmitido toda semana pela TV Asahi (ambos JPN) desde 24/10/1986.

Beijo mais longo da TV (sem roteiro)
Brooke Blurton e Jamie-Lee Dayz (ambas AUS) se beijaram por 5min11s durante a temporada 7 de *The Bachelorette Australia* (Network 10) em Sydney, New South Wales, em 2/11/2021. O recorde anterior fora estabelecido em *The Bachelor Australia*, 6 anos antes.

MAIS INDICAÇÕES AO EMMY POR ESTREIA DE COMÉDIA
Em 2021, a temporada 1 de *Ted Lasso* (EUA, Apple TV+/Doozer Productions, 2020-) recebeu 20 indicações ao Emmy. É estrelada por Jason Sudeikis, um treinador de futebol universitário contratado por um time de futebol inglês de propriedade de Rebecca Welton (Hannah Waddingham). Recebeu 7 Emmys, incluindo Melhor Série de Comédia.

173

ENTRETENIMENTO
Livros & revistas

Primeiro e-book
Uma cópia da Declaração da Independência dos Estados Unidos foi datilografada em um computador Xerox Sigma V pelo estudante da Universidade de Illinois Michael Hart em 4/7/1971. O arquivo de texto simples, acessível a qualquer um que tivesse conexão à ARPAnet (uma versão primitiva da internet), tornou-se o núcleo do Projeto Gutenberg, um serviço de e-books em domínio público (veja à direita).

Livro impresso mais caro
Em 26/11/2013, David Rubenstein, um executivo americano bilionário, comprou um exemplar do *Bay Psalm Book* por US$14,16 mi na Sotheby's de Nova York, EUA. O livro de hinos foi produzido pelos residentes da colônia da baía de Massachusetts em 1640 e é o primeiro livro impresso na América do Norte britânica. Apenas 11 exemplares sobreviveram aos 1.700 produzidos.

Maior editora
A Penguin Random House publica 70.000 livros digitais e 15.000 impressos todo ano. A editora anunciou lucros de US$3,78 bi no ano fiscal de 2019, de acordo com a edição de 2020 da classificação Global 50 do mercado editorial.

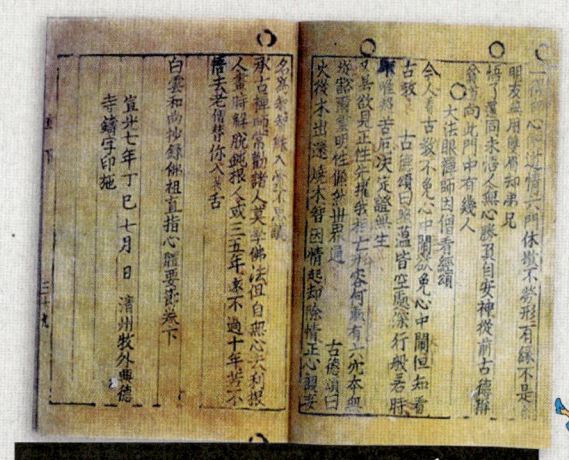

LIVRO MAIS VENDIDO
Embora seja impossível chegar ao número exato, uma pesquisa conduzida pela British and Foreign Bible Society em 2021 estima que 5-7 bilhões de exemplares da Bíblia Cristã foram produzidos nos 1.500 anos desde que seu conteúdo foi padronizado.

Acervo de manuscritos mais antigos
Uma coleção organizada de 2.500 tabuletas de argila manuscritas com data de 2350 a.C. foi descoberta em 1974 nas ruínas da antiga cidade de Ebla, localizada onde hoje é o oeste da Síria. As tabuletas continham os registros oficiais do Estado eblaíta, com informações sobre posses de terra e acordos comerciais, além de dicionários para traduzir os idiomas de outras civilizações antigas.

Biblioteca mais antiga ainda em funcionamento
Situada no sopé do monte Sinai, no Egito, a biblioteca do Mosteiro de Santa Catarina foi fundada entre 527-565 sob ordens do imperador bizantino Justiniano I. Ela abriga uma das mais importantes coleções de manuscritos do início do cristianismo: os 3.300 textos conhecidos como "Coleção Antiga".

Maior biblioteca de livros acorrentados
Antes da adoção da prensa na Europa, os livros eram muito valiosos e de substituição difícilima. Algumas bibliotecas medievais protegiam suas obras prendendo os livros na estante com uma corrente que envolvia a capa. Fundada no séc. 12 a biblioteca "acorrentada" da catedral Hereford no Reino Unido têm 227 manuscritos medievais e cerca de 1.200 livros do início do uso da prensa no continente.

Primeiro audiolivro
O romance *Typhoon* (1902), de Joseph Conrad, foi incluído no pacote de 4 LPs do Instituto Nacional Real Britânico para Pessoas Cegas em 1935.

LIVRO MAIS ANTIGO IMPRESSO COM TIPO MÓVEL
O *Buljo jikji simche yojeol* (em geral, conhecido apenas como *Jikji*) é uma coleção coreana de ensinamentos do zen-budismo impressa em jul/1377 — 73 anos antes da Bíblia de Gutenberg. O colofão do *Jikji* afirma que o livro foi "impresso com tipo móvel", uma alegação apoiada pela aparência de tipos idênticos e por suas 39 páginas, sugerindo redefinição e reutilização.

MAIOR COLEÇÃO DE QUADRINHOS
Na última contagem oficial, Bob Bretall de Mission Viejo, Califórnia, EUA, tinha uma enorme coleção de 101.822 HQs. O fã do Homem-Aranha mantém a maior parte dela em sua garagem para 3 carros, mas também tem um "quarto de quadrinhos" (foto) com edições especiais e outros itens associados à nona arte.

CLÁSSICOS DIGITAIS
Fundado por Michael Hart em 1971 (à esquerda), o Projeto Gutenberg é um arquivo em domínio público. Abaixo estão os títulos mais populares, por média de downloads mensais.

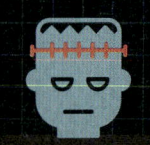

Frankenstein, ou O Prometheus moderno, Mary Shelley (86.000)

Orgulho e preconceito, Jane Austen (57.000)

Um conto de Natal, Charles Dickens (39.000)

A letra escarlate, Nathaniel Hawthorne (38.000)

Alice no País das Maravilhas, Lewis Carroll (28.000)

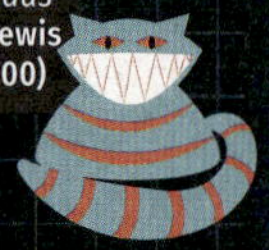

Drácula, Bram Stoker (25.000)

Moby Dick, ou A baleia, Herman Melville (24.000)

O retrato de Dorian Gray, Oscar Wilde (22.000)

Uma casa de bonecas, Henrik Ibsen (22.000)

As aventuras de Sherlock Holmes, Arthur Conan Doyle (21.000)

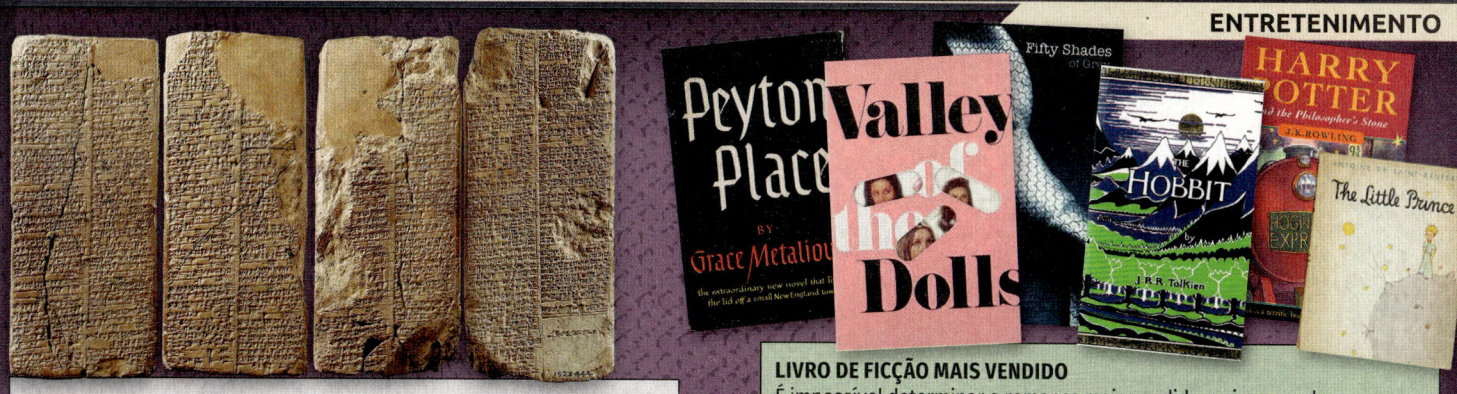

ENTRETENIMENTO

PRIMEIRA BIBLIOTECA
O rei assírio Ashurbanipal montou uma biblioteca em seu palácio em Nineveh (onde hoje é o norte do Iraque) entre 668-631 a.C. com 30.500 tabuletas de argila com inscrita cuneiforme. Embora arquivos reais mais antigos (ver página ao lado) sejam conhecidos, essa foi a primeira tentativa de organizar textos literários sem finalidade administrativa.

LIVRO DE FICÇÃO MAIS VENDIDO
É impossível determinar o romance mais vendido, pois as vendas confiáveis e verificadas independentemente só começaram a ser coletadas de forma significativa no início dos anos 2000. Obras populares como *A caldeira do diabo* (1956), de Grace Metalious, e *O vale das bonecas* (1966), de Jacqueline Susann, receberam muita atenção da mídia contemporânea e venderam até 30 milhões de exemplares, mas sua popularidade não durou. Diz-se que alguns livros venderam mais de 100 milhões de exemplares, como *O hobbit* (1937), de JRR Tolkien, *O pequeno príncipe* (1943), de Antoine de Saint-Exupéry, e *Harry Potter e a Pedra Filosofal* (1997), de JK Rowling. O **livro de ficção mais vendido (com números verificados independentemente)** é *Cinquenta tons de cinza* (2011), de EL James, que teve vendas globais de 16.994.323 exemplares até nov/2021.

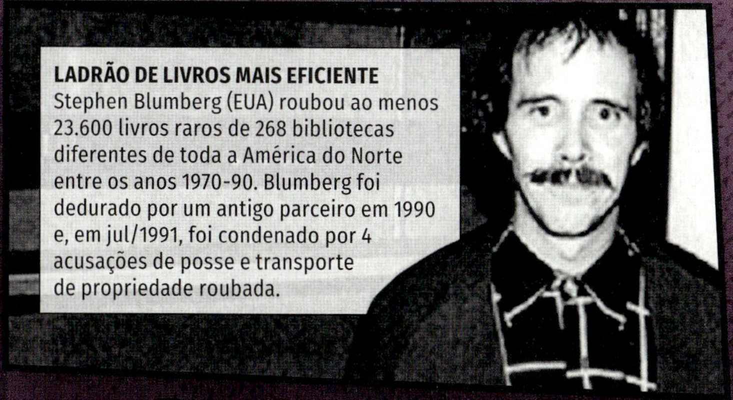

LADRÃO DE LIVROS MAIS EFICIENTE
Stephen Blumberg (EUA) roubou ao menos 23.600 livros raros de 268 bibliotecas diferentes de toda a América do Norte entre os anos 1970-90. Blumberg foi dedurado por um antigo parceiro em 1990 e, em jul/1991, foi condenado por 4 acusações de posse e transporte de propriedade roubada.

LIVRO DE FICÇÃO BEST-SELLER (ATUAL)
As vendas mundiais de *Sol da meia-noite*, de Stephenie Meyer, bateram o recorde de 1.847.843 exemplares em 2020, de acordo com o NPD Group e a Nielsen. O romance é uma recontagem do clássico YA de Meyer, *Crepúsculo* (2005), com os eventos vistos pela perspectiva do vampiro Edward Cullen, em vez da narradora da série Bella Swan.

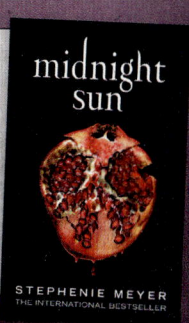

MAIOR BIBLIOTECA
A biblioteca do Congresso dos EUA em Washington, capital, abriga atualmente mais de 173 milhões de itens. Sua coleção está espalhada por c. de 1.348km de prateleiras, com mais de 41 milhões de livros e outros materiais impressos, 4,1 milhões de gravações e 15 milhões de fotos. Sua maior rival, a British Library, em Londres, não fica muito atrás, com 170 milhões de itens.

MAIOR ADIANTAMENTO DE LIVRO DE NÃO FICÇÃO
Um total de US$65 mi foi oferecido ao ex-presidente dos EUA Barack Obama e à ex-primeira dama Michelle Obama por suas biografias (publicadas respectivamente como *Uma terra prometida*, em 2020, e *Minha história*, em 2018). A editora Penguin Random House (ver ao lado) ganhou o leilão pelos dois livros.

LIVRO MAIS VENENOSO
O livro *Shadows from the Walls of Death* (1874), do dr. Robert Kedzie, tem 86 folhas de papel de parede com 36g de arsênico. O livro avisa sobre as tintas de arsênico usadas por fabricantes de papel de parede contemporâneos. Apenas 4 exemplares ainda existem, com as folhas envenenadas embrulhadas em plástico (detalhe) ou embaladas à vácuo.

LIVRO MAIS CARO (VENDA PRIVADA)
O *Sherborne Missal*, um manuscrito medieval ricamente ilustrado, foi adquirido pela British Library em ago/1998 por US$24,88 mi. A obra de 694 páginas foi feita na abadia de Sherborne, em Dorset, RU, entre 1399 e 1407, por uma equipe liderada pelo artista John Siferwas e pelo escrivão John Whas.

175

ENTRETENIMENTO
Puzzles

A World Puzzle Federation administra o torneio anual World Puzzle Championship (WPC) e o World Sudoku Championship (WSC). O WPC aconteceu pela 1ª vez em 1992 — sendo assim o **campeonato de puzzles mais antigo** — e desafia os participantes a resolver enigmas lógicos. Quer participar? Experimente um pouco da nossa seleção de puzzles, todos retirados de competições passadas. Boa sorte!

Soluções na p.255

Maiores vencedores do World Puzzle Championship

Categoria	Nome	Medalhas	Ouro	Prata	Bronze
Individual	Ulrich Voigt (DEU)	19	11	6	2
Abaixo dos 18	Qiu Yanzhe (CHN)	4	4	0	0
Acima dos 50	Taro Arimatsu (JPN)	4	4	0	0
Equipe	EUA	28	15	8	5

Corrigido em 11/1/2022.

CAÇA-PALAVRAS
Encontre as três ocorrências da palavra SENEC no quadro ao lado. Você pode usar qualquer uma das 8 direções (abaixo à direita).

Senec, na Eslováquia, foi a sede do 25º World Puzzle Championship em out/2016.

C	E	S	N	C
E	E	E	E	E
N	S	N	C	N
E	E	E	S	E
S	N	C	S	E

SUDOKU CLÁSSICO
Coloque um número de 1 a 9 em cada um dos quadrados vazios, de forma que cada número apareça apenas uma vez em cada linha, coluna e quadro 3x3.

7	5				3			
			6	5	3			
3				8		1		5
	9		5		6		1	
	5	3				9	6	
	4		7		9		8	
9		2		6				8
			9	1	8			
		8				4		1

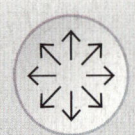

COBRINHA
Coloque uma cobra (que ocupa cada um dos quadrados) de forma que ela não encoste em si mesma, nem diagonalmente. A cabeça e a cauda da cobra são marcadas pelos círculos. Os números fora do quadro maior indicam quantos quadradinhos naquela linha ou coluna são ocupados pela cobra.

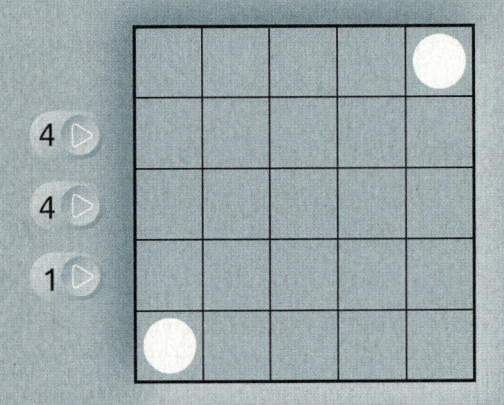

SUDOKU DIAGONAL
Coloque um número de 1 a 9 em cada um dos quadrados vazios, de forma que cada número apareça apenas uma vez em cada linha, coluna, quadro 3x3 e linha diagonal.

		2				4	8	
4			8					
9			4					2
				1		2	7	
			5		3			
	9	6		4				
5					9			1
					1			5
	2	1			7			

ENTRETENIMENTO

PALAVRAS CRUZADAS
Coloque as palavras dadas — grandes mestres do xadrez — no espaço de forma que elas possam ser lidas horizontalmente da esquerda para a direita e verticalmente de cima a baixo. Todas as palavras devem se conectar e cada um dos nomes só pode ser usado uma vez. Nenhuma outra palavra de duas ou mais letras será usada. Algumas letras já foram dadas; cada uma deve ser usada por apenas uma palavra e cada palavra deve contar apenas uma das letras.

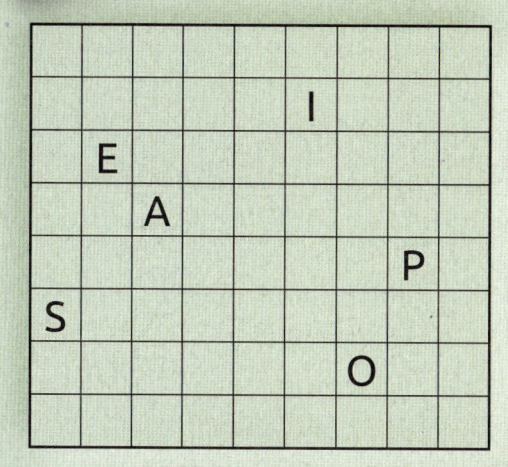

TAL
PETROSIAN
SPASSKY
FISCHER
KARPOV
KASPAROV

DISSECAÇÃO
Divida o quebra-cabeça em 3 peças congruentes, usando linhas horizontais, verticais e diagonais. Os quadrados só podem ser cortados ao meio por uma linha diagonal. As peças precisam ter o mesmo formato e tamanho, mas podem ser rotacionadas e espelhadas.

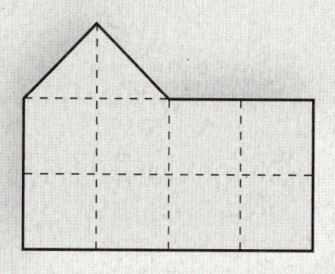

HEXÁGONO DE PALAVRAS
Preencha o espaço com as letras. Seis células hexagonais ao redor da célula escura devem conter uma das palavras da lista fornecida (em qualquer ordem). Cada palavra só pode ser usada uma vez.

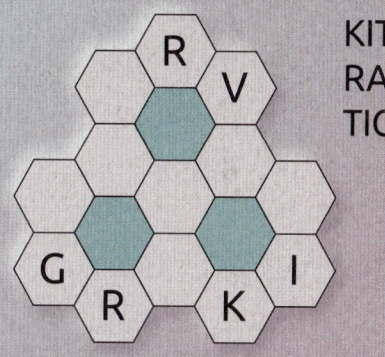

KITTEN
RAVENS
TIGERS

ENCONTRE AS DIFERENÇAS
Circule 10 diferenças entre a imagem do Taj Mahal e seu reflexo. Elas são claramente intencionais, como coisas que desapareceram ou mudaram de lugar, tamanho, formato ou orientação.

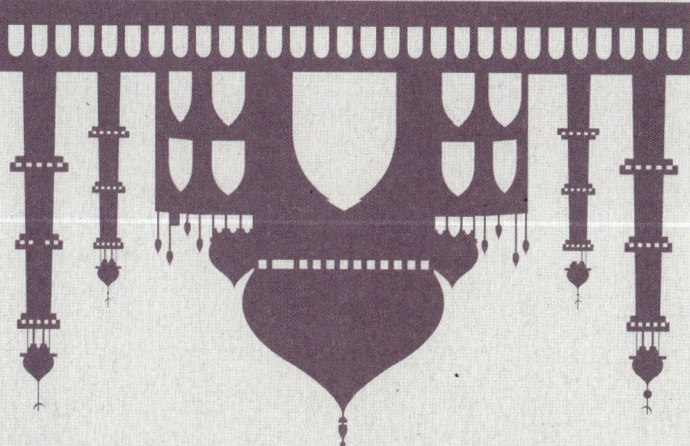

JOGO DOS FÓSFOROS
A figura abaixo mostra os 10 números feitos com palitos de fósforo. Você recebeu uma configuração de palitos. Mova no máximo 2 para produzir o maior número inteiro positivo possível. (O número deve ser escrito na base 10, usando apenas os dígitos mostrados abaixo e nada mais. Não é permitido rotacionar a configuração inteira ou mudar o ponto de vista.)

ENTRETENIMENTO
Quebra-cabeças

DISSECTOLOGISTA COM MAIS SEGUIDORES NO YOUTUBE
Em 1/1/2022, Karen Puzzles (ou Karen Kavett, EUA) tinha 143.000 inscritos em seu canal do YouTube. Alguns YouTubers até falam disso vez ou outra, mas o canal dela é todo dedicado a eles.

Primeiro quebra-cabeça "dissecado"
A popularidade de interligar peças de quebra-cabeça é creditada ao cartógrafo britânico John Spilsbury. Em 1766, ele lançou um mapa da Europa de madeira e cortou as fronteiras usando uma serra. O objetivo era ajudar as crianças a aprender geografia. Ficou conhecido como "dissecação"; o primeiro uso do termo "quebra-cabeça" (jigsaw puzzle) foi em 1906, após a invenção da serra tico-tico, chamada em inglês de jigsaw.

Maior quebra-cabeça por área
Nenhum quebra-cabeça jamais cobriu uma área maior que o de 6.112,68m² criado por DMCC (EAU), conforme confirmado em Dubai, EAU, em 7/7/2018. O jogo de madeira de 12.320 peças mostrava o falecido xeique Zayed bin Sultan Al Nahyan e era do tamanho de 23 quadras de tênis.

O **maior quebra-cabeça por número de peças** também é único, criado por uma equipe de 1.600 alunos da Universidade de Economia Ho Chi Minh City, do Vietnã. Em 24/9/2011, eles juntaram as 551.232 peças, que formavam uma flor de lótus e um mapa mental — um diagrama para visualizar e guardar informações — no estádio Phu Tho. Tinha uma área de 344,52m², cerca de 1/3 maior que uma quadra de tênis.

Pintoo de Taiwan, China, produz os **maiores quebra-cabeças por número de peças**: 4.800. Finalizado, o jogo mede 86,3x115cm, mais ou menos o tamanho de uma toalha, e mostra um mapa estilizado da ilha. Plástico é o 3º material mais comum para quebra-cabeças, atrás apenas de papelão e madeira.

O **quebra-cabeça com maior número de peças on-line** é o *Million Piece Mission*, criado pela Força Aérea dos EUA. É uma imagem de 1,03 gigapixel do Museu Nacional da Força Aérea partida em 1,2 milhão de peças. O quebra-cabeça foi lançado em 15/6/2020 como reação à suspensão de seu programa de ajuda por causa da pandemia da Covid-19.

Para os **maiores quebra-cabeças disponíveis à venda**, veja à direita.

Maior maratona de quebra-cabeça
Em 30-31/10/2010, o torneio de quebra-cabeça Hannut Marathon, na Bélgica, deu 25 horas para 112 equipes resolverem o máximo de jogos possível (que iam de 500 a 2.000 peças).

MENOR QUEBRA-CABEÇA POR ÁREA DISPONÍVEL À VENDA
Baseado no tamanho completo de um jogo de 1.000 peças, o (hoje esgotado) diminuto Tomax Puzzles da Standard Project (CHN) media apenas 182x257mm, confirmado em Hong Kong, China, em 12/12/2009. Cada peça tinha uma média de 0,467cm².

Os **menores quebra-cabeças por número de peças** são produzidos pela Selegiochi (ITA). Cada uma das 99 peças dos jogos tem uma superfície média de 0,361cm². Finalizado, o quebra-cabeça fica com 6,5x5,5cm — menor que uma carta de baralho.

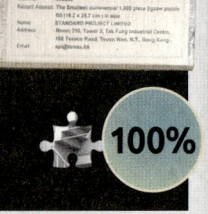

Mais pessoas resolvendo um quebra-cabeça no mesmo lugar
O Chello Multicanal (ESP) reuniu 9.569 participantes para uma sessão em massa de quebra-cabeça durante a Fira de Barcelona, na Espanha, entre 27/12/2011 e 4/1/2012.

Maior coleção de quebra-cabeças
Luiza Figueiredo (BRA) tinha 1.047 quebra-cabeças únicos na contagem mais recente em 9/7/2017 em São Paulo, Brasil. Ela coleciona desde 1967. Sua paixão começou depois de montar seu primeiro jogo aos 7 anos.

Konrad e Renata Wachulec (ambos POL) passaram 20 anos juntando a **maior coleção de quebra-cabeças de moinhos de vento**. Veja os 505 jogos deles no Instagram @windmills_puzzles_and_we.

Quebra-cabeça mais caro vendido em leilão
Um jogo de madeira feito à mão foi vendido a US$27.000 em um leilão em Gettysburg, Pensilvânia, EUA, em 28/9/2005. Feito pela americana Rachel Page Elliott, entusiasta de quebra-cabeças premiada, *The Outing* tinha 467 peças, muitas no formato de aves, gatos, cavalos e cães. Mostrava um golden retriever com seus 5 filhotes brincando em um gramado e foi vendido para ajudar a Golden Retriever Foundation.

MAIS TATUAGENS DE QUEBRA-CABEÇAS
O artista, ator e animador The Enigma (ou Paul Lawrence, EUA) tem o corpo coberto por 2.123 peças de quebra-cabeça, ratificado por *Lo Show dei Record*, em Milão, Itália, em 13/4/2011. Esse devoto de modificação corporal foi tatuado por mais de 200 artistas e tem implantes de chifres e muitos piercings. Ele também remodelou as orelhas.

JUNTANDO TUDO

Não há consenso sobre o nome das peças, e os dissectologistas (aqueles que resolvem quebra-cabeças) usam um monte de termos. Com a ajuda da World Jigsaw Puzzle Federation (WJPF), sugerimos uma classificação básica para ajudar a padronização na comunidade:

Ponta
Espaço

CHAVE
1: Quinze para
2: 9 [em ponto]
3: E quinze
4: 3 [em ponto]
5: Quadrada
6: Nula
7: Coroa à esquerda
8: Coroa em cima
9: Coroa embaixo
10: Coroa à direita
11: Plana/ 9 e 15
12: Prumada/ 6 [em ponto]
13: Abaixo
14: Canhota
15: Destra
16: Acima

ENTRETENIMENTO

MAIOR QUEBRA-CABEÇA POR NÚMERO DE PEÇAS À VENDA
O *Travel Around Art* da Grafika (FRA) tem 54.000 peças. Colocado à venda em 2020 por cerca de US$610, o jogo mostra uma galeria com mais de 50 pinturas famosas. Com 8,64x2,04m, é também o **maior quebra-cabeça por área à venda**.

A WJPF o considera uma composição de jogos menores, então o **maior quebra-cabeça de uma só imagem** é *Around the World*, ou *World Landmarks*, de 42.000 peças, da Educa Borrás (ESP, à esquerda), desenhado por Adrian Chesterman. Em 27/4/2018, uma equipe de 100 pessoas (à direita) em Mutilva, Espanha, completou-o em 22h29min20s.

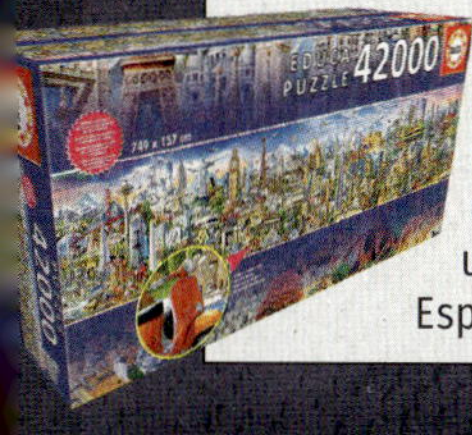

MENOR TEMPO PARA COMPLETAR UM QUEBRA-CABEÇA DE 1.000 PEÇAS EM COMPETIÇÃO
No Campeonato Britânico de Quebra-cabeça de 2018, em Newmarket, Suffolk, em 24/6, Sarah Mills (RU) montou um jogo de 1.000 peças em 1h55min — uma média de 6,9s por peça. Mills já foi campeã nacional 7 vezes.

MAIOR QUEBRA-CABEÇA DE MADEIRA CORTADO À MÃO (PEÇAS)
Em 2021, Jill Walterbach (EUA) revelou seu jogo de 101.010 peças na *AGPI Quarterly*, uma revista especializada. Com 22m de extensão e 0,3m de altura, esse quebra-cabeça "enrolado" é um trabalho artístico único pintado em acrílico sobre MDF folheado com bordo de 0,6cm de espessura. Ele tem 37 peças verticais e 2.730 horizontais, cada uma delas cortada com uma serra de rolagem.

CAMPEONATO MUNDIAL DE QUEBRA-CABEÇAS (WJPC)
Com fiscalização da WJPF (ver ao lado), o **primeiro WJPC** aconteceu em Valladolid, Espanha, em 28-29/9/2019. Jana Hanzelková (CZE) ficou no topo dos rankings individuais com o **menor tempo para completar um jogo de 500 peças**: 46min35s. Eventos subsequentes ao WJPC foram cancelados devido à Covid-19, mas espera-se que retornem em 2022.

PRIMEIRO QUEBRA-CABEÇA DE DISCO DE VINIL TOCÁVEL
Em 23/9/2016, o trio britânico Sugar Coat lançou um disco de vinil de 7 polegadas com seu single de estreia "Me Instead" como quebra-cabeça. Uma das 35 prensagens diferentes do disco foi desenhada por Cameron Allen da Royal Mint Records, com arte baseada em um jogo encontrado em uma loja beneficente.

Campeonato Mundial de Quebra-cabeças

1	Menor tempo 500 peças (duplas)	34 min 34 s	Demelza Becerra Robledillo & Ángel Heras Salcedo (ambos ESP)
2	Menor tempo 500 peças (individual)	46 min 35 s	Jana Hanzelková (CZE)
3	Competidora mais velha no WJPC	76 anos 68 dias	Dora Maria Polle Karczauninkat (DEU, n. 23/7/1943)

A PEÇA QUE FALTAVA
Se você acha que tem o que é preciso para competir contra os melhores dissectologistas do mundo, visite **worldjigsawpuzzle.org** e se inscreva no próximo campeonato!

MAIOR QUEBRA-CABEÇA ESFÉRICO
A Unima Industrial Ltd (HK) da China produziu um quebra-cabeça esférico com 4,77m de circunferência do Ursinho Pooh e seus amigos. Oco e com peças de plástico curvadas, foi feito em Hong Kong, na China, e exibido e ratificado no Centro de Convenções e Exibições da cidade em 10/1/2005.

ENTRETENIMENTO
Música pop

SUBIDA MAIS LENTA AO Nº 1 DO US SINGLES CHART
"Heat Waves", da banda de pop alternativo Glass Animals (RU), levou 59 semanas para chegar ao topo da *Billboard* Hot 100 em 12/3/2022, superando a jornada de 35 semanas de Mariah Carey até o topo com "All I Want for Christmas Is You" em 2019.

MAIS Nº^{OS} 1 DE NATAL CONSECUTIVOS NO RU
LadBaby, ou Mark e Roxanne Hoyle (ambos RU), garantiu seu 4º topo das paradas festivas consecutivas em 2021, com "Sausage Rolls for Everyone" — ajudado pelos astros Ed Sheeran e Elton John. Os lucros foram para o Trussell Trust, uma instituição que ajuda os vulneráveis.

MAIS GOLDEN MELODY AWARDS POR MÚSICA DO ANO
A "Rainha do C-pop" Jolin Tsai (CHN) ganhou 3 vezes a Canção do Ano no equivalente chinês ao Grammy: por "Marry Me Today" (2007, com David Tao), "The Great Artist" (2013) e "Womxnly"" (2019).

MAIS PRÊMIOS *DAESANG* NO MNET ASIAN MUSIC AWARDS
O BTS (KOR) triunfou em todas as 4 categorias *daesang* ("grande prêmio") no Mnet Asian Music Awards 2021, totalizando 17. Os reis do K-pop são membros do Hall da Fama do GWR e têm vários recordes de música e mídias sociais; em 2021, eles posaram com uma seleção de seus certificados para um ensaio fotográfico especial.

CONSUMO MUSICAL EM 2021
Segundo a Federação Internacional da Indústria Fonográfica, ouviu-se em média 18,4h de música por semana em 2021 — o maior envolvimento musical de todos os tempos. Veja o que o mundo usou para obter sua música...

- Ao vivo (incluindo livestreaming): 2%
- Plataformas de mídia social (p. ex., Facebook, Instagram, VK): 3%
- Outros (p. ex., TV, serviços premium on-demand, músicas trocadas com amigos e família): 5%
- Compradas (p. ex., CD, vinil, DVD, download): 9%

MEAT LOAF (1947-2022)
O astro do rock Meat Loaf (EUA, n. Marvin Lee Aday) morreu em 20/1/2022. Seus 3 álbuns *Bat Out of Hell* (lançados em 1977, 1993 e 2006) são a **trilogia de álbuns mais vendida**, com 65 milhões de cópias. Só o 1º vendeu 44 milhões, tornando-se o **álbum de rock mais vendido de um artista solo**.

Faixa mais ouvida no Spotify em 24h
"Easy on Me", de Adele (RU, ver à dir.), foi tocada 19.749.704 vezes em 15/10/2021, acumulando 84.952.932 streams nos 7 dias até 21/10/2021 (inclusive), tornando-se também a **faixa mais transmitida da plataforma em uma semana**.

O recorde **masculino** de 24h é de 16.103.849 streams, para "As It Was", de Harry Styles (RU), em 1/4/2022. O 1º single do 3º álbum de estúdio do ex-One Direction (*Harry's House*), "As It Was" liderou as paradas do Spotify em 34 países diferentes.

Mais seguidores no Spotify
Ed Sheeran (RU, ver à dir.) tinha 95.345.034 seguidores no Spotify em 12/4/2022 — 17 milhões a mais que a pessoa na 2ª posição, a recordista **feminina** Ariana Grande (EUA), com 78,2 milhões. O **grupo** com mais seguidores era o BTS (KOR, acima), com 47,9 milhões.

Mais posições simultâneas no Top 10 do US singles chart
Na *Billboard* Hot 100 de 18/9/2021, Drake (CAN) ocupou incríveis 9 lugares do Top 10 — incluindo todo o Top 5. Todas as 9 faixas eram novas entradas e vieram do 6º álbum de estúdio do rapper, *Certified Lover Boy*.

Mais novas posições simultâneas no US singles chart
Vinte e seis faixas do álbum de estúdio regravado de Taylor Swift (EUA) *Red (Taylor's Version)* estrearam na *Billboard* Hot 100 em 27/11/2021, lideradas por "All Too Well (10 Minute Version) (Taylor's Version)", que se tornou a **música mais longa a alcançar o nº 1 na *Billboard* Hot 100**, com um tempo de 10min13s.

Mais indicações ao Grammy
Jay-Z (EUA, n. Shawn Carter) recebeu 3 indicações ao 64º Grammy Awards em 3/4/2022, elevando o total de sua carreira para 83 (ver p.164-65).

ENTRETENIMENTO

PESSOA MAIS JOVEM A GANHAR A "COROA TRIPLA" DAS TRILHAS SONORAS
"No Time to Die" (2020), tema de *James Bond*, rendeu a Billie Eilish (EUA, n. 18/12/2001) um Grammy, um Globo de Ouro e um Oscar. Ela tinha apenas 20 anos e 99 dias quando ganhou o último, em 27/3/2022.

SINGLE DIGITAL MAIS VENDIDO
"Save Your Tears", de The Weeknd (CAN, n. Abel Tesfaye), registrou 2,15 bilhões de "assinaturas streams equivalentes" no mundo, a música mais comprada de 2021 de acordo com a Federação Internacional da Indústria Fonográfica. Ele também levou o prêmio em 2020, com 2,72 bilhões de streams por "Blinding Lights".

PRIMEIRA ARTISTA SOLO LATINA Nº 1 DO SPOTIFY
Em 24/3/2022, a cantora e personalidade de TV Anitta (BRA, n. Larissa de Macedo Machado) foi para o nº 1 no gráfico diário Top 200 do Spotify com "Envolver". A música de reggaeton atrevida acumulou 6,39 milhões de streams.

FAIXA MAIS OUVIDA NO SPOTIFY
"Shape of You", de Ed Sheeran (RU), foi ouvida 3.026.657.640 vezes até 23/1/2022 — a 1ª a atingir a marca de 3 bilhões. Era a música mais popular da plataforma desde 22/9/2017, tomando a coroa de "One Dance", de Drake. Em abr/2022, Sheeran venceu uma batalha judicial sobre a faixa, depois que as alegações de que ele havia plagiado outra música foram rejeitadas por um juiz.

Streaming de áudio com anúncios (p. ex., versão gratuita de Spotify ou Deezer) — 9%

Apps de vídeos curtos (p. ex., TikTok, Triller) — 11%

Rádio (p. ex., transmissões ao vivo, estações de internet) — 16%

Streamings de vídeo (p.ex., YouTube, DailyMotion, Niconico) — 22%

Streaming de áudio pago (p. ex., Spotify Premium, Apple Music, Melon) — 23%

Mais anos consecutivos com um single nº 1 japonês
KinKi Kids (JPN), composto por Koichi e Tsuyoshi Domoto, permaneceu no topo das paradas por 26 anos com "Kojundo Romance" em 28/3/2022.

Primeira ganhadora do Grammy de Melhor Performance Global de Música
No Grammy 2022, Arooj Aftab (PAK/EUA, n. SAU) se tornou a 1ª vencedora desta nova categoria por sua música de 7min42s, "Mohabbat", do álbum *Vulture Prince*, de 2021.

Na mesma cerimônia, Bad Bunny (PRI, n. Benito Ocasio) tornou-se o **1º vencedor do Grammy de Melhor Álbum de Música Urbana**, por *EL ÚLTIMO TOUR DEL MUNDO*, de 2020.

Música mais longa lançada oficialmente
Em 19/5/2021, Mark Lee e The Pocket Gods (ambos RU) lançaram "Song for First Contact", que tem 48h17min. Ela foi superada em 1/10/2021 por Earthena (CAN), cujo épico "Symphony of the Crown" tem 48h39min35s.

Maior ganho de um músico (ano corrente)
Bruce Springsteen (EUA) arrecadou US$590 mi em 2021, de acordo com a *Rolling Stone*. Em grande parte, isso se deveu à venda dos direitos autorais e de gravações master da carreira de 50 anos de Springsteen para a Sony Music por cerca de US$500 mi — **a maior venda de catálogo de um músico**. O catálogo do Boss tem 20 álbuns de estúdio.

30 também foi o álbum mais vendido de 2021, com 5 milhões de cópias entre 19/11 e 31/12!

MAIS PRÊMIOS DE MELHOR ÁLBUM BRITÂNICO DO ANO POR ARTISTA SOLO
Adele (RU) ganhou o prêmio de Melhor Álbum Britânico do Ano pela 3ª vez em 2022, pelo 4º álbum, *30* (detalhe). Levou também o prêmio de Melhor Artista do Ano, introduzido em 2022 para substituir as categorias Masculino e Feminino no 1º BRIT Awards de gênero neutro.

ENTRETENIMENTO
Gostaria de agradecer...

BAFTAS
Mais ganhados por filme
Em 4/3/1971, o western *Butch Cassidy* (1969) recebeu 9 prêmios da British Academy of Film and Television Arts (BAFTA), entre eles Melhor Ator e Melhor Atriz em Papel Principal (Robert Redford e Katharine Ross, respectivamente) e Melhor Roteiro (William Goldman).

Mais ganhados por ator
Peter Finch (AUS, n. RU) ganhou 5 BAFTAs de Melhor Ator em Papel Principal. Seu último, para *Rede de intrigas* (1976), foi dado postumamente em 28/3/1977.

MAIS GANHADOS POR ATRIZ
Dame Judi Dench (RU) ganhou 6 BAFTAs entre 1966-2002, sendo o último por *Iris* (2001). Acima, com Sir Kenneth Branagh, seu diretor em *Belfast* (2021; ver Oscar).

Mais ganhados por Melhor Figurino
Milena Canonero (ITA; 1982, 1986, 2007 e 2015) e Jenny Beavan (RU; 1987, 2002, 2016 e 2022) ganharam 4 BAFTAs cada. O último prêmio de Beavan foi por *Cruella* (2021).

Mais indicações por Melhor Música Original antes de ganhar
Em 13/3/2022, na 10ª tentativa, o lendário compositor de cinema Hans Zimmer (DEU) ganhou seu 1º BAFTA, pela trilha sonora do filme *Duna*.

MAIS INDICAÇÕES DE FILME DE FC
Em 3/2/2022, o épico *Duna* (2021), de Denis Villeneuve, recebeu 11 indicações, das quais ganhou 5 em 13/3/2022. Empatou com *Gravidade* (2013), de Alfonso Cuarón, como o filme de ficção científica mais indicado.

GLOBOS DE OURO
Mais ganhados por atriz
Em 15/1/2012, Meryl Streep (EUA) aumentou o próprio recorde com seu 8º Globo de Ouro. Sua 1ª vitória foi de Melhor Atriz Coadjuvante em *Kramer vs. Kramer* (1979), e sua mais recente foi de Melhor Atriz em Filme — Drama em *A dama de ferro* (2011), como a primeira-ministra britânica Margaret Thatcher.

Jack Nicholson e Alan Alda (ambos EUA) empatam com o **maior nº de vitórias de ator**, com 6 cada. Os prêmios de Nicholson incluem Melhor Ator de Filme — Drama para o aclamado *Chinatown* (1974), *Um estranho no ninho* (1975) e *Laços de ternura* (1983). Todas as vitórias de Alda vieram por sua interpretação de Hawkeye Pierce na lendária série da CBS *M*A*S*H*, entre 1975 e 1983.

PRIMEIRA GANHADORA TRANSGÊNERO
Em 9/1/2022, Michaela Jaé Rodriguez (EUA) foi premiada como Melhor Atriz em Série Dramática por sua interpretação de Blanca Rodriguez-Evangelista em *Pose* (FX, 2018-21). (Ver também p.172.)

GANHADOR MAIS VELHO
O Yeong-su (KOR, n. 19/10/1944) tinha 77 anos 82 dias quando foi laureado como Melhor Ator Coadjuvante — TV em 9/1/2022. Interpretou Oh Il-nam (# 001) no sucesso global da Netflix *Round 6* (2021-).

Mais ganhados por filme
O musical *La La Land* (2016) foi indicado a 7 Globos de Ouro e ganhou todos, incluindo Melhor Filme — Musical ou Comédia, além de indicações para os 2 protagonistas, Ryan Gosling e Emma Stone.

Mais indicações
- **Ator:** 22, de Jack Lemmon (EUA) entre 1960-2000. Ganhou 4 vezes, a última em 2000 pelo filme de TV *O vento será tua herança* (1999).
- **Atriz:** 32, de Meryl Streep de 1979-2020.
- **Filme:** 11, de *Nashville* (1975) em 1976. Ganhou só 1: Melhor Música Original — Filme, pela canção "I'm Easy".

PRIMEIRO GANHADO POR ATOR SURDO
No 94º Oscar, em 27/3/2022, Troy Kotsur (EUA) ganhou o prêmio de Melhor Ator Coadjuvante por seu papel em *No ritmo do coração* (2021). Sua colega Marlee Matlin (EUA) havia garantido a 1ª vitória de atriz surda por seu papel em *Filhos do silêncio* (1986). Ela só tinha 21 anos 218 dias na cerimônia de 1987, tornando-se também a **mais jovem vencedora de Melhor Atriz**.

OSCARS
Mais indicações de ator negro
Denzel Washington (EUA) recebeu sua 10ª indicação ao Oscar em fev/2022, por *A tragédia de Macbeth* (2021).

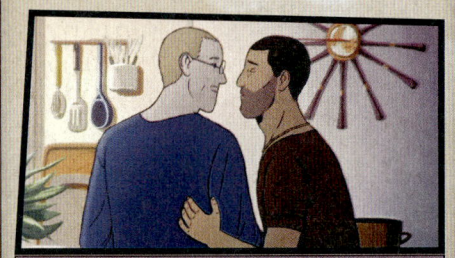

PRIMEIRA ANIMAÇÃO A SER INDICADA A MELHOR DOCUMENTÁRIO
Flee (2021), de Jonas Poher Rasmussen, sobre um refugiado afegão gay, foi finalista em 8/2/2022. Pela 1ª vez no Oscar, um filme foi indicado a Melhor Animação, Documentário e Filme Internacional.

Primeira pessoa a receber indicações em 7 categorias diferentes
Em 8/2/2022, Sir Kenneth Branagh (RU) foi indicado para Melhor Diretor (pela 2ª vez), Melhor Filme e Melhor Roteiro Original por *Belfast*. Ele já havia sido indicado para Melhor Ator, Melhor Ator Coadjuvante, Melhor Roteiro Adaptado e Melhor Curta-Metragem.

GANHADORA MAIS VELHA DE MELHOR DIREÇÃO
Dame Jane Campion (NZ, n. 30/4/1954) tinha 67 anos 331 dias em 27/3/2022, quando ganhou Melhor Direção por *Ataque dos cães* (2021). A honraria também fez de Campion a **1ª mulher a receber 2 indicações de Melhor Direção**, enquanto o filme em si teve **o maior nº de indicações para um filme de uma diretora** — 12.

ENTRETENIMENTO

NICKELODEON KIDS' CHOICE AWARDS

Mais ganhados
A Nickelodeon começou seu Kids' Choice Awards (KCAs) em 1988, distribuindo troféus em forma de dirigíveis para categorias da cultura pop que são votadas pelo público. Nenhuma celebridade **feminina** recebeu mais dirigíveis nos KCAs do que Selena Gomez (EUA), vencendo 11 vezes entre 2009-2019. Will Smith (EUA) detém o recorde **masculino**, com 11 vitórias entre 1991-2009.

Taylor Swift (EUA) tem o **maior nº de indicações**, com 35 entre 2010-2022. Will Smith lidera a categoria **masculina**, com 27 entre 1989-2020.

Mais ganhados por cantor
Justin Bieber (CAN) ganhou seu 9º dirigível no 35º KCAs em Santa Monica, Califórnia, EUA, em 9/4/2022, pela Colaboração de Música Favorita por "Stay", seu single no topo das paradas com The Kid LAROI.

O recorde **feminino** nesta categoria é de Ariana Grande (EUA), que venceu 8 vezes por sua música. (Selena Gomez tem mais prêmios, mas 6 são por atuação.)

Mais ganhados por banda
BTS (KOR) ganhou 6 dirigíveis: Astro Global de Música Favorito (2018 e 2021), Banda Favorita (2020-22) e Música Favorita para "Dynamite" (2021). Sua vitória em 2022 foi o 3º prêmio consecutivo do septeto na categoria.

MAIS GANHADOS POR ANIMAÇÃO
Bob Esponja (EUA) foi eleito a Animação Favorita 19 vezes, entre 2003-07 e 2009-22. A série de comédia animada do falecido Stephen Hillenburg ganhou seu 14º dirigível consecutivo em 9/4/2022.

Mais ganhados por autora
Um dirigível para Livro Favorito foi dado de 1995-2016. A escritora de *Harry Potter*, JK Rowling (RU) acumulou 7 vitórias, em 2000-02, 2004, 2006-08.

O recorde **masculino** é do criador de *Diário de um banana*, Jeff Kinney (EUA), que levou para casa o dirigível 6 vezes, em 2010-12, 2014-16.

Mais ganhados por franquia de filmes
Apenas 2 franquias de filmes ganharam 3 prêmios de Filmes Favoritos. A adaptação da animação *Alvin e os esquilos* foi a 1ª, em 2008, 2010 e 2012. O feito foi mais tarde igualado por 3 adaptações dos livros *Jogos Vorazes* entre 2013-15.

MAIS GANHADOS POR ATRIZ
Audra McDonald (EUA) ganhou 6 prêmios de atuação no Antoinette Perry Awards, também conhecido como Tony. Seu último foi para o papel-título em *Lady Day no Emerson's Bar & Grill* (2014). Ela também é a única pessoa a vencer em 4 categorias diferentes de atuação.

TONYS
Mais...

- **Ganhados por musical:** *The Producers* ganhou 12 das 15 indicações em 3/6/2001, incluindo Melhor Musical. Dirigido por Susan Stroman, com um elenco que incluía Matthew Broderick e Nathan Lane, quebrou o recorde anterior de 10, de *Hello Dolly!* desde 1964.
- **Categorias de atuação ganhados por produção:** no 4º Tony, em 9/4/1950, o elenco do musical de Rodgers & Hammerstein *South Pacific* saiu com vitórias em 4 categorias de atuação. Isso representa todas as categorias para as quais o elenco era elegível.
- **Indicações de musical:** em 3/5/2016, *Hamilton* recebeu 16 indicações. Músicas, letras e texto são de Lin-Manuel Miranda.
- **Indicações para uma peça:** *Slave Play*, de Jeremy O Harris, recebeu indicações em 12 categorias em 15/10/2020. Infelizmente, seu trabalho também detém o recorde de **mais indicações para uma peça sem vitória**.
- **Indicações para atriz:** Julie Harris e Chita Rivera (ambas EUA) foram indicadas 10 vezes ao longo de suas carreiras.
- **Prêmios ganhados por diferentes produções da mesma peça:** *Morte de um caixeiro-viajante*, de Arthur Miller (1949), foi eleita Melhor Peça nos prêmios de 1949 e Melhor Revival em 1984, 1999 e 2012.

MAIS GANHADOS POR COMPOSITOR
Stephen Sondheim (EUA) ganhou 7 Tonys, incluindo Melhor Trilha Sonora por *A Little Night Music* (1973) e *Sweeney Todd* (1979). O admirado músico morreu em 26/11/2021.

GRAMMYS

Mais ganhados por banda
O U2 (IRL/RU) ganhou 22 Grammys desde 1988. Seu ano de maior sucesso foi 2006, quando levou 5 prêmios. O **maior nº de vitórias de uma banda em um ano** é 8, por Santana (EUA), em 2000.

Mais ganhados por rapper
Os rappers Jay-Z (n. Shawn Carter, EUA) e Ye, ou Kanye West, EUA, ganharam 24 prêmios cada, um total que ambos alcançaram no 64º Grammy em 3/4/2022.

MAIS GANHADOS POR MELHOR ÁLBUM DE ROCK
O Foo Fighters (EUA) ganhou 5 Grammy de Melhor Álbum de Rock, de *There Is Nothing Left to Lose*, em 2001, a *Medicine at Midnight*, em 2022. Infelizmente, o baterista Taylor Hawkins (à esq.) morreu em 25/3/2022.

Mais indicações consecutivas para gravação do ano
Seis artistas receberam 3 indicações consecutivas para Gravação do Ano, sendo a mais recente a cantora Billie Eilish e seu irmão coescritor/produtor Finneas O'Connell em 23/11/2021. A única mulher que precedeu Eilish, Roberta Flack, ganhou 3 entre 1973-75.

Primeiro compositor a ganhar Canção do Ano consecutivos
Em 2021, Dernst "D'Mile" Emile II (EUA) ganhou Canção do Ano como coescritor de "I Can't Breathe", de H.E.R, e, em 3/4/2022 como coescritor de "Leave the Door Open", de Silk Sonic.

MAIS INDICAÇÕES CONSECUTIVAS PARA CANÇÃO DO ANO
H.E.R (Having Everything Revealed, ou Gabriella Wilson, EUA) é a 6ª pessoa a ter 3 indicações consecutivas ao Grammy de Canção do Ano. A cantora de R&B foi indicada por "Hard Place" em 2020, "I Can't Breathe" em 2021 e "Fight for You" no 64º Grammy de 3/4/2022. Ela venceu em 2021 (foto).

GAMES
Top 25 recordes de games

Relaxe e prepare-se para os nossos recordes favoritos de games, dos 1ºs programas até a indústria de bilhões de dólares de hoje — compilados pelos gurus de videogame do GWR. Nesses 25 recordes, você vai encontrar personagens icônicos, títulos arrebatadores e queridinhos da crítica. Seja você maluco por Mario, Pokémon ou Fortnite, chegou a hora de descobrir os recordes que levaram os games para outro nível.

25 MAIOR BATALHA PVP

EVE Online (CCP Games, 2003) é um massively multiplayer online role-playing game (MMORPG) com tema espacial famoso por suas batalhas épicas de player-versus-player (PVP), onde danos no jogo podem custar milhares de dólares de verdade. Em 6/10/2020, a batalha de 14h "Fury at FWST-8" atraiu 8.825 jogadores e destruiu 1.308 naves.

24 MMORPG MAIS ACLAMADO PELA CRÍTICA

Já faz quase 18 anos que *World of Warcraft* foi lançado com críticas apaixonadas em nov/2004. Desde então, o influente MMORPG da Blizzard Entertainment manteve uma Metacritic de 93, auxiliado por vários updates e expansões. Milhares de jogadores ainda entram todo dia para lutar contra bruxos malvados, dragões e seres sobrenaturais — além de uns contra os outros.

23 SÉRIE DE SUPER-HERÓI MAIS BEM-AVALIADA

Nem todo herói funciona como game, mas a mistura de furtividade, investigação e pancadaria do Batman sempre cai bem. Os 4 títulos da série *Arkham*, da Rocksteady, têm uma avaliação média de 86,87% na Metacritic. Mais de 30 milhões de unidades foram vendidas desde *Arkham Asylum*, de 2009, e o "Arkhamverse" está pronto para crescer em 2023 com *Suicide Squad: Kill the Justice League*.

22 MAIOR ELENCO DE GAME

Com orçamentos milionários e equipes de desenvolvimento enormes, os videogames modernos rivalizam com produções cinematográficas. O western épico da Rockstar, *Red Dead Redemption 2* (2018), demorou 8 anos para ser feito e recrutou 1.200 atores para dublagem e captura de movimento. O jogo recebeu críticas positivas logo no lançamento e, segundo um comunicado, embolsou US$725 mi em seus primeiros 3 dias.

21 SÉRIE DE LUTA MAIS LONGA

Com o lançamento de *Street Fighter V: Champion Edition* em 2020, a franquia de mano a mano da Capcom permanece ativa há 32 anos. O jogo original, *Street Fighter*, foi lançado para os arcades em 30/9/1987. A série explodiu com a sequência, com personagens como Ryu, Ken e Chun-Li — e seus golpes característicos — ficando famosos ao redor do mundo. Seus jogos já acumularam um total de vendas de quase 50 milhões de unidades.

GAME DE LUTA OPERADO POR MOEDA MAIS VENDIDO
Street Fighter II: The World Warrior (1991) foi um nocaute em outros jogos de luta, vendendo 200.000 fliperamas. Os jogadores podiam escolher os personagens e unir ataques que hoje chamamos de "combos".

20 MAIOR COLEÇÃO

Antonio Romero Monteiro (EUA) tem 20.139 games em Richmond, Texas, EUA, como foi confirmado em 2/2/2019. Raridades incluem todos os jogos lançados para o Nintendo 64DD, exclusivo do Japão, e o quase nunca visto *CJ Elephant Fugitive* (Codemasters, 1994), do Game Gear. O favorito dele? *Super Castlevania IV* (1991), da Konami, para o SNES.

19 MAIOR CONVENÇÃO DE GAMES

Desde a 1ª Game Developers Conference em 1988 (público: 25), as cons de games se tornaram eventos globais onde os grandões da indústria dividem espaço com cosplayers. A edição de 2019 da gamescom, uma feira anual em Colônia, Alemanha, atraiu 373.000 visitantes em 5 dias. Espera-se que fãs e profissionais retornem em números ainda maiores assim que as restrições da Covid-19 abrandarem.

18 MENOR TEMPO PARA ZERAR *SUPER MARIO BROS*.

Speedrunning — completar um jogo da forma mais rápida possível — se tornou uma subcultura próspera, com streams ao vivo, fóruns e até convenções dedicadas ao assunto. Um de seus desafios mais populares é o clássico *Super Mario Bros.* (1985), da Nintendo. Em 2/12/2021, "Niftski" (EUA) zerou o jogo em 4min54,881s, com a ajuda de um emulador de PC, glitches e um timing de pixels perfeito. Ele ficou apenas 0,083s atrás do menor tempo teórico para finalizar o jogo.

17 SÉRIE DE TIRO EM 1ª PESSOA MAIS VENDIDA

Em 21/4/2021, a Activision-Blizzard anunciou que a franquia *Call of Duty* vendeu mais de 400 milhões de unidades desde o lançamento do jogo original em 29/10/2003. Foram 18 títulos da série principal e 15 adaptações para consoles portáteis e spin-offs. Em seus lançamentos anuais, o *Call of Duty* foi além de seu cenário de II Guerra Mundial para incluir espiões da Guerra Fria e campos de batalha de ficção científica repletos de drones.

16 MARATONA DE VIDEOGAME MAIS LONGA

A rainha da dança Carrie Swidecki (EUA) rebolou por 138h34s ao jogar *Just Dance 2015* (Ubisoft, 2014) de 11-17/7/2015, em Bakersfield, Califórnia, EUA. Carrie ficou viciada nesse tipo de jogo dançando no fliperama *Dance Dance Revolution* (Konami, 1998) e não parou desde então. Ela foi incluída no Hall da Fama Internacional de Videogames em 2018.

CONTINUE DANÇANDO
Carrie também tem os recordes de **notas mais altas em game de dança em 24 horas** — 276, em 23/7/2016 — e **maratona mais longa em jogo de celular** — 55h1min51s com *Pokémon GO* em 4-7/6/2019.

15 SÉRIE DE FUTEBOL MAIS LONGA

Com o lançamento de *FIFA 22* em 1/10/2021, a franquia *FIFA*, da EA Sports, permanece ativa por 27 anos e 290 dias. O lançamento inicial da série foi em 15/12/1993, com *FIFA International Soccer*, e vendeu mais de 325 milhões de unidades. Kylian Mbappé (à direita), vencedor da Copa do Mundo pela França, foi o rosto do último lançamento; no entanto, o jogador com **mais aparições na capa do FIFA** é o brasileiro Ronaldinho, com 9.

14 SIMULAÇÃO SOCIAL MAIS POPULAR

Não é todo gamer que procura a carnificina frenética de *Gears of War* ou *GTA*. Desde seu lançamento em 2000, a série *The Sims* conquista fãs com interações cotidianas de seus moradores virtuais e já vendeu 200 milhões de jogos em todos os formatos. Foi criado por Will Wright, que se inspirou em fazer uma "casa de bonecas" virtual após perder sua casa em um incêndio. A versão mais popular da série é *The Sims 4* (Maxis, 2014), com 10 milhões de usuários ativos por mês durante a primavera de 2020 e 36 milhões de jogadores registrados em 31/3/2021.

13 PRIMEIRO GAME MULTIPLATAFORMA

Originalmente feito para o computador PDP-1 no Massachusetts Institute of Technology em 1961-62 por Steve Russell (EUA), *Spacewar* foi implementado em diversas máquinas em universidades pelos EUA. Os jogadores lutavam com naves ao redor de uma estrela com gravidade simulada. *Spacewar* também fez nascer o 1º **campeonato de videogame**: a Olímpiada Intergalática de *Spacewar*, que aconteceu em 19/10/1972 na Stanford University.

PRIMEIRO VIDEOGAME
Um programa de damas feito por Christopher Strachey (RU) para o computador Ferranti Mark I foi usado pela 1ª vez em jul/1952. O operador humano jogou contra o computador, com o tabuleiro mostrado em um exibidor de tubo Williams.

12 JOGO DE CELULAR DE MAIOR LUCRO

MAIS VITÓRIAS CONSECUTIVAS EM *HONOR OF KINGS*
Em 26/1/2019, "Saobai" (CHN) reivindicou sua 333ª vitória seguida em *Honor of Kings*. O atleta de e-sports de 18 anos foi observado por um juiz oficial do GWR e 15 milhões de pessoas por streaming.

Honor of Kings (Tencent Games, 2015) arrecadou estimados US$12,8 bi até 6/10/2021, de acordo com analistas da indústria. Embora não seja muito conhecido internacionalmente (onde é anunciado como *Arena of Valor*), esse MOBA de celular é um fenômeno cultural em sua nativa China. Em 2020, o desenvolvedor Tencent alegou que *Honor of Kings* chegara aos 100 milhões de usuários diários, sendo cerca de 50% de mulheres.

11 CONSOLE MAIS VENDIDO

O PlayStation 2 (PS2), da Sony, vendeu 155 milhões de unidades em seus 13 anos de produção entre 2000 e 2012. O PS2 causou uma revolução no entretenimento, pois ele e outros consoles da 6ª geração permitiam jogar games, navegar na internet e assistir a DVDs com um só aparelho. Apesar de superado pelos PS3 em 2006, a Sony continuou produzindo o PS2 por mais 6 anos, e desenvolvedores lançaram novos jogos para essa plataforma antiga, mas ainda popular.

MAIS GAMES LANÇADOS PARA CONSOLE

Um dos fatores-chave para o sucesso do PS2 era sua imensa e diversificada biblioteca de jogos. Entre o lançamento do console em 4/3/2000 e o último jogo (Pro Evolution Soccer 2014) em 13/11/2013, cerca de 4.380 títulos únicos foram lançados fisicamente para a plataforma.

10 HEROÍNA DE GAMES MAIS VENDIDA

As aventuras de Lara Croft têm divertido gamers por mais de 25 anos, com 85 milhões de vendas da série *Tomb Raider* até 28/10/2021, segundo a Square Enix. Lara demonstrou uma longevidade surpreendente, evoluindo da pin-up cartunesca de 1996 (abaixo, à esquerda) à heroína mais valente do reboot de 2013. A Crystal Dynamics usou técnicas de captura de movimento para criar uma personagem mais fiel à realidade.

PERSONAGEM DE GAME COM MAIS CAPAS DE REVISTA

O impacto de Lara Croft na cultura é visto nas 1.230 capas de revista em que ela apareceu. Isso inclui não apenas publicações de games, mas também de cultura, estilo de vida e cinema. A intrépida caçadora de artefatos estrelou 3 filmes de Hollywood, interpretada por Angelina Jolie (2 vezes) e Alicia Vikander. Uma sequência com Vikander está programada para 2022.

9 VIDEOGAME MAIS ADAPTADO

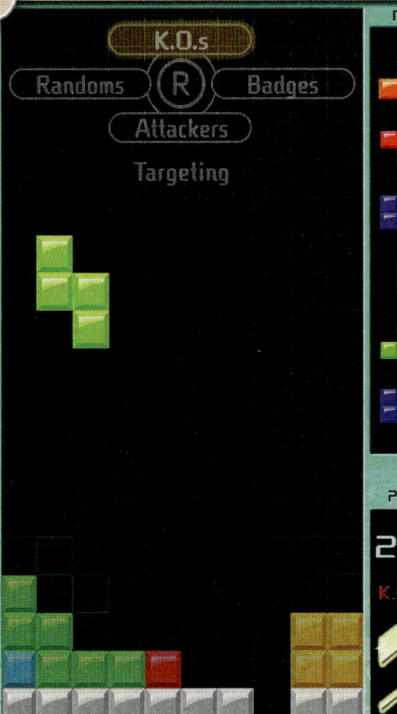

Desenvolvido pelo cientista da computação Alexey Pajitnov para o microcomputador soviético Electronika 60 em 1984, o *Tetris* deu origem a mais de 200 variações oficiais para ao menos 70 sistemas únicos, como de entretenimento de voo, processadores de texto e chaveiros com tela LCD. Jogadores desenvolveram técnicas como "hipertoque" para enganar o quebra-cabeça clássico. Para saber mais sobre o campeão mundial de Tetris, veja a p.105.

PRIMEIRO VIDEOGAME NO ESPAÇO

Em 1/7/1993, o Soyuz TM-17 foi lançado para a estação espacial *Mir* com um Game Boy, da Nintendo, e uma fita do *Tetris* em sua carga. Eles pertenciam ao cosmonauta Aleksandr Serebrov, que passou 196 dias em órbita. O cartucho foi leiloado em 2011 por US$1.220.

8 EQUIPE DE e-SPORTS COM MAIS GANHOS

O Team Liquid é a maior força em jogos competitivos, tendo recebido US$38.476.764 por meio de 2.148 torneios até 11/2/2022. A organização, com base na Holanda, tem várias equipes cuidando de uma gama enorme de jogos. A maior parte dos prêmios em dinheiro (US$23 mi) vem da equipe de *Dota 2*, que ganhou o International em 2017 e foi vice em 2019. No entanto, o Team Liquid já ganhou prêmios de sete dígitos com equipes competindo no *Fortnite*, *StarCraft* e *Counter-Strike: Global Offensive* (na foto).

7 MAIOR GAME DE GERAÇÃO DE CONTEÚDO PELO USUÁRIO

Lançado sem muita bravata em 2004, *Roblox* cresceu e se tornou um fenômeno global. Não é exatamente um game, mas uma plataforma que permite ao usuário criar e compartilhar os próprios jogos (ou "experiências"). Milhares deles são lançados toda semana. O lockdown da Covid-19 fez aumentar a atividade na plataforma, com 43,2 milhões de usuários por dia até 16/8/2021.

JOGO MAIS VISITADO NO *ROBLOX*
"Adopt Me!" foi visitado mais de 27,2 bilhões de vezes até 11/2/2022. Criado pelos *Roblox*-ers "Bethink" e "NewFissy", a princípio o jogo envolvia adotar crianças virtuais. Um update em 2019 focado em adotar animais fez sua popularidade crescer bastante.

6 ENTRETENIMENTO A ARRECADAR US$1 BI MAIS RÁPIDO

GAME DE AÇÃO MAIS VENDIDO
O sucesso de *GTA V* continua graças ao *GTA Online*, que manteve jogadores envolvidos mesmo após completar as histórias de Trevor, Michael e Franklin. Até 7/2/2022, *GTA V* vendeu 160 milhões de unidades, ganhando cerca de US$6,4 bi.

Com seu lançamento em 17/9/2013, o clássico do crime *Grand Theft Auto V* precedeu uma nova era de games no estilo cinemão hollywoodiano. Foi desenvolvido em 5 anos com um orçamento de US$265 mi, mas recebeu de volta esse valor em questão de horas. Logo foi anunciado que o *GTA V* alcançara vendas de US$1 bi em apenas 3 dias, um marco ainda não alcançado por nenhum outro videogame ou filme.

5 SÉRIE DE RPG MAIS VENDIDA

Os primeiros dois games do *Pokémon*, *Red* e *Green* (imagem abaixo), foram um sucesso imediato da Nintendo em seu lançamento em fev/1996. Desde então, sete outras gerações de RPGs (role-playing games) do *Pokémon* foram feitas, chegando a 37 títulos. Até 3/2021, *Pokémon* já tinha vendido 380 milhões de jogos e gerado 25 filmes — **a maior quantidade de filmes derivados de uma série de games**.

JOGO DE CELULAR MAIS BAIXADO NO LANÇAMENTO
Lançado em 6/6/2016, *Pokémon Go* é um jogo de realidade aumentada que cria monstrinhos virtuais no mundo real. Um mês após o lançamento, 130 milhões de pessoas haviam instalado o jogo em seus celulares.

4 MAIS ACLAMADO PELA CRÍTICA

Começando com o inovador *The Legend of Zelda*, em 1986, cada novo lançamento dessa série da Nintendo foi marcante. Mas foi o primeiro jogo 3D da série, *Ocarina of Time* — lançado em 21/11/1998 —, que colocou as aventuras de Link no topo dos maiores clássicos. Até 22/10/2021, *Ocarina of Time* tinha uma nota de 99 (de 100) no Metacritic, tornando-o o **game mais aclamado pela crítica**; hoje, há quatro jogos atrás dele, cada um com um Metascore de 98.

MAIOR COLEÇÃO DE ITENS DA SÉRIE *ZELDA*
Como todos os membros dessa lista, a série *Zelda* tem sua cota de superfãs. Anne Martha Harnes (NOR) é viciada nesses jogos desde 1994, quando jogou *A Link to the Past* pela primeira vez no Super Nintendo. Em 2008, ela começou a colecionar produtos da série e, da última vez que contou, tinha mais de 1.816 itens.

3 MAIS JOGADO ATUALMENTE

Apesar de ser o jogo mais novo da lista, *Fortnite Battle Royale* (2017) alcançou uma popularidade que rivaliza apenas com a primeira posição. Mais ou menos 80 milhões de jogadores entram para um ou dois rounds todo mês, e em geral há cerca de 4 milhões de jogadores ativos por dia. Em eventos especiais ao vivo, esses números aumentam. Em 1/12/2020, o evento Galactus — uma colaboração de três meses com a Marvel — reuniu 15,3 milhões de jogadores lutando com o Devorador de Mundos.

STREAMER DO TWITCH COM MAIS SEGUIDORES (MULHER)
A popularidade de *Fortnite* entre os streamers é o fator principal de seu sucesso global. Entre essas personalidades on-line, uma das maiores é Pokimane, ou Imane Anys (CAN/MAR) que tinha 7.230.762 seguidores no Twitch em 8/2/2021.

2 PERSONAGEM MAIS UNIVERSAL

Desde a primeira aparição do Mario — como "Jumpman" — em 1981 no fliperama *Donkey Kong*, o destemido encanador da Nintendo já apareceu em surpreendentes 240 games, assim como em várias adaptações e remakes. Além das aventuras corriqueiras em jogos de plataforma, há outros em que Mario se arrisca em tudo, desde kart e golfe a pintar e até ensinar a digitar. Em 2022, Mario retorna às telas de cinema pela primeira vez desde 1993, com Chris Pratt usando o macacão azul e o boné vermelho.

JOGO MAIS CARO
Em 11/7/2021, uma fita em perfeitas condições de *Super Mario 64* — na caixa desde 1996 — foi vendida pela Heritage Auctions por US$1,56 milhão, e bateu o recorde anterior de *The Legend of Zelda*, vendida por US$870 mil apenas 2 dias antes.

GAME MAIS VENDIDO DO LUIGI
O irmão caçula de Mario, o afobado Luigi, viveu muito tempo à sombra do irmão e não ganhou game próprio até 2001. No entanto, sua última aventura, *Luigi's Mansion 3* (2019), é a prova de que ele tem fãs dedicados, vendendo 9,59 milhões de cópias até 31/3/2021.

1 GAME MAIS VENDIDO

Com suas imagens quadradas e jogabilidade de mundo aberto, ninguém podia imaginar que *Minecraft* seria um sucesso tão grande em seu lançamento em 2011. O jogo ganhou fãs devotos e hoje é um marco do mundo dos games. Desde 4/2021, *Minecraft* vendeu 238 milhões de cópias no mundo inteiro. Atualizações recentes modernizaram suas imagens (à direita), e novos jogos de aventuras spin-off foram lançados, como *Story Mode* (abaixo).

PRIMEIRO GAME BOY RECRIADO NO MINECRAFT
Há muitos recordes do GWR inspirados na criatividade dos jogadores de *Minecraft*, mas poucos tão impressionantes quanto o Game Boy funcional que o YouTuber MrSquishy (EUA) mostrou em 2017. Era possível jogar *Pokémon Red* (página ao lado) nele usando um clone do processador do Game Boy feito de 375.000 command blocks!

RETRATO
Orquestra do gigante

Aqui no GWR, amamos instrumentos musicais gigantes, embora, infelizmente, nunca tenhamos reunido todos em uma verdadeira "big band". Como viagens internacionais ainda estão difíceis, optamos por imaginar essa trupe na Sydney Opera House. Cordas e tubos grandes alcançam sons bem graves, então eles soariam como um terremoto melodioso. Até o menor desses instrumentos pode tocar um sol sustenido abaixo da nota mais grave de um piano de cauda, enquanto outros se aproximam do limite da audição humana.

Esse violino foi baseado no modelo do fim do séc. 18 pelo mestre *luthier* Johann Georg Schönfelder II.

ENTRETENIMENTO

Por incrível que pareça, todo instrumento aqui pode ser tocado — mas talvez seja necessário mais de uma pessoa para isso!

Veja, por exemplo, o **maior violino** (**1**). Feito por um grupo de mestres *luthiers* de Vogtland, Alemanha, é 7 vezes maior do que o instrumento normal e mede 4,27m. São necessários 3 músicos para tocá-lo: 1 para pressionar as cordas e 2 para mover o arco de 5,2m.

As cordas ainda contam com o **maior ukulele** (**2**), um gigante de 3,9m, 7,5 vezes maior que o tipo soprano. Lawrence Stump (EUA) fez esse superuke depois de ajudar o filho a fazer um ukulele para um trabalho de escola.

Você vai precisar de pulmões fortes para tirar som do **maior saxofone** (**3**) tocado por uma só pessoa. Com 2,7m e uma campânula de 39,1cm de diâmetro, esse sax subcontrabaixo foi criado por J'Elle Stainer (BRA) e sua nota mais grave é de 25,95Hz — quase inaudível ao ouvido humano.

Definitivamente impossível de ser tocado por uma única pessoa é o **maior acordeão** (**4**), com 2,53m de altura, 1,9m de largura e quase 200kg — mais ou menos o mesmo peso das 3 pessoas necessárias para tocá-lo. Batizado de Castelfidardo, em homenagem à cidade italiana onde foi construído, foi feito em escala 5:1 e levou mais de 1.000 horas para ser construído.

Comparado ao instrumento de tamanho regular, a **maior bateria** (**5**) é essa réplica em escala 5,2:1 criada pelo Drumartic (AUT). Com um bumbo de 2,9m de diâmetro — maior que o círculo de um atleta lançador de disco —, ela não é chamada de "Grande Boom" à toa.

Fechando essa orquestra exagerada está o **maior piano** (**6**), um colosso de cauda com 1,8t, construído por Daniel Czapiewski (POL). Tem 2,49m de largura, 1,92m de altura e 156 teclas (68 a mais do que o normal), abrangendo 12 oitavas — todas necessárias para acompanhar essa banda!

193

ENTRETENIMENTO
Variedades

Mais dinheiro arrecadado em projeto Kickstarter
O escritor de fantasia Brandon Sanderson (EUA) arrecadou fantásticos US$41.754.153 entre 1/3-1/4/2022. Seu projeto — custear a autopublicação de 4 livros — alcançou a meta inicial de US$1 mi em menos de 35min.

Celebridade morta com mais ganhos
O autor infantil Roald Dahl (RU, 1916-90) ganhou US$513 mi nos 12 meses até 30/10/2021, de acordo com a *Forbes*. Isso se deve em grande parte à compra da Roald Dahl Story Company pela Netflix — cujos herdeiros ainda detinham 75% do controle.

Série de game mais longeva
Com o lançamento de *Space Invaders Gigamax* (Square Enix) em 26/3/2020, o jogo retrô existe há 41 anos e 284 dias. O original, da Taito, foi lançado em 16/6/1978.

Any% completion mais rápida de *Elden Ring* (PC)
"RockCandy" (EUA) abriu caminho pelas Terras Intermediárias em 25min48s em 19/4/2022, verificado pelo Speedrun.com. Cinco dias depois, "Hyp3rsomniac" (EUA) fez o mesmo. O RPG da Bandai Namco foi cocriado pelo diretor de games Hidetaka Miyazaki e o escritor de *As Crônicas de Gelo e Fogo*, George RR Martin.

MAIOR EQUIPE DE E-SPORTS DE PESSOAS COM DEFICIÊNCIA
Permastunned Gaming é um coletivo multinacional de eSports exclusivo para jogadores com deficiência que tinha 33 membros em abr/2022. Criado por Alexander Natha, (n. NLD, acima), com base na Bélgica, o grupo se especializou em jogos como *Dota 2*, *Call of Duty* e *Tekken*.

GANHADORA MAIS JOVEM DO *RUPAUL'S DRAG RACE*
Krystal Versace, ou Luke Fenn (RU, n. 10/10/2001) tinha 20 anos e 46 dias quando saiu vitoriosa da 3ª temporada do *RuPaul's Drag Race UK*, exibido em 25/11/2021. A finalista mais jovem da franquia começou aos 13 anos. Ela fez lip-sync de "You Don't Own Me", de Dusty Springfield, até à glória.

Produção teatral mais rápida
Em 20/2/2022, o Rubber Chicken Theatre (RU) fez uma montagem de *Return to the Forbidden Planet* em 9h59min3s em Stirling, RU. O relógio começou a bater quando a equipe recebeu a peça sem saber qual seria. A apresentação tinha que durar no mínimo 90min e ter pelo menos 50 clientes pagantes na plateia.

Mais longa entrevista no rádio
Bhanu Bhakta Niraula, da Himal FM, conversou com o ativista e especialista em turismo Ang Phinjo Sherpa (ambos NPL) por 25h26min em Kathmandu, Nepal, em 8-9/11/2021.

A **maratona de livestream mais longa** é de 45h45min, pelo influencer e empresário que virou cantor de hip hop Mahmoud "TheRealMood" Shehada (CAN) em Dubai, EAU, em 16-18/12/2021.

▶ **Menor boate móvel**
A "Doof Shed" mede 1,097m² e tem pista de dança, sistema de som e luz dinâmica. Criada pelos gêmeos Harry e Evangelos "Boonie" Labrakis (ambos AUS), a micro boate foi verificada em 15/5/2021 em Sydney, New South Wales, na Austrália.

MENOR CINEMA EM OPERAÇÃO
The Little Prince Micro-Cinema, em Stratford, Ontário, Canadá, tem uma área de 16,29m², verificado em 27/11/2021. Com 13 assentos e construído em 2019, ele passa curtas de dia com entrada grátis e longas de noite.

BETTY WHITE (1922-2021)
Atriz e comediante Betty White (EUA, n. 17/1/1922) fez sua estreia na TV em 1939 e ainda se apresentava em 2019, mais de 80 anos depois — a **carreira mais longa de um artista (feminino)**. A "supergata" morreu em 31/12/2021.

PRIMEIRA ATRIZ SURDA A INTERPRETAR UMA SUPER-HEROÍNA SURDA EM FILME DA MARVEL
Os Eternos (EUA, 2021) estrelou Lauren Ridloff (EUA) no papel de Makkari. Ridloff, indicada ao Tony e atriz da série *The Walking Dead*, interpretou uma heroína super-rápida. Ela se comunica usando a língua de sinais americana.

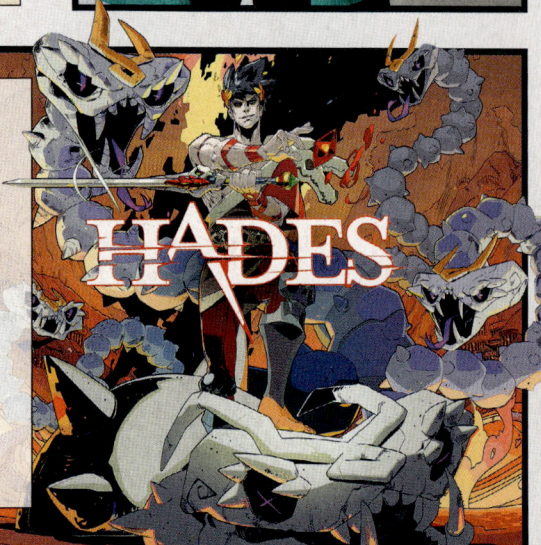

PRIMEIRO GAME A GANHAR UM HUGO
Em 18/12/2021, *Hades* (Supergiant Games, 2020) ganhou a categoria inaugural de Melhor Game no prestigioso prêmio de fantasia e ficção científica. O jogo, aclamado pela crítica, desafia jogadores a ajudar Zagreus — filho de Hades — a escapar do Submundo.

ENTRETENIMENTO

MAIS EPISÓDIOS DE SHOW INFANTIL AO VIVO
Em 19/1/2022, *Oha Suta*, da TV Tokyo, transmitiu seu 5.500º episódio no 25º ano desde que estreou na TV japonesa. Fumika Fujibuchi, do GWR, apareceu para dar um certificado oficial para os apresentadores Subaru Kimura (centro) e Ike Nwala (à dir.).

Maior dança Soul Train
Para marcar os 50 anos do show *Soul Train*, em 21/11/2021, o canal de TV a cabo americano BET chamou 536 pessoas para dançar no Marcus Garvey Park, em Nova York. Seguindo a tradição, os dançarinos formavam 2 fileiras e se requebravam no meio.

Filme visto mais vezes no cinema
Entre 16/12/2021-15/3/2022, Ramiro Alanis (EUA) viu *Homem-Aranha: Sem volta para casa* (abaixo) 292 vezes em Riverview, Flórida, EUA. Ramiro ganhou esse recorde 2 vezes: viu *Vingadores: Ultimato* (EUA, 2019) 191 vezes, mas foi superado por Arnaud Klein (FRA), que assistiu *Kaamelott: First Instalment* (FRA/BEL, 2021) 204 vezes em 2021.

CANTORA DE ÓPERA MAIS JOVEM
Victory Brinker (EUA, n. 4/2/2012) tinha só 7 anos e 314 dias no início de um conjunto de concertos no Pittsburgh Public Theater em 2019. A cantora clássica do *America's Got Talent* alcança 3 oitavas e canta em 8 línguas.

Primeira vencedora do Filmfare Lifetime Achievement Award
A icônica cantora playback Lata Mangeshkar (IND) faleceu em 6/2/2022. Chamada de "rouxinol de Bollywood", em 1994, ela se tornou a 1ª mulher — e a 3ª pessoa — a ganhar o Filmfare Lifetime Achievement Award, que premia excelência artística e técnica na indústria cinematográfica hindu.

Dança das cadeiras mais austral
Em 28/12/2021, um grupo de 15 competidores e 17 ajudantes — representando 8 países — liderado por Cindy Y Chang (EUA/JPN) jogou a dança das cadeiras a 89.999848°S, perto do polo Sul, na Antártica. Algumas das músicas eram "Ice Ice Baby", de Vanilla Ice, e "Walk This Way", de Run DMC. O vencedor foi Joshua Leyba (EUA).

HQ MAIS CARA
Um exemplar de *Amazing Fantasy #15* (1962, extrema esq.), da Marvel, arrecadou US$3,6 mi na Heritage Auctions em 9/9/2021. A HQ conta com a 1ª aparição do Homem-Aranha e custava 12 centavos.
Em 13/1/2022, a p.25 de *Guerras Secretas #8* (à esq.) foi vendida a US$3,36 mi — a **página de HQ mais cara vendida em leilão**.

CANTOR MARIACHI MAIS JOVEM
Mateo Adalberto López (EUA, n. 28/8/2014) se apresenta com bandas mariachi desde 21/4/2019, quando tinha só 4 anos e 236 dias. Após suas músicas folk mexicanas viralizarem nas mídias sociais, ele apareceu no *Mexico's Got Talent* e *Little Big Shots*, da NBC.

MAIOR ORQUESTRA
Em 13/11/2021, um total de 8.573 músicos — incluindo estudantes e profissionais da Orquestra Sinfônica Simón Bolívar — se reuniram para tocar a "Marcha eslava", de Tchaikovski, em Caracas, Venezuela. Os músicos, com idades entre 12-77, faziam todos parte do programa de educação musical El Sistema (VEN).

O Homem-Aranha tem o filme de super-herói de maior bilheteria, de US$8 bi até jan/2022.

TRAILER MAIS VISTO EM 24H
Um teaser de *Homem-Aranha: Sem volta para casa* acumulou 355,5 milhões de visualizações globais em 23-24/8/2021. O vídeo mostra o astro Tom Holland no multiverso da Marvel, lutando contra vilões de outras versões da franquia *Homem-Aranha*, além de atores que já interpretaram o papel principal.
Um deles, Tobey Maguire, divide um recorde de filme live-action com Willem Dafoe (ambos EUA), o Duende Verde, de **carreiras mais longas como personagens da Marvel**: 19 anos e 229 dias, desde suas aparições em *Homem-Aranha*, de 2002 (EUA).

SUPERASTRO DO FUTEBOL
Cristiano Ronaldo

BREVE BIOGRAFIA

Nome	Cristiano Ronaldo dos Santos Aveiro
Local nasc.	Madeira, Portugal
Recordes mundiais atuais	**Mais gols em...** • **Jogos internacionais (masculino)** 115 • **UEFA European Championships** 14 • **C. League:** 140
Troféus & prêmios	7x campeão em ligas domésticas 5x campeão Champions League 5x Bola de Ouro FIFA 1x Campeonato Europeu UEFA

Cristiano Ronaldo passou sua carreira no futebol reescrevendo o livro dos recordes. Em 2021, ele consolidou seu legado como um dos maiores jogadores da história ao se tornar o maior artilheiro do futebol masculino internacional.

Nascido em Madeira, as habilidades de Ronaldo o levaram a uma jornada esportiva pelos maiores clubes da Europa — do Sporting de Lisboa ao Manchester United, Real Madrid e Juventus. Ele evoluiu de um lateral brilhante para um centroavante completo, marcando 450 gols em 438 jogos para o Real, tornando-se o maior artilheiro da história do time. Na Champions League, reinou supremo, com recordes de **mais jogos** (183) e **mais gols** (140).

Mas sem dúvida Ronaldo fica mais orgulhoso quando veste a camisa de Portugal. Fez sua estreia na seleção em 2003 e se tornou um talismã para os colegas de equipe, capitaneando-os para a glória na EURO 2016. No adiado torneio da EURO 2020, Ronaldo fez 5 gols em 4 jogos, chegando ao recorde de **mais gols no futebol masculino internacional** — que há muito tempo era de Ali Daei, do Irã, com 109 gols entre 1993-2006. Ronaldo bateu o recorde em uma classificatória para a Copa do Mundo em 1/7/2021 (ver **6**) e, até 29/3/2022, tinha marcado 115 gols. Também havia jogado em 186 partidas internacionais, colocando-o em 3° lugar (com outros) na lista de mais partidas masculinas jogadas (ver p.222). Será que ele vai conseguir quebrar esse recorde antes de encerrar a carreira?

"Sempre bom ser reconhecido como um recordista mundial. Vamos aumentar esses números ainda mais!"

1. Como jogador mirim em Madeira, Ronaldo foi apelidado de Abelinha. Passou dois anos jogando no Nacional antes de assinar com o Sporting aos 12 e se mudar do arquipélago para Portugal.

2. Ronaldo foi para o Manchester United em 2003 e se tornou um herói instantâneo para os frequentadores do Old Trafford, marcando 118 gols em 292' jogos. Ele voltou para o time em 2021 e participou de seu primeiro jogo de uma liga inglesa após 12 anos e 118 dias — o **maior período entre participações entre as ligas principais inglesas**.

3. Em 2009, Ronaldo se juntou ao Real Madrid pelo que, na época, foi um valor recorde: US$130 mi. Ele ajudou o gigante espanhol a dominar a Champions League, ganhando 4 vezes em 9 campeonatos. Em 2013/14, bateu o recorde por **mais gols em um campeonato da Champions League**, com 17 gols em 11 jogos.

4. O sucesso em campo ajudou a tornar Ronaldo o atleta mais famoso. Em 16/2/2022, ele tinha **mais seguidores no Instagram** (402 milhões) e era a **pessoa mais curtida do Facebook** (150,8 milhões).

5. Ronaldo levou Portugal à vitória na EURO 2016, quando ganharam da França, a nação anfitriã, por 1x0 na final. Ele fez seus primeiros gols internacionais na EURO 2004, e hoje tem os recordes do torneio por mais **aparições** (25) e **gols** (14).

6. Em 1/7/2021, Ronaldo marcou **mais gols de futebol masculino internacional**, com duas cabeceadas contra a República da Irlanda. De seus atuais 115 gols, ele fez 28 de cabeça.

Saiba mais sobre Ronaldo na seção do Hall da Fama em www.guinnessworldrecords.com/2023

196

REPÚBLICA MAIS NOVA
Em 30/11/2021, a ilha de Barbados removeu oficialmente a rainha Elizabeth II, do Reino Unido, como chefe de Estado e tornou-se uma república — ou seja, uma nação governada por um presidente eleito. À meia-noite, uma saudação com 21 tiros na capital, Bridgetown, sinalizou a entrada da 1ª presidenta, Dame Sandra Mason, embora a primeira-ministra Mia Mottley tenha se mantido no poder como chefe de governo. Mason e Mottley aparecem na foto na página ao lado (no centro e à esq., respectivamente), em um grupo que também inclui a lenda do críquete de Bajan Sir Garfield Sobers, a cantora Rihanna e o príncipe Charles do RU.

Na mesma cerimônia, Rihanna foi declarada Heroína de Barbados. Sobers e ela são os únicos titulares vivos desta honra.

MISSÕES
Mundo moderno

EXPLORAÇÃO
DESCOBERTA
PESQUISA
2023

Em ação	200
Criptomania	202
Vestido para impressionar	204
Dou-lhe uma...	206
Fast food	208
TikTok	210
Retrato:	
Maior produtor de carne	212
Variedades	214

Dentre outros marcos musicais, Rihanna conquistou mais singles nº 1 dos EUA em um ano por uma mulher — 4 (2010).

MUNDO MODERNO
Em ação

PESSOA DO ANO MAIS JOVEM DA TIME
A ativista do clima Greta Thunberg (SWE, n. 3/1/2003) foi nomeada Pessoa do Ano pela TIME aos 16 anos e 354 dias em 23/12/2019. Foi fotografada aqui em nov/2021 em Glasgow, RU, falando com outros manifestantes que foram à cidade escocesa durante a conferência climática COP26, da ONU (ver também p.215).

MAIOR VIAGEM DE UM FANTOCHE
O fantoche Pequena Amal viajou cerca de 8.000km, de Gaziantep, Turquia, a Manchester, RU, em 27/7-3/11/2021. Representando uma refugiada síria de 9 anos, Amal ("esperança" em árabe) visitou 65 cidades europeias — Londres na foto — para chamar atenção para a crise dos refugiados.

MAIOR MARCHA LGBTQ+
Segundo consta, 5 milhões de pessoas foram ao WorldPride NYC 2019 em Nova York, EUA, em 28-30/6. A marcha marcou o 50º aniversário do infame ataque policial ao Stonewall Inn de Manhattan em 28/6/1969 — um catalisador do movimento gay.

MAIOR PROTESTO ANTIGUERRA
Em 15/2/2003, cerca de 3 milhões se reuniram em Roma, Itália, para protestar contra a ameaça de invasão dos EUA no Iraque. Polícia e mídia indicam muitos outros em quase 600 cidades do mundo, com 10-15 milhões de pacifistas nas ruas para protestar.

MAIOR DOAÇÃO DE...

- **Próteses impressas em 3D (1 hora):** 323 — Veritas Technologies (EUA) — 3/5/2017
- **Frutas e vegetais (1 dia):** 224.064kg — Sacramento Convention & Visitors Bureau (EUA) — 7/9/2016
- **Sapatos (1 dia):** 17.526 pares — Iglesia Ni Cristo (PHL) — 29/4/2016
- **Brinquedos de pelúcia:** 7.586 — EnerMech Dragon's Glen Challenge Team (RU) — 25/1/2014
- **Comida de animal (1 mês):** 23.519kg — Ceneo (POL) — 11/8-9/9/2017

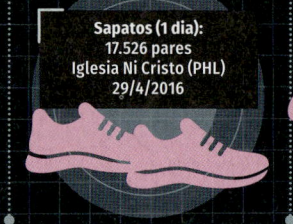

MAIOR CORRENTE HUMANA (VÁRIOS PAÍSES)
Em 23/8/1989, em um ato de solidariedade pedindo independência da URSS, cerca de 2 milhões de pessoas deram as mãos em 4 países bálticos. No total, a corrente se estendeu por 675km na Estônia, Letônia e Lituânia.

A corrente humana mais longa tinha 1.050km, em 11/12/2004, de Teknaf até Tentulia, em Bangladesh.

Avaliar o tamanho de multidões inevitavelmente envolve alguma conjectura e estimativa. Com ajuda de especialistas, o GWR usa dados de muitas fontes, como jornais e mídia social, organizadores, polícia local e relatórios/estudos de retrospectiva.

Primeira greve trabalhista registrada
No 29º ano do reinado do faraó Ramsés III (c. 1157 a.C.), os artistas da Necrópole Real em Deir el-Medina, Egito, cruzaram os braços em resposta ao atraso de rações. O evento é documentado no "papiro da greve de Turim".

Primeiro país a apoiar o sufrágio feminino
Lorde Glasgow, governador da Nova Zelândia, assinou a lei eleitoral em 19/9/1893, tornando esta nação a 1ª no Ocidente contemporâneo a garantir o direito ao voto feminino. Muitas sociedades pré-coloniais tinham sufrágio feminino (ou algo equivalente), no entanto. Por exemplo, as mulheres votavam e vetavam propostas em conselhos de guerra em confederações iroquesas, na América do Norte, talvez desde o meio do século 12.

Maior mobilização ambiental
Em 22/4/1970, o 1º Dia da Terra teve 20 milhões de pessoas por todos os EUA se envolvendo com questões ambientais por meio de várias atividades, como marchas, protestos, palestras e limpezas de comunidades. A mobilização de um dia foi capitaneada pelo pacifista John McConnell — que, em 1969, propôs um dia para homenagear nosso planeta —, o senador Gaylord Nelson, de Wisconsin, e o ambientalista Denis Hayes (todos EUA).

Maior greve de trabalhadores de hotel
Em 15/6/2003, todos os 130 funcionários do Congress Plaza Hotel, em Chicago, Illinois, EUA, entraram em greve devido a queixas salariais e contratuais. A ação terminou 9 anos e 349 dias depois, em 30/5/2013.

A **maior greve de funcionários de pubs** começou em 3/3/1939, quando um trabalhador não sindicalizado

MUNDO MODERNO

PRÊMIO AMBIENTAL MAIS VALIOSO
Em 17/10/2021, cada um dos 5 ganhadores recebeu o 1º Earthshot Prize de US$1,4 mi por inovações contra as mudanças climáticas. O prêmio foi lançado em 2020 pelo príncipe William, do RU, e por Sir David Attenborough. Entre os laureados, estavam os conservacionistas Coral Vita (BHS), que desenvolveram um sistema revolucionário de cultivar corais em terra e recolocá-los no oceano (foto). Isso pode ajudar a regenerar os ecossistemas de coral.

MAIOR MOVIMENTO ANTIRRACISTA
Vidas Negras Importam (BLM) foi cofundado em 2013 por Patrisse Cullors, Alicia Garza e Opal Tometi (todas EUA). O engajamento com o BLM explodiu após o assassinato de George Floyd em 25/5/2020. No mês seguinte, c. 15-26 milhões de pessoas apenas nos EUA se uniram em um protesto BLM.

MAIOR MARCHA PELOS ANIMAIS
Em 9/9/2017, 20.000-30.000 pessoas participaram da "Parada Animal" em Tel Aviv, Israel. Pediam cuidados com os animais na agricultura, proibição de uso de peles e adesão ao veganismo. O evento foi organizado por cerca de 25 instituições, como a Vegan Friendly (ISR).

MAIS LONGA VIGÍLIA PACÍFICA POR 1 INDIVÍDUO
Concepción "Connie" Picciotto (n. María de la Inmaculada Concepción Martín, ESP) protestou contra armas nucleares por 34 anos e 177 dias. A vigília durou de 1/8/1981 até sua morte, aos 80, em 25/1/2016. Ela acampava em Lafayette Square em frente à Casa Branca, Washington, EUA.

Connie começou a vigília com seu colega contra armas nucleares William Thomas, que morreu em 2009.

Material escolar: 18.012kg — Xiaomi Technology India — 8/11/2019

Roupas de baixo (1 hora): 10.289 — Ryan Avery e The Action Center (ambos EUA) — 10/10/2021

Bicicletas (1 hora): 979 — DaVita Villagewide (EUA) — 26/4/2017

Pães: 24.480kg — Grupo Bimbo (MEX) — 22/10/2020

Livros (1 semana): 657.061 — Rotary Clubs of Jamaica — 1-8/5/2010

---

foi contratado no Downey's em Dublin, Irlanda. Um piquete permaneceu do lado de fora do bar até 27/11/1953 — 14 anos e 269 dias —, tornando-a a maior greve registrada.

Mais movimentos revolucionários não violentos em 1 década
No mundo todo, os anos 2010 (2010-19) presenciaram o surgimento de 96 protestos pacíficos de resistência civil. Entre eles, protestos contra a corrupção no norte da África e no Oriente Médio — depois conhecido como "Primavera Árabe" — e o movimento de independência catalão na Espanha. A década também viu o crescimento do Vidas Negras Importam (acima), a Greve Climática de 2019 e o **maior protesto de direito das mulheres**: c. 4,47 milhões de pessoas participaram da "Marcha das Mulheres em Washington" nos EUA e de marchas irmãs nacional e internacionalmente.

Mais dinheiro arrecadado por

Evento	Arrecadador	Quantidade	Causa (ano)
Festival de música remoto	"One World: Together at Home", por Global Citizen e WHO	US$127,9 mi	Covid (2020)
Caminhada/corrida (ind.)	Capitão Sir Tom Moore (RU)	US$44,5 mi	NHS (2020)
Caminhada/corrida por amputado (indivíduo)	Terry Fox (CAN)	US$12,7 mi	Pesquisa de câncer (1980)
Arrecadação livestream	Z Event 2021 (FRA)	US$11,64 mi	Várias (2021)
Natação	BT Swimathon (RU)	U$3,3 mi	Várias (1998)
Show da Broadway	Hugh Jackman (AUS)	US$1,78 mi	Aids (2012)

Corrigido até 1/4/2022

MAIOR GREVE GERAL
Aproximadamente 250 milhões de trabalhadores participaram da greve geral da Índia em 26/11/2020. Iniciada por insatisfação com desemprego e leis de assistência social, foi apoiada por 10 sindicatos comerciais e diversos partidos de esquerda. A greve afetou todos os serviços e indústrias da nação, incluindo transporte, agricultura, bancos e fretes.

201

MUNDO MODERNO
Criptomania

Primeira criptomoeda descentralizada
No verão de 2008, um usuário conhecido como Satoshi Nakamoto ingressou em uma comunidade on-line chamada "Cypherpunks". Ele viu um artigo intitulado, "Bitcoin: um sistema eletrônico ponto a ponto", que prometia resolver um problema com o qual a comunidade lutava há anos: como criar uma moeda digital segura e confiável sem uma autoridade controladora centralizada.

Nos meses seguintes, Nakamoto desenvolveu a ideia, que usava um ledger criptograficamente seguro e visível (uma inovação que ele chamou de "blockchain") para registrar todas as transações. Também usou recursos da comunidade para validar sua autenticidade (através de um processo chamado "mineração"). No início de 2009, ele tinha Bitcoin, um 1ª **blockchain** em funcionamento, e minerou o "genesis block" em 3/1, ganhando 50 bitcoins.

Primeira transação de bitcoin
Em 9/1/2009, Nakamoto enviou 10 bitcoins a Hal Finney (EUA), um dos 1ºs compradores da criptomoeda. Mas foi apenas um teste — Finney ajudou a melhorar o software original do Bitcoin e queria verificar se a blockchain estava atualizando corretamente.

A **1ª transação comercial de bitcoin** — na qual a criptomoeda foi usada para comprar algo — ocorreu em 22/5/2010. O programador americano Laszlo Hanyecz ofereceu 10.000 bitcoins a qualquer um que lhe pedisse 2 pizzas. Alguém aceitou o bitcoin (no valor de US$41) e pediu a Hanyecz pizzas que custavam US$25. Hanyecz considerou o acordo como "pizza grátis", pois a mineração de bitcoin era fácil na época e não se arrepende da compra, mesmo que esses bitcoins estivessem valendo c. US$350 mi em 24/2/2022.

Primeira troca de criptomoeda
À medida que a comunidade de Bitcoin crescia, novas instituições apareceram para atender às suas necessidades. Com vários serviços peer-to-peer, o desenvolvedor americano Dustin Dollar's BitcoinMarket (que iniciou operações em 17/3/2010) logo se estabeleceu como um player importante. Ele permitia que usuários negociassem bitcoin e trocassem por moedas fiduciárias, como o dólar. O BitcoinMarket foi a maior casa de câmbio de criptomoedas por cerca de um ano, antes de ser eclipsada pela Mt. Gox, com uma interface mais amigável.

Maior hack de criptomoeda
A ascensão da Mt. Gox seria vista como caso de alerta. Conforme crescia, começou a operar mais como um banco; os clientes mantinham Bitcoin em contas hospedadas no site, o que significava que, embora os servidores da Mt. Gox registrassem sua propriedade, no blockchain do Bitcoin, tudo era registrado nas carteiras da Mt. Gox.

Em 2013, hackers conseguiram obter credenciais de login para essas carteiras "quentes" e transferiram mais de 850.000 bitcoin, falindo a Mt. Gox. Na época em que o hack foi anunciado, em fev/2014, a moeda roubada — extraída de ativos e contas de clientes da Mt. Gox — valia US$450 mi.

Primeira criptomoeda apreendida
Vários dos 1ºs compradores do Bitcoin foram atraídos pela perspectiva de uma moeda que estava além do alcance do Estado — que não podia ser apreendida ou ter o valor manipulado por uma autoridade central. Na prática, porém, o erro humano e o zelo investigativo tornam difícil manter uma moeda totalmente anônima. A 1ª pessoa a ter a criptomoeda apreendida por autoridades foi um suposto traficante de drogas na Carolina do Sul, EUA, cujos 11.02 bitcoin (com valor de US$968) foram confiscados como parte de uma apreensão em 12/4/2013.

A **maior apreensão de criptomoedas** foi feita em 8/2/2022 pelo Departamento de Justiça dos EUA. Eles levaram US$3,6 bi de Ilya Lichtenstein e Heather Morgan (ambos EUA), que são acusados de tentar lavar os 119.754 bitcoins que foram roubados no hack de 2016 da Bitfinex Exchange.

Criptomoeda mais valiosa
Embora tenha inspirado muitas outras moedas, o Bitcoin — como **criptomoeda mais antiga** — continua sendo o padrão-ouro dos ativos digitais. Em 24/3/2022, 1 bitcoin tinha o valor de US$42.989, e a moeda como um todo teve uma capitalização de mercado de US$816,69 bi. Um dos maiores ganhadores desse crescimento surpreendente é seu misterioso criador, Satoshi Nakamoto. Ninguém ouve falar dele desde 2011, e a extensão de sua participação em ações não é clara, mas só a recompensa de 50 bitcoins hoje vale US$2,1 mi.

PRIMEIRO PAÍS A ADOTAR BITCOIN COMO CURSO FORÇADO
Em 9/6/2021, El Salvador aprovou uma lei que tornou o Bitcoin uma moeda de curso forçado — o que significa que firmas e indivíduos são obrigados a aceitá-la como pagamento. Esperava-se que a medida, condenada pelo Banco Mundial, reduzisse o custo das transferências internacionais — importantes para um país que depende do dinheiro enviado por trabalhadores no exterior.

FAN TOKEN MAIS VALIOSO
Fan tokens são NFTs que concedem acesso a clubes exclusivos associados a equipes esportivas. Os fan tokens mais valiosos são os do Manchester City, da Premier League, que tinham um valor combinado de US$47,1 mi em 24/3/2022.

NFT NOTÁVEIS
Desenvolvidos em 2014 (ver abaixo à dir.), tokens não fungíveis, ou NFTs, usam a mesma tecnologia blockchain que as criptomoedas para criar ativos exclusivos e negociáveis que podem ser usados para autenticar a propriedade de praticamente qualquer coisa — mesmo! Aqui estão alguns dos exemplos mais doidos à venda...

"Non-Fungible Twig", por BetweenTwoNaps
Ser o dono do NFT garante a posse do galho

"Só acertando meu twttr", por Jack Dorsey
O 1º tuíte do fundador do Twitter

"Um ano de pum", por Alex Ramírez-Mallis
52min de sons de pum

"Idiotas", por Burnt Banksy. Um print de Banksy sacaneando o mercado de arte queimado para sacanear o mercado de NFT

"Braço direito", por Oleksandra Oliynykova
Direitos de tatuagem no braço direito da tenista croata

"Sanduíches do Fyre Festival", por Trevor DeHaas
Um sanduíche capenga de um festival de música falido

"Número aleatório", por The N Project
Só isso: o comprador recebe um número aleatório

MUNDO MODERNO

NFT DE ARTE MAIS CARO (EDIÇÃO LIMITADA)
Uma peça chamada *Everydays: The First 5000 Days*, do artista digital Beeple (ou Mike Winkelmann, EUA), foi leiloada pela Christie's por US$69.346.250 em 11/3/2021. A peça é uma união dos 13 anos de obras diárias de Beeple. A oferta vencedora veio do empresário de blockchain MetaKovan (ou Vignesh Sundaresan, IND/SGP).

NFT COLECIONÁVEL MAIS CARO
NFTs colecionáveis são arte de edição limitada agrupadas em torno de modelos pré-renderizados. NFTs de um dos primeiros grupos — "CryptoPunks", da Larva Labs (CAN) — hoje têm preços altíssimos. O mais caro é o CryptoPunk #5822, comprado por US$23,7 mi pelo empresário de criptomoedas Deepak Thapliyal em 12/2/2022.

MAIOR PREÇO MÍNIMO POR COLEÇÃO DE NFTS
Embora os CryptoPunks mais raros (ver acima) sejam os de preços mais altos, a menor e mais exclusiva coleção de NFTs, conhecida como "Bored Ape Yacht Club" — feita pelos Yuga Labs (EUA) — é a mais cara. Em 21/3/2022, o valor do NFT mais barato do conjunto (o "preço mínimo") era de US$295.225.

PRIMEIRO NFT NEGOCIÁVEL
Quantum (ver abaixo, à esq.) criou o conceito de NFT, mas foi só uma demonstração da tecnologia. Os 1os NFTs feitos para serem negociados no mercado aberto foram os CryptoKitties, desenvolvidos pelos Dapper Labs (CAN) como parte de um game homônimo e lançado em 28/11/2017.

PRIMEIRO NFT
Durante uma hackaton chamada "Seven on Seven" em Nova York, EUA, em 5/5/2014, o artista Kevin McCoy fez dupla com o desenvolvedor Anil Dash (ambos EUA). Juntos, eles projetaram um sistema baseado em blockchain (que chamaram de "monegraph", mas que hoje conhecemos como NFT) para autenticar obras de arte digitais. No fim do evento, McCoy fez um NFT — *Quantum* — que vendeu para Dash por apenas US$4.

MAIOR VOLUME DE TRANSAÇÃO DE NFT
Os jogadores de Axie Infinity, do desenvolvedor de games vietnamita Sky Mavis, colecionam e criam NFTs que representam pets digitais chamados Axies, negociados no mercado NFT do jogo. Entre o lançamento em mar/2018 e 24/3/2022, os jogadores gastaram US$ 4 bi no jogo.

A maioria dos NFTs são hospedados na blockchain Ethereum e as transações ocorrem no ETH. Foram convertidos em moeda fiduciária aqui para maior clareza.

MUNDO MODERNO
Vestido para impressionar

Há milhares de anos, humanos usam roupas não só por sobrevivência, mas como forma de autoexpressão, com estilos populares e padrões de beleza sempre mudando. Dê uma olhada em nossa história de superlativos da moda, de joias da Idade da Pedra até a alta costura do século 21.

MANEQUIM MAIS VELHO
Um torso e cabeça em tamanho real foram descobertos na tumba do faraó egípcio Tutancâmon (c. 1341-1323 a.C.). Foi guardado em um baú de roupas e em teoria era usado para apresentar roupas para o jovem regente. Buracos nos ombros sugerem que o manequim tinha braços originalmente.

CHAPÉU MAIS CARO LEILOADO
Um bicórneo supostamente usado por Napoleão Bonaparte na Batalha de Marengo, em 1800, foi leiloado por US$2,2 mi em 2014. Era um dos cerca de 120 chapéus do tipo usados por ele, todos da parisiense Poupard et Cie.

GRILL MAIS VALIOSO
Um grill carregado de joias usado por Katy Perry em seu clipe "Dark Horse" foi avaliado em US$1 mi em 11/10/2017. A decoração dentária foi criada pelo dentista cosmético dr. William Dorfman (EUA).

ROUPA DE TECIDO MAIS ANTIGA
Uma camisa de linho com decote em V encontrada no cemitério Tarkhan, ao sul do Cairo, a capital egípcia, teve datação em carbono de 3482-3102 a.C. O vestido Tarkhan, como é conhecido, tem mangas e corpete plissados, e é feito de três peças de linho feito à mão.

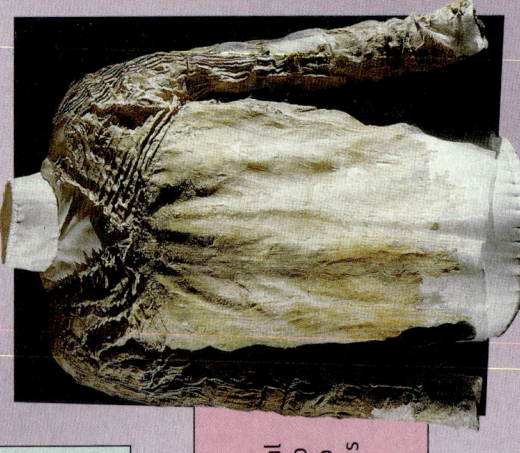

SUÉTER MAIS CARO VENDIDO EM LEILÃO
Um cardigã angorá cinzento de 5 botões usado pelo cantor do Nirvana, Kurt Cobain, durante a apresentação da banda no MTV Unplugged em 1993 foi vendido por US$334.000 em 26/10/2019. O casaco de brechó está usado e danificado, com um botão faltando, marcas de cigarro e uma mancha marrom misteriosa perto do bolso direito.

PRIMEIROS ÓCULOS ESCUROS
"Óculos de neve" inuítes datando do século 3 foram encontrados em campos arqueológicos no Alasca e na Sibéria. Consistiam em uma máscara ocular de madeira ou osso com fendas finas que protegiam os olhos do reflexo do sol na neve.

COLAR MAIS VALIOSO
"O Incomparável" foi avaliado em 2013 em US$55 mi. Feito pelos Mouawad, joalheiros baseados na Suíça, o colar contém 407,48 carats de diamantes perfeitos além de 102 diamantes "satélites" cortados em diversos formatos.

MAQUIAGEM MAIS TÓXICA
Venetian ceruse (ou "espíritos de Saturno") era usado como clareador de pele na Europa nos séculos 16 e 17. Uma mistura tóxica de pó de chumbo branco (carbonato de chumbo) e vinagre, podia causar perda de cabelos e dentes, feridas e até declínio cognitivo precoce.

JOIAS MAIS ANTIGAS
Trinta e três conchas perfuradas do caracol do mar Tritia gibbosula foram criadas e usadas há ao menos 142.000 anos durante o meio da Idade da Pedra. Foram escavadas entre 2014 e 2018 da caverna Bizmoune, perto de Essaouira, no Marrocos.

Um *grand habit* era o "vestido da corte" obrigatório para mulheres da corte real do rei Luís XIV, da França.

SAIA MAIS LARGA
Se nosso faraó fashionista quisesse usar uma saia, certamente chamaria atenção com um *grand habit*. Também teria que passar por portas de lado! Os exemplos mais extravagantes desse traje do século 18 mediam até 2,1m de largura e tinham suportes de tecido e bambu conhecidos como *panniers*.

MAIORES SAPATOS
Os *poulaines* (ou "sapatos pontudos", ou "Crakow") eram usados por homens e mulheres entre 1340 e 1460. Relatos contemporâneos sugerem que esses sapatos de pontas finas podiam chegar até os 60cm.

LUVA MAIS CARA VENDIDA EM LEILÃO
Uma luva de strass branco que pertenceu a Michael Jackson (EUA) foi comprada por US$420.000 em 21/11/2009. Jackson usou a luva no especial de 25 anos do Motown em 1982 — quando fez seu famoso moonwalk pela primeira vez na apresentação de "Billie Jean".

MEIAS MAIS VELHAS
Um par de meias de lã descoberto em Oxyrhynchus, Antigo Egito, datam do século 4. As meias têm uma divisão entre o dedão e os outros dedos, para serem usadas com sandálias.

JEANS MAIS CARO
Esse jeans "XX" de 129 anos da Levi Strauss & Co. foi comprado por US$100.000 por um colecionador anônimo em mai/2018. Apesar de parecer quase novo, a calça é de 1893, só 20 anos depois de Levi Strauss patentear seu corte de denim com rebites. Um detalhe: o jeans foi pedido sob medida para Solomon Warner, dono de uma loja no Arizona, que tinha 111cm de cintura e 91cm de perna.

MAIS DIAMANTES EM UM ANEL
Este anel em forma de tagete tem 12.638 diamantes cortados individualmente pela Renani Jewels de Meerut, Uttar Pradesh, Índia, em 30/11/2020. O país sempre foi um polo de produção e comércio de diamantes, com estimados cerca de 90% dos diamantes naturais do mercado atual lapidados na cidade costeira de Surat.

SAPATOS MAIS VELHOS
Sandálias antigas de sálvia associadas a diversos grupos indígenas da América do Norte tiveram sua datação em carbono entre 9.300-10.500 anos. Esse estilo de sapato é chamado de sandálias "Fort Rock", em homenagem à caverna no Oregon, EUA, onde o 1º par foi encontrado.

SAPATOS CINEMATOGRÁFICOS MAIS CAROS LEILOADOS
Um par dos sapatos de rubi usados por Judy Garland em *O mágico de Oz* (EUA, 1939) foi vendido por US$666.000 em 24/5/2000. É um dos 5 pares que sabemos ter sobrevivido à produção. Os sapatos de Dorothy eram prateados no livro de L. Frank Baum, e provavelmente foram modificados para se destacarem na Estrada de Tijolos Amarelos.

MUNDO MODERNO
Dou-lhe uma...

Fonte: eBay (EUA, 1995-2020)

COISAS EXTRAVAGANTES E ECLÉTICAS DO eBAY

10. "Black Betsy", da lenda do beisebol Shoeless Joe Jackson: US$557.610. Nogueira manchada com cuspe de tabaco.

9. Lamborghini Aventador SV Roadster: US$659.800. Modelo verde-lima com apenas 1.500km no velocímetro.

8. *All-Star Comics* #8: US$936.223. Publicada em dez/1941, essa HQ é a estreia da Mulher-Maravilha.

7. Ferrari Enzo: US$1 mi. Uma das 399 produzidas. Lance vencedor só US$55 maior que o anterior.

6. Cartão de beisebol T206 Honus Wagner: US$1,1 mi. Um cartão raro de edição limitada.

MAIOR MALHETE
Jim Bolin (EUA) fez um malhete de madeira — martelo usado por juízes e leiloeiros — de 5,09m x 1,54m, ratificado em 20/8/2019, em Marshall, Illinois, EUA. Fica na entrada do tribunal da cidade, mostrado aqui com o juiz Tracy W Resch. Em um leilão, os malhetes são usados para determinar o fim dos lances, e é daí que vem a expressão "bater o martelo".

ITENS MAIS CAROS VENDIDOS EM LEILÃO

1. Ossos de dinossauro
O esqueleto de um *Tyrannosaurus rex* chamado "Stan" arrecadou US$31.847.500 na Christie's em Nova York, EUA, em 6/10/2020. Homenagem ao paleontólogo amador Stan Sacrison, que encontrou a ossada em 1987, é um dos *T. rex* mais completos já descobertos. "Stan" será um dos astros da exibição do novo museu de história natural em Abu Dhabi, EAU.

2. Obra impressa de autoria feminina
Uma 1ª edição em três volumes do horror gótico de 1818 de Mary Shelley, *Frankenstein*, (ver também p.174) foi vendida por US$1.170.000 na Christie's em Nova York em 14/9/2021, superando um exemplar de *Emma*, de Jane Austen, que custou US$354.240 em 2008.

3. Camisa de críquete (on-line)
A camisa 63, usada por Jos Buttler, da Inglaterra, na final da Copa do Mundo de Críquete, foi vendida no eBay por US$80.157 em 8/4/2020. O atleta leiloou a peça para arrecadar fundos para hospitais na Covid-19. Buttler usou a camisa durante o desempate em que a Inglaterra derrotou a Nova Zelândia e ganhou a competição.

4. Obra de arte de Banksy
A arte meio picotada *Love is in the Bin* (2018), do artista de rua anônimo Banksy, arrecadou US$25,3 mi quando foi vendida na Sotheby's em Londres, RU, em 14/10/2021. A obra infame começou sua vida como *Girl with Balloon*, em 2006, alcançando o então preço recorde de US$1,35 mi em 2018. Depois de batido o martelo, porém, o trabalho se autodestruiu por um picotador na moldura — e após isso foi renomeado.

5. Console de videogame (on-line)
Um protótipo Nintendo PlayStation SNES CD-ROM, criado pela Sony e pela Nintendo em 1992, foi vendido por US$360.000 na Heritage Auctions em 8/3/2020. Supostamente é o último dos 200 protótipos feitos pela parceria malsucedida das empresas. Para o **videogame mais caro**, ver p.191.

Todos os valores de vendas incluem taxas de leilão, exceto quando indicado.

MUNDO MODERNO

5 Casa com bunker: US$2,1 mi. Um antigo silo de mísseis no estado de Nova York com uma câmara subterrânea secreta.

4 Cidade de Albert, no Texas, EUA: US$2,5 mi. Cinco pessoas moram no local de 5,2 ha. O vendedor incluiu uma taverna.

Almoço com Warren Buffett: US$2,6 mi. Evento de caridade anual realizado por um dos mais ricos do mundo. **3**

2 Gulfstream II: US$4,9 mi. Jatinho particular com diversas comodidades modernas. Acomoda até 12 passageiros.

Gigayacht: US$168 mi. Iate de luxo de 405 pés, com heliporto, spa, cinema, academia, 10 suítes e mais. **1**

6. Coroa extravagante
Uma coroa de plástico usada pelo falecido artista americano de hip-hop The Notorious B.I.G. (n. Christopher Wallace) foi vendida por US$594.750 na Sotheby's em Nova York em 16/9/2020. O rapper usou a coroa durante uma sessão com o fotógrafo Barron Claiborne apenas 3 dias antes de morrer.

7. Relógio
Em 9/11/2019, uma edição única e cromada do Patek Philippe Grandmaster Chime conseguiu US$24,3 mi no 8º leilão de caridade Only Watch, na Christie's de Genebra, Suíça. Seus traços exclusivos incluem 2 mostradores (um opalino dourado, outro preto ébano) em uma caixa reversível, e a inscrição "O Único".

8. Carta Pokémon (on-line)
Uma carta Pikachu Illustrator Trainer Promo Hologram foi vendida por US$900.000 na Goldin Auctions em 24/2/2022. Desenhada pelo criador do Pikachu, Atsuko Nishida, só existem 41 cartas como essa.

9. Moeda
Em 9/6/2021, uma Double Eagle 1933 arrecadou US$18.872.250 na Sotheby's em Nova York. Seu valor cunhado é de US$20 e é a única moeda do tipo que o governo dos EUA autorizou para propriedade privada.

10. Tênis usados
Um par autografado do Nike Air Ships do Michael Jordan alcançou US$1.472.000 em uma venda da Sotheby's de Las Vegas, EUA, em 24/10/2021. Os tênis foram usados pelo lendário jogador em 1984 no seu 5º jogo pelo Chicago Bulls, durante sua 1ª temporada na NBA.

11. Vaca
Poshspice (foto) pode não ser a vaca mais cara do mundo, mas é a vaca da raça Limousin mais cara. Ela arrecadou U$358.610 na Harrison & Hetherington em Carlisle, RU, em 29/1/2021. Porém, uma jovem potra chamada Mist conseguiu US$1,3 mi em um leilão em Vermont, EUA, em 13/7/1985, comprada por um sindicato liderado pelo advogado de Boston Jerome Rappaport.

BONECO DO STAR WARS MAIS CARO EM LEILÃO ON-LINE
Um boneco do Boba Fett foi vendido por U$185.850 via Hake's Auctions em 7/11/2019. Feito pela Kenner em 1979, esse protótipo nunca foi lançado ao público. A maioria foi destruída na fábrica e apenas um punhado deles chegou ao mercado.

MUNDO MODERNO

Fast food

PRIMEIROS RESTAURANTES DE FAST FOOD
Com o aumento das cidades, uma revolução comercial aconteceu no Império Romano nos sécs. 1 e 2: a criação de restaurantes com balcões de alvenaria que davam para a rua. Essas lanchonetes — com frequência bastante decoradas (detalhe) — costumavam ter uma cozinha nos fundos e bancadas nas quais pratos quentes e bebidas eram servidos.

Maior cadeia de fast food (por restaurantes)
Até 31/12/2020, o McDonald's (EUA) tinha 39.198 lanchonetes, ganhando das 37.540 do Subway e das 32.660 da Starbucks. Fundado em 1940 por Richard e Maurice McDonald, a cadeia também é a maior pela **receita**, com um faturamento de US$19,2 bi em 2020. Considerando as franquias, porém, os resultados seriam de US$93,3 bi para o mesmo período.

Restaurante de fast food mais ao norte
Há um Subway localizado a 71,2883ºN, 156,7835ºO em Utqiaġvik, Alasca, EUA, cerca de 530km acima do Círculo Ártico. Nenhuma outra cadeia de fast food está mais perto do polo Norte.
A **mais ao sul** é a Domino's de Punta Arenas, Chile, localizada a 53,1381ºS, 70,8895ºO, a 1.496km do Círculo Antártico. Há restaurantes mais abaixo, mas que não fazem parte de cadeias; o Galley Takeaways, por exemplo, é uma lanchonete de peixe e fritas a 46,6001ºS, 168,3459ºL em Bluff, na Ilha Sul da Nova Zelândia.

Maior restaurante de hambúrguer
O I'M HUNGRY em Jeddah, Arábia Saudita, tem uma área de 2.860m² — pouco maior que um rinque de hóquei no gelo — quando foi medido em 12/12/2019.

Menor tempo para fazer um hambúrguer
Em 21/8/2021, Tom Sinden (RU) fez um hambúrguer em 7,81s em Warlingham, Surrey, RU. Seguindo as regras do GWR, o queijo, o tomate, a cebola e a alface estavam cortados e a carne, pré-cozida.

Maior...
- **Badjia de cebola**: 175,48kg, feita por Oli Khan e Surma Takeaway Stevenage (ambos RU) em Londres, RU, em 4/2/2020.
- **Peixe e fritas (porção)**: 54,99kg, criado pelo Resorts World Birmingham (RU) em 9/2/2018.
- **Frango frito (porção)**: 1.667,3kg, feito por Karafesu Project Council em Nakatsu, Japão, em 15/9/2019.

Chimichanga mais comprido
O Macayo's (EUA) fez uma versão desse lanche mexicano de 7,8m em Phoenix, Arizona, EUA, em 25/9/2021.

Maior altitude de pizza entregue em terra
Entre 5-8/5/2016, a Pizza Hut Africa (ZAF) e a Yum! Brands (EUA) levaram uma pizza de pepperoni a 5.897m de altura até o topo do monte Kilimanjaro, na Tanzânia.
Em 4/7/2012, a Pizzas 4 Patriots (EUA) enviou 30.000 pizzas para os militares dos EUA no Afeganistão via DHL Express. A **maior entrega de pizzas** foi compartilhada entre o aeródromo Kandahar, a base aérea Bagram e o acampamento Bastion (hoje, acampamento Shorabak).
A **maior distância para entregar uma pizza** foi de 19.870km, por Paul Fenech (AUS) junto à Canteen, instituição para o tratamento do câncer infantil, e a STA Travel. Ele entregou a pizza de margarita (fria) para Niko Apostolakis em Wellington, Nova Zelândia, em 1/7/2006, após uma viagem de 3 dias a partir da Opera Pizza, em Madri, Espanha.

NUGGET MAIS CARO VENDIDO EM LEILÃO
Em 4/6/2021, "polizna" vendeu pelo eBay um único nugget do McDonald's por US$99.997. Não se sabe se o nugget atingiu esse alto valor por ser parte de uma refeição exclusiva lançada em colaboração com os ídolos do K-pop BTS ou se era porque sua forma lembrava um personagem do game popular *Among Us* (Innersloth, 2018).

BATATAS FRITAS MAIS CARAS
As Crème de la Crème Pommes Frites começaram a ser vendidas por US$200 no Serendipity 3 em Nova York, EUA, em 12/7/2021. Esse prato caríssimo é acompanhado de molho Mornay feito com creme de leite de vacas Jersey alimentadas só com capim, além de gruyère suíço trufado, envelhecido por 3 meses de cobertura. É finalizado com pó de ouro comestível de 23K.

- Sal trufado Guérande
- Prato arabesco de cristal Baccarat
- Molho Mornay
- Queijo pecorino Tartufello de Crete Senesi
- Chips de trufas negras de verão
- Batatas Chipperbec do norte do estado mergulhadas em Dom Pérignon e fritas 3x em gordura de ganso francesa

---

FRANQUIAS DE FAST FOOD MAIS VALIOSAS

1. Starbucks — US$38,44 bi
2. McDonald's — US$33,83 bi
3. KFC — US$15,07 bi
4. Subway — US$8,18 bi
5. Domino's — US$6,08 bi
6. Taco Bell — US$5,80 bi
7. Dunkin' — US$5,74 bi
8. Pizza Hut — US$5,13 bi
9. Haidilao — US$4,52 bi
10. Tim Hortons — US$4,05 bi

O "valor da franquia" é medido pelo valor total da empresa, considerando seus lucros e sua reputação, o reconhecimento da marca e outros bens intangíveis.

Fonte: Brand Finance, 2021

MUNDO MODERNO

MAIOR ESPETO DE KEBAB
Em 31/12/2008, um espeto de rotisserie carregado de 4.022kg de frango foi apresentado em Paphos, Chipre, por Zith Catering Equipment (CYP). A montanhosa massa de carne ia além do peso médio de um hipopótamo.

MAIS BIG MACS CONSUMIDOS
Donald Gorske (EUA) comeu seu 32.672º Big Mac® em Fond du Lac, Wisconsin, EUA, em 1/1/2022. Em geral, ele come 14 dos lanches de 2 hambúrgueres por semana, comprando-os aos montes e esquentando no micro-ondas. Durante 50 anos, ele só passou 8 dias sem comer um.

MAIOR PIZZA DISPONÍVEL COMERCIALMENTE
O Moontower Pizza Bar, em Burleson, Texas, EUA, pode preparar uma pizza de 1,98m². Chamada de *Ônibus* pela forma retangular, a pizza de um só sabor custa US$299,95 (mais impostos) e é entregue em área limitada. Leva um tempo para ser preparada, então o pedido tem que ser feito com 48h de antecedência.

MAIOR COLEÇÃO DE BRINQUEDOS DE FAST FOOD
Quando está escolhendo um lanche, Percival R Lugue (PHL) se certifica de conseguir algum brinde. Em 4/11/2014, ele tinha mais de 10.000 brinquedos de fast food, confirmado em Apalit, Pampanga, Filipinas. Lugue teve que construir uma casa para eles, que seus amigos chamam de "Grande Caixa de McLanche Feliz".

MAIOR COLEÇÃO DE ITENS RELACIONADOS A HAMBÚRGUER
Na última contagem oficial, Hambúrguer Harry, ou Harry Sperl (DEU), de Daytona Beach, Flórida, EUA, juntou mais de 3.724 itens relacionados a hambúrguer, como o burguermóvel do filme *A guerra do hambúrguer* (EUA, 1997) e um colchão d'água de hambúrguer. Seu item favorito é a Harley-Davidson chamada *Hamburger Harley*.

MUNDO MODERNO
TikTok

MENOR TEMPO PARA ALCANÇAR 1 MILHÃO DE SEGUIDORES
O BTS (KOR; @bts_official_bighit) conseguiu 1 milhão de seguidores do TikTok em apenas 3h31min em 25/9/2019. O septeto também é a **banda mais seguida**, com 49 milhões de fãs na rede. (Para saber mais sobre BTS, ver p.180.)

CHEF MAIS SEGUIDO
Burak Özdemir (TUR; @cznburak) conquistou 57,2 milhões de fãs com vídeos dele preparando pratos turcos clássicos. O apelido "CZN" deriva de uma empresa têxtil chamada Cinzano, do pai dele.

FAMÍLIA MAIS SEGUIDA
A "Família Real do TikTok" são os D'Amelio (todos EUA), da esq. para dir.: Heidi (@heididamelio), Charli (@charlidamelio), Marc (@marcdamelio) e Dixie (@dixiedamelio). Combinados, seus fãs somam 216,9 milhões — quase toda a população do Brasil! Do total, 64% são fãs de Charli.

VÍDEO MAIS CURTIDO
Um vídeoclipe de Bella Poarch (n. PHL; @bellapoarch) dublando e fazendo caretas com a faixa "Soph Aspin Send (M to the B)" de Millie B tem 56,4 milhões de curtidas. Em mai/2021, lançou o single de estreia; assim, a ex-veterana da Marinha e agora influenciadora também é a **cantora mais seguida**, com 89 mi de fãs.

TOP 10 MAIS SEGUIDOS NO TIKTOK
Fonte: Social Blade em 14/4/2022

- 10. Spencer Polanco Knight: 55 milhões
- 9. Burak Özdemir: 57,2 milhões
- 8. Dixie D'Amelio: 57,3 milhões
- 7. Kimberly Loaiza: 61,6 milhões
- 6. Zach King: 68,1 milhões

TikTok

Menor tempo para uma mídia social chegar a 1 bilhão de usuários mensais ativos*
Em 27/9/2021, o TikTok anunciou que chegou a 1 bilhão de usuários mensais ativos, só 5 anos após o lançamento. A rede de compartilhamento de vídeos foi lançada em 26/9/2016 (a princípio como A.me) pela empresa chinesa de tecnologia da web ByteDance. Foi renomeada como TikTok em set/2017. Superou em muito o Facebook (que levou 8,7 anos), o YouTube (8,1 anos) e o Instagram (7,7 anos).

App mais baixado (ano atual)*
O TikTok foi baixado 656 milhões de vezes em todo o mundo em 2021 — mais de 100 milhões a mais que o 2º lugar, o Instagram. Desse total, 94 milhões de downloads foram só nos EUA. Os resultados foram publicados em um relatório produzido pela Apptopia.

Colaboradora mais bem paga
A rainha do TikTok Charli D'Amelio — a TikToker mais seguida (ver acima) — ganhou cerca de US$17,5 mi em 2021, de acordo com a *Forbes* de 7/1/2022. Além de patrocínios, sua riqueza aumentou com a linha de roupas para Hollister e shows no Hulu e Snapchat's Snap Originals, tudo em conjunto com sua irmã e colega estrela do TikTok, Dixie.

D'Amelio foi a **1ª pessoa a atingir 100 milhões de seguidores** em 22/11/2020. Ela também é a **usuária mais curtida**, com 10,8 bilhões. O **homem mais curtido** é um empate entre @vietdoosan e @anurupakofficial, cada um com 8,6 bilhões, segundo o Social Blade.

Apresentação de música ao vivo mais assistida
Mais de 5,5 milhões de espectadores sintonizaram a apresentação ao vivo de Ed Sheeran (RU) para o TikTok em 25/6/2021 (incluindo 2 replays no dia seguinte). O show de uma hora teve 12 músicas. Realizado durante a Eurocopa, o show TikTok Euro 2020 aconteceu na Portman Road – casa do amado time de futebol do músico, Ipswich Town FC.

Mais comentários em vídeo
Em 24/9/2021, o fã de *Minecraft* @meqs postou "Comente para ganhar um biscoito". Até o momento, 10,7 milhões de TikTokers atenderam ao pedido.

Mais seguido...
- **Músico**: O beatboxer americano Spencer X (n. Spencer Polanco Knight; @spencerx) chegou aos 55 milhões de fãs. Além de vídeos de suas próprias composições e covers, o autodenominado "mouth music man" colaborou com artistas como Alicia Keys e DJ Marshmello.
- **Gêmeos**: Com vídeos de dança, ginástica, comédia, pegadinhas e desafios, os irmãos Lucas e Marcus Dobre-Mofid (ambos EUA; @dobretwins) têm 35,3 milhões de fãs em seu perfil compartilhado.
- **Fã de trens**: O universitário Francis Bourgeois (RU; @francis.bourgeois) tem 2,2 milhões de seguidores. Ele reacendeu seu amor de infância por trens durante o lockdown em 2020 e seu entusiasmo o tornou um grande sucesso, indo muito além da comunidade ferroviária. (Ver também p.158-59.)

*Todos os dados de 14/4/2022 a não ser quando indicado; todos os recordes são exclusivos do TikTok a não ser quando marcados com **

MUNDO MODERNO

VÍDEO MAIS VISTO
Postado em 9/12/2019, "Zach Kings Magic Broomstick" foi visto 2,2 bilhões de vezes até 15/3/2022. No vídeo, Zach King (EUA; @zachking) veste roupas de Hogwarts e parece voar em uma vassoura, antes de outra de suas ilusões ser revelada. A estrela de mídia social amante de mágica — antes o homem mais seguido do TikTok — alcançou a fama pela 1ª vez no Vine.

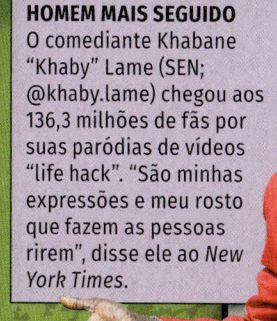

HOMEM MAIS SEGUIDO
O comediante Khabane "Khaby" Lame (SEN; @khaby.lame) chegou aos 136,3 milhões de fãs por suas paródias de vídeos "life hack". "São minhas expressões e meu rosto que fazem as pessoas rirem", disse ele ao *New York Times*.

COLABORADOR MAIS BEM PAGO
Josh Richards (EUA; @joshrichards) ganhou cerca de US$ 5 mi em 2021, segundo a Forbes de 7/1/2022. Isso coloca o multitalentoso TikToker em 4º lugar geral na lista dos mais bem pagos da plataforma do ano.

ATRIZ MAIS SEGUIDA
A dançarina e artista JoJo Siwa (n. Joelle Joanie Siwa; @itsjojosiwa) tem 41,1 milhões de fãs. Além de dublar Jay e Kira em *The Angry Birds Movie 2* (FIN/EUA, 2019), ela estrelou muitos dramas de TV e também é jurada no reality show *So You Think You Can Dance*.

- 5 — Will Smith: 71,3 milhões (ator mais seguido)
- 4 — Addison Rae: 87,3 milhões
- 3 — Bella Poarch: 89 milhões
- 2 — Khabane Lame: 136,3 milhões
- 1 — Charli D'Amelio: 139,3 milhões

APRENDA NO TIKTOK COM O GWR
O TikTok não é só uma vitrine para alguns dos mais incríveis recordistas do GWR (ver à dir.) — também é um trampolim para algumas estrelas locais do GWR, que apresentaram uma série chamada "Learn on TikTok" em 2021. Entre eles estão (da esq. para dir.): os cientistas loucos Orbax & Pepper, o editor chefe Craig Glenday e o fanático por esportes Will Munford.

O próprio Guinness World Records tem um público fiel de 19,5 milhões de fãs. O TikTok é o formato perfeito para mostrar recordistas incríveis. Abaixo estão nossos top 10 posts do TikTok mais assistidos em 2021 — um pequeno retrato do talento diversificado do GWR!

Recorde (*já batido)	Visualizações (mi)	Recordista
Maior boca (masculino)	95,2	Isaac Johnson (EUA)
Mais cocos quebrados com 1 mão em 1min* (1)	50	Abheesh P Dominic (IND)
Mulher mais baixa	38	Jyoti Amge (IND)
Menor tempo para fazer 15 bolas de sinuca pularem (2)	33,4	Florian "Venom" Kohler (FRA)
Unhas mais compridas em par de mãos (feminino)*	30	Ayanna Williams (EUA)
Mais BigMacs comidos na vida	27,8	Donald Gorske (EUA)
Maior nariz de pessoa viva	23	Mehmet Özyürek (TUR)
Maior tempo para cuspir água	22,6	Kirubel Yilma (ETH)
Maior boca (feminino) (3)	17,6	Samantha Ramsdell (EUA)
Moicano mais alto	15	Joe Grisamore (EUA)

RETRATO
Maior produtor de carne

Os EUA produziram 12,35 milhões de toneladas de carne bovina em 2020, de acordo com a edição de 2021 do *Food Outlook*, o relatório da Organização das Nações Unidas para a Alimentação e Agricultura. São 2,5 milhões de toneladas a mais do que seu maior concorrente, o Brasil. Mas como seria toda essa carne se fosse servida de uma vez só?

MUNDO MODERNO

O presidente dos EUA conseguiria ver o hambúrguer colossal (e sentir seu cheiro!) da Casa Branca.

Casa Branca

Pode ser difícil visualizar milhões de toneladas de carne, então retratamos aqui como seria um cheeseburguer duplo tamanho XXXXXG.
Para escala, servimos esse festival gastronômico de vários andares no centro do National Mall dos EUA, com o Monumento a Washington de espeto. O diâmetro dos hambúrgueres seria de cerca de 420m.

Mesmo se ignorarmos as poças de gordura no National Mall, esse hambúrguer teria alto custo ambiental. A produção global de carne é responsável por cerca de 2,83 bi de toneladas de gases de efeito estufa todo ano, ou 6% das emissões do planeta. Embora seja mais eficiente que a média global, a produção americana de carne ainda cria estimadas 243 milhões de toneladas de CO_2 por ano — mais ou menos as pegadas de carbono da Bélgica e dos Países Baixos juntas!

Por maior que o hambúrguer seja, os EUA têm um apetite correspondente. A nação é a **maior consumidora de carne**, comendo 12,39 milhões de toneladas por ano, ou uma média de 37,6kg por pessoa — ou 415 Big Macs em carne. Isso não fica muito longe da dieta de dois por dia, 730 por ano, de Donald Gorske, o homem que comeu ○ **mais Big Macs na vida** (ver p.209).

MUNDO MODERNO
Variedades

Cidade mais segura
A capital da Dinamarca, Copenhagen, alcançou a nota 82,4 no Índice de Cidades Seguras da *The Economist* de 2021. Toronto, Canadá, ficou em 2ª, com 82,2. O relatório avalia 60 cidades do mundo. A nota máxima é 100, e é baseada na performance em 76 categorias, inclusive segurança pessoal e digital, infraestrutura e — a partir de 2021 — segurança ambiental.

Maior temperatura registrada na Antártica
Em 6/2/2020, uma temperatura de 18,3°C foi registrada na estação de pesquisa argentina Esperanza, na beira da península Antártica, e depois ratificada pela Organização Meteorológica Mundial.
A **maior temperatura no círculo Ártico** foi de 38°C, registrada 4 meses depois em 20/6 em Verkhoyansk (67.55°N, 133.38°E) na região da República Sakha (ou Yakutia), na Rússia.

Maior rolex ugandense
Feito de um ovo frito e salada de legumes embrulhados em um pão chapati, o "rolex" é um dos lanches mais famosos de Uganda. Raymon Kahuma (UGA) fez uma versão de 204,6kg — cerca de 700 vezes mais pesada que o normal — na vila de Kasokoso, distrito Wakiso, em 4/11/2021. "É surreal conseguir um título do GWR", disse. "Surreal nem é a palavra: é louco!"

Maior meguilá
Avner Moriah (ISR) criou um meguilá de 28,03m — um pergaminho referindo-se à narrativa bíblica do Livro de Ester — verificado em har Adar, Israel, 8/12/2020. Após 15 anos de dedicação, o meguilá tem 29 folhas de pergaminho com massa de couro pintadas com aquarela e guache, além de detalhes em ouro, prata e cobre.

Maior obra de arte urbana feita de giz
Em 24/7/2021, Giovanni Bassil (LBN) usou giz para recriar uma versão de 200m² da bandeira do país em Beirute, Líbano. Do tamanho de uma tela de cinema, sua obra era ainda mais impressionante pela alta temperatura, que esquentava o asfalto e fazia o giz se quebrar.

Maior número de participações em uma campanha
Graças ao projeto "Economize comida", um total de 880.749 pessoas se comprometeram a reduzir o desperdício de comida, como verificado em 26/1/2022. O projeto foi iniciado pelo Ministério de Agricultura e Meio Ambiente da Turquia, em conjunto com a Organização de Alimentos e Agricultura da ONU. Em 21/3, o mesmo ministério também criou o **maior álbum virtual de pessoas plantando árvores**, com 383.783 fotos.

HAMBÚRGUER MAIS CARO
"The Golden Boy", acrescentado ao menu do restaurante De Dalton, em Voorthuizen, Holanda, em abr/2022, custa impressionantes US$5.557. A delícia epicurista foi criada pelo chef Robbert Jan De Veen usando carne Wagyu, caranguejo-rei, jámon ibérico Joselito Bellota em fatias finas, cheddar da Wyke Farms e anéis de cebola com massa de champanhe Dom Pérignon. Acompanha caviar de beluga, trufas brancas, maionese de ovos de pato defumados, molho barbecue saborizado com café Kopi Luwak e uísque single malt Macallan, e tomate-tigre em conserva com matchá japonês. Os pães têm infusão de Dom Pérignon e são folheados a ouro. É preciso duas semanas de antecedência para pedir um.

CARREIRA MAIS LONGA NA FORÇA AÉREA
Robert Taylor (RU) serviu na RAF de 10/1/1969 até a aposentadoria em 11/2/2020 — um total de 51 anos e 32 dias. Especialista em radares, diz que escolheu permanecer na Aeronáutica por tanto tempo "por respeito e verdadeiro compromisso com a RAF".

MAIOR VOLTAGEM EM UMA BATERIA DE FRUTA
Saiful Islam e a Sociedade Real de Química (ambos RU) geraram 2.307,8V em uma bateria feita com 2.923 limões em Manchester, RU, em 15/10/2021, que gerou 0,84 miliamperes e 1,94W de força. Com a conferência COP26 a poucos dias de distância, o evento foi montado para mostrar a importância de estratégias inovadoras para levar o mundo a uma pegada zero de carbono.

CASAMENTO MAIS LONGO DE UM CASAL VIVO
O GWR sentiu ao saber sobre a morte de Eugene Gladu em 3/1/2022. Ele e Dolores (antes Nault; ambos EUA) passaram 81 anos e 223 dias casados. O casamento aconteceu em Woonsocket, Rhode Island, EUA, em 25/5/1940 (ao lado). Mandamos nossos sentimentos à família e aguardamos novas inscrições para a categoria.

CARTA DE *POKÉMON* MAIS CARA
Uma carta ultrarrara PSA Pikachu Illustrator nota 10 foi comprada pelo YouTuber Logan Paul (EUA) por US$ 5.275.000 em 22/7/2021. Paul recebeu seu certificado GWR em 2/4/2022, depois de fazer sua estreia na WrestleMania 38. Ele entrou no ringue usando sua valiosa carta pendurada no pescoço.

MUNDO MODERNO

PRIMEIRO VÍDEO NO YOUTUBE COM 10 BILHÕES DE VISUALIZAÇÕES
Em 13/1/2022, "Baby Shark Dance" de PINKFONG (KOR) alcançou 10 bilhões de visualizações no YouTube. O vídeo de karaokê infantil foi postado em 2016, superando "Despacito", de Luis Fonsi, em 2020 como o **vídeo musical mais visualizado** e o **vídeo mais visualizado** de todos.

Vídeo musical mais visto no YouTube em 24h por artista solo
A cantora/rapper Lisa, ou Pranpriya Manobel (THA), do BLACKPINK, lançou seu 1º single solo, "LALISA", em 10/9/2021, e o clipe foi assistido 73,6 milhões de vezes durante as primeiras 24h no ar. Isso superou as 55,4 milhões de visualizações de "thank u, next" de Ariana Grande, de 30/11/2018.

Menor tempo para chegar a 1 milhão de curtidas no Instagram
O post de Juliette Freire (BRA) anunciando que ela ganhara o *Big Brother Brasil* gerou 1 milhão de curtidas em apenas 3min em 4/5/2021. Isso foi duas vezes mais rápido que o recorde da cantora Billie Eilish (EUA), estabelecido no dia anterior.

A **imagem mais curtida** do Instagram é uma foto de um ovo postada pela Egg Gang na conta "world_record_egg". Em 1/2/2022, tinha 55.746.040 curtidas.

Convenção de hackers mais duradoura
A DEF CON aconteceu pela 1ª vez em Las Vegas, Nevada, EUA, em 1993, e acontece anualmente há 28 anos. Em 2020, tomou a forma de um evento virtual chamado DEF CON SAFE MODE. Atrai várias pessoas envolvidas com segurança cibernética, incluindo hackers, advogados e criptografistas; policiais à paisana, militares e agentes de segurança nacional também participam.

A DEF CON 27 (entre 8-11/8/2019) atraiu mais de 30.000 participantes, tornando-a **maior convenção de hackers**.

Maior competição de programação
CodeVita atraiu 136.054 pessoas em 10/4/2021. Foi organizada pela Tata Consultancy Services de Mumbai, Índia. Com foco em estudantes, a CodeVita enfatiza a importância da programação em um mundo cada vez mais tecnológico, promovendo a programação como esporte.

MENOR TEMPO PARA CHEGAR A 1 MILHÃO DE SEGUIDORES NO INSTAGRAM
Kim "V" Tae-hyung (KOR) só levou 43min para conseguir 1 milhão de fãs no Instagram em 6/12/2021. Seus colegas do BTS lançaram seus próprios perfis ao mesmo tempo.

MAIS CANAIS DO YOUTUBE COM MAIS DE 100.000 INSCRITOS PELA MESMA PESSOA
Em 31/7/2021, Jack Massey Welsh, do RU, possuía 10 canais do YouTube, cada um com mais de 100.000 inscritos. Ele ficou famoso com o canal JackSucksAtLife, no qual se filma jogando *Minecraft* enquanto faz comentários engraçados.

> Leah gosta mesmo de nuggets. Em 2020, também bateu o recorde de 3min com 775,1g.

▶ MAIS NUGGETS COMIDOS EM 1MIN
Leah Shutkever (RU) devorou 352g dos lanches de frango crocante em Milão, Itália, em 10/2/2022. Descubra mais títulos do GWR dessa lenda do speed-eating na p.82.

MAIOR NÚMERO DE DELEGADOS REGISTRADOS EM CONFERÊNCIA DO CLIMA
No total, 39.509 delegados se inscreveram para participar da 26ª Conferência das Nações Unidas sobre as Mudanças Climáticas da ONU (ou COP26). Ela aconteceu no RU, em parceria com a Itália, no SEC Centre, em Glasgow, de 31/10 a 13/11/2021. Participantes incluíam representantes nativos da Amazônia (acima), enquanto ativistas do clima, como Ocen Rebellion (à dir.) e Greta Thunberg (ver p.200), protestavam do lado de fora.

215

PARALÍMPICO
Ellie Simmonds

BREVE BIOGRAFIA

Nome: Eleanor May Simmonds, OBE

Local de nascimento: Walsall, West Midlands, GBA

Recordes mundiais atuais:
- PO 800m: 11:03.41
- PS 200m: 2:44.21
- PS 400m: 5:27.58 (34 pontos): 4:26.20
- PS 200m individual medley (SM6): 3:05.13
- PS 4 x 100m medley: 4:56.23

(Só estilo livre a não ser quando indicado; PO = piscina olímpica, PS = piscina semiolímpica)

A nadadora paralímpica Ellie Simmonds pendurou sua touca em 2021, encerrando uma carreira com muitos recordes mundiais e 19 medalhas de ouro em Jogos Paralímpicos e Campeonatos Mundiais, tornando-se um ícone do esporte para pessoas com deficiência.

Ellie começou a nadar aos 5 anos e entrou no programa britânico para talentos da natação aos 10, após ser descoberta num evento. Nascida com acondroplasia — um tipo de nanismo —, competiu nas categorias S6 e SM6 feminino e despontou na cena internacional com apenas 13 anos, ao ganhar 2 medalhas de ouro nos Jogos Paralímpicos de Pequim, em 2008. Foi votada BBC Young Sports Personality of the Year e ficou famosa no Reino Unido.

Como inglesa favorita nos Jogos Paralímpicos de Londres em 2012, a pressão estava toda em cima de Ellie. Mas ela deu conta do recado com estilo, batendo o recorde mundial nos 400m S6 em 5s e ganhando uma segunda medalha de ouro, no medley individual de 200m SM6, também quebrando o recorde. Após ganhar outro ouro paralímpico no Rio em 2016, Ellie competiu pela última vez nos Jogos Paralímpicos adiados de Tóquio em 2021 — ao lado da nova geração de atletas paralímpicos que ela mesma inspirou com tanto ardor.

Ellie é patrona da Dwarf Sports Association UK. "Nós reconhecemos eficiência, e não deficiência."

HALL OF FAME

Ellie com um de seus certificados GWR. "Se quiser algo de verdade, apenas você pode impedir a si mesmo de conseguir."

1. Ellie foi nomeada na New Year Honours de 2013 e visitou o Palácio de Buckingham em Londres para receber um OBE (Oficial da Ordem do Império Britânico) pelos serviços prestados ao esporte paralímpico. Quatro anos antes, aos 14 anos, ela havia se tornado a **pessoa mais jovem a receber um MBE** (Membro da Ordem do Império Britânico).

2. Em Pequim 2008, aos 13 anos, recebeu as primeiras medalhas de ouro paralímpicas nos 100m livres S6 e também nos 400m livres S6.

3. Com a torcida da casa em Londres 2012, Ellie conquistou dois ouros, uma prata e um bronze, estabelecendo recordes mundiais nos 400m livres S6 e nos 200m de medley individual SM6.

4. Ellie se tornou um rosto conhecido na mídia britânica, aparecendo em programas de audiência, como o *Jonathan Ross Show* em fev/2021.

5. No Campeonato Mundial de Natação Paralímpica de 2019, recebeu uma medalha ao lado da compatriota Maisie Summers-Newton — apenas uma entre os vários nadadores que reconhecem Ellie como ídolo e inspiração.

6. Ellie também trabalhou com a instituição World Against Single Use Plastic (WASUP) para limpar Walsall, sua cidade natal — parte de um incentivo ao voluntariado antes dos Jogos da Commonwealth de 2022, que foram realizados em Birmingham, uma cidade próxima.

Saiba mais sobre Ellie na seção do Hall da Fama em www.guinnessworldrecords.com/2023

PRIMEIRA QUALIFICADA A GANHAR UM GRAND SLAM SIMPLES (ERA OPEN)
No US Open de 2021, Emma Raducanu (RU, n. CAN), contra todas as possibilidades, atingiu um triunfo que ficou conhecido como "conto de fadas de Nova York". Apenas em seu 4º evento da WTA e 150ª colocada no mundo, Raducanu venceu 3 qualificatórias e 7 partidas para conquistar o título — sem perder nenhum set. Aos 18 anos, ela ganhou de Leylah Fernandez (CAN, ao lado na esquerda) 6x4, 6x3 no **primeiro jogo simples do Grand Slam da Era Open jogado pelos não top 16 do mundo**. A idade combinada das duas era de apenas 37 anos e 307 dias.

MISSÕES

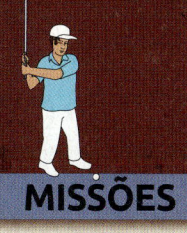

Esportes

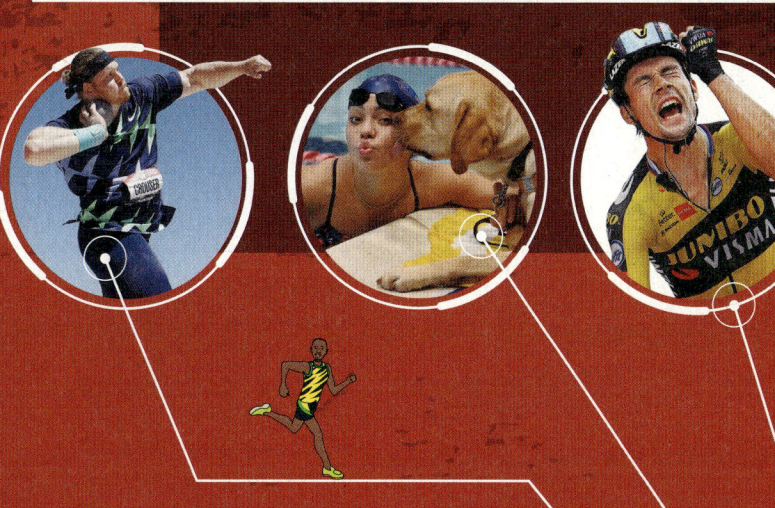

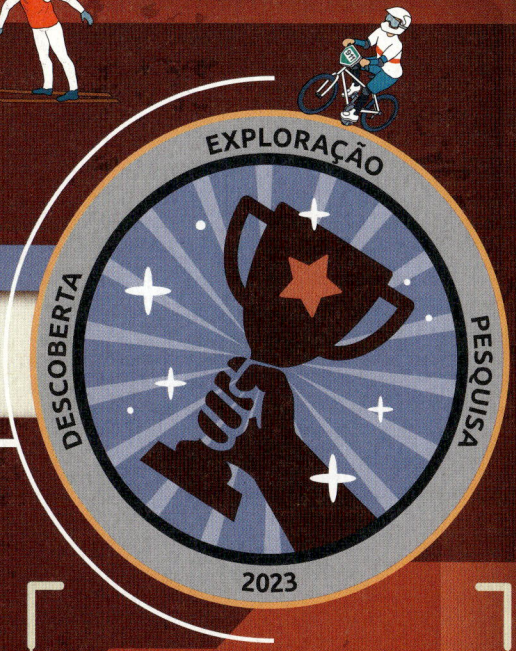

EXPLORAÇÃO • PESQUISA • DESCOBERTA
2023

O triunfo de Raducanu no US Open 2021 rendeu a ela um prêmio de US$2,5 mi.

Jogos de Inverno	220
Futebol	222
Super Bowl	224
World Series	225
Esportes dos EUA	226
Críquete	228
Tênis	229
Atletismo	230
Esportes paralímpicos	232
Golfe	234
Esportes com bola	235
Ciclismo	236
Esportes de resistência	237
Corrida	238
Esportes de combate	240
Esportes radicais	241
Natação	242
Esportes aquáticos	243
Variedades	244

ESPORTES
Jogos de Inverno

MAIOR PONTUAÇÃO EM PROGRAMA CURTO DE PATINAÇÃO (MASCULINO)
Nathan Chen (EUA) levou 113,97 pontos pelo programa curto em 8/2 no Capital Indoor Stadium em Pequim. Apresentou-se ao som de "La Bohème", acertando um quad flip. Levou o ouro no individual masculino com uma pontuação geral de 332,60 — 22 à frente do 2º lugar.

MAIS OUROS EM OLIMPÍADAS DE INVERNO (PAÍS)
A Noruega conquistou 16 ouros em Pequim 2022 — 2 a mais do que o recorde anterior para uma única edição dos Jogos de Inverno. O país liderou o pódio em 6 esportes, com o medalhista Johannes Thingnes Bø (ao lado) vencendo 4 provas sozinho no biatlo.

MAIS MEDALHAS DE PATINAÇÃO DE VELOCIDADE EM PISTA CURTA
Arianna Fontana (ITA) levou 1 ouro e 2 pratas em Pequim, com um total de 11 medalhas. Fontana — apelidada de Anjo Loiro — ganhou sua 1ª medalha em Turim 2006 aos 15 anos. Nos 16 anos seguintes, acumulou 2 ouros, 4 pratas e 5 bronzes, levando medalhas em todas as distâncias em disputa.

Os Jogos Olímpicos e Paralímpicos de Inverno de 2022 aconteceram em Pequim, China, entre 4-20/2 e 4-13/3, respectivamente. Selecionamos algumas das melhores performances recordistas na neve e no gelo.

Mais participações em Olimpíadas de Inverno
A patinadora de velocidade Claudia Pechstein (DEU, n. 22/2/1972) participou de seus 8ºˢ Jogos de Inverno em Pequim, igualando o recorde do saltador de esqui Noriaki Kasai (JPN) entre 1992-2018. Pechstein entrou na final feminina com 49 anos e 362 dias em 19/2 — tornando-a **a competidora olímpica de inverno mais velha (feminino)**. Cheryl Bernard era reserva da equipe canadense de curling em 2018, aos 51 anos, mas não competiu.

O **competidor olímpico de inverno mais velho (masculino)** é Carl August Kronlund (SWE, n. 25/8/1865), que participou da 1ª partida de curling masculino com 58 anos e 156 dias em 28/1/1924 em Chamonix, França.

Maior pontuação total na patinação no gelo artística
Gabriella Papadakis e Guillaume Cizeron (ambos FRA) levaram o ouro em Pequim com pontuação total de 226,98. Os medalhistas de prata de 2018 abriram com a **maior pontuação de dança rítmica no gelo** — 90,83 — em 12/2 e marcaram 136,15 na dança livre 2 dias depois. Veja Parem as máquinas (p.246-47) para mais.

Na competição de duplas de 18-19/2, Sui Wenjing e Han Cong (ambos CHN) registraram a **maior pontuação total na patinação artística em duplas**: 239,88, com a **maior pontuação no programa curto de dupla**: 84,41.

Patinação de velocidade de 10.000m mais rápida (masculino)
Nils van der Poel (SWE) ganhou o ouro em 12min30,74s em 11/2/2022 — o único recorde atual de patinação de velocidade não estabelecido em altitude. Também é o recordista de **5.000m**, com tempo de 6min1,56s em Salt Lake City, Utah, EUA, em 3/12/2021.

MAIS MEDALHAS DE OURO INDIVIDUAIS EM JOGOS OLÍMPICOS DIFERENTES
Em 7/2/2022, a patinadora de velocidade Ireen Wüst (NLD) venceu os 1.500m fem. na sua 5ª Olimpíada consecutiva com título individual. Seu total de medalhas foi de 13 em Pequim (6 ouros, 5 pratas e 2 bronzes) — **o maior nº de medalhas olímpicas no esporte**.

Vencedores de Jogos Olímpicos de Inverno

	Recorde	Nome	Esporte	Data
Primeiro medalhista de ouro		Charles Jewtraw (EUA)	Patinação de velocidade	26/1/1924
Primeira medalhista de ouro (fem)		Herma Szabo-Plank (AUT)	Patinação artística	29/1/1924
Mais medalhas ganhas	15	Marit Bjørgen (NOR)	Esqui cross-country	2002–18
Mais medalhas ganhas (masc)	13	Ole Einar Bjørndalen (NOR)	Biatlo	1998–2014
Mais ouros em 1 edição dos Jogos	5	Eric Heiden (EUA)	Patinação de velocidade	1980
Mais ouros em 1 edição dos Jogos (fem)	4	Lidiya Skoblikova (URSS)	Patinação de velocidade	1964
Medalhista individual mais jovem	14a 363d	Scott Allen (EUA, n. 8/2/1949)	Patinação artística	6/2/1964
Medalhista individual mais jovem (fem)	15a 69d	Andrea Mitscherlich (GDR, n. 1/12/1960)	Patinação de velocidade	8/2/1976
Medalhista de ouro mais jovem	13a 85d	Kim Yun-mi (KOR, n. 1/12/1980)	Patinação de velocidade em pista curta	24/2/1994
Medalhista de ouro mais jovem (masc)	16a 259d	Billy Fiske (EUA, n. 4/6/1911)	Bobsled	18/2/1928
		Toni Nieminen (FIN, n. 31/5/1975)	Salto de esqui	14/2/1992
Medalhista de ouro mais velho	54a 102d	Robin Welsh (UK, n. 20/10/1869)	Curling	30/1/1924
Medalhista de ouro mais velho (fem)	43a 106d	Anette Norberg (SWE, n. 12/11/1966)	Curling	26/2/2010

ESPORTES

MAIS MEDALHAS OLÍMPICAS NO LUGE
Natalie Geisenberger (DEU) conquistou 7 medalhas olímpicas no luge entre 2010 e 2022. Liderou o pódio no individual feminino e no revezamento por equipes em 3 Olimpíadas consecutivas — Sochi 2014, Pyeongchang 2018 e Pequim 2022 — e conquistou 1 bronze no individual em Vancouver 2010. Geisenberger também é 9 vezes campeã mundial.

MAIS MEDALHAS DE OURO DE ESQUI ALPINO EM UMA OLIMPÍADA DE INVERNO (PAÍS)
A Suíça dominou a competição de esqui alpino em Pequim, vencendo 5 das 11 provas: downhill (Beat Feuz, foto) e giant slalom (Marco Odermatt) masculinos, e downhill (Corinne Suter), Super-G (Lara Gut-Behrami) e combinados (Michelle Gisin) femininos.

Mais rápida patinação de velocidade em pista curta de 1.000m (feminino)
Suzanne Schulting (NLD) venceu as 4as de final dos 1.000m feminino em 1min26,514s em 11/2, batendo um recorde de quase uma década e levando o ouro.

Em 23/10/2021, Schulting juntou-se a Selma Poutsma, Yara van Kerkhof e Xandra Velzeboer (todas NLD) para vencer o **revezamento de 3.000m feminino mais rápido** — 4min2,809s —, também em Pequim.

MAIS DAS OLIMPÍADAS DE INVERNO...
Medalhas de curling
Oskar Eriksson (SWE) ganhou 4 medalhas em 3 Jogos entre 2014 e 2022. Foi membro da equipe vitoriosa do curling masculino da Suécia em Pequim e também ganhou o bronze nas duplas mistas ao lado de Almida de Val.

Medalhas de ouro no luge (masculino)
Tobias Arlt e Tobias Wendl (ambos DEU) triunfaram nas duplas e no revezamento por equipes em 3 Olimpíadas consecutivas — Sochi 2014, Pyeongchang 2018 e Pequim 2022 —, totalizando 6 ouros. "Os Tobys" eram parte de uma equipe de luge alemã que venceu todas as provas em Pequim, ao lado de Johannes Ludwig e da recordista **feminina** e **geral de medalhas no luge** Natalie Geisenberger (acima).

Ouros no hóquei no gelo feminino (país)
O Canadá garantiu seu 5º título de hóquei no gelo feminino desde 2002 em Pequim, derrotando os EUA 3x2 na final em 17/2. Elas dominaram o torneio, marcando 57 gols em 7 partidas até o ouro. A equipe era liderada por Sarah Nurse, que registrou o **maior nº de pontos em um torneio olímpico de hóquei no gelo feminino** — 18. Nurse participou de um recorde olímpico de 13 assistências e 5 gols, fazendo 1 na final.

MAIS DOS JOGOS PARALÍMPICOS DE INVERNO...
Medalhas de ouro do biatlo
Vitaliy Lukyanenko (UKR) ganhou 8 ouros paralímpicos no biatlo entre 2006 e 2022. Ele levou as provas masculinas de 6km e 10km para deficientes visuais em Pequim — parte de uma equipe vencedora de biatlo ucraniano que conquistou 22 medalhas em 18 provas. Participou de 6 Jogos, conquistando um total de 11 medalhas no biatlo e mais 4 no esqui cross-country.

Medalhas de ouro no snowboard
Brenna Huckaby (EUA) conquistou seu 3º título paralímpico no dia 11/3, no banked slalom. Também ganhou mais 1 bronze no snowboard cross. Huckaby igualou o nº de ouros do pioneiro do snowboard Bibian Mentel-Spee (NLD), morto em 2021.

Medalhas de curling em cadeira de rodas
Ina Forrest (CAN) conquistou sua 4ª medalha paralímpica — 1 bronze — quando o Canadá venceu a partida pelo 3º lugar contra a Eslováquia em 11/3. As equipes de curling em cadeira de rodas são mistas: 2 dos companheiros de equipe de Forrest em Pequim, Dennis Thiessen e Skip Mark Ideson, conquistaram o recorde **masculino** com suas 3as medalhas.

MAIS OUROS PARALÍMPICOS DE INVERNO (MASC.)
Brian McKeever (CAN) ganhou 3 títulos de esqui cross-country nos Jogos Paralímpicos de Inverno de 2022, com total de 16, igualando o esquiador alpino Gerd Schoenfelder (DEU) entre 1992-2010. Competiu em 6 Jogos ao longo de 20 anos como deficiente visual.

O recorde **fem.** é de 22, por Ragnhild Myklebust (NOR) em esqui cross-country, corrida de velocidade de trenó no gelo e biatlo entre 1988-2002.

MAIS JOVEM MEDALHISTA DE OURO OLÍMPICA DE ESQUI LIVRE
Eileen Gu (CHN, n. EUA, 3/9/2003) entrou para a história quando venceu a principal competição de Big Air aos 18 anos e 158 dias em Pequim em 8/2/2022. A favorita conquistou a vitória com a corrida final, conseguindo um *double cork 1620 safety grab* — um truque que nunca havia tentado —, e venceu a francesa Tess Ledeux por 0,75 pontos. Gu ganhou outro ouro no halfpipe (acima) e 1 prata no slopestyle.

ESPORTES
Futebol

MAIS GOLS FEITOS PARA 1 TIME DA EPL
Sergio Agüero (ARG) fez 184 gols na English Premier League (EPL) pelo Manchester City entre 15/8/2011-23/5/2021. Marcou 2 contra o Everton em seu último jogo na liga para superar os 183 de Wayne Rooney pelo Manchester United. O total de Agüero inclui o **maior nº de hat-tricks da EPL**: 12.

Mais títulos Bundesliga consecutivos
O Bayern de Munique selou seu 10º título consecutivo da 1ª divisão alemã com uma vitória de 3x1 sobre o Borussia Dortmund em 23/4/2022. Esta é a mais longa sequência de títulos de qualquer clube nas ligas "Top 5" da Europa — Espanha, Alemanha, Itália, Inglaterra e França. No último triunfo do time, o atacante Thomas Müller se tornou campeão da liga pela 11ª vez — o **maior nº de títulos da Bundesliga de um jogador**.

O Bayern também detém o recorde geral de **mais títulos da liga alemã**: 32, com 31 na era da Bundesliga (1963-) e 1 anterior em 1931/32.

Mais títulos da liga francesa
O Paris Saint-Germain conquistou sua 10ª coroa da Ligue 1 em 23/4/2022, igualando o feito do AS Saint-Étienne entre 1956/57-1980/81. O Olympique de Marseille venceu 9 vezes, com 1 temporada adicional no topo da tabela em 1928/29 durante a era amadora.

Marco Verratti (ITA), do PSG, teve mais motivos para comemorar, pois ergueu o troféu Hexagoal pela 8ª vez: o **maior nº de títulos da Ligue 1 de um jogador**.

Mais jogos consecutivos em La Liga
Iñaki Williams (ESP) participou de 224 partidas consecutivas da 1ª divisão espanhola em 6 anos, entre 20/4/2016-17/4/2022. Williams, atacante do Athletic Bilbao, superou a marca de Juan Antonio Larrañaga de 202 jogos consecutivos em 1/10/2021.

Mais jogos sem perder fora de casa na EPL
Em 19/9/2021, o Manchester United (RU) derrotou o West Ham United por 2x1 no London Stadium para registrar seu 29º jogo consecutivo fora de casa sem perder. Os Red Devils venceram 19 e empataram 10 de 17/2/2020-16/10/2021, quando perderam de 4x2 para o Leicester City.

MAIS GOLS MARCADOS EM CAMPEONATO BUNDESLIGA
Robert Lewandowski (POL), do Bayern de Munique, marcou 41 gols na 1ª divisão alemã durante a temporada 2020/21. Marcou no último minuto da última partida do time, contra o Augsburg, para superar Gerd Müller, que marcou 40 gols pelo Bayern em 1971/72.

Mais gerações de 1 família a marcar para o mesmo time da Serie A
Daniel Maldini (ITA) estreou no AC Milan em 25/9/2021, marcando fora de casa contra o Spezia. O pai de Daniel, o zagueiro Paolo, marcou seu último gol na Serie A em 30/3/2008; seu avô, Cesare, fez pela última vez pelo Milan em 3/9/1961.

Mais temporadas consecutivas da UEFA Champions League com gol
Em 28/9/2021, Karim Benzema (FRA) e Lionel Messi (ARG) marcaram para registrar sua 17ª campanha consecutiva na Champions League com um gol. Messi (ver ao lado) marcou seu 1º pelo Paris Saint-Germain contra o Manchester City, enquanto Benzema pontuou durante a derrota do Real por 2x1 para o Sheriff Tiraspol.

Mais campeonatos internacionais masculinos
Em set/2021, a FIFA mudou seu "Century Club" para jogos internacionais masculinos. No topo estava Soh Chin Ann, reconhecido por 195 de seus 219 jogos pela Malásia entre 19/11/1969-18/10/1984 (menos 24 jogos nas Olimpíadas). Soh, zagueiro, fez sua estreia internacional aos 19 anos e jogou por seu país por quase 15, ajudando-o a se classificar para os torneios olímpicos de futebol de 1972 e 1980.

Outro jogador malaio cujos feitos foram reconhecidos retrospectivamente foi Mokhtar Dahari, o 3º maior artilheiro da seleção masculina, com 89 gols. Dahari (n. 13/11/1953) também se tornou o **jogador mais jovem a marcar 50 gols internacionais**, atingindo a marca aos 22 anos e 273 dias contra a Índia em 12/8/1976.

A Itália marcou 93 gols durante 37 jogos sem perder, e sofreu apenas 12 — uma diferença de +81gols.

MAIS JOGOS SEM PERDER EM PARTIDAS INTERNACIONAIS MASCULINAS
A Itália ficou sem perder por 37 jogos entre 10/10/2018-8/9/2021, com 30 vitórias e 7 empates sob o comando do técnico Roberto Mancini. Isso incluiu a vitória sobre a Inglaterra na final do UEFA EURO 2020 em 11/7/2021 (foto). Essa sequência chegou ao fim com a Espanha, que venceu a Itália por 2x1 na UEFA Nations League.

ESPORTES

MAIS JOGOS OLÍMPICOS DE FUTEBOL FEMININO
Formiga (n. Miraildes Maciel Mota, BRA) disputou 33 partidas olímpicas entre 1996-2021. Tóquio foi o 7º torneio olímpico da meio-campista — presente em todas as edições de futebol feminino realizadas até hoje.

MAIS VITÓRIAS NO AFC WOMEN'S ASIAN CUP
A China bateu recorde com a conquista da 9ª Asian Cup com a vitória por 3x2 sobre a Coreia do Sul em 6/2/2022, em Navi Mumbai, Índia, anulando uma desvantagem de 2x0 por um gol de Xiao Yuyi nos acréscimos. Realizada pela 1ª vez em 1975, a AFC Women's Asian Cup já foi vencida por 7 países diferentes.

Mais jogos na UEFA Women's Champions League
Em 24/4/2022, Wendie Renard (FRA) se tornou a 1ª jogadora a participar de 100 jogos na Women's Champions League. A zagueira do Olympique Lyon marcou de pênalti — seu 31º gol europeu —, na vitória da equipe sobre o PSG por 3x2 na 1ª partida das semifinais.

No mesmo dia, o **maior nº de gols na UEFA Women's Champions League** foi de 57 — pela colega de equipe de Renard, Ada Hegerberg (NOR).

Mais gols marcados no futebol fem. olímpico
Vivianne Miedema (NLD) marcou 10 gols em Tóquio, de 21-30/7/2021, no Japão. A craque holandesa fez 8 em 3 partidas do Grupo F e 2 nas quartas de final. O recorde **masculino** é 12, de Ferenc Bene (HUN), nas Olimpíadas de 1964 — também em Tóquio. Isso incluiu todos os 6 gols na derrota do Marrocos por 6x0 em 11/10.

Mais vitórias na Copa América
Em 10/7/2021, a Argentina venceu o Brasil por 1x0 no Maracanã, Rio de Janeiro, para conquistar seu 15º campeonato sul-americano, igualando a marca estabelecida pelo Uruguai de 1916-2011.

Mais vitórias na CAF Champions League
O time egípcio Al Ahly venceu seu 10º título da Champions League africana em 17/7/2021. Os 42 vezes campeões nacionais derrotaram o Kaizer Chiefs, da África do Sul, por 3x0 no Mohammed V, em Casablanca, Marrocos.

Mais títulos de Melhor Jogador do Mundo de futsal ganhados
Futsal é uma forma de futebol de salão jogado por equipes de 5, em que destaca-se a técnica e a habilidade. Ricardinho (PRT, n. Ricardo Filipe da Silva Braga) foi eleito o melhor jogador masc. pelo site Futsal Planet 6 vezes, em 2010 e 2014-18. Ele se aposentou em 2021 depois de levar o país à 1ª Copa do Mundo de Futsal, levantando o troféu em 3/10 em Kaunas, Lituânia.

O recorde **feminino** é 8, por Amandinha (BRA, n. Amanda Lyssa de Oliveira Crisóstomo), consecutivamente entre 2014-2021.

MAIOR PLATEIA EM JOGO FEMININO
Um total de 91.648 espectadores assistiram ao 1º jogo das semifinais da UEFA Women's Champions League entre FC Barcelona e VfL Wolfsburg no Camp Nou, Espanha, em 22/4/2022. As anfitriãs venceram por 5x1, batendo o próprio recorde de público da rodada anterior.

MAIS GOLS EM LA LIGA
Lionel Messi (ARG) deixou o FC Barcelona em 2021, com 474 gols na 1ª divisão espanhola em 520 jogos. Este total inclui o **maior nº de hat-tricks da La Liga** (36). Ao longo de 17 temporadas com os catalães, Messi ganhou o prêmio de artilheiro da liga 8 vezes, em 2010, 2012-13 e 2017-21 — o **maior nº de vitórias do Pichichi**. O mestre argentino levou o Barcelona a 10 títulos de La Liga durante sua passagem pelo clube.

JOGADOR MAIS JOVEM DO UEFA EUROPEAN CHAMPIONSHIPS
Kacper Kozłowski (n. 16/10/2003) tinha 17 anos e 246 dias quando jogou pela Polônia no empate de 1x1 contra a Espanha na UEFA EURO 2020 em 19/6/2021. O meio-campista bateu o recorde definido por Jude Bellingham só 6 dias antes, durante a vitória da Inglaterra por 1x0 sobre a Croácia. Veja abaixo mais registros da EURO relacionados à idade.

UEFA EUROs: Mais velhos e mais jovens

Recorde	Idade	Nome	Data
Jogador mais jovem (eliminatórias)	18 anos e 4 dias	Jude Bellingham (RU, n. 29/6/2003)	3/7/2021
Mais jovem goleador	18 anos e 141 dias	Johan Vonlanthen (CHE, n. 1/2/1986)	21/6/2004
Mais jovem goleador (final)	20 anos e 64 dias	Pietro Anastasi (ITA, n. 7/4/1948)	10/6/1968
Mais velho goleador (final)	34 anos e 71 dias	Leonardo Bonucci (ITA, n. 1/5/1987)	11/7/2021
Mais velho goleador	38 anos e 257 dias	Ivica Vastič (AUT, n. 29/9/1969)	12/6/2008
Mais velho jogador (não goleiro)	39 anos e 91 dias	Lothar Matthäus (DEU, n. 21/3/1961)	20/6/2000
Mais velho jogador	40 anos e 86 dias	Gábor Király (HUN, n. 1/4/1976)	26/6/2016

ESPORTES
Super Bowl

Todo ano, os campeões da Liga Nacional de Futebol Americano são decididos em uma disputa entre os vencedores da Conferência Nacional de Futebol Americano e a Conferência de Futebol Americano. O Super Bowl se tornou um dos eventos mais famosos do esporte, recheado de surpresas, drama e ação explosiva.

MAIS TOUCHDOWNS
Jerry Rice chegou à end zone 8 vezes em 4 Super Bowls: com o San Francisco 49ers em 1988, 1989 e 1994, e com o Oakland Raiders em 2002. O receiver têm uma quantidade enorme de recordes de ataque, inclusive a **maior quantidade de pontos** (48), **mais jardas recebidas** (589) e **maior número de recepções** (33).

TIME
Mais vitórias
Dois times já ganharam 6 Super Bowls cada: o Pittsburgh Steelers (1974-75, 1978-79, 2005 e 2008) e o New England Patriots (2001, 2003-04, 2014, 2016 e 2018). O Patriots também teve **o maior número de participações no Super Bowl** (11).

Maior placar
O San Francisco 49ers de 1989 venceu o Denver Broncos por 55x10 no Super Bowl XXIV. Jerry Rice (à esq.) bateu o recorde de **maior número de TDs recebidos em 1 jogo** — 3 —, feito que alcançaria de novo no Super Bowl XXIX. Lá, o San Francisco 49ers venceu o San Diego Chargers por 49x26, batendo o recorde de **maior placar somado**, com o QB Steve Young fazendo o **maior número de passes de TD em 1 jogo** — 6.

Mais interceptações em 1 jogo
O Tampa Bay Bucaneers de 2002 deu aula de defesa no Super Bowl XXXVII, fazendo 5 interceptações contra o Oakland Raiders. Três foram convertidas em touchdowns. O **maior número de sacks** é 7, pelo Pittsburgh Steelers de 1975, o Chicago Bears de 1985, o Denver Broncos de 2015 e o LA Rams de 2021.

INDIVIDUAL
Jogador mais jovem
Jamal Lewis (n. 26/8/1979) entrou em campo no Super Bowl XXXV com 21 anos e 155 dias em 28/1/2001. O novato correu para 102 jardas e fez um touchdown pelo Baltimore Ravens em uma vitória de lavada de 34x7 contra o New York Giants.

TÉCNICO VENCEDOR MAIS JOVEM
Sean McVay (n. 24/1/1986) ergueu o troféu Vince Lombardi com 36 anos e 20 dias depois da vitória do LA Rams sobre o Cincinnati Bengals por 23x20 no Super Bowl LVI em 13/2/2022. McVay já era o **técnico mais jovem**, acompanhando a derrota do Rams por 13x3 para o Patriots 3 anos antes, com 33 anos e 10 dias.

Mais participações como técnico principal
Bill Belichick liderou o New England Patriots em 9 Super Bowls entre as temporadas de 2001 e 2018. O time venceu 6, dando a Belichick o **maior número de vitórias de um técnico principal**. Ele também teve 2 triunfos como coordenador defensivo do New York Giants nos Super Bowls XXI e XXV.

Mais longo...
- **Field Goal:** 54 jardas, de Steve Christie (CAN) para o Buffalo Bills de 1993 no Super Bowl XXVIII.
- **Punt retornado:** 61 jardas, de Jordan Norwood no Super Bowl L para o Denver Broncos de 2015.
- **Punt:** 65 jardas, de Johnny Hekker para o LA Rams de 2018 no Super Bowl LIII.
- **Corrida para scrimmage:** 75 jardas, de Willie Parker no Super Bowl XL para o Pittsburgh Steelers de 2005.
- **Recepção de passe:** 85 jardas, pelo wide receiver Muhsin Muhammad para a Carolina Panthers de 2003 no Super Bowl XXXVIII.
- **Touchdown:** 108 jardas, em um retorno de chute de Jacoby Jones para o Baltimore Ravens de 2012 no Super Bowl XLVII.

MAIS VITÓRIAS
Tom Brady ganhou seu 7ª anel do Super Bowl em 7/2/2021 quando o Tampa Bay Bucaneers venceu o Kansas City Chiefs por 31x9. Os 6 títulos anteriores do quarterback vieram com o New England Patriots. A 7ª vitória chegou aos 43 anos e 188 dias, o que fez de Brady (n. 3/8/1977) o **jogador mais velho de um Super Bowl**, mais um recorde para sua lista. Veja a tabela abaixo para mais.

Brady no Super Bowl

Mais...	Total
Participações	10
Jardas lançadas	3.039
Jardas lançadas (1 jogo)	505
Passes completos	277
Passes completos (1 jogo)	43
Passes para touchdown	21
Prêmios de MVP	5

MAIS RUSHING TOUCHDOWNS
Emmitt Smith participou de 5 TDs durante 3 vitórias do Dallas Cowboys no Super Bowl de 1992, 1993 e 1995. O running back marcou 3 vezes em dois jogos do campeonato contra o Buffalo Bills e foi declarado o MVP depois do Super Bowl XXVIII, tendo corrido 132 jardas e anotado 2 TDs. Smith adicionou mais 2 touchdowns no Super Bowl XXX contra o Pittsburgh Steelers (acima).

Todos os jogadores EUA, a não ser quando indicado. Anos de equipe se referem ao início da temporada.

SPORTS
World Series

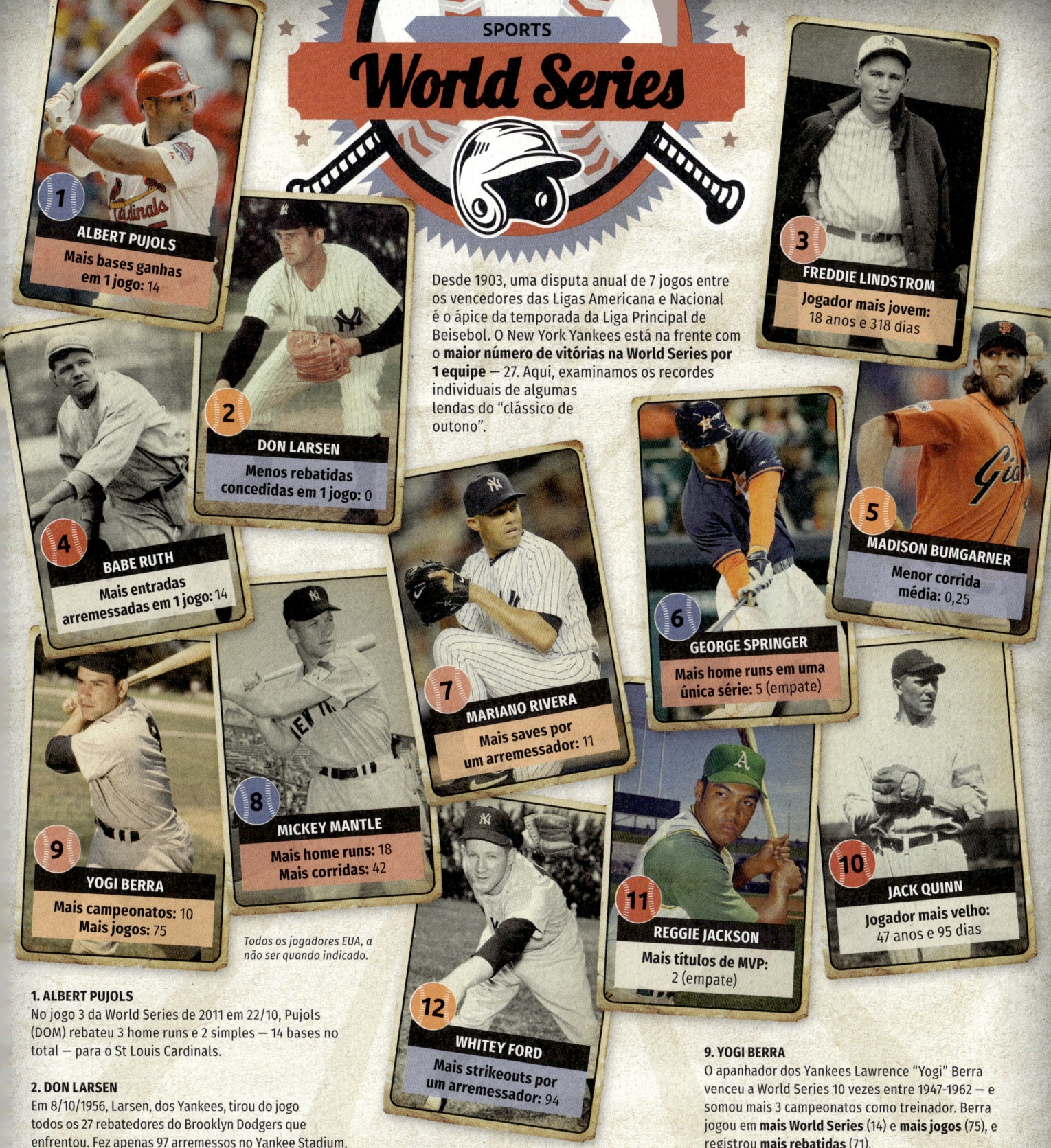

Desde 1903, uma disputa anual de 7 jogos entre os vencedores das Ligas Americana e Nacional é o ápice da temporada da Liga Principal de Beisebol. O New York Yankees está na frente com o **maior número de vitórias na World Series por 1 equipe** — 27. Aqui, examinamos os recordes individuais de algumas lendas do "clássico de outono".

1. ALBERT PUJOLS
Mais bases ganhas em 1 jogo: 14

2. DON LARSEN
Menos rebatidas concedidas em 1 jogo: 0

3. FREDDIE LINDSTROM
Jogador mais jovem: 18 anos e 318 dias

4. BABE RUTH
Mais entradas arremessadas em 1 jogo: 14

5. MADISON BUMGARNER
Menor corrida média: 0,25

6. GEORGE SPRINGER
Mais home runs em uma única série: 5 (empate)

7. MARIANO RIVERA
Mais saves por um arremessador: 11

8. MICKEY MANTLE
Mais home runs: 18
Mais corridas: 42

9. YOGI BERRA
Mais campeonatos: 10
Mais jogos: 75

10. JACK QUINN
Jogador mais velho: 47 anos e 95 dias

11. REGGIE JACKSON
Mais títulos de MVP: 2 (empate)

12. WHITEY FORD
Mais strikeouts por um arremessador: 94

Todos os jogadores EUA, a não ser quando indicado.

1. ALBERT PUJOLS
No jogo 3 da World Series de 2011 em 22/10, Pujols (DOM) rebateu 3 home runs e 2 simples — 14 bases no total — para o St Louis Cardinals.

2. DON LARSEN
Em 8/10/1956, Larsen, dos Yankees, tirou do jogo todos os 27 rebatedores do Brooklyn Dodgers que enfrentou. Fez apenas 97 arremessos no Yankee Stadium, registrando o único jogo perfeito em uma World Series.

3. FREDDIE LINDSTROM
O fenômeno novato Lindstrom (n. 21/11/1905) tinha 18 anos e 318 dias quando jogou como 3ª base do New York Giants contra o Washington Senators no jogo 1 da World Series de 1924 em 4/10.

4. BABE RUTH
Famoso como rebatedor, George Herman "Babe" Ruth Jr também arremessou um recorde de 14 innings para o Boston Red Sox no jogo 2 da World Series de 1916 em 9/10.

5. MADISON BUMGARNER
O arremessador canhoto Bumgarner registrou uma corrida de apenas 0,25 em 3 World Series (2010, 2012 e 2014) para o San Francisco Giants.

6. GEORGE SPRINGER
Springer rebateu 5 home runs pelo Houston Astros em 2017 contra o LA Dodgers. Ele igualou o feito de Reggie Jackson (Yankees; 1977) e Chase Utley (Philadelphia Phillies; 2009).

7. MARIANO RIVERA
Entre 1996-2009, o arremessador dos Yankees Rivera (PAN) fechou 11 jogos em 7 World Series. O MVP de 1999 terminou a carreira com 5 anéis de campeonato e uma média de corridas limpas de 0,99.

8. MICKEY MANTLE
Mantle rebateu 18 home runs em 12 World Series entre 1951-1964 pelos Yankees. Também registrou o **maior nº de corridas** (42) e **de corridas com rebatida** (40).

9. YOGI BERRA
O apanhador dos Yankees Lawrence "Yogi" Berra venceu a World Series 10 vezes entre 1947-1962 — e somou mais 3 campeonatos como treinador. Berra jogou em **mais World Series** (14) e **mais jogos** (75), e registrou **mais rebatidas** (71).

10. JACK QUINN
Quinn (SVK, 1/7/1883) tinha 47 anos e 95 dias quando arremessou no jogo 3 da World Series de 1930 pelo Philadelphia Athletics em 4/10.

11. REGGIE JACKSON
"Mr October" ganhou o MVP da World Series 2 vezes, com o Oakland Athletics em 1973 e os Yankees em 1977. Ele igualou Sandy Koufax (LA Dodgers; 1963, 1965) e Bob Gibson (St Louis Cardinals; 1964, 1967).

12. WHITEY FORD
Edward "Whitey" Ford fez 94 strikeouts para os Yankees na World Series entre 1950-1964. Ele arremessou **mais innings** (146) e acumulou **mais vitórias de arremessador** (10).

ESPORTES
Esportes dos EUA

MAIS OUROS OLÍMPICOS NO BASQUETE FEMININO

Em Tóquio 2021, Diana Taurasi (à esq.) e Sue Bird reivindicaram seu 5º ouro olímpico consecutivo com a equipe dos EUA. A dupla jogou junto pela 1ª vez na UConn em 2000 e bateu vários recordes da Associação Nacional de Basquete Feminino (WNBA), jogando pelo Seattle Storm (Bird) e Phoenix Mercury (Taurasi) — ver à direita.

Taurasi e Bird: recordistas da WNBA

DIANA TAURASI		SUE BIRD	
Mais pontos marcados	9.174	Mais jogos	549
Mais field goals	2.891	Mais minutos jogados	17.261
Mais field goals tentados	6.719	Mais assistências	3.048
Mais cestas de 3 pontos	1.205	Mais assistências (finais da WNBA)	16
Mais lances livres	2.187	Mais turnovers	1.333
Mais lances livres tentados	2.513	Mais seleções All-Star	12

MVP MAIS JOVEM EM ALL-STAR GAME DA MLB

Em 13/7/2021, Vladimir Guerrero Jr (CAN, n. 16/3/1999) foi nomeado All-Star MVP aos 22 anos e 119 dias. O rebatedor levou a Liga Americana a uma vitória de 5x2 sobre a Liga Nacional no Coors Field, em Denver, Colorado, rebatendo dois RBIs e um home run de 142,6m.

MLB

Menos entradas para um arremessador alcançar 100 strikeouts em uma temporada
Jacob deGrom demorou apenas 61 2/3 entradas para marcar 100 strikeouts para o New York Mets durante a temporada de 2021 da MLB. Ele alcançou esse número contra o San Diego Padres em 11/6.

Menos jogos para um arremessador alcançar 1.500 strikeouts na carreira
Em 21/6/2021, Yu Darvish (JPN) tirou o rebatedor nº 1.500 em seu 197º jogo da MLB — na vitória de 6x2 do San Diego Padres sobre o Los Angeles Dodgers. Darvish bateu o recorde de Randy Johnson por 9 jogos.

Mais acertos consecutivos no início da temporada
O apanhador Yermín Mercedes (DOM) começou bem a temporada 2021 da MLB, conseguindo 8 rebatidas consecutivas para o Chicago White Sox em 2-3/4.

NHL

Mais face-offs contestados
Até 16/3/2022, Sidney Crosby (CAN) disputou 23.694 face-offs para o Pittsburgh Penguins desde a temporada 2005/06 — quando a NHL começou a fazer estatísticas oficiais. Crosby venceu 12.339 confrontos e perdeu 11.355.

O **maior nº de face-offs vencidos** é 13.586, por Patrice Bergeron (CAN) para os Boston Bruins.

Mais pontos individuais em 1 tempo (temp. regular)
Em 17/3/2021, Mika Zibanejad (SWE) marcou 6 gols no 2º período na vitória de 9x0 do New York Rangers sobre o Philadelphia Flyers. Zibanejad marcou um hat-trick (even-handed, short-handed em e um power play) e fez três assistências. Ele bateu Bryan Trottier (CAN) no 2º tempo da vitória do New York Islanders por 9x4 contra o New York Rangers em 23/12/1978.

*Todos EUA, a não ser quando indicado o contrário

MAIS STRIKEOUTS CONSECUTIVOS DE ARREMESSADORES DA MLB

A temporada 2021 da MLB teve 2 arremessadores que igualaram o recorde de Tom Seaver de 10 strikeouts consecutivos, do New York Mets contra o San Diego Padres em 22/4/1970. Aaron Nola, do Philadelphia Phillies, tirou 10 rebatedores do Mets seguidos em 2/6, e Corbin Burnes, do Milwaukee Brewers, (detalhe) fez o mesmo contra o Chicago Cubs em 11/8.

MAIS PASSES DE TD RECEBIDOS EM JOGO PÓS-TEMPORADA DA NFL

Gabriel Davis recebeu 8 passes de 201 jardas e 4 TDs nos playoffs da divisão AFC do Buffalo Bills contra o Kansas City Chiefs em 23/1/2022, no Arrowhead Stadium, em Kansas City, Missouri. Apesar do 4º TD de Davis ter colocado seu time 3 pontos à frente com apenas 13 segundos no relógio, o Bills perdeu por 42x36 na prorrogação.

ESPORTES

MAIS CESTAS DE 3 PONTOS DA NBA
Stephen Curry acertou seu 2.974º arremesso de 3 pontos para Golden State Warriors em 14/12/2021, batendo Ray Allen — e com menos 511 jogos. Curry, que até 17/3/2022 fizera 3.117 cestas de 3 pontos, também detém o recorde de **uma temporada** com 402, em 2015/16.

MAIOR LAVADA EM JOGO DA NBA
Em 2/12/2021, o Memphis Grizzlies destruiu o Oklahoma City Thunder por 152x79 — uma diferença de 73 pontos. O recorde anterior (68, do Cleveland Cavaliers contra o Miami Heat) tinha 30 anos. Hoje, o Oklahoma sofreu tanto a maior derrota em casa quanto fora de casa na história da NBA.

NFL
Field goal mais longo
Justin Tucker forneceu o Momento do Ano da NFL com seu chute de 66 jardas no último segundo pelo Baltimore Ravens em 26/9/2021. A bola ricocheteou na trave antes de passar pelos postes, selando uma vitória por 19x17 sobre o Detroit Lions em Ford Field, Detroit, Michigan.

Mais jogos com recepções de 100 jardas em uma temporada
Cooper Kupp do Los Angeles Rams completou 11 jogos com recepções de +100 jardas em 2021, igualando-se a Michael Irvin, do Dallas Cowboys, em 1995, e Calvin Johnson, do Detroit Lions, em 2012. Kupp também fez **mais recepções pós-temporada** — 33 em 4 jogos — e foi eleito MVP do Super Bowl, LVI, quando os Rams ganharam o Troféu Vince Lombardi.

Mais sacks de quarterback em uma temporada
O outside linebacker TJ Watt foi creditado com 22,5 sacks para o Pittsburgh Steelers em 2021, equiparando-se a Michael Strahan, do New York Giants, em 2001.

Mais jardas lançadas
Tom Brady lançou 84.520 jardas entre 2000 e 2021 para o New England Patriots e o Tampa Bay Buccaneers. O lendário QB superou a marca de Drew Brees em 3/10/2021, durante a vitória de 19x17 do Bucs sobre o Patriots.

NBA
Jogador mais jovem a alcançar um triple-double
Josh Giddey (AUS, n. 10/10/2002) fez 17 pontos, 14 assistências e 13 rebotes para o Oklahoma City Thunder aos 19 anos e 84 dias em 2/1/2022. O armador jogava contra o Dallas Mavericks.

Mais cestas de 3 pontos em um quarto (equipe)
Três times acertaram 11 cestas de 3 pontos em um único quarto em 2021: o Houston Rockets (1/2), o Charlotte Hornets (13/3) e o Atlanta Hawks (6/4). Eles igualaram o feito do Milwaukee Bucks em 28/3/2006 e Cleveland Cavaliers em 31/1/2010.

WNBA
Mais rebotes
Sylvia Fowles pegou 3.712 rebotes pelo Minnesota Lynx e o Chicago Sky entre 2008 e 2021. Também teve a **maior porcentagem de acerto de arremessos** — 59,7%, ou 2.347 de 3.930 tentativas.

Maior porcentagem de lances livres
Elena Delle Donne fez 956 de 1.018 lances livres até o fim da temporada 2021. Sua porcentagem de 93,9% foi 3% maior que o recorde da **NBA**, de 90,7%, de Stephen Curry (acima).

MAIS PARTICIPAÇÕES CONSECUTIVAS EM JOGOS DA NHL
Em 25/1/2022, o defensor Keith Yandle bateu novo recorde ironman da NHL quando fez o 965º jogo consecutivo de temporada regular no Philadelphia Flyers contra o New York Islanders. Essa sequência — 981, em 13/3 — durou 13 anos e mais de 20.000 minutos no gelo.

Em 2019, Lamar Jackson se tornou MVP da NFL aos 23 — o 2º mais jovem depois de Jim Brown.

MAIS JOGOS COM CORRIDAS DE 100 JARDAS DE UM QUARTERBACK DA NFL
Em 7/11/2021, Lamar Jackson igualou o recorde de Michael Vick de 10 jogos com corridas de ao menos 100 jardas. Entre 18/11/2018 — sua 1ª corrida de QB — e 11/10/2021, o Baltimore Ravens fez **mais jogos consecutivos com corrida de 100 jardas (equipe)** — 43, igualando o Pittsburgh Steelers em 1974-77.

ESPORTES
Críquete

MAIS WICKETS EM COPA DO MUNDO T20 MASCULINA
Wanindu Hasaranga de Silva (LKA) eliminou 16 wickets em 8 partidas na Copa do Mundo T20 masculina do Conselho Internacional de Críquete nos EAU e Omã. O atleta atingiu uma média de 9,75 corridas por wicket. Veja a tabela abaixo para mais recordes da Copa do Mundo T20.

MAIS VITÓRIAS NA COPA DO MUNDO FEMININA DO CIC
A seleção da Austrália levou o 7º título de One-Day na Copa do Mundo em 3/4/2022, vencendo a Inglaterra por 71 corridas na final em Christchurch, NZ. Alyssa Healy também bateu o recorde de **mais corridas por jogador em final da Copa do Mundo do CIC** — 170.

Copa do mundo T20 masculina do CIC

Mais...	Total	Nome	Seleção
Partidas	35	Tillakaratne Dilshan	Sri Lanka
Corridas	1.016	Mahela Jayawardene	Sri Lanka
Wickets	41	Shakib Al Hasan	Paquistão
Defesas (wicket-keeper)	32	MS Dhoni	Índia
Capturas (fielder)	23	AB de Villiers	África do Sul
Sixes	63	Chris Gayle	Índias Ocidentais

Mais sixes em um over internacional
Em 9/9/2021, Jaskaran Malhotra (EUA, n. IND) acertou 6 sixes de um over em uma partida One-Day International (ODI) entre EUA e Papua-Nova Guiné no Al Amerat Cricket Ground de Omã, tornando-se o 4º jogador na história a conseguir essa façanha, junto com Herschelle Gibbs (ZAF), Yuvraj Singh (IND) e Kieron Pollard (TTO) das Índias Ocidentais.

As entradas de Malhotra de 173 continham um total de 16 sixes — apenas um a menos do recorde de **mais sixes em um ODI**, pelo inglês Eoin Morgan (n. IRL) em uma partida da Copa do Mundo de Críquete contra o Afeganistão em 18/6/2019.

Mais wickets consecutivos internacionais
Jason Holder (BRB) eliminou 4 wickets durante a partida T20 dos Windies contra a Inglaterra em 30/1/2022 em Bridgetown, Barbados, igualando-se a Lasith Malinga (LKA, 2 vezes), Rashid Khan (AFG), Anuradha Doddaballapur (DEU, n. IND) e Curtis Campher (IRL, n. ZAF).

Patel eliminou 10 wickets em 119 corridas em 47,5 overs. Mas a Nova Zelândia perdeu a partida por 372 corridas.

MAIS WICKETS EM 1 ENTRADA DE TEST
Em 3-4/12/2021, Ajaz Patel (NZ, n. IND) eliminou todos os 10 wickets de primeira entrada da Índia no estádio Wankhede de Mumbai. O volante esquerdo tornou-se o 3º jogador a realizar tal façanha, depois de Jim Laker da Inglaterra contra a Austrália em 30-31/7/1956, e Anil Kumble (IND) contra o Paquistão em 7/2/1999.

Mais corridas internacionais (feminino)
Mithali Raj (IND) marcou um total de 10.868 corridas no críquete internacional até 3/4/2022. Isso incluiu 699 corridas de Test, 2.364 em T20 Internationals e **o maior nº de corridas de One-Day International (feminino)** — 7.805, 1.813 a mais do que qualquer outra jogadora de críquete feminino no formato 50-over. Raj também acumulou o **maior nº de 50s de One-Day International (feminino)** — 66.

Mais capturas por um wicket-keeper em uma estreia de Test
A muralha Alex Carey (AUS) fez 8 capturas no First Ashes Test contra a Inglaterra no Brisbane Cricket Ground, na Austrália, nos dias 8 e 10-11/12/2021. Foram 3 na 1ª entrada e 5 na 2ª.

Mais wickets eliminados em um T20 Internacional
Em 26/8/2021, Frederique Overdijk (NLD) eliminou 7 wickets por 3 corridas contra a França na classificatória da Copa do Mundo T20 feminina do CIC em Cartagena, Múrcia, Espanha, derrotando 6 batedoras.

Em 24/10/2021, Peter Aho, da Nigéria, conseguiu o **melhor placar de boleamentos em uma T20 International (masc.)**. Eliminou 6 wickets por 5 corridas em 3,4 overs contra Serra Leoa, em uma partida no campo de críquete da Universidade de Lagos, Nigéria.

SHANE WARNE (1969-2022)
O críquete perdeu um de seus maiores nomes em 2022, quando o volante esquerdo australiano Shane Warne morreu em 4/3, aos 52. Ele eliminou 708 wickets de Test, atrás apenas de Muttiah Muralitharan, com **mais wickets de Test contra 1 time** — 195, contra a Inglaterra. A 1ª defesa inglesa de Warne, a de Mike Gatting em 4/6/1993, ficou conhecida como a "Bola do Século".

JOGADORA MAIS JOVEM A MARCAR UM CENTENÁRIO EM INTERNATIONAL
Amy Hunter (IRL, n. 11/10/2005) comemorou seus 16 anos em grande estilo em 2021, marcando 121 em um One-Day International para a Irlanda contra o Zimbábue no Harare Sports Club. Hunter se tornou a centuriã mais jovem do críquete internacional.

ESPORTES
Tênis

Mais títulos de simples do ATP Masters 1000
Em 7/11/2021, Novak Djokovic (SRB) garantiu seu 37º título de Masters 1000 derrotando Daniil Medvedev por 4/6, 6/3, 6/3 no Masters de Paris, França. Djokovic abriu vantagem sobre seu rival Rafael Nadal apenas 6 meses após este ter registrado sua 36ª vitória no Masters 1000 de Roma, Itália.

Também em 2021, Djokovic ampliou seu recorde de **mais prêmios de Jogador do Ano da ATP**, conquistando o 7º. Dado pela 1ª vez a Arthur Ashe em 1975, desde 1990 o prêmio é entregue exclusivamente ao homem que termina o ano como o jogador nº 1 da ATP Tour.

Maior número de anos ganhando um título ATP
Rafael Nadal ganhou ao menos 1 título do circuito por 19 anos consecutivos entre 2004-2022. Conquistou o prêmio principal no Melbourne Summer Set 1, na Austrália, em 9/1/2022 e ficou um título à frente de Roger Federer (18 em 2001-15, 2017-19) e Andre Agassi (18 em 1987-96, 1998-2005).

Mais prêmios do Torneio do Ano da ATP
O Masters de Indian Wells, na Califórnia, foi nomeado Torneio do Ano da ATP por 7 anos consecutivos entre 2014-2021. Um dos 9 eventos Masters 1000, o Indian Wells superou os 6 prêmios do Miami Open da Flórida em 2002-06 e 2008.

Mais participações olímpicas no tênis feminino
Samantha Stosur (AUS) participou do 5º torneio de simples em Tóquio 2021. Igualou-se a Venus Williams entre 2000-2016. Vênus e a irmã Serena (ambas EUA) compartilham o recorde de **mais ouros olímpicos no tênis** — 4 —, sendo 3 como dupla.

O recorde de **mais participações olímpicas masculinas** também foi batido em Tóquio, com 5, por Lu Yen-hsun (ou Rendy Lu) de Taiwan, China. Ele desistiu na 1ª rodada e anunciou a aposentadoria.

Término mais tardio de uma partida de simples do circuito da ATP
Uma partida da 1ª rodada entre Alexander Zverev (DEU) e Jenson Brooksby (EUA) no Mexican Open, em Acapulco, terminou às 4h55, horário local, em 22/2/2022. Zverev venceu por 3/6, 7/6, 6/2. O 2º set durou 1h51min.

Mais torneios de simples jogados em Grand Slam
Em 30/6/2021, Venus Williams fez sua 90ª aparição em um Grand Slam — 24 anos após a sua 1ª, aos 16, no French Open de 1997. Registrou sua 271ª vitória em um Grand Slam na 1ª rodada de Wimbledon, mas foi eliminada na seguinte.

Maior número de títulos em Grand Slam em cadeira de rodas
Shingo Kunieda (JPN) conquistou seu 47º título em cadeira de rodas no Australian Open em 27/1/2022. Kunieda venceu Alfie Hewett por 7/5, 3/6, 6/2 na final individual em Melbourne e completou 26 títulos de simples em um Grand Slam no total, com mais 21 em duplas.

Também em Melbourne, David Wagner (EUA), de 47 anos, ampliou seu recorde de **mais títulos de quad-duplos masculino em Grand Slam** para 22. O recorde de **mais quad-singles masculino** é de 15, por Dylan Alcott (AUS, à dir.).

VENCEDOR MAIS JOVEM DE UM EVENTO ATP 500
Em 8/8/2021, Jannik Sinner (ITA, n. 16/8/2001) venceu o Citi Open em Washington, EUA, com 19 anos e 357 dias, derrotando Mackenzie McDonald por 7/5, 4/6, 7/5 na final e se tornando o 1º adolescente a vencer um evento ATP 500.

PRIMEIRO GOLDEN SLAM (MASCULINO)
Em 12/9/2021, Dylan Alcott (AUS) ganhou o US Open e completou um "Golden Slam" — venceu todos os 4 títulos de Grand Slam de simples ou duplas e o ouro olímpico/paralímpico no mesmo ano. Seu feito foi igualado por Diede de Groot (NLD, acima) no mesmo torneio, no individual feminino em cadeira de rodas. O primeiro Golden Slam foi conquistado por Steffi Graf (DEU) em 1988.

MAIS ACES EM UMA PARTIDA DO US OPEN (FEMININO)
Karolína Plíšková (CZE) fez 24 aces em sua vitória na 2ª rodada contra Amanda Anisimova, em 3/9/2021, no Arthur Ashe Stadium, em Nova York. A gêmea de Karolína, Kristýna, detém o recorde geral de **mais aces em uma partida (feminina)** — 31 — contra Monica Puig no Australian Open em 20/1/2016.

MAIS TÍTULOS DE GRAND SLAMS SINGLES (MASCULINO)
Em 30/1/2022, Rafael Nadal (ESP) venceu Daniil Medvedev na final do Australian Open para selar seu 21º título em um Grand Slam de simples. Superou Roger Federer e Novak Djokovic, tornando-se o único recordista da categoria pela 1ª vez. Os 21 Slams de Nadal incluem 13 títulos do French Open — **o de mais vitórias de um único Grand Slam (era Open)**.

ESPORTES
Atletismo

MAIS RÁPIDOS...
100m (T63, feminino)
Ambra Sabatini (ITA) ganhou o ouro paralímpico com 14,11s em 4/9/2021 em Tóquio, Japão. A corredora de 19 anos levou o ouro em um pódio todo italiano nos 100m feminino T63. Ela entrou no atletismo em 2020, depois de perder a perna em um acidente de trânsito em 2020.

200m (T12, feminino)
Omara Durand (CUB) conquistou 3 medalhas nos Jogos Paralímpicos de Tóquio, incluindo a de ouro nos 200m, com um tempo de 23,02s em 4/9/2021. Durand tem 8 medalhas de ouro paralímpicas nas categorias T12 e T13, para atletas com visão prejudicada. Ela também detém o recorde de **400m T12** (51,77s), e sua corrida de **100m T12**, de 11,40s, nos Jogos Paralímpicos do Rio 2016 é a marca mais rápida de qualquer atleta paralímpica nessa distância.

60M COM OBSTÁCULOS INDOOR (MASCULINO)
Em 24/2/2021, Grant Holloway (EUA) correu 60m com obstáculos em 7,29s no Campeonato Mundial de Atletismo Indoor em Madri, Espanha, batendo o recorde de 27 anos de Colin Jackson por 0,01s. Holloway era imbatível no evento havia 6 anos.

CORRIDA DE RUA 10KM (SÓ FEMININA)
Em 12/9/2021, Agner Tirop (KEN) correu 10km em 30min1s no evento Road to Records, em Herzogenaurach, Alemanha. Ela baixou o antigo recorde, batido por Asmae Leghzaoui (MAR) em 2002, em quase 30s. Tragicamente, Agnes morreu em out/2021; mil enlutados compareceram ao seu funeral.

800m no triciclo (T54, masculino)
Daniel Romanchuk (EUA) deu duas voltas na pista em 1min29,54s no Swiss Nationals em Arbon, Suíça, em 24/5/2021.

2.000m (feminino)
Francine Niyonsaba, de Burundi, correu 2.000m em 5min21,56s em 14/9/2021, em Zagreb, Croácia. Ex-corredora de 800m, foi forçada a mudar de categoria após a World Athletics banir corredoras com altos níveis naturais de testosterona de competições entre 400-1.600m. Ela é a primeira atleta a se identificar com diferenças no desenvolvimento sexual (DDS) a quebrar um recorde mundial oficial.

Corrida de rua 5km (masculino)
Em 31/12/2021, Berihu Aregawi (ETH) ganhou a Cursa dels Nassos, em Barcelona, Espanha, com 12min49s. O recorde **feminino** foi na mesma corrida, com Ejgayehu Taye (ETH) em 14min19s. A World Athletics mantém recordes separados para corridas mistas e só de mulheres. Os **5km mais rápidos (em corrida só de mulheres)*** é de 14min29s, por Senbere Teferi (ETH) em 12/9/2021, em Herzogenaurach, Alemanha.

Os **10km mais rápidos em corrida de rua (feminino, corrida mista)*** é de 29min14s, por Yalemzerf Yehualaw (ETH) em 27/2/2022 em Castellón, Espanha.

10.000m (feminino)
Letesenbet Gidey (ETH) ganhou os testes olímpicos da Etiópia em 29min1,03s em 8/6/2021 em Hengelo, Países Baixos. Ela baixou 5 segundos do recorde anterior de 10.000m, batido apenas 2 dias antes por Sifan Hassan no mesmo estádio.

Gidey também é dona do recorde de **5.000m feminino** — 14min6,62s, em 7/10/2020 — e é a **mulher mais rápida em uma meia-maratona (corrida mista)**, correndo 21km em apenas 1h2min52s em Valencia, Espanha, em 24/10/2021.

ARREMESSO DE PESO MAIS DISTANTE (MASCULINO)
Ryan Crouser (EUA) fez um arremesso de 23,37m em 18/6/2021 nos testes para a equipe olímpica americana de atletismo em Eugene, Oregon. Ele bateu o recorde mundial de 23,12m, que durou 31 anos. Crouser, que tem 2,01m, teve um 2021 brilhante, batendo o recorde **indoor** com seu primeiro lançamento da temporada — 22,82m, em 24/1/2021. Ele também defendeu seu recorde olímpico em Tóquio.

*carece de ratificação pela World Athletics

400M COM OBSTÁCULOS MAIS RÁPIDOS
Com 45,94s, na final dos 400m masculino com obstáculos nos Jogos Olímpicos de Tóquio, em 3/8/2021, Karsten Warholm (NOR) bateu o recorde mundial **masculino** por ¾ de segundo. O brasileiro e medalhista de bronze Alison dos Santos chegou em 46,72s, que teria sido recorde apenas 5 semanas antes.

No dia seguinte, Sydney McLaughlin (EUA) quebrou o recorde **feminino**, conquistando o ouro com 51,46s. Ela venceu Dalilah Muhammad, sua rival e antiga detentora do recorde.

ESPORTES

100M MAIS RÁPIDOS (T62, FEMININO)
Em 3/6/2021, Fleur Jong (NLD) completou a prova em 12,64s no Campeonato Europeu de Paratletismo em Bydgoszcz, Polônia. Em 28/8, conquistou seu primeiro ouro paralímpico com o **maior salto (T62, feminino)** — 6,16m. Jong perdeu as duas pernas abaixo do joelho e oito pontas dos dedos da mão após uma infecção bacteriana aos 16 anos.

MAIOR...
Salto triplo interno (masculino)
Em 16/1/2021, Hugues Fabrice Zango (BFA) voou 18,07m em um evento em Aubière, França. Ele bateu a marca de 17,92m estabelecida por seu técnico, Teddy Tamgho, em 2011. Zango é o primeiro recordista mundial de Burkina Faso.

Dardo (F46, masculino)
Dinesh Priyantha (LKA) se tornou o primeiro medalhista de ouro paralímpico do Sri Lanka em 30/8/2021, graças ao lançamento recordista de dardo de 67,79m.
No mesmo dia, o antigo lutador Sumit Antil (IND) bateu um novo recorde **F64** 3 vezes em 6 lançamentos. A quinta tentativa, de 68,55m, valeu o ouro no lançamento de dardo F64 em sua estreia paralímpica.

MAIS MEDALHAS OLÍMPICAS DE ATLETISMO (FEMININO)
Allyson Felix (EUA) ganhou suas 10ª e 11ª medalhas nos Jogos Olímpicos de Tóquio 2020, levando o bronze nos 400m e o ouro no revezamento 4x400m. Ela tem **mais ouros em atletismo (feminino)**: 7. Tóquio foi sua 5ª Olimpíada; a 1ª foi Atenas 2004, onde ganhou prata nos 200m aos 18 anos.
O recorde **masculino** é de 12 (9 ouros e 3 pratas) do "Finlandês Voador" Paavo Nurmi (detalhe) entre 1920 e 1928.

MAIS PARTICIPAÇÕES OLÍMPICAS EM ATLETISMO
Jesús Ángel García (ESP) competiu em sua 8ª Olimpíada, na marcha de 50km em 6/8/2021, terminando em 35º lugar aos 51 anos. Ele fez sua estreia nos Jogos Olímpicos de Barcelona 1992 e conquistou sua melhor posição (4º) em Pequim 2008. García não vai participar de Paris 2024, já que a marcha de 50km não faz mais parte do programa olímpico.

MAIS ALTO...
Salto com vara (masculino)*
Em 7/3/2022, Armand Duplantis (SWE, n. EUA) alcançou 6,19m no Belgrade Indoor Meeting na Sérvia. Foi a 3ª vez que "Mondo" bateu um novo recorde mundial de salto com vara, e calcula que levou ao menos 50 tentativas para alcançar essa altura na competição.

MAIS...
Vitórias na Liga de Diamante
A lançadora de disco Sandra Perković (HRV) bateu 2 recordes na Liga de Diamante 2021, um total de 44 na carreira, mais do que qualquer outro atleta. Ela divide o recorde de **mais títulos femininos na Liga de Diamante** (6) com a arremessadora de peso Valeria Adams (NZ) e a atleta de salto triplo/em distância Caterine Ibargüen (COL).

Ouros olímpicos de lançamento de martelo (feminino)
Anita Włodarczyk (POL) confirmou seu status de maior lançadora de martelo da história com seu 3º ouro olímpico consecutivo em Tóquio. Ela ganhou com um lançamento de 78,48m em 3/8/2021. Seu recorde mundial pelo **maior lançamento de martelo (feminino)** é de 82,98m, batido em 28/8/2016.

MAIOR SALTO TRIPLO (FEMININO)
Em 1/8/2021, Yulimar Rojas (VEN) pisou, pulsou e pulou 15,67m para conquistar o ouro olímpico em Tóquio. A vitória já era dela quando iniciou seu último salto da competição, que bateu o recorde mundial de 15,5m de Inessa Kravets, em 1995. Rojas também tem o recorde **indoor** de 15,43m, batido em 21/2/2020 em Madri, Espanha.

Veja Parem as máquinas (p.246-47) para novidades no Campeonato Mundial Indoor 2022.

ESPORTES
Esportes paralímpicos

Menor tempo nos 500m de ciclismo em time trials (C4, feminino)
Nos Jogos Paralímpicos de Tóquio, Kadeena Cox (RU) deu 2 voltas no Velódromo Izu em 34,812s e levou o ouro nos time trials (C4-5) em 27/8/2021. Ela também se uniu a Jody Cundy e Jaco van Gass para um novo recorde para a Grã-Bretanha, de 47,579s na **corrida de velocidade de equipes mistas (C1-5)**, antes de mudar para o atletismo. Cox terminou os 400m T38 em 4º; o ouro ficou com a alemã Lindy Ave, que terminou a prova em exatamente 1min — o **menor tempo nos 400m T38 (feminino)**.

Menor tempo no 1km de ciclismo em time trials (C1, masculino)
Li Zhangyu (CHN) levou o ouro nos time trials C1-3 com o tempo de 1min8,347s em 27/8/2021 em Tóquio. Foi seu 3º ouro consecutivo nessa distância. Alexandre Léauté (FRA) conquistou a prata no **C2** com 1min9,211s, enquanto Jaco van Gass (RU, n. ZAF) ganhou o bronze no **C3** com 1min5,569s, ambos recordes. O tempo deles foi ajustado ao seu nível de deficiência para determinar suas posições gerais.

100m mais rápidos (T12, masculino)
Em 29/8/2021, Salum Ageze Kashafali (NOR, n. COD) correu para a glória paralímpica com 10,43s em Tóquio, ficando apenas 0,01s atrás dos **100m mais rápidos (T46/47)** de Petrúcio Ferreira dos Santos (BRA) — o menor tempo para essa distância, batido nos Campeonatos Mundiais de 2019, em Dubai, EAU.

MAIS OUROS PARALÍMPICOS NO VÔLEI SENTADO MASCULINO
O Irã conquistou seu sétimo ouro no vôlei sentado nos Jogos Paralímpicos de Tóquio, derrotando o Comitê Russo Paralímpico por 3x1 na final em 4/9/2021. A equipe conta com o **atleta paralímpico mais alto** — o ponta Morteza Mehrzadselakjani (último à esquerda), de 2,46m.

MENOR TEMPO NOS 1.500M NADO LIVRE EM PISCINA SEMIOLÍMPICA (T21, FEMININO)
Dunia Camacho Marenco (MEX) nadou 1.500m em uma piscina de 25m em 23min55,27s na Nova Escócia, Canadá, em 25/7/2018. Em 2021, recebeu 4 títulos do GWR na categoria T21, reconhecidos pela Organização Internacional para Nadadores com síndrome de Down. Nadadores com síndrome de Down precisam se esforçar muito para entrar nos Jogos Paralímpicos, pois são alocados na categoria S14, contra atletas com deficiência intelectual, mas não física.

200m mais rápidos (T37, masculino)
O corredor Nick Mayhugh (EUA) cruzou a linha de chegada da final dos 200m de Tóquio em 4/9/2021 com 21,91s. Ele já tinha o recorde de **menor tempo nos 100m T37** — 10,95s —, batido 8 dias antes. Terminou os Jogos com 3 ouros e 1 prata. Mayhugh tem paralisia cerebral e também faz parte do time paralímpico dos EUA de futebol de 7.

Maior lançamento de disco (F52, feminino)
Elizabeth Rodrigues Gomes (BRA) lançou o disco a 17,62m e conquistou o ouro em 30/8/2021. Gomes tem esclerose múltipla e competiu em seus primeiros Jogos Paralímpicos aos 56 anos.

MENOR TEMPO NOS 100M DE TRICICLO (T34, FEMININO)
Em 29/8/2021, Hannah Cockroft (RU) conquistou seu 3º ouro consecutivo nos 100m com 16,39s em Tóquio. Foi um ano de quebra de recordes para Cockroft, que, em maio estabeleceu os menores tempos na categoria T34 nos **200m** (29,27s), **400m** (53,99s) e **800m** (1min48,87s) — todos em Arbon, Suíça.

MENOR TEMPO NOS 3KM DE CICLISMO INDIVIDUAL (C5, FEMININO)
Dame Sarah Storey (RU) percorreu 3km em 3min27,057s em Tóquio em 25/8/2021. Ela quebrou o recorde feminino no C5 individual durante a qualificação, no Velódromo Izu, e seguiu para alcançar sua compatriota Crystal Lane-Wright em apenas 8 voltas na final para ganhar o ouro. Em sua 8ª paralimpíada, Storey ganhou 2 ouros, aumentando seu total para 17 e tornando-a a atleta paralímpica britânica de maior sucesso.

Storey ganhou 5 dos seus 17 ouros na piscina antes de entrar para o ciclismo em 2005.

ESPORTES

MENOR TEMPO NOS 400M NADO LIVRE (S11, FEMININO)
A nadadora paralímpica Anastasia Pagonis (EUA, acima com seu cão-guia Radar) perdeu completamente a visão aos 14 anos. Ela conquistou milhões de seguidores no TikTok ao mostrar como é a vida com a cegueira. Em 26/8/2021, aos 17 anos, quebrou o próprio recorde nos 400m nado livre S11 e levou seu primeiro ouro paralímpico com 4min54,49s.

Menor tempo nos 100m nado livre (S10, masculino)
O atleta com maior sucesso nos Jogos Paralímpicos de Tóquio foi Maksym Krypak (UKR), que conquistou 7 medalhas, 5 de ouro. Levou o ouro nos 100m nado livre S10 com 50,64s em 28/8/2021 e também estabeleceu novos recordes para a categoria S10 nos **100m costas** (57,19s) e **100m borboleta** (54,15s).
Outra grande nadadora da categoria S10 foi Aurélie Rivard (CAN). Ela estabeleceu recordes femininos para os **100m nado livre** (58,14s) e **400m nado livre** (4min24,08s) no caminho para o ouro duplo.

Menor tempo para 50m nado borboleta (S5, masculino)
Zheng Tao levou o ouro nos 50m nado borboleta com 30,62s em 27/8/2021. Foi um dos 4 conquistados em Tóquio pelo nadador chinês, que começou aos 13 anos, quando perdeu os braços em um choque elétrico. Também bateu o recorde de **menor tempo de 50m S5 costas** em Tóquio, com 31,42s.

MAIOR LEVANTAMENTO DE PESO (-41KG, FEMININO)
Em 28/11/2021, Lingling Guo (CHN, foto dos Jogos Paralímpicos de Tóquio) levantou 109,5kg nos Campeonatos Paralímpicos Mundiais de Levantamento de Peso em Tbilisi, Geórgia. Ela é a única levantadora de peso com recordes em 2 categorias, estabelecendo o de 118kg na **-45kg** em 2019.

MAIS OUROS NO HÓQUEI DE GELO PARALÍMPICO
O defensor Josh Pauls (EUA) conquistou seu 4º ouro consecutivo nos Jogos Paralímpicos de Inverno em Pequim 2022, marcando um gol na final EUAxCAN, vencida por 5x0 em 13/3. Pauls nasceu sem as tíbias e teve as duas pernas amputadas aos 10 meses. Ganhou seu 1º ouro em Vancouver 2010 aos 17 e participou de 19 partidas nos Jogos Paralímpicos.

Maior levantamento de peso (-88kg, masculino)
Em 4/12/2021, Abdelkareem Khattab (JOR) ergueu 250kg nos Campeonatos Paralímpicos Mundiais de Levantamento de Peso em Tbilisi, Geórgia. Ele bateu o próprio recorde, estabelecido em Dubai em 21/7, com mais 10kg em sua rodada final do torneio. Outros recordes em Tbilisi foram:
- **-55kg, fem.**: 133,5kg, por Mariana Shevchuk (UKR) em 30/11, que tem baixa estatura. Foi seu 3º recorde mundial em 2021.
- **-79kg, fem.**: 144kg, por Bose Omolayo (NGA) em 2/12.
- **-86kg, fem.**: 152,5kg, por Folashade Oluwafemiayo (NGA) em 3/12. Foi a 4ª vez que bateu o recorde mundial em 2021.
- **-107kg, masc.**: 251kg, por Ali Akbar Gharibshahi (IRN) em 5/12.

Maior pontuação na pistola de ar 10m feminino (SH1)
A atleta de tiro Sareh Javanmardi (IRN) defendeu seu título na prova de pistola de ar de 10m em Tóquio com 239,2 pontos no Campo de Tiro de Asaka em 31/8/2021. Competidores na SH1 conseguem aguentar o peso das armas sozinhos.
Outro medalhista de ouro foi Dragan Ristić (SRB), que estabeleceu um novo recorde na **carabina deitado 50m mista (SH2)** — 252,7 — em 4/9/2021.

SALTO MAIS LONGO (T64)
Markus Rehm (DEU) saltou 8,62m em 1/6/2021 nos Campeonatos Mundiais de Paratletismo da Europa em Bydgoszcz, Polônia, batendo o próprio recorde por 14cm. Esse é o maior salto do paratletismo e teria lhe dado o ouro nos 6 Jogos Olímpicos anteriores. Rehm, apelidado de "Blade Jumper", conquistou seu terceiro ouro paralímpico no salto em distância em Tóquio.

233

ESPORTES
Golfe

VENCEDOR MAIS VELHO DE MAJOR
Phil Mickelson (EUA, n. 16/6/1970) tornou-se o mais velho vencedor de um Major em 160 anos ao erguer o troféu do Campeonato PGA 2021 com 50 anos e 341 dias. A vitória de Mickelson na ilha Kiawah, Carolina do Sul, EUA, veio mais de 30 anos após sua primeira vitória no circuito.

MENOR PONTUAÇÃO EM VOLTA DE MAJOR
No Evian Championship 2021, Lee Jeong-eun (ou Jeongeun Lee6, KOR, foto) e Leona Maguire (IRL) fizeram voltas de 61 e empataram com Kim Hyo-joo (KOR) no Evian 2014. A segunda volta de Lee teve a **menor pontuação de Major (1os 36 buracos)** de 127 (66, 61; 15 abaixo do par); ela terminou em 2º lugar.

Menor pontuação total no PGA European Tour
Em 25/4/2021, Garrick Higgo (ZAF) venceu seu 1º European Tour quebrando recordes, com 4 voltas em apenas 255 tacadas (65, 64, 63, 63; 25 abaixo do par) no Gran Canaria Lopesan Open na Espanha. Thaworn Wiratchant também disparou 255 vezes no Indonesia Open de 2005, mas o tempo ajudou — devido ao clima, os jogadores podiam melhorar a posição da bola com a mão em certas partes do campo.

Mais jovem ganhador de um torneio de ranking mundial (masculino)
Ratchanon "TK" Chantananuwat (THA, n. 5/3/2007) tinha 15 anos e 36 dias quando ganhou o Trust Golf Asian Mixed Cup em Pattaya, Tailândia, em 10/4/2022. Ele terminou com 20 abaixo do par no Siam Country Club e se tornou o mais jovem vencedor de um torneio oficial elegível para o ranking de golfe. O recorde **feminino** é de Atthaya Thitikul (THA, n. 20/2/2003), que tinha 14 anos e 139 dias quando triunfou no Ladies European Thailand Championship de 6-9/7/2017, também em Pattaya.

Menor pontuação total no Aberto Britânico de Golfe (1os 36 buracos)
Louis Oosthuizen (ZAF) chegou à metade do Aberto 2021 com apenas 129 tacadas (64, 65; 11 abaixo do par) no Royal St George's, Kent, RU. Acabou empatado em 3º, atrás do vencedor Collin Morikawa. Oosthuizen teve um 2021 peculiar, ganhando US$ 6.306.679, apesar de não ter conquistado um título — **a pontuação mais alta no circuito sem vitória**.

Maior prêmio em dinheiro de torneio
Realizado de 10-14/3 no TPC Sawgrass em Ponte Vedra Beach, Flórida, EUA, o Players Championship 2022 teve um prêmio total de US$20 mi. Quem venceu o torneio afetado pelo clima foi Cameron Smith (AUS), que levou o prêmio de US$3,6 mi com uma pontuação de 13 abaixo do par, 275. O recorde **feminino** é de US$5,8 mi, oferecido pelo Women's Open 2021. Foi realizado de 19-22/8 no Carnoustie Golf Links em Angus, RU, e vencido por Anna Nordqvist, que levou para casa US$870.000.

Menor pontuação em 1 rodada nas Olimpíadas (masculino)
Em 1/8/2021, Rory Sabbatini (SVK, n. ZAF) fez uma rodada final com 61 tacadas e ganhou a prata olímpica, selada com um birdie no buraco 18 do Kasumigaseki Country Club, em Kawagoe, Saitama, Japão. Nascido na África do Sul, Sabbatini qualificou-se para cidadania eslovaca através da esposa, Martina, que foi sua caddie nas Olimpíadas.

Menos putts em uma rodada do PGA Tour
Em 6/8/2021, Cameron Smith tornou-se o 12º golfista da história a fazer 18 putts em 18 buracos no circuito. Ele competia na segunda rodada do WGC-FedEx St. Jude Invitational, em Memphis, Tennessee, EUA.

Mais velho vencedor novato do PGA European Tour
Richard Bland (RU, n. 3/2/1973) tinha 48 anos e 101 dias quando venceu o British Masters em 15/5/2021. Bland jogou 477 torneios sem sucesso antes de enfim ganhar em The Belfry, em Warwickshire, RU.

MENOR PONTUAÇÃO NO PGA CHAMPIONSHIP FEMININO
Em 27/6/2021, Nelly Korda (EUA) ganhou o PGA Championship feminino — seu 1º Major — com pontuação de -19 em Johns Creek, Georgia, EUA. Korda igualou as vitórias de Cristie Kerr (EUA) em 2010, Yani Tseng, de Taiwan, China, em 2011, e Inbee Park (KOR) em 2015. Realizado pela 1ª vez em 1955, o PGA Championship feminino era conhecido como o LPGA Championship.

Jessica, irmã de Nelly, também é golfista profissional, e o irmão, Sebastian, ganhou o Grand Slam Jr. de tênis.

MENOR PLACAR NO PGA TOUR
Em 9/1/2022, Cameron Smith (AUS) venceu o Tournament of Champions 2022 de 72 buracos com pontuação de -34 no Kapalua Plantation Course, em Maui, Havaí, EUA. Smith fez 8 birdies na rodada final e terminou à frente de Jon Rahm e Matt Jones, que também bateram o recorde anterior do circuito, com -31, estabelecido por Ernie Els no evento em 2003.

MAIS PONTOS NA RYDER CUP
Sergio Garcia (ESP) fez 28,5 pontos para a Europa em 10 participações na Ryder Cup entre 1999 e 2021. Seu recorde de partidas é de 25 vitórias — o **maior número de vitórias** —, 7 empates e 13 derrotas. Garcia reivindicou ambos os recordes na edição de 2021 do evento, apesar de a Europa ter perdido de 19x9 para os EUA.

ESPORTES
Esportes com bola

MAIS OUROS OLÍMPICOS DE TÊNIS DE MESA
Nos adiados Jogos de Tóquio 2020, o lendário Ma Long (CHN) aumentou seus títulos olímpicos para 5. "O Dragão" ganhou ouro com a equipe masculina e individual pela 2ª Olimpíada consecutiva, tendo vencido também em equipe em Londres 2012.

MAIS GOLS NO HANDEBOL OLÍMPICO MASCULINO
Mikkel Hansen marcou 165 vezes em 4 Olimpíadas para a Dinamarca entre 2008 e 2021. O armador esquerdo quebrou a marca anterior de 127 gols em Tóquio, com um recorde de **torneio único** de 61. A Dinamarca perdeu para a França na final (ver abaixo), levando a medalha de prata.

MAIS...

Medalhas olímpicas de tênis de mesa
Dimitrij Ovtcharov (DEU, n. UKR) ganhou 6 medalhas olímpicas entre 2008 e 2021. Filho do campeão soviético de tênis de mesa, Ovtcharov conquistou o bronze no individual e a prata por equipe em Tóquio 2021.

O recorde **feminino** é 5, de Wang Nan (CHN). Ela ganhou 4 ouros e 1 prata entre 2000 e 2008.

Medalhas olímpicas de handebol (masculino)
A França garantiu seu 3º título de handebol masculino em Tóquio, derrotando a Dinamarca por 25x23 em 7/8/2021. Também ganhou ouro em 2008 e 2012.

O recorde **feminino** também é de 3, pela Dinamarca entre 1996 e 2004. Sua vitória por 38x36 na prorrogação sobre a Coreia do Sul na final de Atenas 2004 fez este o primeiro país a ter 3 títulos olímpicos de handebol.

Vitórias na EHF Handball Champions League
Em 13/6/2021, o FC Barcelona (ESP) derrotou o Aalborg Håndbold por 36x23 na final do EHF Handball Champions League 2021 e garantiu seu 10º título desde 1991, encerrando um jejum de 6 anos. O Barcelona venceu todas as 20 partidas que disputou no campeonato.

MAIS VITÓRIAS NO RUGBY UNION'S CHAMPIONS CUP
Toulouse (FRA) reivindicou seu 5º título europeu máximo com uma vitória de 22x17 sobre La Rochelle em 22/5/2021, em Twickenham, Londres, RU. O meio-piloto Romain Ntamack, que marcou 17 pontos, seguiu os passos do pai, Émile, membro dos 1ᵒˢ campeões de Toulouse na Copa de 1996 (quando era conhecida como Copa Heineken).

Campeonatos Mundiais Femininos de Punhobol
Em 31/7/2021, a Alemanha garantiu sua 4ª vitória consecutiva (e 7ª geral) por 3x0 (11x4, 11x3, 11x7) sobre a anfitriã Áustria, em Grieskirchen. O punhobol é semelhante ao vôlei, mas a bola só pode ser golpeada com o punho ou braços (em vez de mão aberta) e é permitido quicar após cada contato.

Campeonatos Mundiais Femininos de Floorball
A Suécia continua a dominar os 2 campeonatos mundiais de floorball (ver abaixo, à esq.) marcando sua 10ª vitória na competição feminina em 2021. O país superou a Finlândia por 4x3 na prorrogação da final em 5/12 em Uppsala, Suécia.

Títulos na Super League
St Helens (RU) conquistou seu 9º título na liga doméstica de rugby em 2021, derrotando o Catalan Dragons por 12x10 na Grande Final em 9/10. Seu 1º título da Super League, em seu ano inaugural, estava garantido mesmo antes da Grande Final em 1998.

Tries na English Premiership
Chris Ashton fez 2 tries pelo Leicester Tigers contra o Exeter Chiefs em 27/3/2022, igualando os 92 de Tom Varndell (ambos RU) na 1ª divisão inglesa de rugby.

O recorde de **uma temporada** é 20, por Sam Simmonds (RU), do Exeter, em 2020/21. Também marcou na pós-temporada, na final da Premiership.

MAIS CAMPEONATOS MUNDIAIS MASCULINOS DE FLOORBALL
Em 11/12/2021, a Suécia derrotou a Finlândia por 6x4 na Hartwall Arena, em Helsinque, e levou seu 9º título masculino mundial de floorball. Inventado na Suécia na década de 1960, é uma forma de hóquei que usa uma bola de plástico com furos.

MAIS OUROS OLÍMPICOS NO HÓQUEI FEMININO
A Holanda conquistou seu 4º título olímpico de hóquei feminino em Tóquio 2020, vencendo a Argentina por 3x1 na final em 6/8/2021. A equipe se recuperou da derrota nos pênaltis para a Grã-Bretanha no Rio 2016 e levou o 3º ouro em 4 Olimpíadas. A meio-campo Eva de Goede e a atacante Lidewij Welten igualaram o recorde **individual** de 3 de Rechelle Hawkes (AUS) em 1988, 1996 e 2000.

ESPORTES
Ciclismo

Menor distância em 1 hora (feminino)
Em 30/9/2021, Joscelin Lowden (RU) pedalou 48,405km em 60min no velódromo de Tissot, em Grechen, Suíça. Lowden tentou bater o recorde após competir em 3 corridas no Campeonato Mundial de Estrada Union Cycliste Internacionale (UCI). Foi quase 400m além do recorde anterior de Vittoria Bussi e ultrapassou o "recorde absoluto" de Jeannie Longo de 48,159km, estabelecido em 1996 usando uma posição aerodinâmica depois banida pela UCI.

Corrida de velocidade em equipe de 500m (feminino)
Zhong Tianshi e Bao Shanju (ambas CHN) deram 2 voltas no velódromo de Izu em 31,804s em 2/8/2021. As regras para a corrida de velocidade em equipe feminina mudaram após Tóquio, com equipes de 3 dando 3 voltas na pista. O recorde feminino de **corrida de velocidade em equipe de 750m mais rápida** é de 46,064s, da Alemanha (Pauline Grabosch, Lea Friedrich e Emma Hinze) em 20/10/2021.

MAIS MEDALHAS OLÍMPICAS EM CICLISMO DE PISTA
Jason e Laura Kenny (ambos RU) são o casal de ouro do ciclismo. Em Tóquio, Jason aumentou o recorde **masculino** para 9, com **mais ouros**, 7, e uma prata na corrida de velocidade em equipe e ouro no Keirin. Laura igualou o recorde **feminino** de Anna Meares (AUS) de 6 com prata na corrida em equipe e ouro na Madison, com Katie Archibald.

MAIS VITÓRIAS CONSECUTIVAS NA VUELTA A ESPAÑA
Em 5/9/2021, Primož Roglič (SVN) comemorou sua 3ª vitória consecutiva no Volta a Espanha, igualando-se a Tony Rominger (CHE) em 1992-4 e Roberto Heras (ESP) em 2003-5. Roglič fechou um triunfante 2021 com ouro no Time Trial olímpico de estrada em 28/7, terminando um minuto à frente.

MAIS RÁPIDO EM PERSEGUIÇÃO POR EQUIPES 4KM (FEMININO)
Em 3/8/2011, a equipe alemã de Franziska Brausse, Lisa Brennauer, Lisa Klein e Mieke Kröger ganhou o ouro olímpico em perseguição por equipes no Japão em 4min4,242s. Elas quebraram o recorde mundial 3 vezes no velódromo de Izu, superando a então campeã Grã-Bretanha na final.

MAIS RÁPIDA NA PERSEGUIÇÃO INDIVIDUAL 3KM FEMININA (C4)
Competindo em sua 1ª Paralimpíada aos 41 anos, Emily Petricola (AUS) estabeleceu um recorde mundial de 3min38,061s durante a qualificação para a perseguição individual C4 em 25/8/2021. Ela ganhou a medalha de ouro ao ultrapassar Shawn Morelli na final. Petricola, campeã mundial 5 vezes, foi diagnosticada com esclerose múltipla aos 27 anos e começou a treinar ciclismo em 2015.

MAIS VITÓRIAS EM ESTÁGIOS DO TOUR DE FRANCE
Mark Cavendish (RU) venceu 4 estágios no Tour de France 2021 e igualou-se ao recorde geral de 34, estabelecido pelo grande Eddy Merckx (BEL) entre 1969 e 1975. Foi a volta por cima para o veterano em corrida de velocidade, que só entrou na equipe Deceuninck–Quick-Step tardiamente como substituto e conquistou a classificação por pontos.

Mais rápido na perseguição individual 4km masculina
Ashton Lambie (EUA) pedalou 4km em 3min59,930s em 18/8/2021 em Aguascalientes, México, batendo o recorde de Filippo Ganna.

No ciclismo paralímpico, só as categorias masculinas C4, C5 e B competem em 4km. Os 3 recordes foram quebrados nas Paralimpíadas de Tóquio: Jozef Metelka (SVK) foi para a final **C4** em 4min22,772s, e Dorian Foulon (FRA) completou a **C5** em 4min18,274s. Tristan Bangma e o piloto Patrick Bos (ambos NLD) foram para a final da categoria **B** com 3min59,470s.

Mais medalhas em ciclismo de estrada feminino de elite no Campeonato Mundial UCI
Desde 2006, Marianne Vos (NDL) foi medalhista 9 vezes na competição feminina de ciclismo de estrada de 1 dia. Terminou em 2º lugar em 2021 na Bélgica, com total de 3 ouros e 6 pratas.

Medalhista de ouro mais jovem em Mountain Bike
Tom Pidcock (RU, n. 30/7/1999) tinha 21 anos e 361 dias quando ganhou o cross-country masculino em 26/7/2021, em Izu, terminando com 20s de vantagem.

ESPORTES
Esportes de resistência

PAÍS MENOS POPULOSO A GANHAR UMA MEDALHA DE OURO OLÍMPICA
Em 27/7/2021, Flora Duffy venceu o triatlo feminino em Tóquio e deixou Bermudas (população: 62.278) em glória. Duffy completou natação de 1,5km, ciclismo de 40km e corrida de 10km em 1h55min36s. Para ver o **menor país a ganhar uma medalha olímpica**, vá à p.244-5.

Também em 2021, ela igualou o recorde de **mais vitórias no Campeonato Mundial de Triatlo (feminino)** — 3, estabelecido por Emma Snowsill (AUS) em 2003 e 2005-6.

Mais rápido triatlo IRONMAN 70.3 (feminino)
Também conhecido como "meio-IRONMAN", o 70.3 tem a metade da distância da competição inteira: natação de 1,9km, ciclismo de 90km e corrida de 21,1km. Em 5/8/2018, Daniela Ryf (CHE) venceu o IRONMAN 70.3 de Gdynia, na Polônia, em 3h57min55s. Ryf é pentacampeã mundial nessa distância.

O recorde de **mais rápido triatlo IRONMAN (feminino)** é de 8h22min41s, por Sara Svensk (SWE), no IRONMAN de Cozumel, México, em 21/11/2021.

Mais dias consecutivos correndo uma maratona (feminino)
Entre 31/3 e 3/7/2020, Alyssa Clark (EUA) correu 42,1km por 95 dias consecutivos. No início da pandemia, ela ficou trancada com o marido na base naval dos EUA em Nápoles, Itália. Começou a correr uma maratona na esteira todos os dias e continuou após o lockdown — encaixando até uma corrida às 00h30 na Alemanha na viagem de volta aos EUA.

TRIATLO IRONMAN® MAIS RÁPIDO
Kristian Blummenfelt (NOR) triunfou no IRONMAN de Cozumel em 7h21min12s em 21/11/2021. O campeão olímpico de triatlo destruiu a melhor marca do IRONMAN em sua estreia. Seus tempos foram: 39min41s (natação); 4h2min35s (ciclismo) e 2h35min24s (corrida). Ele também detém o recorde do **IRONMAN 70.3** – 3h29min5s, no Bahrein em 2018.

Menor tempo para completar a Maratona de Londres para cadeirantes
Marcel Hug (CHE) garantiu seu 3º título na Maratona de Londres em tempo recorde em 3/10/2021, cruzando a linha de chegada em 1h26min27s. Foi o 2º ano consecutivo em que a corrida trocou sua data de costume, em abril, devido à Covid-19.

O recorde **feminino** foi estabelecido no mesmo dia pela compatriota de Hug, Manuela Schaar, em 1h39min52s. Schaar é detentora do impressionante recorde de **mais rápida em maratona para cadeirantes (feminino)** com 1h35min42s, em 17/11/2019 em Oita, Japão.

50km mais rápidos
Em jan/2022, a World Athletics ratificou 3 recordes mundiais de 50km inéditos. O recordista **masculino** era Ketema Negasa (ETH), que ganhou a corrida Nedbank Runified de 50km, na África do Sul, em 2h42min7s em 23/5/2021. Seu pace foi de 3min15s/km. Irvette van Zyl (ZAF) estabeleceu o recorde **feminino (somente mulheres)** no mesmo evento em 3h4min24s. O **feminino (gênero misto)** foi de 2h59min54s por Desiree Linden (EUA) em 13/4/2021 na Brooks 50km & Marathon em Eugene, Oregon, EUA.

MAIOR DISTÂNCIA PERCORRIDA EM 24 HORAS*
Em 28-29/8/2021, Aleksandr Sorokin (LTU) correu 309,399km na Corrida de 24h UltraPark Weekend, em Park Wolności, Pabianice, Polônia. Ele quebrou a lendária marca de 303,506km de Yiannis Kouros, intacta desde 1997. Sorokin correu o equivalente a 7 maratonas em um dia, fazendo uma média de 4min39s/km.

Maior número de voltas em uma ultramaratona
A ultra endurance consiste em completar uma volta de 6,7km a cada hora, até que só reste um competidor. A cada 24h, corre-se um total de 160km. De 16-19/10/2021, Harvey Lewis (EUA) completou 85 voltas para ganhar o Big's Backyard Ultra, em Bell Buckle, Tennessee, EUA. O evento começou às 7h de sábado e terminou às 21h de terça-feira; Lewis correu ao todo 569,96km, batendo o recorde anterior de 81 voltas, estabelecido por John Stocker no Suffolk Backyard Ultra de 2021, de 5-8/6.

O recorde **feminino** é de 68 voltas, de Courtney Dauwalter (EUA), que ganhou a edição virtual de 2020 do Big's Backyard Ultra.

* aguardando ratificação da IAU.

MENOR TEMPO PARA CHEGAR AOS PICOS DE WAINWRIGHT
De 11-17/6/2021, Sabrina Verjee (RU) alcançou os 214 picos do Parque Nacional de Lake District, em Cumbria, RU, em 5 dias 23h49min. Os picos estão listados no *Pictorial Guide to the Lakeland Fells*, de Alfred Wainwright. Verjee, uma veterinária de 40 anos, dormiu só 8h durante sua caminhada de 523km.

MAIS VITÓRIAS NO ULTRA-TRAIL DU MONT BLANC (MASCULINO)
François D'Haene (FRA) conquistou sua 4ª vitória na ultramaratona dos Alpes de estágio único em 28/8/2021, chegando à frente de Kílian Jornet e Xavier Thévenard. D'Haene completou o circuito de 171,5km pelas montanhas da França, Suíça e Itália em 20h45min59s. A corrida acontece todo ano e conta com mais de 2.000 participantes.

ESPORTES
Corrida

MAIS RÁPIDO...

Grande Prêmio de Fórmula 1
O piloto Michael Schumacher (DEU), da Ferrari, venceu o Grande Prêmio da Itália de 2003, em Monza, a uma velocidade média de 247,585km/h pelo circuito de 53 voltas. Ele recebeu a bandeira quadriculada após 1h14min19s.
Durante sua carreira, o piloto 7 vezes campeão mundial também recebeu o título de **maior número de voltas mais rápidas na Fórmula 1** — 77 — entre 30/8/1992 e 22/7/2012.

Corrida do Campeonato Mundial de Rally
Kris Meeke (RU) completou o Rally da Finlândia de 2016, em Jyväskylä, a uma velocidade média de 126,62km/h em seu Citroën DS3 WRC. Apelidado de "Grande Prêmio do Cascalho", o Rally da Finlândia é famoso pelas altas velocidades e tempos rápidos.

Volta na corrida do TT da Ilha de Man
Em 8/7/2018, Peter Hickman (RU) fez um circuito na corrida sênior TT a uma velocidade média de 217,989km/h em sua BMW S1000RR. O tempo da volta completa foi de 16min42,778s.

Velocidade em evento da MotoGP
Johann Zarco (FRA) atingiu os 362,4km/h durante um treino livre para o Grande Prêmio do Qatar, em Lusail, em 27/3/2021. Essa velocidade foi alcançada por Brad Binder (ZAF) em Scarperia e San Piero no Grande Prêmio da Itália em 29/5, também durante um treino.

MAIS VITÓRIAS NOS RALLYS MUNDIAIS (FEMININO)
Michèle Mouton (FRA) venceu 4 rallies WRC entre 10/10/1981 e 14/8/1982. Ela conquistou sua 1ª vitória no Rally de Sanremo em 1981 em um Audi Quattro e somou mais 3 vitórias em 1982, quando terminou em 2º lugar na classificação geral. Mouton também é a única mulher a ganhar o Pikes Peak International Hill Climb, em 1985.

MAIS VITÓRIAS NA MOTOGP
Valentino Rossi (ITA) se aposentou da MotoGP em 2021 após uma carreira brilhante em que chegou em 1º lugar 89 vezes (incluindo 13 nas 500cc, que precedeu o MotoGP). O 9 vezes campeão mundial (7 na MotoGP) competiu pela Honda, Yamaha e Ducati, e registrou **mais corridas na MotoGP** — 372 — ao competir em 29 circuitos diferentes.

Mais vitórias na National Hot Rod Association (NHRA)
Em 15/8/2021, John Force (EUA) alcançou a vitória nº 154 da carreira na classe Funny Car no NHRA Menards, em Topeka, Kansas, EUA — aos 72 anos. Force, pai de Brittany (à dir.), passou as 1ªs nove temporadas sem vitórias até se tornar o 1º piloto a conquistar 100 triunfos em qualquer classe. Ver p.79.
O **maior nº de vitórias de NHRA (feminino)** é 45, por Angelle Sampey (EUA), na classe Pro Stock Motorcycle. Seu último triunfo veio em 17/10/2021, no NHRA Thunder Valley Nationals, em Bristol, Tennessee, EUA, ao ultrapassar Karen Stoffer na final só de mulheres.

Mais vitórias na NASCAR
Kyle Busch (EUA) ampliou seu recorde de vitórias nas 3 categorias de stock car para 222 em 2021. Venceu 59 corridas na NASCAR Cup Series com **mais vitórias na Xfinity Series** (102) e **mais vitórias na Truck Series** (61) e superou o recorde de Richard Petty de 200 vitórias — todas conquistadas em Cup Series entre 1960 e 1984 — na corrida TruNorth Global 250 Truck Series em 23/3/2019 em Ridgeway, Virgínia, EUA.

Mais vitórias no Campeonato Mundial de Superbike
Jonathan Rea (RU) triunfou em 13 corridas durante a temporada de 2021 de Superbike, elevando seu total para 112 — quase o dobro do rival mais próximo, Caril Fogarty (59). Rea tornou-se o 1º competidor de Superbike a registrar 100 vitórias em 22/5/2021, no MotorLand Aragón, na Espanha.

VOLTA DE FÓRMULA 1 MAIS RÁPIDA
Lewis Hamilton (RU) completou um circuito no Autódromo Nacional de Monza em uma velocidade média de 264,362km/h para a Mercedes durante uma qualificação para o Grande Prêmio da Itália de 2020, dirigindo 5,7km em 1min18,887s. Hamilton quebrou os recordes da F1, tornando-se o 1º piloto a completar 100 vitórias e pole positions.

Lewis Hamilton

Mais...	Total
Vitórias	103
Pole positions	103
Vitórias em pistas diferentes	31
Poles em pistas diferentes	32
Corridas consecutivas	265 (2007-20)

Nºs verificados no início da temporada de 2022 da F1

MAIS VITÓRIAS NA INDIANAPOLIS 500
Hélio Castroneves (BRA) igualou-se a AJ Foyt, Al Unser Sr e Rick Mears (todos EUA) com sua 4ª vitória na Indy 500, em 30/5/2021. Seu tempo de 2h37min19,3846s foi o **mais rápido da Indy 500** em uma corrida completa de 200 voltas; sua velocidade média ao redor da Indianapolis Motor Speedway foi de 306,885km/h.

ESPORTES

MELHOR TEMPO PARA COMPLETAR A CORRIDA DO MONTE WASHINGTON HILLCLIMB
Em 15/8/2021, Travis Pastrana (EUA) levou seu Subaru WXR STI 862-hp para o topo do monte Washington em 5min28,670s. Realizado pela 1ª vez em 1904, a "Corrida até as nuvens" é uma das mais antigas dos EUA, e segue um trecho de estrada de 12,2km com um ganho de elevação de 1.417m.

RECORDE DE VELOCIDADE (FÓRMULA 1, APROVADO PELA FIA)
Em 20/7/2006, Alan van der Merwe (ZAF) dirigiu um Honda BAR modificado a 397,483km/h ao longo de 1km em Bonneville Salt Flats, Utah, EUA. Foi parte do projeto "Bonneville 400" para ver se um carro da F1 conseguia atingir 400km/h; depois, ele tornou-se piloto do carro médico da F1.

Mais Grandes Prêmios de Fórmula 1
Kimi Räikkönen (FIN) se aposentou da F1 em 2021 após 349 corridas e mais de 18.000 voltas. Ele fez sua estreia no Grande Prêmio da Austrália em 2001 e competiu pela Sauber, McLaren, Ferrari (2 períodos), Lotus e Alfa Romeo. Räikkönen venceu o Campeonato de F1 de 2007 pela Ferrari e registrou 21 vitórias, 18 poles e 103 pódios.

Mais Grandes Prêmios de Fórmula E
Até 12/2/2022, Lucas di Grassi (BRA) e Sam Bird (RU) disputaram todas as corridas de campeonato de carro elétrico — um total de 87. Todas as corridas de Di Grassi foram pela Audi Sport ABT Schaeffler, com quem conquistou o título em 2016/2017. Triunfou em 12 provas, uma a menos que recordista Sébastien Buemi (CHE) de **mais vitórias em corridas de Fórmula E**. Bird já competiu pela Envision Virgin Racing e Jaguar TCS Racing, com 11 vitórias.

MAIS VITÓRIAS EM FÓRMULA DRIFT
Realizado pela 1ª vez em 2004, a Fórmula Drift é uma série de competições motorizadas na qual os participantes recebem pontos de acordo com sentido, ângulo e estilo. Fredric Aasbø (NOR, à esq.) é o rei das derrapadas, com 16 vitórias entre 21/6/2014 e 28/8/2021. Em 2021, ele conquistou seu 2º campeonato.

Mais jovem vencedor do Campeonato Mundial de Rally
Em 18/7/2021, Kalle Rovanperä (FIN, n. 1/10/2000) venceu o Rally da Estônia aos 20 anos e 290 dias. Dirigia um Toyota Yaris WRC, com o copiloto Jone Halttunen, e terminou 1min à frente dos demais.

MAIOR VELOCIDADE EM UMA CORRIDA DE NHRA TOP FUEL (304M)
Em 1/11/2019, Brittany Force (EUA) atingiu 544,23km/h no NHRA Nationals em Las Vegas, Nevada, EUA. Ela percorreu 304m em 3,659s. A velocidade é medida usando um medidor de 20m que termina na linha de chegada, enquanto o "tempo" registra a duração de toda a corrida.

Recordes da National Hot Rod Association — NHRA (304m e 400m)

Classe	Tempo	Velocidade	Piloto	Local	Data
Top Fuel	3,623s		Brittany Force	Mohnton, Pensilvânia	14 set 2019
		338,17 mph	Brittany Force	Las Vegas, Nevada	1 nov 2019
Funny Car	3,793s		Robert Hight	Brainerd, Minnesota	18 ago 2017
		339,87 mph	Robert Hight	Sonoma, Califórnia	29 jul 2017
Pro Stock	6,450s		Erica Enders	Gainesville, Flórida	13 mar 2022
		215,55 mph	Erica Enders	Englishtown, Nova Jersey	30 mai 2014
Pro Stock Motorcycle	6,665s		Karen Stoffer	Gainesville, Flórida	13 mar 2022
		205,04 mph	Matthew Smith	Sonoma, Califórnia	24 jul 2021
Pro Mod	5,621s		Jose Gonzalez (DOM)	Gainesville, Flórida	14 mar 2021
		261,22 mph	Erica Enders	Norwalk, Ohio	22 jun 2019

Todos os pilotos e locais são dos EUA, exceto quando indicado

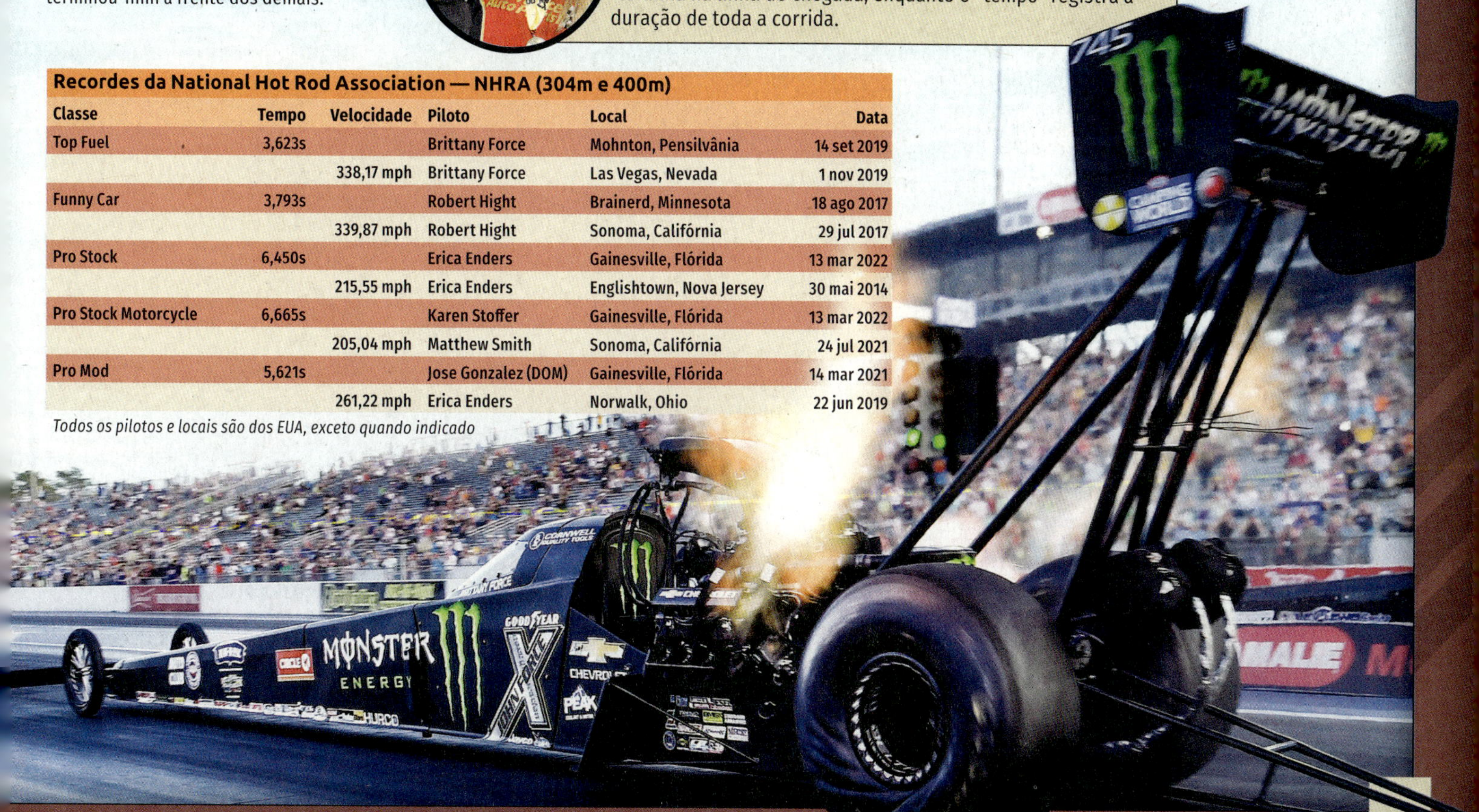

ESPORTES
Esportes de combate

PRIMEIRO CAMPEÃO MUNDIAL SUPERMÉDIO DE BOXE INVICTO
Em 6/11/2021, Saúl "Canelo" Álvarez (MEX, à dir.) derrotou Caleb Plant e conquistou todos os prêmios de peso supermédio. Considerado o melhor boxeador libra por libra pela The Ring, seu recorde é de 57 vitórias, 2 empates e 1 derrota.

MAIS LUTAS DE UFC (FEMININO)
Em 25/9/2021, Jéssica Andrade (BRA) se tornou a 1ª mulher a pisar no octógono pela 20ª vez. Derrotou Cynthia Calvillo no 1º round por nocaute técnico na luta peso mosca no UFC 266. Antiga campeã mundial de peso palha, seu recorde se manteve com 13 vitórias e 7 derrotas.

MAIS OUROS OLÍMPICOS EM...
Luta greco-romana
Miján López (CUB) derrotou Iakobi Kajaia por 5x0 em 2/8/2021 e conquistou seu 4º título olímpico seguido de peso superpesado, com **mais ouros olímpicos seguidos (masculino)**, igualando-se ao velejador Paul Bert Elvstrøm (DNK), o lançador de discos Al Oerter (EUA), Carl Lewis (EUA) no salto de longa distância e o nadador Michael Phelps (EUA) no 200m medley individual.

Judô
Em 31/7/2021, Teddy Riner ganhou seu 3º ouro olímpico na equipe mista de judô da França. Ele equiparou-se a Tadahiro Nomura (JPN) no peso extraleve em 1996, 2000 e 2004. Riner também conquistou o bronze individual no peso pesado em Tóquio, um total de 5 medalhas na carreira — a **maior quantidade de medalhas olímpicas de judô**, igualando-se a Ryoko Tani (JPN) no peso extraleve feminino entre 1992 e 2008.

Taekwondo (peso pesado feminino)
Milica Mandić (SRB) ganhou seu 2º ouro na categoria +67kg em Tóquio, o mesmo feito de Chen Zhong (CHN) em Sydney 2000 e Atenas 2004.

Mais finalizações de UFC
Charles Oliveira (BRA) conquistou 18 vitórias no UFC antes de o tempo acabar até 11/12/2021. Ele estendeu seu recorde no UFC 269, derrotando Dustin Poirier com uma submissão no 3º round ao defender seu título de campeão de peso leve. Foi a 15ª vez que Oliveira fez um oponente desistir — a **maior quantidade de submissões no UFC**.

A **maior quantidade de finalizações (feminino)** é de 10, por Amanda Nunes (BRA) entre 3/8/2013 e 6/3/2021. Porém, seu recorde de **mais vitórias consecutivas no UFC (feminino)** — 12 — chegou ao fim no UFC 269 com uma derrota chocante para Julianna Peña.

Mais golpes dados em uma luta de UFC
Max Holloway (EUA) desferiu 445 golpes em 5 rounds em sua luta de peso pena com Calvin Kattar em 16/1/2021, na UFC Fight Island 7 em Abu Dhabi, EAU.

MAIS LUTAS VENCIDAS NO SUMÔ
Em dez/2021, o GWR deu 5 certificados à lenda do sumô Hakuho Sho (JPN, n. MNG), que recentemente se aposentou após uma carreira brilhante. Ganhou ao todo 1.187 lutas, sendo 1.093 delas no *makuuchi*, o mais alto nível da competição: a **maior quantidade de vitórias na divisão principal**. Pelos 6 torneios anuais (*honbasho*), Hakuho alcançou o **maior número de vitórias na divisão principal** (45) e foi o **menos derrotado** (16), onde ganhou com recorde perfeito. Ele se aposentou como o **melhor yokozuna por mais tempo**, competindo no rank principal do sumô por 84 *honbasho*.

Mais vitórias no *kata* masculino no Campeonato Mundial de Caratê
Há 2 modalidades nos Campeonatos Mundiais de Caratê: *kata*, na qual os atletas fazem uma série de movimentos e posturas; e *kumite*, uma luta. Em 20/11/2021, Ryo Kiyuna (JPN) ganhou seu 4º campeonato mundial consecutivo de *kata* em Abu Dhabi, EAU.
Kata **feminino**: 4, por Yuki Mimura em 1988, 1990, 1992 e 1996; e Atsuko Wakai (ambas JPN), consecutivamente entre 1998 e 2004.
Kumite **masculino**: 5, por Rafael Aghayev (AZE) entre 2006 e 2016.
Kumite **feminino**: 4, por Guusje van Mourik (NLD) entre 1982 e 1988.

Mais ouros no World Tour da Federação Internacional de Judô (IFJ)
Em 12/1/2021, Clarisse Agbegnenou (FRA) ganhou sua 18ª medalha de ouro no -63kg feminino do World Tour da IFJ, igualando-se a Majlinda Kelmendi, do Kosovo, no -52kg feminino.

Ao todo, a **maior quantidade de medalhas** é 39, por Urantsetseg Munkhbat (MNG) nas categorias femininas -48kg e -52kg.

MAIS OUROS OLÍMPICOS INDIVIDUAIS NA MESMA CATEGORIA DE ESGRIMA (MASCULINO)
Em 24/7/2021, Áron Szilágyi (HUN, à direita) conquistou seu 3º ouro consecutivo na esgrima olímpica, derrotando Luigi Samele por 15x7 na final em Tóquio. Outros dois esgrimistas, Ramón Fonst e Nedo Nadi, também têm 3 ouros individuais, mas competem em várias categorias.

O pai de Hakuho, Jigjidiin, ganhou uma prata para a Mongólia na luta livre das Olimpíadas de 1968.

ESPORTES
Esportes radicais

PARAQUEDISTA MAIS RÁPIDA (FEMININO, APROVADO PELA FAI)
Em 29/10/2021, Maxine Tate (EUA) alcançou uma velocidade vertical de 459,09km/h em 3s no campeonato nacional da United States Parachute Association de 2021, em Eloy, Arizona, EUA. Em 8 saltos, Tate, paraquedista campeã mundial, quebrou o próprio recorde 4 vezes.

MEDALHISTA DE OURO MAIS JOVEM DOS X GAMES
Gui Khury (BRA, n. 18/12/2008) ganhou a Melhor Manobra na Rampa aos 12 anos e 210 dias em 16/7/2021. Foi o 1º a fazer um 1080 na competição, ganhando destaque em um campo que inclui Tony Hawk.

Paraquedista mais rápido (masculino, aprovado pela FAI)
Kyle Lobpries (EUA) chegou aos 512,97km/h em queda livre no campeonato nacional da USPA em 28/10/2021, em Eloy, Arizona, EUA. Paraquedistas de velocidade usam um GPS para gravar suas maiores velocidades médias verticais por um período de 3s, durante a queda livre, que começa em altitude de saída (3.962-4.267m acima do solo) e acaba a cerca de 1.706m.

Hot saw mais rápida no Timbersports
Em 21/8/2021, Robert Ebner (DEU) levou só 4,87s para cortar 3 discos completos de um tronco horizontal com 46cm de diâmetro no STIHL TIMBERSPORTS German Pro Championship em Gelsenkirchen. Os competidores usam motosserras customizadas e poderosas para cortar a madeira, mas não podem ir além de uma marca de 15cm.

Uma semana após o feito de Ebner, Ole Magnus Syljuberget (NOR) completou o **stock saw mais rápido** em 8,51s no Nordic Pro Championship em Stenkullen, Suécia. Os competidores cortam dois discos de uma seção de 10cm de um tronco horizontal.

Maratona Antártica mais rápida (feminino)
Em 17/12/2021, Evija Reine (LVA) lutou com neve fofa sob os pés e temperaturas de -15ºC para completar a **maratona mais ao sul** em 4h6min11s. Ela terminou mais de 1h na frente da 2ª mulher mais rápida em campo. Reine, estudante de medicina de 30 anos, bateu o recorde de Fiona Oakes de 4h20min02s, imbatível desde 2013.

MAIS VITÓRIAS NO RED BULL CLIFF DIVING WORLD SERIES FEMININO
Rhiannan Iffland (AUS) conquistou sua 5ª temporada consecutiva em 2021. Ela domina a competição desde que entrou como zebra em 2016. Seguindo a World Series, cancelada em 2020, Iffland completou sua segunda temporada perfeita seguida em 2021, com um recorde de 13 vitórias consecutivas no evento.

ESCALADA DE 15M MAIS VELOZ (FEMININO)
Aleksandra Mirosław (POL) escalou uma parede de 15m em 6,84s nas Olimpíadas em 6/8/2021. A escalada teve sua estreia nos Jogos de Tóquio, que contou com as modalidades boulder e lead. Mirosław, 2 vezes campeã mundial, terminou a competição geral em 4º lugar.

O recorde **masculino** também foi batido em 2021 por Veddriq Leonardo, da Indonésia, em 5,20s em Salt Lake City, Utah, EUA, em 28/5.

Mais ouros nos X Games (jogos de verão)
Em 16/7/2021, Garrett Reynolds (EUA) ganhou seu 14º ouro nos X Games, aumentando seu recorde em **mais ouros em BMX Street** para 12. Ele também ficou no topo do pódio 2 vezes em Real BMX. Reynolds se juntou a um clube de elite de 14 ouros: Dave Mirra (EUA) e Jamie Bestwick (RU), também do BMX; e o skatista Bob Burnquist (BRA).

Mais medalhas nos X Games (jogos de inverno)
No X Games Aspen 2022, Mark McMorris (CAN) e Jamie Anderson (EUA) aumentaram suas medalhas para 21. McMorris levou ouro no snowboard slopestyle masculino pela 6ª vez (um recorde), enquanto Anderson ganhou prata no snowboard slopestyle feminino e no big air. Outra performance espetacular em Aspen foi a de Kelly Sildaru, da Estônia, que conquistou o recorde de **mais medalhas de X Games por uma adolescente**. Ela ganhou o ouro no superpipe em 21/1, sua 10ª medalha dos jogos antes dos 20 anos.

MAIS MEDALHAS NAS CATEGORIAS DE VERÃO DO X GAMES (FEMININO)
Letícia Bufoni (BRA) ganhou 12 medalhas de skate: 6 ouros, 3 pratas e 3 bronzes. Em 17/7/2021, consagrou-se com o recorde feminino de **mais ouros de skate de rua** com a 5ª vitória no evento. Também tem 1 ouro pelo RWN Multi Sport nos X Games 2013 de Barcelona.

Mais vitórias no Red Bull Cliff Diving World Series masculino
O mergulhador Gary Hunt (FRA, n. RU) recebeu seu 9º troféu King Kahekili em 12 temporadas em 2021. Por incrível que pareça, Hunt admite ter medo de altura — mas só quando não há água lá embaixo!

ESPORTES
Natação

MENOR TEMPO NOS 200M ESTILO LIVRE (FEMININO)
Em 16/12/2021, Siobhán Haughey se tornou a 1ª nadadora de Hong Kong, China, a bater um recorde mundial, vencendo os 200m estilo livre em 1min50,31s no Campeonato Mundial de Natação (25m) em Abu Dhabi, EAU. Ela também levou os 100m estilo livre.

MAIS MEDALHAS GANHAS NAS OLIMPÍADAS (FEMININO)
Emma McKeon (AUS) levou 7 medalhas em Tóquio 2021, igualando o feito da ginasta soviética Maria Gorokhovskaya em Helsinki 1952. McKeon levou 4 ouros — nos 50m, 100m e 4x100m estilo livre e 4x100m medley — além de 3 bronzes.

Menor tempo revezamento 4x100m medley (masculino)*
Em 1/8/2021, os EUA — Ryan Murphy (costas), Michael Andrew (peito), Caeleb Dressel (borboleta) e Zach Apple (crawl) — ganharam o ouro olímpico em 3min26,78s. Vários recordes de revezamento foram batidos em Tóquio, como:
- **4x100m estilo livre (feminino)**: 3min29,69s, pela Austrália (Bronte Campbell, Meg Harris, Emma McKeon e Cate Campbell) em 25/7.
- **4x200m estilo livre (feminino)**: 7min40,33s, pela China (Yang Junxuan, Tang Muhan, Zhang Yufei e Li Bingjie) em 29/7.

Menor tempo nos 200m peito (feminino)
Tatjana Schoenmaker (ZAF) nadou até a glória olímpica em 30/7/2021, ganhando os 200m peito em 2min18,95s em Tóquio. Ela bateu o recorde de Rikke Møller Pedersen de 2min19,11s, estabelecido em 2013.

MENOR TEMPO NO 4X100M MEDLEY MISTO
A final do 1º evento olímpico misto de natação aconteceu em 31/7/2021 em Tóquio. A Grã-Bretanha levou o ouro com 3min37,58s. A equipe era formada por (da esq. à dir.) Kathleen Dawson (costas), Adam Peaty (peito), Anna Hopkin (crawl) and James Guy (borboleta). Foi a 3ª equipe da GB com a qual Peaty bateu um recorde mundial.

Mais medalhas paralímpicas de natação (masculino)
Daniel Dias (BRA) ganhou 27 medalhas nas piscinas paralímpicas de 2008 a 2021: 14 ouros, 7 pratas e 6 bronzes. Nascido com deficiências nos membros superiores e inferiores, Dias só aprendeu a nadar aos 16 anos. Ele levou 3 bronzes em sua última Paraolimpíada em Tóquio antes de se aposentar do esporte.

Menor tempo 50m peito (feminino)
Em 22/5/2021, Benedetta Pilato (ITA), de 16 anos, venceu com 29,30s no Campeonato Europeu de Esportes Aquáticos em Budapeste, Hungria. Ela competia na mesma piscina em que Lilly King batera o recorde anterior em 2017.

Volta mais rápida nos 100m borboleta (feminino)
Kelsi Dahlia (EUA) ganhou a primeira disputa da final da International Swimming League (ISL) de 2021 com 54,59s em 3/12/2021. Dahlia competia para os Cali Condors em Eindhoven, Países Baixos. Outros recordes de voltas rápidas de 2021 incluem:
- **100m costas (masculino)**: 48,33s, por Coleman Stewart (EUA) na ISL em 29/8 em Nápoles, Itália.
- **50m costas (feminino)**: 25,27s, por Maggie Mac Neil (CAN, n. CHN) no Campeonato Mundial de Natação (25m) em Abu Dhabi, EAU, em 20/12/2021.
- **1.500m estilo livre (masculino)**: 14m6,88s, por Florian Wellbrock (DEU) em Abu Dhabi, em 21/12/2021.

Mais ouros ganhos em diferentes Campeonatos Mundiais de Natação (25m)
Ranomi Kromowidjojo (NLD) levou ouro nas 6 edições do campeonato mundial de piscina semiolímpica entre 2008-2021, igualando-se a Ryan Lochte (EUA) entre 2004-2014. Ela levou 2 ouros em Abu Dhabi em dez/2021, antes de anunciar a aposentadoria. Ao todo, tem impressionantes 45 medalhas do Campeonato Mundial de Natação.

Menor tempo nos 400m nado de nadadeira de superfície (masculino)
Em 21/3/2021, Oleksii Zakharov (UKR) completou a prova em 2min55,57s na Copa Mundial de Nado de Nadadeira da CMAS em Lignano Sabbiadoro, Itália. Os atletas competem usando máscara, snorkel e nadadeira.

O recorde **feminino** é de 3min12,10s, de Sun Yi Ting (CHN), em 16/7/2018, em Belgrado, Sérvia.

Menor tempo nos 100m borboleta (masculino)
Em 31/7/2021, Caeleb Dressel (EUA) ganhou o ouro nos 100m borboleta com 49,45s em Tóquio, Japão, batendo seu próprio recorde de 2019 por 0,05s. Ele levou 5 ouros em Tóquio, consolidando sua posição como um dos nadadores mais rápidos da história. Até 1/2/2022, ele tinha **mais recordes olímpicos de natação** — 9.

Todos os recordes batidos em piscinas olímpicas (50m), a não ser quando indicado o contrário.

ESPORTES
Esportes aquáticos

Primeiros medalhistas de ouro em surfe
Em 27/7/2021, Ítalo Ferreira (BRA) e Carissa Moore (EUA) levaram o ouro masculino e feminino da prancha em Tóquio, na praia Tsurigasaki, em Chiba, Japão. Ele venceu o favorito da casa Kanoa Igarashi na final masculina antes de Moore superar Bianca Buitendag.

Mais vitórias na Liga Mundial de Surfe
Dias antes de seu 50º aniversário, a lenda do surfe Kelly Slater (EUA) conquistou o Billabong Pro Pipeline no Havaí, EUA, em 5/2/2022 — seu 56º título na Liga Mundial de Surfe. Slater derrotou Seth Moniz na final para conquistar seu 8º Billabong, 30 anos após o primeiro. O 11 vezes campeão mundial descreveu como "a melhor vitória da minha vida".

Menor tempo nos 1.000m de canoagem de velocidade (C2, masculino)
Serguey Torres e Fernando Jorge (ambos CUB) levaram o ouro na prova masculina do C2 com 3min24,995s em 3/8/2021, no Sea Forest Waterway em Tóquio. Foi o 1º ouro olímpico de Cuba no esporte.

Mais ouros individuais no ICF Canoe Slalom World Championships
Em 26/9/2021, Jessica Fox (AUS, n. FRA) aumentou seus títulos individuais para 8 com o ouro na canoagem slalom no Campeonato Mundial de Canoagem Slalom da Federação Internacional de Canoagem em Bratislava, Eslováquia. Antes, ela tinha ganhado a classe K1 3 vezes e a C1 quatro vezes — além de 3 títulos mundiais.

Salto ornamental com mais pontos
Em 7/8/2021, Yang Jian (CHN) recebeu 112,75 pontos por seu mergulho frontal de 4 giros e meio no último round da plataforma de 10m masculina em Tóquio. Yang superou o mergulho de 112,10 pontos de Matthew Mitcham em Pequim 2008, mas teve que se contentar com a prata, atrás de Cao Yuan.

Mergulho livre mais fundo com pés de pato (feminino)
Em 2/7/2021, Jennifer Wendland (DEU) foi até os 93m nos AIDA Limassol Depth Games no Chipre, batendo o recorde de Alenka Artnik por 1m.

Maior velocidade em kitesurf masculino (milha náutica)
Sylvain Hoceini (FRA) alcançou 39,11 nós (72,43km/h) em 1 milha náutica (1,8km) em 15/7/2020 em La Palme, na França, certificado pelo World Sailing Speed Record Council.

MAIS MEDALHAS EM SALTOS NAS OLIMPÍADAS (PAÍS)
A China levou 12 medalhas em Tóquio, ganhando 7 dos 8 eventos, além de 5 pratas. Isso a igualou aos EUA nos Jogos de 1932, quando levaram os 4 eventos. Provas sincronizadas foram adicionadas nas Olimpíadas de 2000, dobrando o número de medalhas.

MAIS PONTOS EM ESQUI AQUÁTICO (MASCULINO)
Em 14/10/2021, Joel Poland (RU) marcou 2.660,12 pontos no Campeonato Mundial da International Waterski & Wakeboard Federation em Sunset Lakes, em Okahumpka, Flórida, EUA. Ziguezagueou por 10,25m a 58km/h, marcou 11.620 pontos com truques e pulou 69m.

MAIS OUROS EM CANOAGEM NAS OLIMPÍADAS
Lisa Carrington, da Nova Zelândia, ganhou 3 provas em Tóquio, igualando-se a Vladimir Parfenovich (USSR) em 1980, Ian Ferguson (NZ) em 1984 e Danuta Kozák (HUN) em 2016. Carrington triunfou na K1 200m e 500m, e na K2 500m em 3-5/8/2021.

Carrington recebeu o Lonsdale Cup 2021 pelo Comitê Olímpico Neozelandês por suas vitórias.

MENOR TEMPO NOS 2.000M MASCULINO SKIFF DUPLO LEVE
Fintan McCarthy e Paul O'Donovan (ambos IRL) ganharam a semifinal do remo olímpico em 6min5,33s em 28/7/2021. A dupla levou o ouro no dia seguinte. Um total de 6 recordes de remo caíram no Sea Forest Waterway em Tóquio em 28/7, auxiliados pelo vento forte.

Recordes de remo Tóquio 2020

Categoria	Tempo	Nacionalidade	Equipe
Skiff quádruplo masculino	5:32,03	Holanda	Tone Wieten, Koen Metsemakers, Abe Wiersma e Dirk Uittenbogaard
Skiff quádruplo feminino	6:05,13	China	Cui Xiaotong, Lyu Yang, Zhang Ling e Chen Yunxia
Dupla sem timoneiro feminino	6:47,41	Nova Zelândia	Grace Prendergast e Kerri Gowler
Oito com timoneiro feminino	5:52,99	Romênia	Viviana Iuliana Bejinariu, Maria Tivodariu, Amalia Bereș, Ioana Vrînceanu, Magdalena Rusu, Mădălina Bereș, Denisa Tîlvescu, Georgiana Dedu e timoneiro Daniela Druncea
Skiff duplo leve feminino	6:41,36	Itália	Valentina Rodini e Federica Cesarini

MAIS GOLS OLÍMPICOS NO POLO AQUÁTICO (FEMININO)
Maggie Steffens (EUA) fez 56 gols em 19 partidas de polo aquático entre 2012 e 2021. Em Tóquio, superou o recorde de 47 gols de Tania Di Mario e se tornou 1 das 2 mulheres, ao lado da colega Melissa Seidemann, a levar 3 ouros no evento. Também tem o recorde de **mais gols em Olimpíada**, com 21 em Londres 2012.

ESPORTES
Variedades

MAIS...

Participações olímpicas de uma atleta
A atiradora Nino Salukvadze (GEO) competiu na 9ª Olimpíada consecutiva em Tóquio; terminou em 31º na pistola de ar 10m e 25º na pistola 25m, e carregou a bandeira do país na cerimônia de abertura. Ganhou 1 ouro, 1 prata e 1 bronze ao longo de sua carreira olímpica de 33 anos. O recorde de **participações olímpicas** é 10, pelo cavaleiro Ian Millar (CAN) em 1972-2012. A ginasta Oksana Chusovitina (UZB), que participou da qualificação para o salto feminino, também desafia o tempo. Aos 46 anos, Tóquio foi sua 8ª Olimpíada consecutiva desde 1992 — o **maior nº de aparições olímpicas de uma ginasta**.

Pontos no tiro com arco composto ao ar livre de 60m 36 flechas (feminino)
Ella Gibson (RU) acertou 358 de 360 em 9/12/2021 no evento Battle of Britain 1440 em Burnham-on-Sea, Somerset, RU. Todos os recordes de 36 flechas do World Archery devem ser definidos como parte de uma rodada completa de 1440, que compreende 144 flechas disparadas em 4 distâncias: 30m, 50m, 70m e 90m para homens; e 30m, 50m, 60m e 70m para mulheres.

Títulos do ranking de sinuca
Ronnie O'Sullivan (RU) venceu o Grande Prêmio Mundial de 2021 e aumentou seu recorde de vitórias para 38. Ele derrotou Neil Robertson por 10-3 na final em 19/12 em Coventry, West Midlands, RU.

Vitórias de etapa no Rally Dakar
Stéphane Peterhansel (FRA) ganhou 82 etapas da corrida off-road em 1988-2022. Ele venceu a etapa 10 do Rally Dakar 2022, na Arábia Saudita, e registrou sua 49ª vitória em carro. Ele também teve 33 triunfos em etapas com motocicletas.

Títulos de Open simples no Campeonato Mundial Indoor Bowls (feminino)
Katherine Rednall (RU) conquistou o 4º título de simples feminino em 20/01/2022, derrotando Alison Merrien em 2 sets no Potters Leisure Resort em Hopton-on-Sea, Great Yarmouth, RU.

Campeonatos Mundiais de Arremesso de Ferradura
O arremessador Alan Francis garantiu seu 25º título masculino em 2021, vencendo todas as 15 partidas em Winnemucca, Nevada, EUA. No mesmo evento, Joan Elmore igualou o recorde feminino de 10, estabelecido por Vicki Chapell Winston (todos EUA) entre 1956-1981.

MENOR PAÍS POR POPULAÇÃO A GANHAR UMA MEDALHA OLÍMPICA
San Marino (população: 34.009) ganhou 3 medalhas em Tóquio 2021. Alessandra Perilli (n. ITA) deu o pontapé inicial com 1 bronze no tiro ao alvo feminino em 29/7/2021 e depois acrescentou 1 prata no evento de equipe mista de fossa olímpica com Gian Marco Berti 2 dias depois (acima). Myles Amine (n. EUA, detalhe) adicionou 1 bronze na luta livre masculina de 86kg em 5/8.

Lutas do UFC
Em 19/2/2022, Jim Miller (EUA) entrou no octógono pela 39ª vez, enfrentando Nikolas Motta em um confronto peso leve no UFC Vegas 48. Miller nocauteou o adversário no 2º round em sua 23ª vitória no ultimate — igualando o recorde de Donald "Cowboy" Cerrone (EUA) de **mais vitórias no UFC**. Cerrone participou de 37 lutas do UFC.

Lutas do UFC vencidas por KO/TKO
Derrick Lewis (EUA) nocauteou 13 oponentes do UFC entre 19/4/2014 e 18/12/2021. O peso pesado conquistou o recorde de nocautes do UFC com sua paralisação de Chris Daukaus no 1º round no UFC Fight Night 199 em Las Vegas, Nevada, EUA.

MAIS VITÓRIAS NA COPA DO MUNDO DE TIRO COM ARCO
Sara López (COL) ganhou seu 6º título da Copa do Mundo de Tiro com Arco em 29/9/2021, derrotando Toja Ellison por 147-145 na final em Yankton, Dakota do Sul, EUA. Ela abriu 1 de vantagem no total de 5 títulos de arco recurvo de Brady Ellison (masc.). A Copa do Mundo de Tiro com Arco começou em 2006 e tem 4 eventos de qualificação e 1 final.

MAIS CAMPEONATOS DE MOTO TRIAL
Toni Bou (ESP) manteve o domínio de moto trial em 2021, elevando o total de campeonatos para 30. Ele conquistou 15 títulos outdoor no Campeonato Mundial de Trial da Fédération Internationale de Motocyclisme (FIM) e 15 títulos indoor no FIM X-Trials consecutivamente desde 2007.

MAIOR PONTUAÇÃO NO CICLISMO ARTÍSTICO UCI (SIMPLES MASCULINO)
Ciclistas artísticos fazem apresentações musicais de 5 minutos em bicicletas. Lukas Kohl (DEU) marcou 214,20 em Oberbüren, Suíça, em 18/9/2021.
O recorde de **abertos de duplas** foi batido em 29/8/2021, por Max Hanselmann e Serafin Schefold (ambos DEU) com 173,50 em Öhringen, Alemanha.

ESPORTES

MAIS MEDALHAS OLÍMPICAS DE HIPISMO

Isabell Werth (DEU) ganhou 12 medalhas em 6 Jogos entre 1992-2021. Montando Bella Rose II, conquistou o ouro no adestramento por equipe e 1 prata individual em 27-28/7/2021 no Parque Equestre Baji Koen em Tóquio, Japão. Werth é uma das 3 únicas atletas a ganhar ouro em 6 Olimpíadas diferentes, junto com a canoísta Birgit Fischer e o esgrimista Aladár Gerevich.

CORRIDA DE 1.500M INDOOR MAIS RÁPIDA (MASCULINO)

Em 17/2/2022, Jakob Ingebrigtsen (NOR) correu 1.500m em 3min30,60s em uma competição do World Athletics Indoor Tour em Liévin, França. Aos 21 anos, ele levou o ouro nos 1.500m em Tóquio em 7/8/2021.

Levantamento de peso mais pesado +87kg total (feminino)

Li Wenwen (CHN) levantou um total de 335kg em 25/4/2021 no Campeonato Asiático de Halterofilismo em Tashkent, Uzbequistão, incluindo o snatch mais pesado — 148kg — e o clean & jerk mais pesado — 187kg. Li levou o ouro no peso superpesado feminino em Tóquio com apenas 21 anos.

Levantamento de peso mais pesado 81kg clean & jerk (masculino)

Karlos Nasar (BGR) levantou 208kg em 12/12/2021 no Campeonato Mundial da Federação Internacional de Halterofilismo (IWF) em Tashkent. Ele se tornou campeão mundial de 81kg aos 17 anos, quebrando os recordes mundiais da IWF Juvenil, Júnior e Sênior.

Maior pontuação em partida de sinuca profissional

Jimmy Robertson (RU) fez uma pontuação de 178 em uma partida no Aberto da Escócia de 2021 em Llandudno, Gales, RU, em 7/12. Na partida de retorno, com Lee Walker, Robertson fez 133 pontos, sendo 44 em faltas, e encaçapou uma única bola vermelha.

Primeira pessoa com síndrome de Down a completar um triatlo sprint (feminino)

Em 7/8/2021, Jade Kingdom (RU) participou do triatlo sprint de Londres: nadou 750m, pedalou 20km e correu 5km. Ela terminou o evento em 2h39min55s e arrecadou mais de US$19.600 para o North Devon Hospice.

Corrida mais rápida de 100 milhas (feminino)

Em 18/2/2022, Camille Herron (EUA) terminou o USATF 100 Mile Road Championships em Henderson, Nevada, EUA, em 12h41min11s. Competindo em sua 1ª corrida na categoria Masters (40-44 anos), Herron manteve um pace de 7,37min por milha e quebrou seu próprio recorde. Ela venceu a corrida, terminando 30min à frente do concorrente masculino mais próximo. Herron também quebrou o recorde de ultradistância na **corrida mais longa em 12 horas (feminino)**, cobrindo 152,83 km.

Maratona de cadeira de rodas mais rápida (T53/54, masculino)

Em 21/11/2021, Marcel Hug (CHE) levou apenas 1h17min47s para alcançar a linha de chegada na Maratona Internacional de Oita, Japão, quebrando o recorde da maratona masculina de cadeira de rodas de 1h20min14s — também estabelecido em Oita, pelo compatriota de Hug, Heinz Frei — por mais de 2 minutos.

MAIS VITÓRIAS DA COPA SUDIRMAN DE BADMINTON

Em 3/10/2021, a China garantiu seu 12º campeonato internacional de equipes mistas com 1 vitória por 3x1 sobre o Japão em Vantaa, Finlândia. Disputada pela 1ª vez em 1989, a Copa Sudirman é uma competição bienal de badminton com escalas de até 5 partidas: simples masculino e feminino, duplas e duplas mistas.

Shiffrin é a única atleta do esqui com vitórias na Copa em todas as 6 disciplinas do esqui alpino.

MAIS VITÓRIAS NA FIS WORLD CUP EM UMA DISCIPLINA

Em 11/1/2022, Mikaela Shiffrin (EUA) venceu a 47ª corrida de slalom da FIS World Cup em Schladming, Áustria — o maior nº de vitórias em uma disciplina de esqui alpino. Shiffrin ultrapassou Ingemar Stenmark, que tem 46 vitórias de giant slalom em 1975-89. Foi no total a 73ª vitória de Shiffrin na competição, consolidando o 3º lugar na lista de todos os tempos.

245

Parem as máquinas

Os recordes seguintes foram aprovados e adicionados ao nosso banco de dados após o limite oficial para as submissões desse ano.

Desfile de moda de maior altitude em terra
Em 23/9/2021, um desfile de moda ecológico ocorreu a 5.500m no Gokyo 6th Lake View Point, Nepal. Foi organizado por Pankaj K Gupta (IND), Ramila Nemkul e Riken Maharjan (ambos NPL).

Maior pirâmide de máquinas de lavar
Para comemorar a Semana Nacional de Reciclagem, Currys e Ainscough Training Services (ambos RU) construíram uma pirâmide de 1.496 máquinas de lavar em Bury, Lancashire, RU, em 24/9/2021. A estrutura final tinha 13,6m de altura.

Mais tipos de queijo em pizza
Em 25/9/2021, o chef Julien Serri, o queijeiro François Robin e o YouTuber Morgan Niquet (todos FRA) prepararam uma pizza com 834 tipos de queijo em Lyon, França. A delícia foi preparada para a feira Sirha.

Maior fila de cartões-postais
A Viewspire (EUA) enfileirou 23.446 cartões-postais em Commerce Township, Michigan, EUA, em 9/10/2021. O evento fez parte do Viewfest 2021, um evento comunitário com curadoria de psicólogos.

Menor tempo para trocar 4 rodas de carro
Em 16/10/2021, uma equipe de 4 aprendizes da Lucky Car (AUT) trocou as 4 rodas de um Ford Focus em 49,03s em Viena, Áustria.

Maior travesseiro corporal
Em 23/10/2021, That Pillow Guy revelou um travesseiro gigante à semelhança do YouTuber David Dobrik (ambos EUA) medindo 18,3x5,03x1,55m em Vernon Hills, Illinois, EUA.

Maior hambúrguer vegano
A Finnebrogue Artisan (RU) criou um hambúrguer vegano de 162,5kg, verificado em 18/11/2021 em Downpatrick, County Down, RU. O hambúrguer era uma versão ampliada do Naked Evolution Burger, com bacon vegano, cebola crocante, queijo vegano, molho, alface, tomate e picles.

Maior tempo sobre 1 perna (vendado)
Em 21/11/2021, Max Petoe (AUS), de 12 anos, ficou em 1 perna com os olhos vendados por 35min em Melbourne, Victoria, Austrália.

Menor tempo nos 50m peito (masc.)
Hüseyin Emre Sakçı (TUR) deu 2 voltas em uma piscina de 25m em 24,95s em 27/12/2021. Ele competia em Gaziantep, Turquia.

Mais países identificados por contorno em 1min
Adam Saeed (BHR) nomeou 85 nações por seus contornos em 11/1/2022 em Manama, Bahrein. Ele recuperou o recorde, tendo quebrado-o pela 1ª vez com 70 em 8/7/2021.

Mais dribles de basquete entre as pernas em 1min
Luka Trpin (SVN) passou uma bola de basquete pelas pernas 74 vezes em 60s em Ljubljana, Eslovênia, em 15/1/2022.

Meia-maratona mais rápida vestido de ninja
Em 15/1/2022, Kit Marlar (RU) correu 21km em 1h44min21s vestido como ninja. Ele competiu na meia-maratona de Battersea Park, em Londres, RU.

Menor tempo para cortar 5 maçãs no ar com espada
Moyin Xingluo, ou Liang Yizhi (CHN), cortou 5 maçãs no ar em 11,13s em 17/1/2022 em Tai'an, Shandong, China. Ele mesmo jogou as frutas para cima e embainhou a espada de bambu entre os cortes. Seu feito foi transmitido ao vivo na plataforma de vídeo Douyin.

Primeira juíza na Copa Africana de Nações
Salima Mukansanga (RWA) oficializou a vitória do Zimbábue por 2x1 sobre o Guiné no Ahmadou Ahidjo, em Youandé, Camarões, em 18/1/2022. Ela, que já havia apitado nas Olimpíadas e na Copa do Mundo Feminina da FIFA, liderou uma equipe de arbitragem toda de mulheres.

Mais autores YA identificados por títulos de livros em 1min
Em 24/1/2022, V Varun Sriram (IND) nomeou 42 autores YA por suas obras em 60s em Chennai, Índia. Ele tinha apenas 8 anos.

Maior bala de goma
Em 27/1/2022, a Shiba (IRN) apresentou um doce em forma de golfinho pesando 1.212,5kg em Teerã, Irã. Isso é cerca de 6 vezes o peso médio de um golfinho-roaz (*Tursiops truncatus*). A bala tinha 3,5m de comprimento e 2m de largura.

Maior doação de casacos em 1h
Lakshyaraj Singh Mewar (IND) comemorou seu aniversário em 28/1/2022 distribuindo 2.800 suéteres em 60min em Udaipur, Rajasthan, Índia.

Mais flexões Homem-Aranha em 1min
Em 29/1/2022, o "rei das flexões" Luis Vargas (EUA) fez 89 flexões Homem-Aranha em 60s em Marblehead, Massachusetts, EUA. Dois dias antes, ele estabeleceu o mesmo recorde com um pacote de **20 libras**, com 71 repetições no mesmo período de tempo.

Maior raio
Um raio atravessou uma distância horizontal de 768km nos estados do Mississippi, Louisiana e Texas em 29/4/2020. O evento foi verificado pela Organização Meteorológica Mundial em 1/2/2022.

O **raio de maior duração** foi ratificado no mesmo dia. Ocorreu no Uruguai e no norte da Argentina em 18/6/2020 e durou 17,102s.

Mais cavalos de pau em carro elétrico no gelo
O dublê Terry Grant (RU) fez 69 giros sucessivos em um mar congelado em Piteå, Suécia, em 3/2/2022. Terry, que estava dirigindo um carro elétrico Porsche Taycan 4S Cross Turismo padrão com pneus de inverno, teve que se manter dentro de um círculo com o dobro de diâmetro do comprimento do carro.

Corda bamba de 20m mais rápida (corpo em chamas)
Em 3/2/2022, Maurizio Zavatta (ITA) atravessou uma corda bamba de 20m a 10,5m do chão em 14,34s — com o corpo em chamas! A façanha ocorreu no icônico circuito de Monza, na Itália, para *Lo Show dei Record*.

Para não ficar para trás, no mesmo dia, Niklas Brennsund (NOR) completou o **maior nº de paredes de papel atravessadas com o corpo em chamas em 1min** — 13.

Mais fitas da consciência feitas em 1h (equipe)
Em 4/2/2022, 54 voluntários da Emirates Oncology Society (EAU) produziu 2.828 fitas em Dubai. O recorde foi organizado para conscientizar sobre o Dia Mundial do Câncer.

Mais copos empilhados sobre bola equilibrada sobre bastão seguro na boca
Em 6/2/2022, Richard Ljungman (SWE) manteve 14 copos empilhados em Gotemburgo, Suécia. Richard é um artista de equilíbrio profissional e fundador da Cirkusskolan, uma escola de circo sueca.

1km mais rápido de natação no gelo (masc.)
Marcin Szarpak (POL) nadou 1km em 11min48,1s no 4º Campeonato Mundial da Associação Internacional de Natação no Gelo, em Głogów, Polônia, em 7/2/2022. A temperatura da água era de 3°C.

Mais balões d'água estourados na axila em 1min
Em 10/2/2022, Mr Cherry, ou Cherry Yoshitake (JPN), estourou 16 balões d'água em 60s no set de *Lo Show dei Record* em Milão, Itália.

Maior desenho de GPS por bicicleta em 12h (individual)
Em 14/2/2022, Pedaling Picasso, ou Anthony Hoyte (RU), fez uma imagem no aplicativo de exercícios GPS Strava percorrendo 112km por Milão. O desenho mostrava um artista com um pincel atrás da orelha.

Dupla subida em corte de árvore mais rápida
O GWR ficou triste ao saber da morte do competidor de timbersports e recordista mundial Martin Komárek (CZE) em mar/2022. Em 18/2, ele completou uma subida dupla em 1min57s em Milão, Itália. Os competidores têm que escalar uma árvore cortando entalhes na madeira e inserindo tábuas para se apoiar, antes de enfim cortar o topo.

Mais *udon* comido em 3min
Jeremy Lanig (EUA) comeu 1.565g de macarrão *udon* em 180s no set *de Sekai no Hate Made ItteQ!*, em Takamatsu, Kagawa, Japão, em 20/2/2022. O professor de inglês devolveu o recorde à província de Kagawa, conhecida por seu *udon*.

Mais tábuas de pinho quebradas em 1min por dupla (mista)
Os faixas pretas de Taekwondo — e casados — Lisa e Chris Pitman (ambos RU) quebraram 316 tábuas em Milão, Itália, em 24/2/2022.

Mais rolagens por cão em 1min
Em 24/2/2022, Maya rolou 52 vezes em 60s em Stukenbrock, Alemanha. Ela se apresentou com o treinador Wolfgang Lauenburger (DEU).

Menor tempo de travessia de 1 milha a nado pela passagem de Drake (oceano Pacífico a Atlântico)
A passagem de Drake é um trecho de água entre a América do Sul e a Antártida, ligando os oceanos Pacífico e Atlântico. A travessia mais rápida a nado deste canal é de 15min3s, por Bárbara Hernández Huerta (CHL) em 27/2/2022. Os mergulhos extremos em águas abertas de Huerta lhe renderam o apelido de Sereia do Gelo.

Maior memorabilia de *Sonic*
Barry Evans (EUA) tinha 3.050 itens relacionados ao velocista espevitado da Sega até 1/3/2022 em Dayton, Texas, EUA. Ele coleciona há mais de 30 anos.

Maior exibição de lampiões
Em 1/3/2022, um total de 1.171.078 lampiões foram dispostos nas margens do rio Shipra em Ujjain, Madhya Pradesh, Índia, para o festival anual Maha Shivaratri. Foi supervisionado pelo Departamento de Cultura de Madhya Pradesh.

Menor tempo de travessia a nado da baía Falsa (masc.)
Kyle Stephens (ZAF, n.

17/3/2005) levou 8h8min15 s para nadar os 32,8km entre Miller's Point e Rooi Els, na África do Sul, em 1/3/2022. Com 16 anos e 349 dias, ele também é o **mais jovem** a fazer a travessia.

Em 20/2/2022, Simon Ince (ZAF, n. 30/7/1959) se tornou a **pessoa mais velha a atravessar a baía Falsa**, com 62 anos e 205 dias. Os recordes foram ratificados pela Cape Long Distance Swimming Association e pela False Bay Swimming Association.

Mais dinheiro arrecadado por campanha on-line em 1 semana
O Comitê de Emergência de Desastres do RU arrecadou US$81,5 mi entre 3-10/3/2022. Quinze instituições do RU se uniram para pedir ao público que doasse para os deslocados pelo conflito na Ucrânia.

Mais pessoas fazendo unboxing ao mesmo tempo (vários locais)
A Samsung India Electronics Private Ltda fez seu evento "Epic Unboxing" na Índia em 5/3/2022. Ao todo, 1.820 pessoas abriram o novo smartphone Samsung Galaxy S22 Ultra simultaneamente.

Mais pulos de um robô em 1min
O PENTA-X (JPN) pulou uma corda 170 vezes em 60s em Kanagawa, Japão, em 5/3/2022. O robô, fabricado pela Ricoh Company, quebrou o recorde anterior de 106.

Maior peso de levantamento terra na elephant bar (fem.)
Em 6/3/2022, Tamara Walcott (EUA) completou um levantamento terra na elephant bar de 290,7kg no Arnold Sports Festival em Columbus, Ohio, EUA.

Maratona mais rápida por casal (tempo combinado)
Mao Ichiyama e Kengo Suzuki (ambos JPN) marcaram um tempo combinado de 4h26min30s na Maratona de Tóquio, Japão, em 6/3/2022. Eles bateram o recorde anterior de 2017 por apenas 35s.

Mais passagens de bola de olho para olho em 1min
O freestyler Yuuki Yoshinaga (JPN) rolou uma bola de futebol entre os olhos 251 vezes em 60s em Katsushika, Tóquio, Japão, em 19/3/2022.

Maior coleção de latas de refrigerante (mesma marca)
Christian Cavaletti (ITA) tinha 12.402 latas de Pepsi em 19/3/2022. Ele começou a colecionar com o irmão em 1989 e hoje tem itens de 81 países diferentes.

Maior salto triplo (fem.)
Yulimar Rojas (VEN) saltou 15,74m no Campeonato Mundial de Atletismo em Pista Coberta em 20/3/2022. Rojas quebrou seus próprios recordes mundiais **indoor** e **outdoor** (ver p.231) em Belgrado, Sérvia.

No mesmo dia, Armand Duplantis (SWE, n. EUA) ampliou seu recorde de **salto com vara (masc.)** para 6,20m, enquanto Grant Holloway (EUA) igualou seu **menor tempo de 60m com barreiras indoor (masc.)** de 7,29s.

Mais nacionalidades em aula de yoga
A instrutora de yoga Nisha Agrawal conduziu uma aula de 40min para pessoas de 114 nações em Doha, Catar, em 25/3/2022. A aula foi organizada pelo Indian Sports Centre sob a égide da Embaixada da Índia no Catar.

Maior nota em patinação no gelo
Gabriella Papadakis e Guillaume Cizeron (ambos FRA) conquistaram seu 5º título mundial com uma nota de 229,82 em Montpellier, França, de 25-26/3/2022. Seu total — que bateu o recorde das Olimpíadas de Inverno (ver p.220) — compreendeu tanto a **dança rítmica com maior pontuação** (92,73) quanto a **dança livre** (137,09).

Maior palavra feita de LEGO®
Em 26/3/2022, 3 estudantes da Universidade de Boston — Luo Wenqi, Wei Xiaoya e Zhang Yufan (todos CHN) — soletraram a palavra "Terriers" usando 9.697 peças LEGO em Massachusetts, EUA. Rhett, um boston-terrier, é o mascote da universidade.

Mais vitórias no Campeonato Mundial de Bandy (fem.)
As suecas garantiram seu 10º título mundial de bandy em 27/3/2022, derrotando a Noruega por 12x0 na final, em Åby, Suécia. O único ano até hoje em que elas não conseguiram triunfar foi 2014, quando foram derrotadas por 3x1 pela Rússia na final.

Feixe de energia mais poderoso de cíclotron
Em 28/3/2022, o Superconducting Ring Cyclotron (SRC) em RIKEN (JPN) em Wakō, Saitama, Japão, produziu um feixe de energia de 82.400MeV (mega elétron-volts).

Maior maratona de rap (indivudual)
De 1-3/4/2022, Dalcon, ou Daniel Alcon (RU), cantou rap por 39h37min54s em sua casa em Valência, Espanha. Foi permitido um descanso de 30s entre as músicas e um intervalo de 5min para cada hora de apresentação.

Regata universitária mais rápida (fem.)
Cambridge (RU) venceu a regata fem. em 18min22s em 3/4/2022. Foi a 5ª vitória consecutiva das Light Blues, com equipes rivais de Oxford e Cambridge percorrendo 6,7km ao longo do Tâmisa em Londres, RU.

Mais partidas de WWE (fem.)
Natalya (n. Natalya Neidhart, CAN/EUA) lutou em 1.137 partidas da WWE até 3/4/2022. Lutadora profissional de 3ª geração, é filha de Jim Neidhart, da Hart Foundation e do Hall da Fama.

▶ Maior pilha de M&M's
Em 7/4/2022, Ibrahim Sadeq (IRQ) fez uma torre de 7 M&M's em menos de 2 minutos em Nasiriyha, Iraque. Ibrahim é o codono do recorde de **mais ovos equilibrados no dorso da mão** — 18. (Ver p.82-83.)

Maior mosaico de quilling
Em 8/4/2022, a Quilling Card (VNM) revelou uma reprodução de 26,73 m² de *A noite estrelada*, de Vincent van Gogh, usando a antiga arte do quilling em Ho Chi Minh, Vietnã.

No mesmo dia, 300 pessoas foram supervisionadas fazendo cartões de aniversário com quilling — o **maior nº de pessoas fazendo quilling simultaneamente**.

Maior velocidade de skate em ladeira (equipe)
Em 9/4/2022, 4 membros da equipe da Virgin Media Speed Demons — Peter Dashwood-Connolly, Jonathan Braun, Aaron Skippings (todos RU) e Jennifer Alina Schauerte (DEU, n. EUA) — atingiram 84,95km/h em skates. De acordo com as regras, eles formaram uma corrente dando as mãos ao longo do percurso de descida de 100m em Dalby Forest, North Yorkshire, RU.

100m mais rápidos em corrida de obstáculos da FISO
Em 10/4/2022, Mark Julius Rodelas (PHL) completou um percurso de 100m com 12 obstáculos ninja em 27,12s no Philippine OCR 100M Open em Pasig. O evento foi realizado pela Fédération Internationale de Sports d'Obstacles (FISO). O recorde **feminino** de 39,42s foi estabelecido no mesmo evento e dia, por Kaizen Dela Serna (PHL).

Gorila mais velho em cativeiro
Fatou, a gorila-ocidental-das-terras-baixas (*Gorilla gorilla gorilla*) comemorou seu 65º aniversário em 13/4/2022. Estima-se que tenha nascido na natureza *c*. 1957, chegando ao zoo de Berlim em mai/1959 e lá vivendo há 63 anos. A expectativa de vida típica de gorilas em cativeiro é entre 40-50 anos.

Menor tempo para equilibrar 10 lápis pela ponta
Em visita à sede do GWR em Londres, RU, em 13/4/2022, Lewis Woodhead (RU), de 10 anos, testou a firmeza da mão equilibrando 10 lápis pelas pontas em apenas 16,35s. Cada lápis media no mínimo 15cm e tinha que permanecer na posição vertical por pelo menos 5 segundos.

Lustre mais pesado
Um lustre na mesquita Masjid Misr na New Administrative Capital, Egito, pesa 24.300kg — o mesmo que cerca de 4 elefantes. Construído pela Asfour Crystal International (EGY), seu peso foi verificado em 14/4/2022. Com 22,7m em sua maior dimensão — mais alto que a Casa Branca — também é o **maior lustre**.

Menor tempo para resolver um tetraedro em queda livre
Chinmay Prabhu (IND) resolveu um QiYi Pyraminx em 24,22s durante seu 1º paraquedismo. Pulou sobre Sri Racha em Chonburi, Tailândia, em 14/4/2022.

Gato mais visto no YouTube
Puff, um gato ragdoll de Nova York, EUA, acumulou 7.532.180.184 visualizações em seu canal do YouTube, "That Little Puff", em 21/4/2022. De propriedade de Lynch Zhang (EUA), "Chef Puff" ganhou fama no TikTok graças aos vídeos de inspiração culinária, nos quais aparece preparando e cozinhando uma variedade de pratos.

Maior esmeralda não lapidada
Em 22/4/2022, o peso da esmeralda Chipembele foi confirmado em 7.525 quilates (1,5kg). Era propriedade de Eshed-Gemstar e Avraham Eshed (ambos ISR). O nome "Chipembele" se traduz como "rinoceronte" no dialeto do povo bemba, da Zâmbia, onde a gigantesca gema foi extraída.

Maior multidão de pessoas vestidas de astronautas
Uma tripulação de 716 cosplayers cósmicos desembarcou em Derry, RU, em 23/4/2022. A missão foi organizada para lançar "Our Place in Space", um modelo em escala do Sistema Solar projetado pelo artista Oliver Jeffers com o professor Stephen Smartt e o Nerve Centre, um centro de Artes de Mídia na Irlanda do Norte.

Mais vitórias no Campeonato Mundial de Sinuca (era moderna)
Em 2/5/2022, Ronnie O'Sullivan garantiu seu 7º título mundial de sinuca no Crucible Theatre, em Sheffield, South Yorkshire, RU, igualando o feito de Stephen Hendry (ambos RU). O'Sullivan venceu Judd Trump por 18x13 na final do torneio de 2022, em que "The Rocket" também igualou os jogos de Steve Davis (RU) no Campeonato Mundial de Sinuca: 30.

Mais personagens de mangá licenciados em jogo de celular
Puzzle RPG Jumputi Heroes (LINE Corporation, 2018) tem 1.010 personagens da antologia de mangá *Weekly Shōnen Jump*, verificado em 2/5/2022.

Memorabilia de esportes mais cara em leilão
Em 4/5/2022, a camisa 10 usada pela lenda do futebol Diego Maradona durante a vitória da Argentina por 2x1 sobre a Inglaterra na Copa do Mundo de 1986 foi adquirida por um comprador anônimo por US$ 8,9 mi na Sotheby's em Londres, RU.

Índice

As entradas em **negrito** indicam nomes de seções de um assunto; as entradas em **NEGRITO E MAIÚSCULAS** indicam um capítulo inteiro.

3D, impressão: pontes 152; rostos 168; próteses 200
100 anos da Disney 170-71

A
Abertura da boca 58-59, 63, 211
Abhimanyu Mishra 106
Abóbora butternut 87
Abóboras 87; barcos de abóbora 119
Acertar na mosca 100
Aço: pontes impressas em 3D 152; prédios 154; escultura 144
Acordeões 193
Adiantamentos de livros 175
Adolescentes: cabelo 66; altura 56, 108
Aeroportos 117
África 140-41
Afros 66
Afundos 90
Agachamento: saltando 90; com um pé 91
Albinismo 73
Álbuns & classificação de álbuns 60, 164, 180, 181, 183; trilhas sonoras 171
Alcance: pontes 153; olhos 45
Alemanha 132
Alfaces 100
Algemas 78
Alice no País das Maravilhas 84
Almoços 207
Alpinismo 61: amputados 98; montes vulcânicos 97; jovens alpinistas 96; com pula-pula 119; **Montanhismo 94-95**; de velocidade 241; de escada 156 *ver também* "mountaineering"
Altares 120
Altitude: sustentação aerodinâmica 18; teleféricos 118; voos comerciais 18; sobrevivência e exposição 18; fast food delivery 208; balões de ar quente 1, 19, 78; deques de observação 136; travessia em corda bamba 76
Altura: animais 48, 49, 50; bicicletas 163; pontes 126, 152; igrejas 128; Rodas gigantes 160-61; humanos 56, 72, 73, 108, 128; estruturas de ferro 126, 154; montanhas 143; paratletas 232; homens de neve 102-03; **Construções mais altas 154-55**; árvores 117 *ver também* altitude
Ameixas 86
América Central & do Sul 122-23
Amígdalas 73
Amostra nuclear 162
Amputados: arrecadação de caridade 201; alpinistas 98, 99; montanhistas 98; cruzadores de oceano 99; expedições polares 98; montanhistas 94;

velejadores 97; cadeira 90; skate 99; caminhada íngreme 10
Anatomia incrível 62-63
Andar na corda bamba 79, 119; cães 49; pulando 81 *ver também* corda bamba
Anfíbios 122
Anfiteatros 127
Anéis: em pernas de aves 42; diamantes 205
Anéis de fumaça 127
Animações 14, 168, 170-71, 182
Animal Crossing 84
Animais: **Animais heróis 50-51**; bioluminescência 46-47; **Observação de aves 42-43**; **Animais bizarros 44-45**; prêmios de bravura 50, 51; cativeiro 55, 131; gerados por computador 168; escuridão 47, 55; elétricos 45; híbridos 54; **Megamamíferos 38-39**; mímicos 45; em órbita 136; sensitivos a órgãos 44; terapia animal 50, 51; **Pets e pecuária 48-49**; diferença de tamanho entre predador-presa 53; santuários 143, 146; **Veneno 40-41** *ver também* entradas individuais do índice
Animais bizarros 44-45
Animatronics 168
Antarctic Ice Marathon 241
Anticiclones 27
Apps 210
Aquedutos 125, 128
Aranhas 40
Armaduras 124
Arqueria 244
Arquivos 174
Arranha-céus 138
Arrecadação de fundos para caridade 201
Arremesso de peso 230
Arrotos 68
Arroz e sardinha, prato 129
Art Nouveau 128
Arte: animais pintores 48; leilão 203; Banksy 206: de rua em giz 214; galerias 126; murais 120, 122, 137; roubada 133 *ver também* escultura
Arte de Banksy 206
Artrópodes 54
Árvores: cerejeiras 145; de Natal 88; copas 117; altura 117; labirintos 130; mamoeiros 86; plantando 214; remotas 147
Ás, tênis 229
Ásia Central & Meridional 142-43
Aspiradores de pó 83
Asteroides 24, 26, 27
Astronautas: negros 33; asas de astronautas comerciais 18; atividade extraveicular 20, 32; mulheres 19, 20, 33, 34-35
Astronomia 28-29, 110
Atividade extraveicular 20, 32; objetos perdidos 23
Atletismo 230-31
Atores e atrizes: prêmios 182, 183; negro 182; surdo 182, 194; ganhos 172; *Hamlet* 60; TikTok 211; TV 172
ATP Masters 229
Audiolivros 174
Austrália 146

Autores 183, 206 *ver também* Livros e revistas
Aves: contagem 42, 43; **Observação de aves 42-43**; "birding" 42; cantos 42; em cativeiro 131; censos 42; guias de campo 41; chifres 44; com anel na perna 42; espécies 42 *ver também* entradas individuais de índice
Aviação: altitude 18 *ver também* aeronave
Avião: altitude 18; circum-navegação 78; elétrico 163; voando por um túnel 163; jato 207; passageiros 60; puxando 83, 99; a foguete 18, 19; energia solar 78; velocidade 19
Aviões a foguete 18, 19

B
Backflips 12, 13; BMX 100; patinete 109
Baço 73
Badminton 245
BAFTA 182
Baías, bioluminescência 47
Balas de canhão humanas 78
Baleia-azul 52-53
Baleias 52-53
Balões de ar quente: altitude 1, 19; circum-navegação 78; passageiros 60; corda bamba entre 101
Bambolê 12, 78, 80, 82, 83, 100
Bananas 82
Bananeira 91
Banheiros no espaço 20, 21
Barbas 66; puxando carros 82
Barbeiros 60
Barcos e navios: controlados pela boca 98; puxando 82; de abóbora 119; viking 134
Barras 91
Barragem de maré 133
Basquete 227; jogadores animais 48; maratonas 100; truques 78, 81, 92, 226, 227
Batatas 87; batatas fritas 208
Batendo palmas com 1 mão 83
Baterias 84, 193, 214
Bebês: peso de nascimento 73; nônuplos 73; prematuro 73; trigêmeos 73
Beija-flores 121
Beijos: com pimento habanero 82; filmado 173
Beisebol 224-25, 226; tacos 83, 206; cards 206; estádios 117
Berinjela 87
Besouros 121; bioluminescência 46
Beterraba 84
Best-sellers: álbuns 180; livros 174, 175; singles de Natal 89; diários 133; singles digitais 181; exoesqueletos 157; grupos pop 125; artistas solo 116; videogames 185, 186, 188, 189, 190, 191 *ver também* bilheteria
Beyoncé 164-65
Biathlons 221
Bibliotecas 174, 175; acorrentadas 174

Bicicletas 163, 201; ordinárias 146; corrida em escada 123; duplas 10; uniciclos 9, 81 *ver também* **Ciclismo**
Big Macs 209, 211, 213
Bigodes 63, 66
Billboard 116, 180
Bilheteria 169; filmes da Disney 170, 171; filmes de pirata 171
Bioluminescência 46-47
Bitcoin 202
Blockchains 202
Blocos de concreto quebrados 83
BRIT Awards 181
BMX: backflips 100; BMX de rua 241; giros Stick-B spins 13
Boates 194
Bocejo 69
Bolas: cabelo 67; liberadas 129 *ver também* tipos específicos de bola
Bolas de exercício 81
Bolas de fogo 82
Bolas de futebol: coleções 85; truques 12, 81, 92, 93
Bolas de Natal 84, 89
Bolas de rugby 92
Bolas de tênis 80
Bolas medicinais 91
Bolas suíças 83
Bolhas 194
Boliche 100, 244
Bolos: bolo de Natal 88; bolo de espeto 134-35
Bombinhas de Natal 88, 89
Bondes 133, 159
Bonecos de biscoito de gengibre 88
Boneco de neve 88, 89, 102-03
Boneco de neve mais alto 102-03
Borboletas 55
Boulder 95
Boxe 84, 240
Braços: envergadura 62; prótese 148-49
Breakdance 104
Brinquedos: de corda 85; doados 200; brinquedos de restaurante fast food 209; de pelúcia 200; Shopkins 78
Broches de Natal 88
Brooke Cressey 111
Bundesliga 222
Bunkers 207
Buracos negros 28
Burpees 90, 91

C
Cabaças 86
Cabelo 63, **66-67**, 83 *ver também* barbas; bigodes
Cabelo congelado 67
Cabras 36, 49
Cachoeiras 119, 122
Cadeira, exercício 90
Cães 49, 54; medalhas de bravura 50; cães-guias 51; detecção médica por cães 50; resgates 48; paraquedismo 51; no espaço 18; truques 48-49, 78
CAF Champions League 223
Cambalhotas 81-2 *ver também* backflips
Camelos 50, 137
Caminhada: amputados 10; de John o'Groats a Land's End 61; paraplégicos 156; marcha

atlética 231; atividades extraveiculares 20, 23, 32; distância vertical 10, 96
Caminhando nas patas traseiras: cães 78; cavalos 49
Caminhões, puxando/empurrando 82, 100
Campeonatos internacionais 222
Canadá 118-19
Canais 133
Canal da Mancha 78, 97
Canídeos 39
Cânions 116
Canoagem 243
Cantores de Natal 88
Cantores de ópera 195
Cantores mariachi 195
Capitais 138, 147
Carate 240
Cards: card de beisebol 206; cartões de Natal 88; cartas de *Pokémon* 207, 214
Caribe 121
Carne: de vaca 212-13; cultivada em laboratório 20
Caros: filmes animados 171; arte 48, 203, 206; livros 174, 175; roupas 204, 205; quadrinhos 195, 206; batatas fritas 208; luvas 205; hambúrgueres 214; chapéus 204; joias 204; peças de quebra-cabeças 178; tokens não fungíveis (NFTs) 202-03; ovelhas 49; sapatos 205; espaçonaves 30; videogames 191, 206; casamentos 126 *ver também* vendas em leilão
Carros: circum-navegação 96; derbies de demolição 118; vendas no eBay 206; virando 101; velocidade em terra 239; pulando sobre com pula-pula 12; puxando 13, 82; maior limusine 150-51 *ver também* corrida
Cartas *Pokémon* 207, 214
Casais: modificações corporais 63; Grammy Awards 165; diferença de altura 73; duração de casamento 214
Casamentos 126; convites 85; capelas 117
Casas 134, 135; de biscoito de gengibre 88; puxando 83
Castelos 130, 132; em cavernas 134; de areia 131; parque de diversões temáticos 171
Catar 98
Cataratas do Niágara 79, 119
Cavalos 49, 50
Cavernas 141, 143; castelos em cavernas 134; iluminadas por vermes 46; no mar 147; submarinas 120
Caviar 139
Cebolas bhajis 208
Cebolinha 86
Cefalópodes 41
Cegos: cães-guias 51; montanhistas 95; skatistas 10; expedições ao polo Sul 98
Cemitérios 138-39
Cenouras 86
Censos, aves 42, 43
Centenários 60, 61

Cercefi 86
Cérebro humano 69
Cerejas 86
Cerejeiras 145
Cerimônias religiosas 140
Cerveja: cervejarias 132; consumo 135; festivais 132
Cervejarias 132
Challenger Deep 78, 143
Champions League 197, 222
Chapéus 204
Chefs 210
Chicote de fogo 80
Chifres: aves 44; vacas 49; cabras 36; novilhos 49
Chimichanga 208
China 144
Chirívia 86
Chopsticks 85; jogando vendado 13
Chutes de cima a baixo 83
Chuva, interna 168
Chuveiros, no espaço 21
Ciclismo 48, 96, 121, 123, 232, **236**, 244; BMX 13, 100, 241; de estrada 96, 236; mountain bike 236; paraesportismo 232 *ver também* bicicletas
Cidades: pontes 132; capitais 138, 147; fantasmas 138; segurança 214; arranha-céus 138; ruas 132; alagadas 127
Ciência cidadã 43
Cinemas 116, 194 *ver também* filmes
Cinturão de Kuiper 27
Circum-navegação: avião 78, 97; amputados 97; carro 96; balão de ar quente 78; transporte público 60; velejando 97
CN Tower 119
Coalas 55, 146
Cobras 55; presas 40; picadas fatais 41; venenosas 41
Cocos 211
Coelhos 48
Coentro 86
Cofres de porquinho 132
Colares 204
Coleções 68, 78, **84-85**, 88, 107, 136, 174, 178, 185, 190, 209
Colheres, equilíbrio 101
Colisões: satélites 22; espaçonaves 21, 23
Colunas vulcânicas 117
Comemorações natalinas! 88-89
Cometas 24, 27, 33, 110
Comida: **Fast food 208-09**; menus 20; no espaço 20 *ver também* entradas individuais de índice
Comida de animal 200
Cômodos no espaço 21
Competição de tecnologias de assistência 157
Compositores 183
Conferências climáticas 215
Consoles 188, 206
Construções de madeira 154
Construções mais altas 154-55
Continentes 147
Convenções: hackers 215; videogames 185
Copa América 223
Copa da Ásia de Futebol 223
Copos de caveira 84
Copos de papel 84
Coração & ritmo cardíaco 52; substituição de

248

ÍNDICE

válvula do coração 72; marca-passo 72
Corais 122, 146
Corda bamba: altitude 76; entre teleféricos 101; entre balões de ar quente 101; vendado 101; controlando uma bola de futebol 81, 93; com malabarismo 81; sobre vulcão 76
Cordas vocais 62
Coroa: falsa 207; Real 124; de árvore 117
CORPO HUMANO 58-73
Correntes: elos de corrente 83; bibliotecas acorrentadas 174; humanas 88, 200
Corrida 238-39; drag racing 79; Fórmula 1 238, 239; montanha acima 239; hot rod 238; rally 238, 239, 244; motoristas tetraplégicos 99
Corrida: com mochila de 60 libras 78; com muletas 12; de meia-distância 245; de estrada 230, 237, 245; de velocidade 61, 230, 231; de motos 238, 244; de trenó de cães 136
Costas 57
Costas marítimas 118
Cota de malha 162
Couve-de-bruxelas 88
Couve-flor 87
Covid-19 72; sobreviventes 61
Cratera Darvaza 142
Crateras: lunar 26; metano 142
Criptomania 202-03
Criptomoedas 202
Críquete 228
Críquete, camisas 206
Cristiano Ronaldo 196-97
Crocodilos 44-45
Crustáceos 40
Cruzes 128
Cubos mágicos 74-75, 80, 82, 83, 84, 100; esféricos 179
Curling 221
Cuscuz 141
Cuspidas 211
Cuspir fogo 82
Cybathlon 157

D
Daesang awards 180
Dança: roupas 129; videogames 186; coreomania 68; instrutores 60; merengue 121; dança folclórica romena 135; Soul Train 195; sapateado 100
Dardos 100
David Aguilar 148-49
DDS (Diferenças em Desenvolvimento Sexual) 230
De John o'Groats a Land's End 61
Dedos 57
Dentes: crocodilos 44-45; grill 204; dependurado por 81; humanos 63, 68; seguro 63
Deques de observação 136, 155
Derbies de demolição 118
Desenhos animados 170, 183
Desertos 138, 141
Desertos de sal 123
Desinteria, planetária 26
Detecção de minas 51
Dia dos Mortos 120
Dia GWR 12-13
Diamond League 231
Diários 133
Dietas 69
Dinastias 145
Dinheiro: arrecadação para caridade 201; promessas financeiras 194; orçamentos de produção cinematográfica 169 *ver também* ganhos; caro
Direção 49
Disco 232
Disney 170-71
Distâncias de comunicação 25
Doações 66, 200-01
Doctor Who 78
Doenças, contagiosas 68
Dominós 79
Domos geodésicos 162
Dou-lhe uma... 206-07
Drag racing 79
Dribles com bolas 81
Drones 162
Duração de carreira 60; Força Aérea 214; personagens da Marvel 195; apresentadores de TV 194

E
E-books 174
Economia 117
Editoras 174
Efeitos especiais & visuais 168-69
Eixo planetário 26
El Capitan 94, 95
Elden Ring 194
Elevadores 136; quedas em fossos de 68
Ellie Simmonds 216-17
Em ação 200-01
Em família 78-79
Embriões 73
Emmy Awards 172, 173
Energia solar: avião 78; trens 158
ENGENHARIA ÉPICA 150-63
English Premier League 197, 202, 222
Engolimento de espadas 80, 100
ENTRETENIMENTO 166-95
Entrevistas de rádio 194
Equilíbrio: motosserras 100; ovos 82; bolas de futebol 92; colheres 101
Escalada "Naked Edge" 94
Escolas: de Papai Noel 89; de equitação 135; material escolar doados 201
Esconderijo de aves 42
Escorpiões 40, 46
Escrita, Maia 122
Esculturas: de bota de caubói 117; em tamanho real 144; monolíticas 141; de neve 145; estátuas 120, 143; de aço 144; submarinas 120
Esgrima 240
ESPAÇO 14-35, 188
Espaçonaves 24-25, 27; colisões 23; caros 30; reutilizáveis 16, 17; **Foguetes 16-17**, 19, 32; velocidade 24
Espanha 128
Espécies: aves 42, 43; humana 72
Espectadores: futebol gaélico 125; Tour de France 126; futebol feminino 223
Espinhas, humanas 84
ESPORTES 218-45
Esportes aquáticos 243
Esportes com bola 235
Esportes de combate 240
Esportes dos EUA 226-27
Esportes equestres 245
Esportes radicais 241

eSports 189; gamers com deficiências 194
Espremedores de limão 85
Esqueletos 55; exoesqueletos 156, 157
Esqui 130, 221; alpino 221, 245; aquático 243; heliskiing 61; com malabarismo 80; polar 97; esquis 131
Estação Espacial Internacional (ISS) 14-15, 32, 33
Estações espaciais 14-15, 20-21
Estádios 145; beisebol 117; capacidade 117, 146; olímpicos 146
Estalactites 120
Estátuas 120, 143
Esteiras 10, 98
Estrelas 28, 29, 33
Estruturas de ferro 126, 154
Estruturas religiosas 127, 143 *ver também* igrejas; templos
Estúdio Ghibli 84
Estúdios, efeitos visuais 169
Estúdios de animação 145
Estúdios de arquitetura 42
EUA 116-17
Eurocopa 223
Leste europeu, do Sul & Central 134-35
Everest, monte 98, 147
Exoesqueletos 156, 157
Exoplanetas 28, 33
Expedições ao polo Sul: amputados 98; cegos 98; esquiando 97
Exploradores 44
Explosivos 169
Extensão de cabelo 66

F
FAÇANHAS EXTRAORDINÁRIAS 76-111
Facebook 197
Falafel 138
Famílias: altura 72; de jogadores de futebol 222; TikTok 210
Fan tokens 202
Fanáticos por ginástica 90-91
Fantoches 84, 200; de dedos 84
Faróis 123, 154
Fast food 208-09
Fatteh 138
Fattoush 138
Favas 86
Feiras 123
Ferraduras 85; lançamento 244
Ferrovia das crianças 159
Ferrovias: ferrovia das crianças 159; companhias 125, 158; trilhos de alta velocidade 159; sistema de metrô 158; redes ferroviárias 158-59; serviços de passageiros 158; plataformas 159; estradas de ferro 159; estradas de ferro e pontes 153; bondes 159; observadores de trem 158, 210; **Observação de trem 158-59**; sistemas ferroviários subterrâneos 158-59 *ver também* trens
Fertilidade 44
Festivais: cerveja 132; jogos 132; música 119, 133, 201; neve 145; Thaipusam 142
Fichas de cassino 85
Filmes: de animação 145, 168, 170-71, 182; prêmios 182-83; bilheteria 169,

170, 171; Disney 170-71; diretoras 171, 182; franquias 183; prêmios de música 181; piratas 171; orçamentos de produção 169; de ficção científica 182; trilhas sonoras 171; trailers 195; VFX 168-69; baseados em videogame 190; visualizações 195 *ver também* cinemas
Filmes de ficção científica 182
Filmes de pirata 171
Filmfare Lifetime Achievement 195
Fish and chips 208
Flared slope 146
Flexões 91
Floorball 235
Flora: plantas carnívoras 46, 54 *ver também* jardins; árvores; e entradas individuais de índice
Florestas de cortiça 129
Florestas de pedra 141
Foguetes 16-17, 19, 32
Foguetes com combustível líquido 16
Fontes 136; de ponte 136; termais 147
Formigas 45
Fórmula Drift 239
Fórmula E 239
Fórmula 1 238, 239
Fortnite 84, 190
Fotos: do espaço 18, 19, 24; livros de natureza 43
Four square 100
França 126
Freiras 85
Fronteiras geográficas 118, 141
Fruta 86, 142, 200; baterias 214 *ver também* entradas individuais de índice
Fugas de camisa de força 80
Fungos 47
Fusos horários 126, 144
Futebol 100, 186, 196-97, 202, 222-23
Futebol *ver* NFL; futebol gaélico; futebol
Futebol americano 100, 226, 227
Futebol de 5 100
Futebol gaélico 125
Futevôlei 100
Futsal 223

G
Galáxias 28; galáxias de satélites 29
Galhadas 39
Galinha: frita 208; nuggets 208, 215
Game Boy 191
Games *ver* videogames
Ganhadores da medalha RSPB 43
Ganhadores de MBE 217
Ganhos: celebridades mortas 194; eSports 189; músicos 181; TikTok 210, 211; atores de TV 172
Garrafas d'água 12
Gatos 48; prêmios de bravura 50, 51; rabos 48; truques 48, 49; gatos selvagens 39
Gatos selvagens 39
Gêmeos: idênticos 61; TikTok 210
Genomas 44; sequência do genoma humana 162
Gigantes do jardim 86-87
Girassóis 86
Giros: bolas de basquetes 82, 92, 93; cães 78
Golden Globe Awards 182

Golden Melody Awards 180
Golfe 234
Golpes 45
Gols: Futebol americano 100; basquete 227; vendado 100; futebol 196, 197, 222, 223
Gols de futebol 196, 197, 222, 223
Gostaria de agradecer... 182-83
Grammy Awards 165, 180, 181, 183
Grand Slams 218, 229
Greve de funcionários de pub 200-01
Greve de trabalhadores de hotel 200
Greves gerais 201
Greves trabalhistas 200-01
Grill, joia 204
Gritos 69
Guerra de comida 128
Guias de campo 42

H
Habilidades com bola 92-93
Habilidades incríveis 82-83
Hackers: convenções 215; criptomoedas 202
Halteres 81
Hambúrgueres 208, 209, 213, 214
Hamlet 60
Handebol 235
Harry Potter 85
Hat-tricks 222, 223
Heliskiing 61
Heroínas, videogame 188
High-fives 82
Hinos nacionais 128
Homo sapiens 141
Honor of Kings 187
Hóquei 226, 235; hóquei no gelo 221, 227; maratonas 100; Jogos paralímpicos 233
Hot rods 238, 239
Hotéis 154; hotéis de gelo 130; hotéis de insetos 55; chaves cartões 84; hotéis de sal 123
Hotéis: de gelo 130; de sal 123
Hoverboards 80
Hummus 138

I
IA inventoras 162
Iates 207
ICC Women's World Cup 228
Idade: animais 49, 54, 55; astronautas 34; jogadores de beisebol 224, 226; observadores de aves 43; grandes mestres do xadrez 106; circum-navegadores 97; jogadores de críquete 228; cantores mariachi 195; ganhadores de MBE 217; montanhistas 96, 97; competidores olímpicos 220, 221; cantores de ópera 195; jogadores de futebol 223; turistas espaciais 19, 61; jogadores de tênis 229; Pessoa do Ano da *TIME* 200 *ver também* **Mais velhos...**; **Jovens prodígios**
Igrejas 128, 140, 154
Ilhas 118, 121, 130, 141, 143, 146
Ilha de Man TT 238
Impérios 137
Impulsionador, foguete 17
Incêndios: queimadura corporal completa 80, 81; estações espaciais 20

Indianapolis 500 238
Iniciativas de Inclusão 10-11
Insetos: hotéis 55; picadas 41; tatuagens 63; línguas 55; veneno 40 *ver também* entradas individuais de índice
Instagram: seguidores 197, 215; curtidas 215
Instituições de caridade de conservação 43
Instrumentos científicos 134
Instrumentos musicais: orquestras 192-93, 195; no espaço 20; de tamanho grande 192-93
Irmãos: albinos 73; gatos 49; idades combinadas 61; no espaço 19
IRONMAN® 237
Itália 127

J
Japão 145
Jardins 126; botânicos 130
Jato, avião 207
Jazz 119
Jeans 205
Jeison Orlando Rodríguez Hernández 70-71
Jogos Olímpicos 223, 226, 229, 231, 235, 236, 237, 240, 242, 243, 244, 245; Paralímpicos 10, 216-17, 221, 230, 231, 232-33, 242; de Inverno 220-21
Jogos de Inverno 220-21
Jogos Paralímpicos 10, 216-17, 221, 230, 231, 232-33, 242
Joias 204
Jornadas épicas 55, 96-97, 98, 200
Jornadas polares 97, 98
Jovens prodígios 104-11
Judô 240
Juízes 61
Jumentos 49, 51
Juntas, estalar 62

K
K2, subidas 61
Kebabs 209
Ketchup 100
Kibe 138
Kickstarter 194
Kitesurf 61, 243

L
L-sit na barra 90-91
La Liga 223, 333
Lábios 63; protetores labiais 107
Labirintos 130
Ladrões de livros 175
Lançamento de dardo 231
Lançamento de máquina de lavar 101
Lançamento de martelo 231
Lançamento de tronco 101
Lançamentos, foguete 16
Lançamentos e pegadas com a nuca 92
Lache 12, 90
Lagomorfos 55
Lagos 136; alcalinos 140; de cratera 143; extraterrestres 26
Lanternas de abóbora 87
Lasers 162
Latas de Pringles 84
Latas de refrigerante 101
LEGO® 145, 148-49; próteses 148-49; *Star Wars Millennium Falcon* 100
Leopardos 55
Levantamento de peso 245; levantamento terra 91; próprio peso do corpo 90; powerlifting 233; com

249

Índice

a língua 62; em uniciclo 81; enquanto pendurado pelos dentes 81
Ligue 1 222
Limbo na patinação 82
Línguas: animais 44, 53; muxoxos 62; insetos 55; comprimento, largura, circunferência 62, 63, 68; levantando peso com 62; piercings 63
Linhas de conga 78
Livro de casos de Adam Kay 68-69
Livros de História Natural 42
Livros e revistas 42, 43, **174-75**, 201, 206, 214
Lixo espacial 22-23
Locais Inca 123
Locomotivas a vapor 158, 159
Lojas de doce 145
Longevidade: tetraplégicos 72; roedores 44 ver também **Mais velhos...**
Lua: rovers lunares 25; pedras 26
Luas 26
Lucky Diamond Rich 112-13
Luge 221
Lula 55
Luminosidade 28, 29
Luta 240: no molho 125; mongol 137; coberto de azeite 135; sumô 145, 240
Luta no molho 125
Lutas de travesseiro 83
Luta mongol 137
Luvas 205
Luzes fantásticas 46-47

M

Maçãs, esmagamento 13
Maior produtor de carne 212-13
Mais velhos... 17, 19, 23, 28, 34, 43, 46, 49, 54, 55, **60-61**, 73, 88, 98, 116, 121, 122, 124, 125, 127, 128, 129, 131, 132, 134, 135, 136, 138, 140, 141, 145, 146, 152, 173, 174, 179, 182, 202, 204, 205, 220, 223, 224, 234
Malabarismo: machados 10; com machado 12; motosserras 80, 83; bolas de fogo 82; maratonas 80, 81, 92; bolas de futebol 100; raquetes de tênis 83; em uniciclo 80, 81; dependurado pelos dentes 81; enquanto resolvia cubos mágicos 100; enquanto andava de skate 80; enquanto esquiava 80
Malas 85
Malhete 206
Mamíferos 52, 123; eussocial 44; fluorescente 46; ninhadas 45; **Megamamíferos 38-39**; fedorentos 44; que vivem em árvores 143
Mamoeiros 86
Mamutes 38
Mangas 86
Manifestações antiguerra 200
Manny Pacquiao 84
Manobras de ciclismo 80, 81
Mãos 57; controles de mão biônica 147; palmo 62; seguro 63; caminhando sobre 91
Maquiagem 204
Marathon des Sables 98

Maratona de Londres para cadeirantes 237
Maratonas: amputados 98; Antarctic Ice Marathon 241; backyard ultra 237; basquete 100; boliche 100; dribles 81; futebol de 5 100; futevôlei 100; Four square 100; meia-maratonas 98, 99, 230; bambolê 80; hóquei no gelo 100; quebra-cabeças 178; malabarismo 80, 81, 92; corrida 237; pulo 81; no espaço 21; touch rugby 100; livestreaming de vídeo 194; videogames 186; cadeira de rodas 237, 245
Mares leitosos 47
Marca-passo 72
Marcas de fast food 208
Marcha atlética 231
Marchas de direito dos animais 201
Marchas LGBTQIA+ 200
Marte 25, 32
Marsupiais 39, 147
Máscaras faciais 84
Mauna Kea 96
Max Park 74-75
Medição da cintura 73
Medição de peito 62-63
Medusas 87
Megamamíferos 38-39
Megillah 214
Meias 84, 205
Memorabilia ver **Coleções**
Mercúrio 24
Merengue 121
Mergulho: de penhasco 120, 241; queda livre 243 ver também paraquedismo
Mestres do Jardim 86
México 120
Michael "Dog" Artiaga 105
Microluzes 97
Mímicos 45
Minaretes 154
Minecraft 85, 191
MMORPGs 184
Mnet Asian Music Awards 180
Mobilização de meio ambiente 200
Modelos CG de filmes 168, 169
Modificações corporais 62, 63
Moedas 134, 207
Moicano, estilo de cabelo 67, 211
Moinhos 124; quebra-cabeça 178
Molho de tomate 100
Molho picante 84
Monarcas, reinado 61, 124
Monólitos 141, 147
Monotremados 46
Montagem de sanduíche 83
Montanha acima, carros 239
Montanhas: extraterrestres 27; altura 143; cumes 122; cordilheiras 123; subindo142
Montanhas-russas 116, 124, 136-37; internas 138
Montanhismo 94-95
Monumentos 116, 126
Monstro do Lago Ness 125
Morangos 86
Morcegos 45
Mordida humana 62
Mostrador de relógio 139, 155
MotoGP 238
Motosserras: equilíbrio 100; malabarismo 80, 83

Motor de íon 25
Mountain bike 236
Movimentos antirracistas 201
Movimentos de revolução não violenta 201
Mulas 48
Muletas 12, 99
Multitarefas 80-81
Multiverso Marvel 194, 195
MUNDO MODERNO 198-215
Murais 120, 137; Maia 122
Muros 144
Muscle-ups 91
Museus 124, 144
Museus de ciências 144
Música: prêmios 180, 181, 182, 183; festivais 119, 133, 201; mariachi 197; ópera 197; apresentação no espaço 20; **Música Pop** 125, 133, **180-81**, 199; shows de TV 173; vídeos 21, 215
Música pop digital 181
Musicais 183
Músicos: cantores de Natal 88; ganhos 181; seguidores do TikTok 210

N

Nabo 86
Nado borboleta 233, 242
Nado de peito 242
Navios viking 134
Narizes 69, 211; assegurados 62, 69; primatas 44
NASCAR 238
Natação 96, 97, 201, 216-17, **242**; com nadadeiras 242; no gelo 96; oceânica 96; paraolímpica 10, 232, 233
Natal 88-89; singles no 1 de Natal 180
Nerf 83
Netflix 172-73; chamadas de elenco 173; Originais 166
Netuno 25
Neuroprostética 156
Nickelodeon Kids' Choice Awards 172-73, 182
Ninhadas, animal 45
No limite do espaço 18-19
Noivas 61
Nônuplos 73
Ásia Setentrional 136-37
Nuvem de Oort 33

O

Objetos artificiais no espaço 18
Objetos brilhantes 140
Objetos distantes 28, 33
Objetos estranhos 69
Objetos interestelares 26
Objetos remotos: feitos por humanos 25; árvores 147; visíveis a olho nu 28
Objetos roubados 126, 133, 175
Observação de trens 158-59
Observadores de trem 158, 210
Observatórios espaciais 32
Obstáculos 230
Oceanos: profundidade 143; mares leitosos 47
Óculos de sol 204
Old Man of Hoy 95
Olhos: complexos 45; alcance 45; saltando das órbitas 45; cílios 67; peixe 44; seguros 62
Olivier Rioux 108
Onde está Wadlow? 256
One Piece 85
Ônibus, puxando 83
Orangotangos 143
Orbitadores planetários 32

Órbitas: animais em 136; de asteroides 24; excêntricas 26; lixo espacial 22, 23; missões orbitais comerciais 19, 20; foguetes orbitais 16, 17; planetário 24, 26, 28; quasi-circular 18
Ordinárias 146
Orelhas: morcegos 45; com pelo 67
Oriente Médio 138-39
Ornitologia 42-43
Orquestra do gigante 192-93
Orquestras 192-93, 195
Oscars 168, 170, 182
Ossos de dinossauro 206
Ovelhas 87
Ovos: equilibrando 82; aves 147

P

Pacientes de cirurgia 60
Pagodes 144, 154
Painéis solares 32
Países: abaixo do nível do mar 133; fronteiras e continentes 141; democráticos 130; ganhadores de medalhas olímpicas 237, 244; pacíficos 130; populações 137; tamanho 127, 137; fusos horários 126, 144; visitantes 126 ver também **VOLTA AO MUNDO EM 300 RECORDES**
Países Baixos 133
Países democráticos 130
Países nórdicos 130-31
Palácios 143, 144; religiosos 127; escolas de equitação 135
Palcos de LED 168
Pandas-gigantes 144
Pandemia do coronavírus 61, 72
Pântanos 138
Papagaios 49, 147
Papagaios-do-mar 130
Papai Noel: fantasia 85, 89; chapéus 85; memorabilia 88; escola 89; lista de pedidos 88
Papel higiênico 85
Paralímpicos, Esportes 232-33
Paraplégicos: escalada 94; caminhada 156
Paraquedismo 82, 241; escapando da morte 81; cães 51
Paredes de escalada 98
Parques de diversão 116, 131
Participação em massa: marchas de direitos dos animais 201; movimentos antirracistas 201; manifestações antiguerra 200; cantores de coral 88; suéteres de Natal 88; vestidos de boneco de neve 89; vestidos de Homem-Aranha 195; greves gerais 201; correntes humanas 200; quebra-cabeças 178; marchas LGBTQIA+ 200; orquestras 193; roupa folclórica romena 135; dança folclórica romena 135; protestos pelos direitos das mulheres 201
Patente militar, animais 50, 51
Patinação: artística 220; com malabarismo 80;

patinação e limbo 82; patinação sobre rodas 100; de velocidade 61, 220, 221
Patinetes: backflips 109; cachorros em 48; papagaios em 49
Patrimônios Mundiais 127
Peças de teatro 124
Pedaladas 92
Pedras: pedras lunares 26; vulcânicas 117, 125
Peixes 54; bioluminescência 47; cardumes 55; olhos 44; venenosos 41; peso 44
Penicos 84
Pentes 84
Pernas 73; animais 54; asseguradas 62
Pés 70-71, 73 ver também sapatos
Peso: animais 38-39, 44, 55; cérebros 69; frutas e vegetais 86, 87; veículo autônomo 33
Peso de nascimento 73
Pessoa do Ano da *TIME* 200
Pets e pecuária 48-49
PGA Tour 234
Pianos 193
Picadas de abelha 69
Picadas de inseto 41, 69
Piercings 63
Pilotos 61
Pilotos de ônibus espaciais 34
Pimentas 82, 100
Pinguins 50, 122, 131, 147
Pirâmide humana 79
Pirâmides 120, 154
Piruetas 83
Piscinas 139
Pistas de patinação 119
Pistola de ar 233
Pizzas 208, 209
Planetas 26, 28; dados enviados de 24; exoplanetas 28, 33; períodos orbitais 28; anéis planetários 27; temperaturas 26 ver também planetas específicos
Plantas carnívoras 46, 54
Plástico: pontes153; quebra-cabeças 178
Polegares 55
Polichinelos 81, 90
Polo aquático 243
Pombos 50
Pontes 126, 132, **152-53**; pontes em túneis 152
Pontes basculantes 152-3
Pontes cobertas 153
Pontes dupla hélice 152
Pontes enroladas 152-53
Pontes flutuantes 153
Pontes suspensas 152
Pontos de exclamação 118
Música pop 125, 133, **180-81**, 199, 210
Populações: tamanho 144; no espaço 21; esparsa 137
Porcos 48, 49, 134
Porquinhos-da-índia 48
Portugal 129
Power Rangers 85
Prancha abdominal 80
Praias, Bandeira Azul 128
Prédios: caminhadas externas 119; andares 155; de apartamento 154; hemisférios 131; espelhados 139; estruturas religiosas 143; em forma de letras do alfabeto 134; **Construções**

mais altas 119, 138, **154-55**; retorcidos 155; desocupados 155 ver também castelos; igrejas; casas; torres
Preguiças 55, 123
Prêmios de figurino 182
Prêmios de loteria 128
Prêmios de meio ambiente 201
Prender a respiração 68
Presas 40
Primatas 39, 145; dedos 45; narizes 44
Primeiras edições 206
Profundezas: oceanos 143; lula 55; amostra nuclear submarina 162
Programação 215
Programas de comédia 173
Projeto Gutenberg 174
Promessas: promessas de campanha 214; promessas financeiras 194
Próteses: impressas em 3D 200; braços 148-49; de baqueta 157; controlada pela mente 156; neuroprostética 156
Protestos pelos direitos das mulheres 201
Publicações ornitológicas 42
Pudins de Natal 88
Pula-pula 12, 80, 119
Pulando 61, 80, 81, 90; vendado 12; cães 78; corda 81; em um uniciclo 81
Pulmões 52
Punhobol 235
Puxando objetos pesados 13, 82, 82-83
Puzzles 176-77; quebra-cabeças 178-79

Q

Qi Yufan 104
Quadrinhos 174, 195, 206
Quatro, corredor de 91
Quebra-cabeças 178-79
Quebra-nozes 85
Queda livre 80, 81

R

Rabanete 86
Rabos, gatos 48
Rafał Biros 110
Rainhas, reinado 124
Raios 26
Rally Dakar 244
Rally 238, 239, 244
Raposas 141
Rappers 183
Raquetes de tênis 83
Rastejar 78
Ratos 51
Reality shows 172
Recorde do Ano, prêmio 183
Reis 128
Relógios 207
Remo: amputados 99; oceano 60, 96, 99; skiff 243
Repúblicas 198
Reservas naturais 138
Resistência 237
Restaurantes 128; fast food 208
Revistas: capas 172, 188, 200; ornitólogas 42
Rios 141; extraterrestres 26; escoamento 123
Riquixá 82
Roblox 189
Robôs: humanoide 145; **Exploração robótica 24-25**; dispositivos de caminhada robótica 156

ÍNDICE

Rochas vulcânicas 125
Roda gigante mais alta 160-61
Rodas gigantes 154, 160-61
Roedores 39, 44
Rolex ugandense 214
Rolla bolla 101
Ronco 62
Rostos: impressos em 3D 168; substituição digital 168
Rotatórias 163
Round 6 166, 182
Roupas: suéteres de Natal 88; camisas de críquete 206; de dança 129; **Vestido para impressionar 204-05**; folclóricas 135; suéteres 204; de baixo 85, 201; tecido 204
Rovers lunares 25
Rovers planetários 24-25, 32
RU & Irlanda 124-25
Ruas 132
Rube Goldberg 163
Rugby 78, 235; touch rugby 100
Rum 121
Rumeysa Gelgi 56-57
Runways 129
RuPaul's Drag Race 194

S
Saias 205
Sacos de doce 85
Salamandras 40
Saleiros e pimenteiros 84
Salto com vara 231
Salto longo 231, 233
Salto triplo 231
Saltos: animais 48; de canal 133; salto longo,231, 233; de pula-pula 12; de ski 130; de cadeira de rodas em rampas 99
Saltos de rampa 99
Saltos *Double under to frog* 101
Saltos frontais 91
Sapateado 100
Sapatos 70-71, 83, 205; escultura de bota de caubói 117; doação 200; ferradura 85; tênis 207
Sapos 40
Satélites: colisões 22; constelações 33; eventos de fragmentação 23; galáxias 29; inativos 22; manutenção 22; em órbita 22
Saxofones 193
Scarlett Cheng 107
Seguro, partes do corpo 62-63, 69
Selvas 123, 146
Sem limites 98-99
Sequência do genoma humano 162
Sequências de batalhas cinematográficas 169
Serie A 222
Série de vitórias 222
Shows da Broadway 201
Shows de talento 173
Shows de TV digitais 171
Shows de TV infantis 185
Síndrome de Down 245
Singles e classificação 116, 165, 180, 181, 199; no 1 de Natal 89; quebra-cabeça tocável em vitrola 179
Sinuca 244, 245; bolas 211; truques 12
Sistema mente-fala 156
Sistema Solar 24, **26-27**, 28
Sistemas de trem subterrâneos 158-59
Sistemas metroviários 158

Skate 241; amputados 99; animais 48, 49; cego 10; ollies 101
Skiffs 243
Skysurf 83
Snowboard 221
Só para crianças! 8-9
Sol: aproximações do 24; imagens de 33
Soluço 68
Sondas espaciais 25
Song of the Year Awards 183
Speedruns, videogames 185, 194
Spotify 180, 181
Stand up paddle 49
Star Wars 145; action figures 207; *Millennium Falcon* 100
Stollen 88
Streaming: música pop 180, 181; TV 171; videogames 190
Subida de escada 156
Submarinas: cavernas 120; amostras nucleares 162; rotatórias 163; estalactites 120; estátuas 120
Suéteres 204
Sufrágio feminino 200
Sumô 145, 240
Super Bowl 224
Super Mario Bros. 185
Supernova 29
Surdolimpíadas 98
Surfe 82, 129, 243; cães 48; kitesurf 243; medalhas olímpicas 243; parasurfe 98
Sustentação aerodinâmica 18

T
Tábuas de equilíbrio 78
Tábuas quebrando 81
Tachinhas 13
Taekwondo 240
Tanques de nuvens 168
Tatuagens 112-13; insetos 63; peças de quebra-cabeça 178
Teatro: prêmios 183; grego 134; peças 124; velocidade de produção 194
Teleféricos 118, 138, 162; corda bamba entre 101
Telescópio Espacial James Webb 30-31
Telescópios 128; telescópios espaciais 30-31, 33 *ver também* **Telescópio Espacial James Webb 30-31**
Televisão *ver* **TV**
Telhados, retráteis 118
Temperaturas: corporal 69; extremas 26, 29, 137, 214
Temperaturas antárticas 214
Temperaturas árticas 214
Tempestades: de areia 27; de raios 26
Templos 142, 143, 144
Tempo de reação 156
Tênis 9, 218, **229**
Tênis, sapatos 207
Tênis de mesa 235
Ternos sob medida 66
Terra mais setentrional 131
Tetraplégicos 72
Tetris 105
Thaipusam 142
TikTok 210-11
Timbersports 241
Times Tables Rock Stars 111
Tipo de metal maleável 174
Tiroleso 61, 121, 139
Tokens não fungíveis (NFTs) 202, 203
Tomate 86

Tony Awards 183
Top 25 recordes de games 184-91
Torre de cadeiras 82
Torre humana 13, 78
Torres 119: de relógio 155; de lançamento 32; humana 13, 78; estruturas de ferro 126; inclinadas 119; contorcidas 155
Torta de carne 88
Tortura, instrumentos de 84
Tour de France 236
Transgênero: prêmios de atuação 182; indicados ao Emmy 172
Trato digestivo 54
Travessia de oceanos: amputados 99; barcos controlados pela boca 98; a remos 60, 96, 99
Travessias do oceano Atlântico 96
Treinadores, beisebol 224
Trenós 13
Trens: locomotivas, puxando 83; trens Maglev 159; trens desgovernados 159; com energia solar 158; locomotivas a vapor 158, 159, *ver também* ferrovias
Trevo de 6 folhas 84
Triatlos 90, 237, 245
Tricerátops 55
Trigêmeos 73
Trilithons 125
Triple Crown (prêmio de filme e música) 181
Troféu Pichichi 223
Truque "zerinho": basquete 93; futebol 12
Truques de hotstepper 93
Truques mágicos 83; vendado 13
Turbinas de vento 154
Túneis: avião voando por 163; em pontes 152; ferroviários 162; de estrada 162; de águas residuais 162; de carne 62, 63; de trem 162; de vento 101
Tuneladoras 163
TV 171, **172-73**, 194, 195
Tyler Hainey 109

U
UFC 240, 244
Ukuleles 193
Ultra-Trail du Mont Blanc 237
Unhas 64-65, 211
Uniciclos 80, 81
Unidades militares 127
Universidades 121, 140
Urano 25
Ursos 51, 143
Ursos Be@rbrick 84
Usuários de cadeira de rodas: puxando avião 99; atletismo 230, 232; curling 221; jornadas épicas 98; maratonas 237, 245; pulos de rampa 99; tênis 229

V
Vacas 49, 207
Variedades - Entretenimento 194-95
Variedades - Engenharia épica 162-63
Variedades - Façanhas extraordinárias 100-01
Variedades - Corpo humano 72-73
Variedades - Vida na Terra 54-55
Variedades - Mundo moderno 214-15
Variedades - Espaço 32-33

Variedades - Esportes 244-45
Vazamentos 86
Vazios 29
Veados 39
Veículos: de célula de combustível 163; puxando/empurrando 82, 100; autônomos 33 *ver também* carros
Velas 83
Veleiros: amputados 97; circum-navegação 97 *ver também* travessia de oceanos
Velocidade: carros 239; drag racing 79; exploração 44; finalização de quebra-cabeça 179; rovers planetários 25; escalada 94, 95; aviões a foguete 19; espaçonaves 24; estrelas 28; locomotivas a vapor 159
Velocidade 61, 230; paraesportes 231, 232
Velocidade de datilografia 156
Venda em leilão 42, 49, 178, 197, 203, 204, 206-07, 208
Vendados: gols 100; truques de mágica 13; resolução de cubos mágicos 100; saltando 12; corda bamba 101; jogando chopsticks 13
Vendas de cidade 207
Vendas no eBay 206–07
Vendedores de livros 129
Veneno 40-41
Veneno: livros 175Vênus 24
Vertebrados, bioluminescência 47
Vestido para impressionar 204-05
Vida em órbita 20-21
VIDA NA TERRA 36-55
Videogames 184-91; de ação e aventura 189; best-sellers 185, 186, 188, 189, 190, 191; elenco 184; fliperamas 185; coleções 185; jogadores simultaneamente 190; consoles 188, 206; convenções 185; sucessos de crítica 184, 190; Disney 170; eSports 189, 194; festivais 132; de luta 185; de tiro em 1a pessoa 186; Game Boy 191; heroínas 188; Hugo Awards 194; série mais longeva 194; maratonas 186; MMORPGs 184; de celular 187, 190; de futebol 186; de simulação social 187; spin-offs de filmes 190; multiplataforma 187; adaptados para outros consoles 188; de PS2 188; de RPG 190; série *The Sims* 187; no espaço 188; speedruns 185, 194; de super-herói 184; do Luigi 191; do PS2 188; **Top 25 recordes de games 184-91**; personagens mais presentes 191; conteúdo gerado por usuários 189 *ver também* entradas individuais de índice
Vídeos: maratona livestreaming 194; vídeos de música no espaço 21; **TikTok 210-11**
Vigílias da paz 201
Vinho quente 88
Violinos 192, 193
Vôlei 232
VOLTA AO MUNDO EM 300

Vombates 55
Vomitando no espaço 20
Voo espacial: civil 20, 61; duração 21, 32; com fundos privados 18
Voto: direito ao 200; no espaço 20
Vuelta a España 236
Vulcões 117; escaladas 97; erupções 127; corda bamba sobre 76

W
Waffles 133
Wainwrights 237
Wally Funk 19, **34-35**
Wang Guanwutong 104
Wickets 228
Wizarding World 85

Women's Champions League 223
World Series 225

X
X Games 241
Xadrez: tabuleiros 136; Grandes-mestres 106

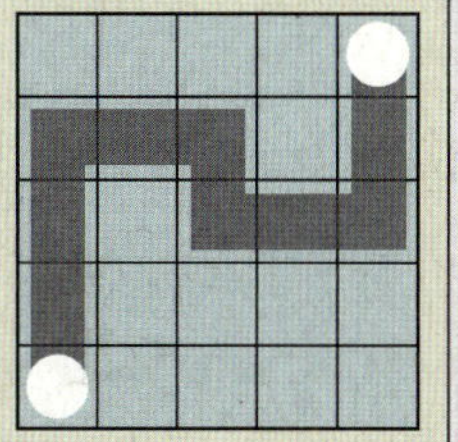

Y
Yoga, postura da roda 91
YouTube: quebra-cabeças 178; vídeos de música 215; assinantes 215; visualizações 215

Z
Zelda, memorabilia 190
Zoológicos 130
Zumbis 85

RESPOSTAS DOS PUZZLES
Abaixo estão as soluções para os desafios da World Puzzle Federation nas p.176-77.

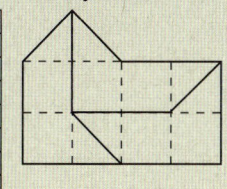

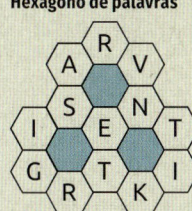

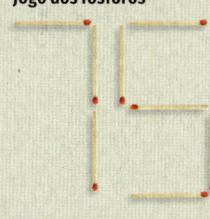

CONSULTORES

Para ajudar a investigar e verificar registros em um amplo espectro de assuntos, o GWR colabora com muitas instituições, órgãos federados e grupos de especialistas. Alguns que ajudaram nesta edição estão destacados abaixo. Para a lista completa, visite www.guinnessworldrecords.com/records/partners.

8000ers.com
Eberhard Jurgalski desenvolveu o sistema de "Elevation Equality", um método de classificação de cordilheiras e picos. Seu site se tornou a principal fonte de estatísticas de altitude para as cordilheiras do Himalaia e Caracórum.

AbleGamers
Fundada em 2004 por Mark Barlet, esta instituição de caridade sediada nos EUA cria oportunidades para combater o isolamento social, promover comunidades inclusivas e melhorar a qualidade de vida das pessoas com deficiência por meio de jogos. A AbleGamers capacitou milhares de pessoas a se conectarem com o mundo gamer e criou várias soluções de hardware adaptáveis com equipes de engenharia e parceiros de pesquisa. #SoEveryoneCanGame

CANNA UK National Giant Vegetables Championship
Todos os anos, Martyn Davis recebe produtores especializados no Malvern Autumn Show, realizado em Worcestershire, RU. Ele garante que todos os vegetais cumprem critérios rigorosos e são medidos adequadamente.

Channel Swimming Association
A CSA apoia os nadadores com a logística de travessia do estreito de Dover e é o órgão dirigente da natação do Canal da Mancha desde 1927. A CSA só ratifica as travessias realizadas sob suas regras e acompanhadas por seus observadores.

Classic *Tetris* World Championship
Fundada em 2010 por Vince Clemente e Adam Cornelius, a Classic *Tetris* World Championship é a principal competição internacional deste jogo. Centenas de jogadores de todas as idades competem anualmente para serem nomeados o melhor jogador de *Tetris* do mundo. O CTWC é jogado na versão de 1989 do *Tetris* no Nintendo Entertainment System original.

Council on Tall Buildings and Urban Habitat
Com sede em Chicago, Illinois, EUA, o CTBUH é o principal recurso do mundo para profissionais focados no projeto, construção e operação de edifícios altos e cidades do futuro.

ESPN X Games
Desde 1995, os X Games da ESPN são a principal competição de esportes de ação, destacando os melhores atletas do mundo em BMX, skate e Moto X no verão, bem como esqui, snowboard e snowmobile nos eventos de inverno.

Gerontology Research Group
Estabelecido em 1990, a missão do GRG é retardar e, talvez, reverter o envelhecimento por meio da aplicação e compartilhamento de conhecimento científico. Ele também mantém o maior banco de dados de supercentenários (ou seja, pessoas com mais de 110 anos), gerenciado pelo consultor sênior de gerontologia do GWR, Robert Young.

Great Pumpkin Commonwealth
A GPC cuida do cultivo de abóboras gigantes — entre outros produtos prodigiosos —, estabelecendo padrões e regulamentos universais que garantem a qualidade dos frutos e a equidade da concorrência.

International Ice Swimming Association
Fundado por Ram Barkai, a IISA foi estabelecida em 2009 com a visão de formalizar a natação em água gelada — abaixo do limite de 5°C. Estabeleceu um conjunto de regras para permitir medidas máximas de segurança e regular a integridade da natação em termos de distância, tempo e condições.

International Slackline Association
A ISA visa apoiar e desenvolver comunidades de corda bamba de todos os tamanhos, além de fornecer governança como esporte competitivo.

International Surfing Association
A ISA — fundada em 1964 — é reconhecida pelo Comitê Olímpico Internacional como autoridade mundial do surfe. Coroou seus primeiros Campeões Mundiais Masculinos e Femininos em 1964; o 1o campeão mundial de ondas grandes em 1965; Campeão Mundial Júnior em 1980; Campeões Mundiais de Kneeboard em 1982; Campeões de paddleboard em 2012; e World Para Surfing Champions em 2015. A ISA inclui as Federações Nacionais de Surf de 109 países em 5 continentes. É atualmente presidida por Fernando Aguerre.

The IRONMAN Group
O Grupo IRONMAN é o maior operador de esportes de participação em massa do mundo. Ele fornece a mais de 1 milhão de participantes anualmente os benefícios do esporte por meio de vastas ofertas em triatlo, ciclismo, corrida e trilha.

Metacritic
Desde 2001, o Metacritic destilou opiniões dos críticos de entretenimento mais respeitados e confiáveis do mundo em uma classificação fácil de entender (o Metascore) para categorizar filmes, músicas, videogames e televisão.

The Numbers
TheNumbers.com é o maior banco de dados da web sobre informações de bilheteria de cinema, com números de 50.000 filmes e 200.000 pessoas na indústria cinematográfica. Foi fundado em 1997 por Bruce Nash e é visitado por mais de 8 milhões de pessoas todos os anos.

Ocean Rowing Society International
A ORSI foi fundada em 1983 por Kenneth F Crutchlow e Peter Bird, mais tarde acompanhados por Tom Lynch e Tatiana Rezvaya-Crutchlow. A organização documenta todas as tentativas de remar em oceanos e principais corpos d'água e classifica, verifica e julga as conquistas do remo oceânico.

Parrot Analytics
A Parrot Analytics é a empresa líder global em análise de demanda de conteúdo para TV multiplataforma. Rastreia mais de 1,5 bilhão de expressões diárias de demanda em mais de 100 idiomas.

Polar Expeditions Classification Scheme
O PECS é um sistema de classificação para viagens polares longas e não motorizadas supervisionado por um comitê de especialistas em expedições polares, gerenciado por Eric Philips. Regiões polares, modos de viagem, rotas e formas de ajuda são definidas no esquema, orientando os expedicionários a como classificar, promover e imortalizar suas viagens.

Times Tables Rock Stars
Estabelecido em 2010 pelo professor de matemática Bruno Reddy, o *Times Tables Rock Stars* é um programa cuidadosamente sequenciado — criado por professores para professores, famílias e tutores — que aumenta com sucesso a velocidade de lembrança de tabuadas de mais de 1 milhão de crianças todos os anos. Ele foi licenciado para outras instituições de ensino desde 2013 e adotado por mais de 16.000 escolas (de ensino fundamental e médio) no mundo.

VGchartz
Fundada em 2005 por Brett Walton, a VGchartz é uma empresa de inteligência de negócios e pesquisa. Publica mais de 7.000 estimativas semanais exclusivas relacionadas a vendas/envios de hardware e software de videogame e hospeda um banco de dados de jogos em constante expansão.

World Cube Association
A WCA rege as competições de quebra-cabeças mecânicos operados por grupos de peças torcidos, como o cubo mágico. Sua missão é fazer mais competições em mais países, todos participando em condições justas e iguais.

World Jigsaw Puzzle Federation
A WJPF é uma organização internacional dedicada a quebra-cabeças, reunindo desafios de todo o mundo para o World Jigsaw Puzzle Championship (WJPC). Seus objetivos são organizar e supervisionar o WJPC, alcançar o reconhecimento das competições de quebra-cabeças como esporte, estabelecer um padrão sobre regras e regulamentos para competições, fomentar a amizade entre os entusiastas e estimular inovações no campo. O atual presidente é Alfonso Álvarez-Ossorio.

World Karate Federation
A WKF é o órgão internacional de caratê. Com 198 federações nacionais e sede em Madri, Espanha, a WKF administra o esporte para seus 100 milhões de fãs e organiza eventos em todo o mundo.

World Meteorological Organization
O dr Randall Cerveny é professor presidente em Ciências Geográficas especializado em tempo e clima. Ele ocupa o cargo de relator de Clima e Extremos Climáticos da OMM desde 2007.

World Open Water Swimming Association
Fundada por Steven Munatones em 2005, a WOWSA é o órgão internacional de natação em águas abertas. Ela fornece programas de associação e certificação, bem como publicações e recursos on-line.

World Puzzle Federation
A WPF é uma associação de entidades jurídicas com interesse em quebra-cabeças. Os objetivos da federação são supervisionar o Campeonato Mundial de Puzzles, Campeonato Mundial de Sudoku e outros eventos da WPF, fornecer meios para uma troca internacional de ideias, estimular inovações na área e promover a amizade entre os entusiastas de quebra-cabeças no mundo.

World Sailing Speed Record Council
O WSSRC foi reconhecido pela International Yacht Racing Union (agora World Sailing) em 1972. O conselho de especialistas reúne membros da Austrália, França, Grã-Bretanha e EUA.

World Ultracycling Association
A WUCA é uma organização sem fins lucrativos dedicada a apoiar o ultraciclismo em todo o mundo. Possui o maior repositório de registros de ciclismo para todos os tipos de bicicletas e certifica passeios bem-sucedidos para seus membros.

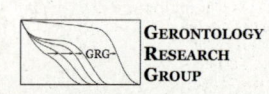

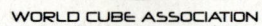

Também trabalhamos com centenas de especialistas. Novos consultores do GWR este ano se especializaram em criptomoeda, escalada, mobilizações políticas, megafauna extinta e efeitos especiais, para citar apenas alguns. Para ver a lista completa, visite **www. guinnessworldrecords.com/records/partners.**

Tom Beckerlegge é escritor premiado com livros traduzidos no mundo todo. Também é o principal consultor esportivo do GWR, atualizando centenas de novos recordes todos os anos sobre esportes e fazendo contato com várias federações para se manter a par das últimas notícias. Este ano foi apresentado às ultramaratonas de quintal, à Fórmula Drift e à carreira pioneira da piloto de rally Michèle Mouton.

Yvette Cendes é pós-doutoranda em astronomia no Harvard & Smithsonian's Center for Astrophysics em Massachusetts, EUA, especializada em radioastronomia e sinais variáveis, desde exoplanetas a supernovas e buracos negros destruidores de estrelas. Yvette escreveu para publicações como a revista *Astronomy* e *Scientific American*, e está no Reddit como u/ Andromeda321, onde seus comentários "astrônoma aqui!" são lidos por milhões.

Erica Chenoweth é professora da Harvard Kennedy School e do Radcliffe Institute for Advanced Study da Harvard University. Chenoweth escreveu ou editou 9 livros e dezenas de artigos sobre movimentos de massa, resistência não violenta e ativismo. Mantém o NAVCO Data Project e codirige o Crowd Counting Consortium, analisando o alcance das mobilizações dos EUA. Sua pesquisa foi apresentada em *The New York Times, The Washington Post* e *The Economist*.

Mike Chrimes se aposentou como diretor de Políticas e Informações de Engenharia da Instituição de Engenheiros Civis em 2014, após 37 anos. Bibliotecário profissional e cientista da informação, contribuiu para muitos livros e artigos sobre história da engenharia e serviços de informação, como *The Consulting Engineers* (2020), com Hugh Ferguson, e *Early Main Line Railways 2* (2019). Ele recebeu o Prêmio de História e Patrimônio da Sociedade Americana de Engenheiros Civis e foi homenageado com um MBE por serviços à engenharia.

Ian Failes é o fundador da *Befores & Afters*, uma revista on-line de efeitos visuais e animação, publicação impressa e podcast. Ele também contribuiu para *fxguide, Cartoon Brew, VFX Voice, 3D Artist, 3D World, Syfy, Digital Arts, MovieMaker, Develop* e *Polygon*, e coapresenta o podcast visual *VFX Notes*. Ian é palestrante regular em conferências como FMX, SIGGRAPH, Trojan Horse Was a Unicorn e SPARKFX. Seu primeiro livro — *Masters of FX* — foi publicado em 2015.

Hugh Ferguson é engenheiro civil profissional e trabalhou como empreiteiro, engenheiro consultor, jornalista e editor. Depois de se formar em engenharia civil, trabalhou na indústria antes de ingressar na revista *New Civil Engineer*, que viria a liderar de 1976 a 1990. É autor (ou coautor) de vários livros, incluindo: *The Civil Engineers* (2011), *Engineers* (2012), *The Contractors* (2013), *Constructionarium* (2016) e *The Consulting Engineers* (2020).

David Fischer é consultor esportivo sênior do GWR nos EUA desde 2006. Ele escreveu para o *The New York Times* e *Sports Illustrated for Kids*, e trabalhou na *Sports Illustrated, The National Sports Daily* e *NBC Sports*. David é autor de *Tom Brady: A Celebration of Greatness on the Gridiron* (2021), *The New York Yankees of the 1950s: Mantle, Stengel, Berra, and a Decade of Dominance* (2019) e *The Super Bowl: The First Fifty Years of America's Greatest Game* (2015).

John Fitzpatrick é ex-curador de aves no Field Museum of Natural History de Chicago e foi diretor executivo do Cornell Lab of Ornithology entre 1995 e 2021. É autor de mais de 150 artigos científicos e é coautor de 4 livros — incluindo o principal manual de nível superior sobre ornitologia. Em 2002, ele e seus colegas lançaram a plataforma digital eBird, hoje um dos maiores projetos de ciência cidadã.

Bryan G Fry é formado em Biologia Molecular e Filosofia Científica. Nascido nos EUA, foi atraído para a Austrália por suas inúmeras criaturas tóxicas e completou um doutorado sobre os peptídeos tóxicos da taipan-do-interior (a cobra terrestre mais venenosa, ver p.41). Hoje, é professor da Universidade de Queensland, onde é líder do grupo do Venomics Laboratory. Bryan liderou expedições para mais de 40 países e também participa de The Explorers Club.

Robin Hutton passou a vida adulta trabalhando em grandes produções de eventos e na indústria cinematográfica como escritora e produtora. Ela é a autora do best-seller do *NY Times, Sgt. Reckless: America's War Horse* (2014) e *War Animals: The Unsung Heroes of World War II* (2018), bem como presidente da ONG Angels Without Wings. Em 2019, Robin instituiu a Medalha de Bravura Animals in War & Peace e, em 2022, uma nova Medalha de Serviços Distintos (ver p.50).

Emily Lakdawalla é uma comunicadora científica, autora e educadora especializada em ciência planetária e exploração espacial. Ela contribui para as publicações da Planetary Society desde 2002 e é editora associada da Sky & Telescope. Seu 1o livro, *The Design and Engineering of Curiosity*, deve ser seguido pelo volume complementar, *Curiosity and Its Science Mission: A Mars Rover Goes to Work*, em 2022. Ela também tem um asteroide com seu nome: 274860 Emilylakdawalla.

Michael Levy é jornalista freelancer e editor geral da revista *Climbing*. Seu trabalho também apareceu no *The New York Times, Outside* e *Rock and Ice*, entre outras publicações. Michael escalou o mundo todo, desde os grandes muros de Yosemite na Califórnia, EUA, até os penhascos de calcário do sudeste da Ásia; desde os altos picos da cordilheira do Alasca até os da cordilheira Branca peruana.

Jonathan McDowell escreve sobre a história técnica da exploração espacial e mantém um catálogo abrangente de objetos espaciais em seu popular site planet4589.org. Ele também é um astrofísico cujas publicações de pesquisa incluem estudos de cosmologia, buracos negros, galáxias, quasares e asteroides, e ajuda a desenvolver algoritmos para astronomia de raios X como parte da equipe do telescópio Chandra da NASA.

Merav Ozair é uma especialista líder global em blockchain e criptomoeda, com profundo conhecimento dos mercados financeiros globais e experiência em ciência de dados e estratégia quantitativa. Atualmente, aplica sua experiência para pesquisar e experimentar finanças descentralizadas, tokens não fungíveis (NFTs) e organizações autônomas descentralizadas, em diferentes setores e casos de uso nos negócios. Ela é PhD pela Stern School of Business da NYU e é cofundadora da ChainVision.

Martin Pratt é um especialista internacionalmente respeitado em definição e gestão de fronteiras e resolução de disputas territoriais, e é diretor da Bordermap Consulting. Também é professor honorário da Universidade de Durham, RU, onde trabalhou por mais de 20 anos como diretor de pesquisa da Unidade de Pesquisa de Fronteiras Internacionais. É geógrafo e cartógrafo de formação, especializado em aspectos técnicos de delimitação de fronteiras terrestres e marítimas.

Robert Riener é professor de Sistemas Sensoriais-Motores no Instituto de Robótica da ETH Zurique, Suíça, e professor de medicina no Hospital Universitário de Balgrist desde 2003. Robert publicou mais de 400 artigos, 20 capítulos de livros e arquivou 25 patentes. Ele também é o iniciador do evento esportivo Cybathlon para atletas que usam e engenheiros que desenvolvem tecnologia assistiva de ponta.

Karl PN Shuker é PhD em Zoologia e Fisiologia Comparada pela Universidade de Birmingham, RU, e é membro científico da Zoological Society of London, membro da Royal Entomological Society e membro da Society of Authors. Ele escreveu 25 livros, além de centenas de artigos cobrindo muitos aspectos da história natural. O trabalho de Karl tem ênfase em animais anômalos, incluindo espécies novas, redescobertas e não reconhecidas.

Maria Vassilopoulos é editora e historiadora do mercado editorial, atualmente fazendo doutorado sobre a história dos mercados editorial e livreiro britânicos. Já trabalhou para *The Bookseller*, British Library e Waterstones, e é autora de artigos sobre a história da Publishers Association e da Book Society. Maria também é arquivista da Society of Young Publishers.

Matthew White é consultor de música, críquete e tênis do GWR. Além disso, entre 2009 e 2022, ele examinou mais de 50.000 registros publicados como verificador de fatos e revisor do **anuário mais vendido do mundo**. Após o treinamento como jornalista, Matthew conseguiu seu emprego dos sonhos como membro da equipe que produziu as 4 edições finais do *Guinness Book of British Hit Singles & Albums*. Seu projeto mais recente é um guia para músicos de sua cidade natal, Suffolk, RU.

Cassidy Zachary é historiadora de moda especializada no significado social e cultural do vestuário ao longo da história. Ela é a criadora e coapresentadora (junto com April Calahan) do premiado podcast iHeartRadio *Dressed: The History of Fashion*, que a Vogue descreveu como "o padrão-ouro em podcasts de moda". Cassidy também é coautora do livro de 2015 *Fashion and the Art of Pochoir*.

Steven Zhang é paleontólogo e pesquisador associado honorário da Universidade de Bristol, RU. É especialista em evolução e história fóssil de proboscídeos — o grupo que contém elefantes e seus primos extintos, como mamutes, mastodontes, estegodontes e dinotérios. Ansioso para contar as histórias desses estranhos animais pré-históricos, ele realizou atividades de divulgação paleontológica em museus e prestou consultoria para vários documentários de TV.

Agradecemos também a...

Evan Ackerman (IEEE Spectrum); DC Agle, Ron Baalke, Glenn Orton (NASA/JPL); Rachael Anderson (Ekso Bionics); Scott Banks (Boardwalk Organ Restoration Committee); Mark Aston; Emmanuel Barraud (EPFL); Karl Battams (US Naval Research Laboratory); Edward Bell (Tiniest Babies Registry); Brian Bianco (Inspiration4); Annabelle Bozec (Herrenknecht AG); David Bruson; David Bruzon, Anna Burgess (Harvard University Library); Alice Carter (British Library); Martyn Chapman; Richard Chen (cryptoart.io); Brenna Connor, David Walter, Lee Graham (NPD Group); Philip Currie (University of Alberta); Tammie deVoogt Blaney (International Association of Structural Movers); Amy Dickin, Hattie Thorpe-Gunner (PDSA); Pádraig Egan; Taylah Egbers, Louise Baker, Sarah Cuthbert-Kerr (National Trust for Scotland); Kiah Erlich, Melinda Widlake, Michael Edmonds, Sarah Blask (Blue Origin); Federico Ferroni, Alex Reynolds (International Surfing Association); Barbara Finlay, Linda Beltz Glaser (Cornell University); Rosemary Firman, Abby Jones (Hereford Cathedral); Andrew Gallup (SUNY); Karla Grahn (Fly Denver); Victoria Grimsell; Bryony-Hope Green (British Esports Association); Thaneswar Guragai; Robert Gwynne, Simon Bayliss (National Railway Museum); Steven Haddock (Monterey Bay Aquarium Research Institute); JD Harrington, Sean Potter (NASA/HQ); Terry Harrison (New York University); Nick Hartwell (Nixus Sport and Entertainment); Suzanne Herrick, Joanna Danks (Minnesota Historical Society); Heidi Huebner (PUP Program, LAWA); Paul Hunn; Daniel Huot, Shaneequa Vereen, Courtney Beasley, Kathryn Hambleton (NASA/Johnson Space Center); Alan Jamieson (Minderoo-UWA Deep-Sea Research Centre); Sarah Jeffery (Martin-Baker); Rachel Jones; Steve Jones (Antarctic Logistics & Expeditions); Eliza Kavanagh (Publishers Association); Danny Klein (Food News Media); Louise Lee (Blue Cross); Tammy Lee Long, Madison Tuttle (NASA/Kennedy Space Center); Leah Linder, Benjamin Popkin (TikTok); Pedro Lopes (University of Chicago); Emma Lowe (The Bookseller); Jérôme Mallefet (Université Catholique de Louvain); Pàdraig Mallon, Jacqueline McClelland (Irish Long Distance Swimming Association); Ray Mansell; Borislav Marinov (Exoskeleton Report); Rick Mayston; Mark McBride-Wright (Equal Engineers); Mary Melnyk; Thomas Mills, Tim Shephard (Dwarf Sports Association); Joël Minet (Muséum national d'Histoire naturelle); Monsters of Schlock (Burnaby Q Orbax and Sweet Pepper Klopek); François Moreau (Bouygues Construction); Peter Morris, David Allen, Henry Rzepa, Anna Simmons (Royal Society of Chemistry); Anushia Nair (data.ai); Greg Newby (Project Gutenberg); Kara O'Keeffe (Wisconsin Historical Society); Justin O'Schmidt (Southwest Biological Institute); Corina Oertli, Roland Sigrist (Cybathlon); Mariam Olayiwola; Matthew Oliver; Uffe Paulsen (Royal Danish Library); Gary Rendsburg (Rutgers University); Barry Rice (Carnivorous Plant Newsletter); Matthew Rogerson, Emma Beer (Institution of Civil Engineers); Ethan Ruparelia, Dan Schrieber (QI/No Such Thing as a Fish); William Ryan (Library of Congress); Eric Sakowski (Highest Bridges); Nancy Segal (Twin Studies Center); Tulsi Shah (Carmody Groarke); Lily Shallom (APOPO); Will Shortz, Matúš Demiger (American Crossword Puzzle Tournament); Nevan Simone, Amit Gupta, Jamie Stephens, Maria Esteva, Weijia Xu, Moriba Jah (University of Texas/ASTRIAGraph); Tina Smart; Christopher Smout (Institution of Mechanical Engineers); Samuel Stadler (Parrot Analytics); Jaclyn Swope (Nielsen IQ); Martyn Tovey; Gijs van der Velden, Merlin Moritz, Kasper Siderius (MX3D); Paul Walker-Emig; Heather Weintraub (Christie's); Annabel Williams (Guide Dogs); Nick Williamson, James Bartlett, Daryl Chapman, Helen Atwere, Denise Matthews, Rob Grant (RNIB); Mark Woods (Bible Society); Anatoly Zak (Russian Space Web); Lojdová Zdislava (Extreme Light Infrastructure Beamlines).

Agradecimentos

SVP Publicação global
Nadine Causey

Editor chefe
Craig Glenday

Editor gerente
Adam Millward

Editor
Ben Hollingum

Editores de Layout
Tom Beckerlegge, Rob Dimery

Revisão de provas/verificação de fatos
Matthew White

Gerente de publicação e produção de livro
Jane Boatfield

Gerente de imagens e design
Fran Morales

Pesquisa de imagens
Abby Taylor, Alice Jessop

Design
Paul Wylie-Deacon, Rob Wilson, Jo Mansfield no 55design.co.uk

Design de capa
Rod Hunt

Pesquisadores de talento
Charlie Anderson

Diretora de produção e distribuição
Patricia Magill

Coordenador de produção
Thomas McCurdy

Consultores de produção
Roger Hawkins, Kevin Sarney, Maximilian Schonlau, Jens Pähler

Gerente de conteúdo visual
Michael Whitty

Fotografia original
Brien Adams, Dan Austin, Alberto Bernasconi, Felix Brandstetter, Dojo Films, Jon Enoch, Rubén Gil, Chuck Green, Laura Grisamore, Paul Michael Hughes, Diyan Kanardzhiev, Edwin Koo, Kat Ku, Rob Partis, Rod Penn, Kevin Scott Ramos, Alex Regish, Tim Stubbings

Índice
Marie Lorimer

Diretor de vendas
Joel Smith

Vendas internacionais
Helene Navarre

Gerente de contas RU
Mavis Sarfo

Gerente de suprimentos e distribuição
Isabel Sinagola

Gerente de marketing global
Nicholas Brookes

Gerente de comunicações RU & Internacional
Amber-Georgina Maskell

Gerente RP RU & Internacional
Madalyn Bielfeld

Executivo RP RU & Internacional
Alina Polianskaya

Gerente de conteúdo RU & Internacional
Eleonora Pilastro

Gerente de comunicações (Américas)
Elizabeth Vaughan

Gerente RP sênior (EUA & Canadá)
Amanda Marcus

Gerente RP sênior (LATAM)
Alice Pagán

Executivo RP (Américas)
Kylie Galloway

Gerente de conteúdo (EUA & Canadá)
Ali Rodriguez

Gerente de conteúdo (LATAM)
Luisa Sanchez

Reprografia
Resmiye Kahraman no Born Group

Impressão e encadernação
MOHN Media Mohndruck GmbH, Gütersloh, Alemanha

EDIÇÃO BRASILEIRA
HarperCollins Brasil

Diretora editorial
Raquel Cozer

Gerente editorial
Alice Mello

Tradução
Isabella Pacheco, Giu Alonso, Ulisses Teixeira

Editorial
Lara Berruezo, Anna Clara Gonçalves, Camila Carneiro

Diagramação
Julio Moreira | Equatorium Design

Revisão
André Sequeira

Os recordes estão aí para serem quebrados, e esse é um dos principais critérios para cada categoria de recordes. Assim, se você encontrar um recorde que acredita ser capaz de bater, entre em contato conosco para fazer o requerimento de recorde. Sempre fale conosco antes de tentar quebrar um recorde. Acesse regularmente nosso site (www.guinnessworldrecords.com) para ter notícias de novos recordes e vídeos incríveis sobre tentativas de recordes. Você ainda pode participar da comunidade on-line do *Guinness World Records*.

Sustentabilidade
As árvores usadas para a impressão do Guinness World Records 2022 são cuidadosamente selecionadas de matas de reflorestamento para garantir a não devastação do meio ambiente.

O papel usado nesta edição foi produzido pela Stora Enso Veitsiluoto, da Finlândia. A unidade de produção possui uma certificação de Cadeia de Custódia e opera sistemas ambientais certificados com ISO 14001 para garantir uma produção sustentável.

A empresa Guinness World Records Limited utiliza um rígido sistema de homologação para a confirmação de recordes. No entanto, apesar de todo o empenho para garantir a precisão, a empresa não se responsabiliza por quaisquer erros ou omissões cometidos nesta obra. Os comentários de leitores sobre eventuais problemas relativos à exatidão dos recordes são sempre bem-vindos.

Quando citamos apenas o ano, a taxa de câmbio é a de dezembro desse ano. A abreviação "c." significa "cerca de"; "n.", "nascido em". O Guinness World Records Limited não reivindica nenhum direito, título ou vantagem sobre as marcas de terceiros reproduzidas neste livro. Tentar quebrar os recordes que estabelecer recordes pode ser perigoso. É aconselhável obter orientações especializadas antes de fazê-lo. Todas as tentativas de quebra de recordes são de inteira responsabilidade dos desafiantes. Fica a critério do Guinness World Records Limited a decisão de incluir ou não um recorde em alguma de suas publicações. O fato de alguém ser recordista reconhecido pelo Guinness World Records Limited não garante sua presença em publicações do GWR.

Dados Internacionais de Catalogação na Publicação (CIP)
(Câmara Brasileira do Livro, SP, Brasil)

Guinness World Records 2023 / tradução Anima
Produções. -- 1. ed. -- Rio de Janeiro: HarperCollins Brasil, 2022.

Título original: Guinness World Records 2023
ISBN 978-65-5511-350-1

1. Almanaque 2. Curiosidades e maravilhas 3. Recordes mundiais I. Anima Produções.

22-113529   CDD-036.9

Presidente global
Alistair Richards

Administração
Alison Ozanne

Financeiro global: Elizabeth Bishop, Jess Blake, Lisa Gibbs, Lucy Hyland, Kimberley Jones, Okan Keser, Jacob Moss, Sutha Ramachandran, Ysanne Rogers, Lorenzo Di Sciullo, Andrew Wood
Parceria de negócios e Marketing de produto: Maryana Lovell, Blair Rankin, Scott Shore, Louise Toms

Jurídico
Raymond Marshall
Londres: Matthew Knight, Mehreen Moghul
Pequim: Mathew Alderson, Greyson Huang, Jiayi Teng

TI e Operações
Rob Howe
Tecnologia digital e TI: Diogo Coito Gomes, John Cvitanovic, Mike Emmott, Adeyinka Folorunso, Sunil Gill, Veronica Irons, Benjamin McLean, Roelien Viljoen, Alex Waldu
Serviço Central de Recordes: Adam Brown
Suporte de Conteúdo de Recordes: Lewis Blakeman, Clea Lime, Mark McKinley, Emma Salt, Mariana Sinotti Alves de Lima, Dave Wilson, Melissa Wooton
Equipe de Curadoria de Recordes: Oliver de Boer, Megan Bruce, Esther Mann, Will Munford, Will Sinden, Luke Wakeham

Povos e cultura global
Stephanie Lunn
Londres: Jackie Angus, Isabelle Fanshawe, Matthew Niyazi, Monika Tilani
Pequim: Crystal Xu, Nina Zhou
Tóquio: Emiko Yamamoto
Nova York: Rachel Gluck, Jennifer Olson
Dubai: Monisha Bimal

Marca e Digital
Katie Forde
Estratégia de marca e comunicações
Juliet Dawson, Lucy Hunter, Doug Male
TV e Digital: Karen Gilchrist
Mídias Sociais: Josephine Boye, Lisha Howen, Dominic Punt, Dan Thorne
Conteúdo de website: Sanj Atwal, Connie Suggitt
Conteúdo contratado: Michael Whitty
Produção de vídeo e Design: Momoko Cunneen, Jesse Hargrave, Aisheshek Magauina, Fran Morales, Matthew Musson, Joseph O'Neil, Alisa Zaytseva
Produção de eventos: Alan Pixsley
Licenciamento de conteúdo: Kathryn Hubbard, Catherine Pearce
Criação: Paul O'Neill

Consultores globais
Marco Frigatti

Consultoria das Américas
Carlos Martinez
Serviços de contador comercial: Mackenzie Berry, Brittany Carpenter, Carolina Guanabara, Ralph Hannah, Nicole Pando, Kim Partrick, Michelle Santucci, Joanna Weiss
Marketing comercial: Alexia Argeros, Ana Rahlves
Gerenciamento de recordes: Raquel Assis, Maddison Kulish, Callie Smith, Carlos Tapia Rojas

Consultoria de Pequim
Charles Wharton
Marketing de conteúdo: Chloe Liu
Editorial: Angela Wu
Serviços de contador comercial: Catherine Gao, Xiaona Liu, Tina Ran, Amelia Wang, Elaine Wang, Paige Wu
Marketing comercial: Theresa Gao, Lorraine Lin
Produção de eventos: Fay Jiang
RP: Echo Zhan, Yvonne Zhang
Gerenciamento de recordes: Ted Li, Vanessa Tao, Alicia Zhao, Sibyl Zou

Consultoria de Dubai
Talal Omar
Serviços de contador comercial: Sara Abu-Saad, Naser Batat, Mohammad Kiswani, Kamel Yassin
Marketing comercial: Shaddy Gaad
Marca e Conteúdo de marketing: Mohamad Kaddoura
Produção de eventos: Daniel Hickson
RP: Hassan Alibrahim
Gerenciamento de recordes: Reem Al Ghussain, Sarah Alkholb, Hani Gharamah, Karen Hamzeh

Consultoria de Londres
Serviços de contador comercial: Nicholas Adams, Monika Drobina, Fay Edwards, Sirali Gandhi, Shanaye Howe, Nikhil Shukla, Nataliia Solovei
Marketing comercial: Amina Addow, William Baxter-Hughes
Produção de eventos: Fiona Gruchy-Craven
Gerenciamento de recordes: Andrew Fanning, Paul Hillman, Christopher Lynch, Apekshita Kadam, Francesca Raggi
Geração de demanda global: Angelique Begarin, Melissa Brown

Consultoria de Tóquio
Kaoru Ishikawa
Marca e Conteúdo de marketing: Masakazu Senda
Serviços de contador comercial: Minami Ito, Wei Liang, Takuro Maruyama, Yumiko Nakagawa, Nana Nguyen, Masamichi Yazaki
Marketing comercial: Hiroyuki Tanaka, Eri Yuhira
Produção de eventos: Yuki Uebo
RP: Kazami Kamioka
Gerenciamento de recordes: Fumika Fujibuchi, Aki Ichikawa, Mai McMillan, Momoko Omori, Naomi-Emily Sakai, Lala Teranishi, Kayo Ueda

© 2022 Guinness World Records Limited
Nenhuma parte deste livro pode ser reproduzida ou transmitida em qualquer meio ou forma, seja eletrônico, químico, mecânico, inclusive fotocópia, nem apropriada ou estocada em nenhum sistema de armazenamento ou banco de dados, sem a expressa licença ou autorização por escrito dos detentores dos direitos autorais.

Crédito de fotos

1 Getty; **2** NASA/KSC, Rod Hunt; **3** Nintendo/Games Press; **4 (UK)** GWR; **5 (UK)** Jack Deery, BBC, GWR; **6 (UK)** GWR, Ethan Ruparelia/*QI*; **7 (UK)** Urdd Gobaith Cymru/Dafydd Owen, Shutterstock, Fun Kids Radio; **6 (US)** Shutterstock, Kevin Youngblood; **7 (US)** Getty; **4 (Aus/NZ)** Politix; **5 (Aus/NZ)** Shutterstock; **7 (Aus/NZ)** Alamy; **6 (MENA)** MDLBEAST Soundstorm; **8** Jon Enoch/GWR, Shutterstock; **9** Jon Enoch/GWR, Diyan Kantardzhiev/GWR, Games Press/Mojang, Games Press/Milestone, Shutterstock, Moby Games/EA, Games Press/Epic Games, YouTube; **10** GWR, Alex Regish/GWR, Alamy, Shutterstock; **11** Shutterstock; **12** Shutterstock, GWR; **13** GWR; **14** NASA; **15** Science Photo Library, NASA; **16** NASA, National Reconnaissance Office, Shutterstock; **17** NASA, NASA/KSC, NASA/Bill Ingalls, ATK, Shutterstock, NASA/Joel Kowsky, Amy Thompson; **18** Shutterstock, Getty, Virgin Galactic; **19** NASA, U.S. Army White Sands Missile Range/Applied Physics Laboratory, Shutterstock, Blue Origin; **20** Inspiration4/Twitter, NASA, Shutterstock; **21** SCH, NASA, Shutterstock, ESA, James Blair/NASA, Rod Hunt; **22** Tulsa World, Northrop Grumman, Getty; **23** CelesTrak, Brad Sease, NASA, Anatoly Zak/RussianSpaceWeb.com, Getty, Esperance Museum; **24** NASA, NASA/JPL-Caltech/University of Arizona, NASA/JPL-Caltech, Science Photo Library, CNSA, Shutterstock; **25** CNSA/EPA, NASA/JPL-Caltech, NASA/Johns Hopkins APL, NASA/JPL/Cornell University, Shutterstock; **26** ESO/M. Kornmesser, NASA/JPL-Caltech/ASI/USGS, NASA/JPL-Caltech/SSI; **27** NASA/MOLA Science Team/O. de Goursac, Adrian Lark, NASA/ESA/A. Simon, NASA/JPL-Caltech/MSSS, NASA/JHUAPL/SwRI, NASA/JPL-Caltech/Keck, NASA/ScienceCasts, Maxar/ASU/P. Rubin/NASA/JPL-Caltech; **28** Alamy, ESO/M. Kornmesser; **29** NASA/ESA/Zolt Levay, Science Photo Library, NASA/JPL-Caltech/STScI, ESO, Shutterstock, R. Sahai and J. Trauger (JPL)/NASA/ESA; **30** Thomas Shea/USA TODAY NETWORK; **31** ESA/ATG medialab, NASA/STScI; **32** SpaceX, Science Photo Library, NASA; **33** NASA, ESA, B. Welch (JHU) and D. Coe (STScI), ESA & NASA/*Solar Orbiter*/EUI team, NASA/Aubrey Gemignani; **34** Blue Origin, Getty, Shutterstock; **35** NASA, Shutterstock, Getty; **37** APOPO, Alamy, Brian Mckay, Shutterstock; **38** Shutterstock, Roman and Alexandra Uchytel, Prehistoric Fauna; **39** Roman and Alexandra Uchytel, Prehistoric Fauna, Roman Yevseyev, Science Photo Library, National Museum of Ireland; **40** Shutterstock, Brian Mckay, A. Palci/Flinders University; **41** Shutterstock, Alamy; **42** Alamy, Shutterstock, Tormod Amundsen/Biotope; **43** Shutterstock, Alamy, Angie Cederlund; **44** naturepl.com, Shutterstock, Science Photo Library; **45** Alamy, naturepl.com, Shutterstock; **46** Shutterstock, Alamy, Rajani Kurup/Anil John Johnson/Sabulal Baby, 2020 Walter de Gruyter GmbH, Berlin/Boston, Dr Steven Haddock; **47** NOAA, Alamy, Dr J. Mallefet - FNRS - UCLouvain, Science Photo Library, Discover Puerto Rico; **48** Kat Ku/GWR, Shadai Perez/GWR, Shutterstock; **49** Alberto Bernasconi/GWR, Shutterstock; **50** Nancy Latham Parkin, US War Dogs Association, Getty, National Archives, Dominika Frej for Gallop, Shutterstock; **51** Alamy, APOPO, Denver International Airport, Toronto Zoo, GWR; **52** Alamy, Shutterstock; **53** Alamy, Shutterstock; **54** Alamy, Qianshi Lin, Shutterstock; **55** Shutterstock, David Lees, Alamy, Zhao Chuang/PNSO; **56** GWR, Getty, Back to Healing/Damla Karaarslan; **57** GWR; **58** Brien Adams/GWR, GWR; **59** Shutterstock, Kevin Scott Ramos/GWR; **60** Martin Volken/moment.ch, Getty, Alzheimer's Research UK, Shutterstock; **61** Alamy, Shutterstock; **62** John Wright/GWR, Alberto Bernasconi/GWR, GWR, Paul Michael Hughes/GWR, Shutterstock; **63** Alberto Bernasconi/GWR, Kevin Scott Ramos/GWR, Shutterstock, Walter Succu/GWR; **64** Ranald Mackechnie/GWR, Paul Michael Hughes/GWR, Kevin Scott Ramos/GWR, Shutterstock; **65** Kevin Scott Ramos/GWR; **66** Shutterstock; **67** Dan Austin/GWR, Laura Grisamore/GWR, Shutterstock; **68** Penguin, Shutterstock; **69** Shutterstock; **70** Alamy, Shutterstock; **72** Kevin Scott Ramos/GWR, GWR, Mohammed Daw/GWR; **73** National University Hospital, Singapore, Kwek Family, Paul Michael Hughes/GWR, Peter Allen/DMG Media Licensing, Rob Partis; **74** Ryan Schude/GWR; **75** Alamy; **76** Go Visuals; **77** One Inch Dreams, onetotwo/Quirin Herterich, Shutterstock, SWNS, Rod Penn/GWR; **78** Piccard Family, Shutterstock, Photocall Ireland, Solar Impulse Foundation; **79** Getty, Alamy, GWR; **80** Paul Michael Hughes/GWR, Davide Canella/GWR, Shutterstock; **81** Rod Penn/GWR, Shutterstock, GWR; **82** Edwin Koo/GWR, Shutterstock, Alberto Bernasconi/GWR; **83** Shutterstock, GWR; **84** GWR, Diyan Kantardzhiev/GWR, Shutterstock; **85** Paul Michael Hughes/GWR, GWR, Shutterstock; **86** Shutterstock; **87** SWNS; **88** Diyan Kantardzhiev/GWR, GWR, Shutterstock; **89** Getty, Universal Pictures/Alamy, Alamy; **90** Alberto Bernasconi/GWR, Shutterstock, Paul Michael Hughes/GWR; **91** Captn Brandy/GWR, Shutterstock; **92** Shutterstock; **93** Richard Bradbury/GWR, Chukwuebuka Freestyle Entertainment, GWR, Shutterstock; **94** J. Chin/National Geographic/Shutterstock, John Bachar; **95** Pavel Blazek, Paolo Sartori, Javipec/ASP/Red Bull Content Pool, Chris Alstrin, Cheyne Lempe, Bobby Sorich, Alastair Lee/Posing Productions, Alamy; **96** Enrique Alvarez, Shutterstock; **97** Alamy, Shutterstock; **98–99** Miss Isle, International Surfing Association, Shutterstock, Getty, Marathon des Sables; **100** GWR, Alberto Bernasconi/GWR, Photos with Finesse, Ruben Gil/GWR; **101** Alberto Bernasconi/GWR, Ruben Gil/GWR; **102** Alamy, Shutterstock; **103** Shutterstock; **104** GWR; **105** Justin Clemons/Guardian/eyevine; **106** Rajiv Mundayat, Justin N Lane/Courtesy of US Chess, Shutterstock; **108** Casey Brooke Lawson, J-F Rioux, Marvel/Disney/Shutterstock; **109** Robert Partis/GWR; **110** ESA/NASA/SOHO; **111** Tim Stubbings/GWR; **112** Jon Enoch/GWR, Ranald Mackechnie/GWR, Drew Gardner/GWR, Shutterstock; **113** Shutterstock, Rod Hunt; **114** Shutterstock; **115** Shutterstock; **116** Cedar Point, Getty, Shutterstock, Alamy, Allison Missal Akright/Fridley Theatres; **117** Kevin Scott Ramos/GWR, David Torrence/GWR, Shutterstock; **118** Alamy, Getty, Shutterstock; **119** Shutterstock, Alamy; **120** Alamy, Jason deCaires Taylor, Shutterstock; **121** Alamy, Shutterstock; **122** Shutterstock, Alamy; **123** Shutterstock, Alamy; **124** Shutterstock, Alamy, Shakespeare Trust, Sportsfile pictures; **125** Getty, Alamy, Chris Parry/Ffestiniog Railway, Shutterstock; **126** Shutterstock; **127** Shutterstock; **128** Alamy, Shutterstock; **129** Shutterstock, Alamy, Getty; **130** Tommy Simonsen, Shutterstock, Janne Peräaho, Satu Härkönen, Alamy, VisitSamsø; **131** Asaf Kliger, Shutterstock, Getty, Alamy, Andreas Christoffer Nilson/Secretsoftheice.com, Bakken; **132** Shutterstock, Alamy; **133** Shutterstock, Martin De Jong, Alamy, Pinkpop, Diego Delso/delso.photo; **134** Shutterstock, CERN, Alamy; **135** Stefan Seelig, Alamy, Jakub Szczęsny/Forgemind ArchiMedia, Shutterstock; **136** Shutterstock, Alamy, Lotte; **137** Alamy, Shutterstock, Getty; **138** Shutterstock, Getty, Alamy; **139** Shutterstock; **140** Alamy, Getty, Shutterstock; **141** Alamy, Shutterstock; **142** Shutterstock, Alamy, Getty; **143** Shutterstock, Alamy, Oxalis Adventure; **144** Alamy, Getty, Shutterstock; **145** Shutterstock, Dick Thomas Johnson, Getty, Alamy; **146** Shutterstock, Alamy, Ian Moore/Evandale Village Fair, Getty; **147** Getty, Te Papa, Shutterstock, Alamy, Ellen Rykers, David Wall; **148** Getty; **149** Wlad SIMITCH/M6; **150** Chuck Green/GWR; **151** Shutterstock, Alamy; **152** Shutterstock, Sameer Regmi/Discover Parbat, Getty, Merlin Moritz/MX3D; **153** Alamy, Shutterstock; **154** Shutterstock, Alamy, Max Bögl Group, Marshall Gerometta; **155** Alamy, Stefan Fussan/Marshall Strabala and Jun Xia, Shutterstock; **156** EPFL, ReWalk Robotics, Alamy, Shutterstock; **157** ETH/Alessandro Della Bella, The University of Chicago, Ben Rollins/GWR, Sarcos Technology and Robotics Corporation, Innophys Co. Ltd; **158** Alamy, Shutterstock; **159** Getty, Alamy; **160** Shutterstock; **161** Shutterstock; **162** Geometrica, Inc., National Trust for Scotland, Alamy; **163** Rolls-Royce, Samo Vidic/Red Bull Content Pool, faroephoto.com; **164** Alamy, UNOCHA/David Gough, Getty, Kwaku Alston for Disney Studios, Shutterstock; **165** Shutterstock; **166** Netflix; **167** Netflix, Cameron Allen; **168** Stan Winston Studio, PIXOMONDO, LAIKA, Disney/Alamy, Makuta, Shutterstock, Getty; **169** Warner Bros./Shutterstock, Framestore, Marvel/Disney/Alamy, DreamWorks/Paramount/Alamy, Lucasfilm/Shutterstock, Lucasfilm/Disney, Shutterstock; **170** Disney/Alamy, Hudson Soft/Moby Games, Square/Games Press, Disney, Alamy, Pixar/Disney/Alamy; **171** Disney/Alamy, Pixar/Disney/Alamy, Marvel/Disney/Alamy, Lucasfilm/Disney/Alamy, Shutterstock; **172** NBCUniversal Media/Getty, CBS Entertainment, FX, ABC/Art Streiber, Alamy, National Geographic/Fox, MBS, Shutterstock; **173** Curtis Bonds Baker/Netflix, HBO Entertainment/Alamy, Sony Entertainment Television India (SET)/Studio Next, Marvel Studios/Disney Plus, Paramount+, Shutterstock, Apple TV+; **174** Alamy, Ryan Schude/GWR, Shutterstock; **175** Alamy, Shutterstock, Stephen J. Greenberg/NLM, NLM, Rod Hunt; **176** Shutterstock, World Puzzle Federation; **178** Shutterstock, Alamy; **179** Cameron Allen; **180** Getty, GWR, Alamy, Shutterstock; **181** Shutterstock, Getty; **182** Alamy, Getty, Warner Bros.Pictures/Alamy, FX Network TV/Alamy, Netflix, Shutterstock, Vice Studios/Alamy, Netflix/Alamy; **183** Shutterstock, Nickelodeon, Getty; **184** Blizzard/Games Press, Warner Bros./Games Press, Rockstar Games; **185** Capcom/Games Press, Koelnmesse GmbH/Oliver Wachenfeld, Shutterstock; **186** Activision, Ryan Schude/GWR, EA; **187** EA/Games Press, TiMi Studio Group, Shutterstock; **188** Shutterstock, Square Enix/Games Press, Square Enix/Moby Games, Nintendo/Games Press, Alamy; **189** Roblox/Games Press, Adopt Me, Rockstar/Games Press, Shutterstock; **190** The Pokémon Company/Games Press, Nintendo, Paul Michael Hughes/GWR, Epic Games; **191** Nintendo/Games Press, Heritage Auctions, Telltale Games/Games Press, Shutterstock; **192–93** Paul Michael Hughes/GWR, Kevin Scott Ramos/GWR, Ranald Mackechnie/GWR, Richard Bradbury/GWR, Alamy; **194** Getty, James Ellerker/GWR, Marvel/Disney/Alamy, Supergiant Games/Games Press; **195** Getty, Heritage Auctions, Marvel/Disney/Alamy; **196** Getty, Alamy, Shutterstock; **197** Shutterstock, Alamy; **198** Getty; **199** Alamy, Getty, Kevin Scott Ramos/GWR; **200** Getty, David Levene, Alamy, Aivars Liepiņš, Shutterstock; **201** Alamy, Shutterstock; **202** Shutterstock; **203** Shutterstock, Alamy, Dapper Labs, ASOBIMO/Games Press, Getty; **204** Kerameikos Archaeological Museum, Shutterstock, Getty, Bizmoune Cave, Essaouira Ministry of Youth, Culture and Communication, Julien's Auctions/Vincent Sandoval, Mouawad, Canadian Museum of History; **205** Daniel Buck Auctions, Shutterstock, University of Oregon Museum of Natural and Cultural History, David Jackson, dbking, Metropolitan Museum of Art, Rod Hunt; **206** Shutterstock, Christie's Images, Jos Buttler/Twitter, Heritage Auctions, Ashley Littlejohn Photography; **207** Shutterstock, Goldin Auctions, Sotheby's/SquareMoose, Getty, Sotheby's, Hake's Auctions, Rod Hunt; **208** Shutterstock, Maximum Games/Games Press; **209** Kevin Scott Ramos/GWR, Drew Gardner/GWR, Brian Braun/GWR, Al Diaz/GWR; **210** Shutterstock, Getty; **211** Zachary Fu & Dustin Ong, Alamy, Getty, Max Morse for TechCrunch, Shutterstock; **212–13** Getty, Dmitriy Kuznietsov, Shutterstock; **214** Alamy, Kevin Galvan; **215** Alamy, Alberto Bernasconi/GWR, Getty; **216** Getty, Shutterstock; **217** Getty, Shutterstock; **218** Shutterstock, Getty; **219** Shutterstock, Getty, Guide Dog Foundation; **220** Shutterstock, Getty; **221** Shutterstock, Getty; **222** Shutterstock; **223** Alamy, Shutterstock, Getty; **224** Shutterstock, Alamy, Getty; **225** Getty, Shutterstock, Alamy; **226** Getty, Shutterstock; **227** Getty, Shutterstock; **228** Alamy, Getty, Shutterstock, iZimPhoto/Jekesai Njikizana; **229** Shutterstock, Getty; **230** Getty, Shutterstock, Alamy; **231** Imago Images, Shutterstock, Alamy; **232** Shutterstock; **233** Guide Dog Foundation, Shutterstock, Alamy, Getty; **234** Shutterstock, Getty; **235** Shutterstock; **236** Rod Hunt, Shutterstock, Getty, Alamy; **237** Shutterstock, Rod Hunt, Mexican Triathlon Federation, Marek Janiak/UltraPark Weekend, Stephen Wilson, Getty; **238** LAT Images, Getty, Shutterstock, Alamy; **239** Getty, Shutterstock; **240** Shutterstock, Getty, GWR; **241** United States Parachutist Association/David Cherry, ESPN, Shutterstock, Getty; **242** Getty, Shutterstock; **243** Shutterstock, Alamy, Getty; **244** Getty, Pep Segalés/FIM, Imago Images; **245** Shutterstock, Alamy; **256** Rod Hunt . Edição brasileira: 4 Shutterstock, Humor Multishow; 5 LPSA; 6 Go Visuals, Giner photography, Getty Images; 7 ESPN, Alamy, Getty Images, GWR

Todos os esforços foram feitos para rastrear os detentores de copyright e obter a autorização de uso das imagens desta publicação. Aceitamos notificações de detentores de copyrights que tenham sido omitidos.

Juízes oficiais: Alfredo Arista, Camila Borenstain, Joanne Brent, Jack Brockbank, Ahmed Bucheeri, Spencer Cammarano, Sarah Casson, Swapnil Dangarikar, Brittany Dunn, Kanzy El Defrawy, Michael Empric, Pete Fairbairn, Victor Fenes, Fumika Fujibuchi, Michael Furnari, John Garland, Andrew Glass, Iris Hou, Louis Jelinek, Lena Kuhlmann, Maggie Luo, Rishi Nath, Hannah Ortman, Kellie Parise, Pravin Patel, Justin Patterson, Glenn Pollard, Natalia Ramirez, Susana Reyes, Philip Robertson, Paulina Sapinska, Tomomi Sekioka, Lucia Sinigagliesi, Brian Sobel, Richard Stenning, Claire Stephens, Sheila Mella Suárez, Şeyda Subaşı Gemici, Lorenzo Veltri, Xiong Wen, Peter Yang.

Agradecimentos: 55 Design Ltd (Hayley Wylie-Deacon, Tobias Wylie-Deacon, Rueben Wylie-Deacon, Linda Wylie, Vidette Burniston, Lewis Burniston, Paul Geldeart, Sue Geldeart), After Party Studios (Richard Mansell), Amanda Joiner, Banijay Italy, Carlotta Rossi Spencer, Cepak Ltd, Charlie Burland in memoriam, Chris Theriault, Codex Solutions Ltd, Coventry Communications (Jon Coventry), Della Galton, Devonte Roper, Dojo Films, Duncan Hart, Electric Robin, Exhibit Hosts, Facebook (Dan Biddle), FJT Logistics Ltd (Ray Harper), Gabriela Ventura, Georgia & Peter I'anson, Gracie & Jack Lewis, Imagination Station Toledo, Integrated Colour Editions Europe Ltd (Roger Hawkins, Susie Hawkins), Jim Pattison Jr, John Corcoran, Julie Moskalyk, Kathryn Huneault, Kidoodle (Brenda Bisner), Mintaka (Tim Stuart, Torquil Macneal), Mohn Media (Astrid Renders, Kevin Sarney, Maximilian Schonlau, Jeanette Sio), Montreal Science Center, Orchard Media & Events, Prestige Design (Jackie Ginger), Production Suite (Beverley Williams), Ripley Entertainment, Rob Partis, Science North, Snapchat (Rebecca Ozarow, Lucy Luke), Stark RFID, Steinbeis Papier GmbH, SLB Enterprises (Susan Bender, Sally Treibel), Tacita Barrera, TikTok (Normanno

Pisani, Sanjit Sarkar), US Space & Rocket Center, William Anthony, YouGov

Agradecimentos especiais: Dedicamos o livro deste ano ao consultor de produção Roger Hawkins (acima), que está se aposentando após 35 anos. O tio Rog tem sido um membro fundamental da equipe desde a edição de 1989, garantindo o bom andamento do processo de produção e supervisionando a impressão de mais de 70 milhões de livros! Seu conhecimento técnico inigualável e entusiasmo imperturbável pelo GWR farão muita falta. Abraços, Roger!

ABW	Aruba
AFG	Afeganistão
AGO	Angola
AIA	Anguilla
ALB	Albânia
AND	Andorra
ANT	Antilhas Holandesas
ARG	Argentina
ARM	Armênia
ASM	Samoa Americana
ATA	Antártica
ATF	Territórios Franceses do Sul
ATG	Antígua e Barbuda
AUS	Austrália
AUT	Áustria
AZE	Azerbaijão
BDI	Burundi
BEL	Bélgica
BEN	Benim
BFA	Burkina Fasso
BGD	Bangladesh
BGR	Bulgária
BHR	Barein
BHS	Bahamas
BIH	Bósnia-Herzegóvina
BLR	Bielorrússia
BLZ	Belize
BMU	Bermudas
BOL	Bolívia
BRA	Brasil
BRB	Barbados
BRN	Brunei Darussalam
BTN	Butão
BVT	Ilha Bouvet
BWA	Botsuana
CAF	República Centro-Africana
CAN	Canadá
CCK	Ilhas Cocos
CHE	Suíça
CHL	Chile
CHN	China
CIV	Costa do Marfim
CMR	Camarões
COD	Congo, R. D. do
COG	Congo, R. do
COK	Ilhas Cooks
COL	Colômbia
COM	Comores
CPV	Cabo Verde
CRI	Costa Rica
CUB	Cuba
CXR	Ilha Christmas
CYM	Ilhas Cayman
CYP	Chipre
CZE	República Tcheca
DEU	Alemanha
DJI	Djibuti
DMA	Dominica
DNK	Dinamarca
DOM	República Dominicana
DZA	Argélia
EAU	Emirados Árabes Unidos
ECU	Equador
EGY	Egito
ERI	Eritreia
ESH	Saara Ocidental
ESP	Espanha
EST	Estônia
ETH	Etiópia
EUA	Estados Unidos da América
FIN	Finlândia
FJI	Fidji
FLK	Ilhas Malvinas
FRA	França
FRG	Alemanha Ocidental
FRO	Ilhas Feroé
FSM	Estados Federados da Micronésia
GAB	Gabão
GEO	Georgia
GHA	Gana
GIB	Gibraltar
GIN	Guiné
GLP	Guadalupe
GMB	Gâmbia
GNB	Guiné-Bissau
GNQ	Guiné Equatorial
GRC	Grécia
GRD	Granada
GRL	Groenlândia
GTM	Guatemala
GUF	Guiana Francesa
GUM	Guam
GUY	Guiana
HKG	Hong Kong
HMD	Ilha Heard e ilhas McDonald
HND	Honduras
HRV	Croácia
HTI	Haiti
HUN	Hungria
IDN	Indonésia
IND	Índia
IOT	Ter. Britânico do Oceano Índico
IRL	Irlanda
IRN	Irã
IRQ	Iraque
ISL	Islândia
ISR	Israel
ITA	Itália
JAM	Jamaica
JOR	Jordânia
JPN	Japão
KAZ	Cazaquistão
KEN	Quênia
KGZ	Quirguistão
KHM	Camboja
KIR	Kiribati
KNA	São Cristóvão e Névis
KOR	Coreia do Sul
KWT	Kuwait
LAO	Laos
LBN	Líbano
LBR	Libéria
LBY	Líbia
LCA	Santa Lúcia
LIE	Liechtenstein
LKA	Sri Lanka
LSO	Lesoto
LTU	Lituânia
LUX	Luxemburgo
LVA	Letônia
MAC	Macau
MAR	Marrocos
MCO	Mônaco
MDA	Moldávia
MDG	Madagascar
MDV	Maldivas
MEX	México
MHL	Ilhas Marshall
MKD	Macedônia do Norte
MLI	Mali
MLT	Malta
MMR	Birmânia
MNE	Montenegro
MNG	Mongólia
MNP	Ilhas Marianas do Norte
MOZ	Moçambique
MRT	Mauritânia
MSR	Montserrat
MTQ	Martinica
MUS	Ilha Maurício
MWI	Maláui
MYS	Malásia
MYT	Mayotte
NAM	Namíbia
NCL	Nova Caledônia
NER	Níger
NFK	Ilha Norfolk
NGA	Nigéria
NIC	Nicarágua
NIU	Niue
NLD	Holanda
NOR	Noruega
NPL	Nepal
NRU	Nauru
NZ	Nova Zelândia
OMN	Omã
PAK	Paquistão
PAN	Panamá
PCN	Ilhas Pitcairn
PER	Peru
PHL	Filipinas
PLW	Palau
PNG	Papua-Nova Guiné
POL	Polônia
PRI	Porto Rico
PRK	Coreia do Norte
PRT	Portugal
PRY	Paraguai
PYF	Polinésia Francesa
QAT	Catar
RDA	Alemanha Oriental
REU	Reunião
ROM	Romênia
RU	Reino Unido
RUS	Rússia
RWA	Ruanda
SAU	Arábia Saudita
SDN	Sudão
SEN	Senegal
SGP	Cingapura
SGS	Ilhas Geórgia do Sul e Sandwich do Sul
SHN	Santa Helena
SJM	Ilhas Svalbard e Jan Mayen
SLB	Ilhas Salomão
SLE	Sierra Leoa
SLV	El Salvador
SMR	San Marino
SOM	Somália
SPM	Saint Pierre e Miquelon
SRB	Sérvia
SSD	Sudão do Sul
STP	São Tomé e Príncipe
SUR	Suriname
SVK	Eslováquia
SVN	Eslovênia
SWE	Suécia
SWZ	Suazilândia
SYC	Seychelles
SYR	Síria
TCA	Ilhas Turks e Caicos
TCD	Tchade
TGO	Togo
THA	Tailândia
TJK	Tadjiquistão
TKL	Toquelau
TKM	Turcomenistão
TMP	Timor Leste
TON	Tonga
TPE	Taipé Chinesa
TTO	Trinidad e Tobago
TUN	Tunísia
TUR	Turquia
TUV	Tuvalu
TZA	Tanzânia
UGA	Uganda
UKR	Ucrânia
UMI	Ilhas Menores Distantes dos Estados Unidos
URSS	União Soviética
URY	Uruguai
UZB	Uzbequistão
VAT	Cidade do Vaticano
VCT	São Vincente e Grenadinas
VEN	Venezuela
VGB	Ilhas Virgens (Britânicas)
VIR	Ihas Virgens (Americanas)
VNM	Vietnã
VUT	Vanuatu
WLF	Wallis e Futuna
WSM	Samoa
YEM	Iêmen
ZAF	África do Sul
ZMB	Zâmbia
ZWE	Zimbábue

BASTIDORES
Onde está Wadlow?

A arte de capa desta edição continua o tema "Descubra seu mundo" que exploramos nas duas edições passadas. O premiado artista Rod Hunt fez outra ilustração genial para nós — e, desta vez, o desenho levou o GWR ao espaço…

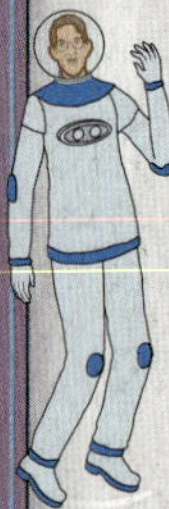

Rod concebeu uma constelação brilhante de pessoas, animais e objetos recordistas para o *GWR 2023*. Quase todos os detalhes dessa capa cósmica estão associados a um recorde — são cerca de 200 titulares do GWR no total. Mais uma vez, Robert Wadlow (EUA), o **homem mais alto**, de 2,72m, foi incluído — embora esteja usando um traje espacial! Abaixo, apresentamos 20 recordistas que aparecem em algum lugar na capa ou na quarta-capa do livro (veja o interior para uma versão sem texto). Em quanto tempo você consegue encontrar todos? E como bônus, consegue localizar o Tesla Roadster, o **primeiro carro produzido em massa a ir para o espaço** em 2018?

2021

2022

A capa deste ano pode ser unida à das edições de 2021 e 2022 para revelar a arte de Rod Hunt em toda a sua glória!

Mulher mais alta
Rumeysa Gelgi (TUR): 215,16 cm. Ver p.56

Maiores chifres de bode
Albino (CHE): 1,44m. Ver p.36

Mais carros consecutivos pulados por pula-pula
Tyler "TPhil" Phillips (EUA): 6 carros. Ver p.12

Primeiro vídeo de música gravado no espaço
Commander Chris Hadfield (CAN): 12/5/2013. Ver p.21

Homem mais tatuado
Lucky Diamond Rich (NZ): mais de 200% de pele coberta. Ver p.112

100m mais rápido de cadeira de rodas (T34, feminino)
Hannah Cockroft (RU): 16,39s. Ver p. 2322

Mais túneis de carne (rosto)
James Goss (RU): 15 túneis. Ver p.62

Menor tempo para resolver um cubo mágico 3x3x3 com 1 mão
Max Park (EUA): 6,82s. Ver p.74

Maior grupo de estátuas em tamanho real
Exército de Terracotta (CHN): *c.* 8.000 estátuas. Ver p.144

Maior boca (feminino)
Samantha Ramsdell (EUA): 6,52cm. Ver p. 58

Mais cães-guias treinados
Associação de Cães-guia para Cegos (RU): 36.670 cães. Ver p.51

Abóbora mais pesada
Cultivada por Travis Gienger (EUA): 1.065kg. Ver p.87

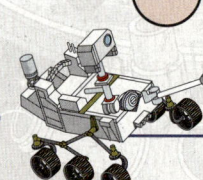

Maior distância percorrida em 1 dia marciano
Perseverance rover: 319,79m. Ver p.25

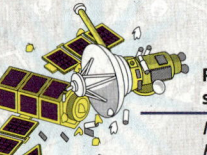

Primeira colisão entre 2 satélites
Iridium 33 e *Kosmos-2251* (ambos RUS): 10/2/2009. Ver p.22

Maior ukulele
Lawrence Stump (EUA): 3,99m. Ver p.193

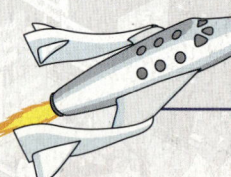

Primeiro foguete comercial com passageiros
Virgin Galactic SpaceShipTwo *Unity*: 11/7/2021. Ver p.18

Primeira prótese de braço de LEGO funcional
David Aguilar (AND): 2017 Ver p.148

Maior gato doméstico
Fenrir Antares Powers (EUA): 47,83cm. Ver p.48

Maior distância pulando um canal
Jaco de Groot (NLD): 22,21m. Ver p.133

Maior espelho de telescópio no espaço
James Webb Space Telescope: 6,5m. Ver p.30

SOBRE O ILUSTRADOR
Não é de surpreender que Rod Hunt amasse HQs quando pequeno. Elas o inspiraram a começar a desenhar, e, quando chegou à adolescência, considerou seguir carreira como ilustrador. Com os anos, Rod aperfeiçoou sua técnica. No início, ele pensa sobre o projeto e faz esboços simples com o lápis; depois, cria um desenho mais completo. A seguir, ele passa para o computador e acrescenta mais coisas, camada por camada, usando um programa de ilustração digital.

Saiba mais sobre Rod e outras das incríveis ilustrações que ele fez em www.rodhunt.com